REVUE FRANÇAISE DE PSYCHANALYSE

L'idéal transmis

5

SPÉCIAL CONGRÈS

TOME LXIV

SOIXANTIÈME CONGRÈS DES PSYCHANALYSTES
DE LANGUE FRANÇAISE
MONTRÉAL-2000

PRESSES UNIVERSITAIRES DE FRANCE
6, AVENUE REILLE
PARIS

Sommaire

L'IDÉAL TRANSMIS

Secrétaires scientifiques du Congrès des psychanalystes de langue française :
Gérard Bayle et Georges Pragier
Rédacteurs : Monique Dechaud-Ferbus et Jacques Miedzyrzecki

I — PURE CULTURE

II — SURMOI CULTUREL

III — SURMOI, ÉTHIQUE ET THÉORIE DE LA PURETÉ

IV — CULTURE, GROUPE ET SOCIÉTÉ

V — PURE CLINIQUE ?

VI — IDÉAL ET CROYANCES

RÉSUMÉS ET MOTS CLÉS

Le nombre des communications proposées à l'occasion du Congrès ne nous a pas permis d'en publier l'intégralité dans ce numéro. Nous avons privilégié les interventions qui n'avaient pas fait l'objet d'une prépublication. Les communications prépubliées de Marc Babonneau, Élisabeth Bizouard, Dominique Bourdin, Louis Brunet et Dianne Casoni, Pierre Chauvel, Jacques Dufour, Sylvie Faure-Pragier, Françoise Feder, Claire-Marine François-Poncet, Christian Jouvenot, Alain Ksensée, Guy Laval, Régine Prat, Madjid Sali, Jocelyne Siksou et Bernard Golse, Éric Smadja, Saskia von Overbeck Ottino, Bernard Voizot, figurent dans le Bulletin de la Société psychanalytique de Paris, *n° 57, accessible à la* Bibliothèque Sigmund-Freud, *15, rue Vauquelin, 75005 Paris.*

I — Pure culture

« *Pure culture...* »

Jacques MAUGER, Lise MONETTE

« La pureté d'un corps chimique est un état absolument contre nature qui ne s'obtient que par des procédés relevant de la violence. Le cas le plus simple est celui de l'eau. Qu'est-ce que l'eau pure ? Cela peut être une eau débarrassée par ébullition ou filtration des bactéries et des virus qu'elle contenait. Il s'agit d'une pureté biologique. »

« Cette eau *pure* agit sur les organismes vivants comme un poison violent. Lorsqu'elle est ingérée par un organisme, tous les sels minéraux que véhiculent le sang et les humeurs vont en effet se précipiter vers elle, parce qu'elle leur donne la possibilité de se diluer davantage. »

« L'absorption d'eau *pure* peut également provoquer des hémorragies stomacales, intestinales ou cutanées. Ces méfaits physiques de la pureté ne sont rien encore comparés aux crimes innombrables que son idée obsessionnelle a provoqués dans l'histoire. L'homme chevauché par le démon de la pureté sème la mort et la ruine autour de lui. Purification religieuse, épuration politique, sauvegarde de la pureté de la race, recherche antícharnelle d'un état angélique, toutes ces aberrations débouchent sur des massacres et des malheurs sans nombre. Il faut rappeler que le feu – *pur* en grec – est le symbole des bûchers, de la guerre et de l'enfer. »

Michel Tournier, *Le miroir des idées,* p. 126-127,
Paris, Mercure de France, 1996.

FILIATIONS

Est-il possible de traiter un tel sujet sans se rabattre sur des chemins déjà balisés par une longue tradition analytique ? Il serait fastidieux d'énumérer tout ce que nous laisserons de côté, tout ce qui a pu être écrit sur la pureté, sur l'idéal de pureté, ses versants narcissique, anal et autres. Faut-il absolument payer ses dettes à sa filiation de façon manifeste ? Nous opterons plutôt pour nous insérer dans une filiation paradoxale dont l'après-coup révélera les liens de causalité inconsciente, les effets de transmission à notre insu, évitant ainsi une linéarité historique et des choix doctrinaux prémédités peu favorables à tisser des lieux d'appartenance intra- et multidisciplinaires. Le réseau des points d'ancrage de ce texte s'avère multiforme. Il s'est élaboré et construit dans l'impureté des références. Notre réflexion se veut à la fois éclatée et tissée serrée, excentrique et concentrique, à plusieurs voix qui se font écho les unes et les autres.

Notre parcours théorique a tenté d'éviter de devenir un discours *sur* l'analyse en prenant comme point d'ancrage le processus analytique qui le produit. Nous souhaitons plutôt parler de l'analyste en tant qu'analysant. Exercice, mouvement de conjuration sans doute, ce texte émane d'un sentiment de nécessité. La lecture symptômale de la pureté est devenue le pré-texte qui nous permet d'examiner les racines mélancoliques de la vocation psychanalytique. Deux postulats méthodologiques président ainsi à notre élaboration : 1 / une prise de parole dans/par une filiation paradoxale ; 2 / la prise en compte systématique non seulement du principe de plaisir/déplaisir, mais tout autant de son *au-delà,* écriture donc marquée en premier chef du sceau d'« Au-delà du principe de plaisir » et des textes postérieurs à ce dernier.

Filiation paradoxale

En limitant nos appuis manifestes sur des textes qui font autorité, nous avons tenté de restreindre un recours à des cautions qui auraient court-circuité un itinéraire dont le tracé initial fut improvisé au plus près de notre pratique clinique et institutionnelle. Héritiers relativement libres face à l'héritage freudien, notre métissage inévitable nous permet des reconnaissances de dettes posthumes. Cette filiation bâtarde a d'ailleurs peut-être contribué à notre *purisme* freudien. Sans ce qu'il est convenu de nommer des maîtres à penser qui nous auraient obligés à une mise à l'épreuve et de nos élaborations théoriques et de notre filiation, nous sommes le produit d'un carrefour d'idées propres à notre lieu et territoire d'appartenance. *Melting pot,* réseau d'influences imaginaires multiples qui n'ont rencontré que de trop rares résistances affichées. Nous avons ainsi délimité notre territoire dans une distance réelle et une proximité imaginaire de nos référents principiels. Masquage et démasquage qui ont joué sur l'ouverture et la clôture de ce texte.

La filiation paradoxale révèle dans l'après-coup les polarités sur lesquelles elle se fonde : celle de la mémoire et de l'oubli, celle du Même et de l'Autre, celle de nos alliances et mésalliances. Généalogie construite par et à travers des transferts latéraux, elle se déplie et se déploie grâce à des points de jonctions, des coïncidences, des partages. Ce mode de filiation génère une tension entre la reproduction de l'identique et l'instauration du différent. Processus discontinu, il mine la passion de l'identique, infidèle, il s'arrache à un héritage forcé : non seulement exige-t-il le deuil de la capitalisation de la pensée, mais il repose sur le renversement des lignées et la dépossession des savoirs acquis, pour buter ultimement sur l'intransmissibilité de la psychanalyse.

Au-delà

L'au-delà, ce sera dans ce texte la référence à la dimension transgénérationnelle de l'idéal du moi dont « l'Autre préhistorique inoubliable » (Freud, 1896)[1] évoque une transmission distincte des identifications individuelles à une succession de traits spécifiques et des idéaux ponctuels singuliers fruits de rapports intersubjectifs.

L'au-delà, c'est aussi faire une lecture de la pureté marquée de l'empreinte de la compulsion de répétition en tant qu'exigence du retour à un état antérieur.

L'au-delà, c'est reprendre à notre compte les traductions de ce passage dans *Malaise dans la civilisation* (Freud, 1929), celle de Pontalis (1983) : « La civilisation est un processus se déroulant au-dessus de l'humanité » et celle de J. Le Rider (1998) : « La culture... est un processus qui passe au-dessus de l'humanité, un processus qui la dépasse et sur lequel elle n'a pas de prise. » Cet « au-delà » renvoie à un Ananké qui peut être compris comme un fond de contrainte symbolique qui « préside » à la loi des échanges, tel que présentée par Levi-Strauss. Le passage suivant dans « Pour introduire le narcissisme » (Freud, 1914 *a*) concourt à faire ressortir cette place fondamentale de l'au-delà dans toute analyse des composantes déterminantes de la subjectivité :

> « L'individu mène une double existence comme but de lui-même et comme membre d'une chaîne à laquelle il est soumis contre sa propre volonté ou en tout cas, en dehors d'elle. »

L'Ananké c'est aussi l'inéluctable perte de l'objet initial. Ces en dehors, en deçà et au-delà du sujet marquent et re-marquent sa subjectivité. Chaque destin individuel porte l'empreinte de cet ensemble de forces que l'analyse a tendance à ignorer, espérant sans doute ainsi mieux circonscrire son cadre, sa méthode, son objet.

Pourquoi avoir fait de la *pureté* notre objet théorique et clinique ? Il y a d'abord la confluence de plusieurs indices aux allures de symptômes chez nous tous : la posture analytique de certains, l'intransigeance doctrinale des autres,

1. Lettre 52, dans *La naissance de la psychanalyse*, traduction W. Granoff dans *Filiations*, p. 133-159.

l'idéal didactique proposé sinon imposé, la rigidité technique, l'idéalisation du « sujet supposé savoir » par l'analysant et par l'analyste qui s'en défend bien, la transmission analytique dominée par les transferts idéalisants ; les fins d'analyse abruptes, les excommunications, tout comme les analyses et les supervisions qui n'en finissent plus... de même que le caractère « addictif » d'un mode de relation coupé du réel tant, côté divan, par la tentation de l'analyse infinie que, côté fauteuil, dans l'accoutumance subtile à ce qui devient, au fil des ans, le prototype des relations personnelles, sociales ou professionnelles, quand toute la vie de l'analyste s'organise à partir et autour du champ psychanalytique, devenu insidieusement le seul pôle de *référence*.

Il y a surtout la nécessité d'explorer la donne clinique suivante : une analyse ne débute pas sans idéalisation, et du processus et de l'analyste. Que devient donc cette partie dont l'ouverture repose sur une telle idéalisation ? On a isolé des « transferts idéalisants », spécifiques certes, mais y en a-t-il qui n'en sont pas ? Pensons, à la limite, à ce qui se cache derrière l'objet persécuteur. Dans cette entreprise périlleuse où il tire son pouvoir de l'amour et de la haine qu'éveille le transfert, l'analyste ne peut manquer de contribuer lui-même à cette idéalisation, tant par ses silences que par ses interprétations. La clôture même du cadre, dont l'analyste s'avère le gardien et qui spécifie la nature de son offre, ne favorise-t-elle pas l'idéalisation de celui-ci et sa déréalisation ?

Sur un autre plan, dans nos communautés respectives, cherchant toutes à incarner un idéal analytique face aux « déviationnistes » qui les entourent, ne voit-on pas nos porte-étendards les plus prestigieux souvent atteints dans leurs intenables postures ? Ce peut être celle de l'isolement progressif d'un collègue, de plus en plus emmuré dans la sauvegarde d'une position idéalisée, forcée ou consentie, qui, malgré ou à cause de sa visibilité et de ses activités multiples liées à la transmission, n'a pu échapper à ce cercle étouffant où plus rien de sa pratique ne peut être partagée avec un tiers sauf en position de maîtrise. Toujours analyste didacticien, toujours superviseur, jusqu'à l'implosion. Ce peut être encore celle de l'agir sexuel de certains, souvent provoqué par une fragilité, une impuissance qui ne peut plus dire son nom, par une impasse qui ne peut se perlaborer sans avoir à perdre la face, l'impasse d'un idéal sclérosant coupé de ce que la pratique analytique a de plus perturbateur. Il y a aussi la posture de celui ou celle qui, tout en défendant le secteur réservé du transfert, prêche l'abolition de tout ce qui se veut « didactique », prône le repli sur soi de la communauté analytique au nom de la sauvegarde de la neutralité et de la confidentialité, transformant le dire du patient en texte sacré.

D'autres, pour prévenir tout rapport *incestueux* analyste-analysant, écartent les candidats des activités scientifiques de leur société, ou clivent celles des uns et des autres. Ce sont parfois ceux-là mêmes qui, grâce à des mécanismes de déplacement, iront assumer des fonctions didactiques dans d'autres institutions au nom de la supériorité de l'approche analytique, ne frayant avec des collègues d'autres disciplines qu'à la condition d'en être l'analyste superviseur.

Il n'est pas moins révélateur, après coup, d'assister au destin tragique de ceux qui, pour maintenir une intransigeance théorique, clinique ou idéologique grâce à une série de dénis et de clivages, se retrouvent atteints dans leur corps ou leur psyché. L'incapacité d'élaboration psychique conduit aussi à l'éloignement de la pratique analytique : soit, dans le meilleur des cas, par une fuite dans l'administratif, le politique, le pédagogique ou le médical pur.

Bref, le purisme rendrait malade qui le pratique mais également les groupes qui s'en nourrissent.

Que se passe-t-il donc dans nos communautés et institutions pour que semble se concentrer en certains *leaders* particulièrement investis d'un mandat de transmission, une conflictualité inconsciente sous-jacente à leurs idéaux ? Que se passe-t-il donc pour que si souvent soient atteints ceux-là mêmes qui représentent sinon incarnent l'idéal analytique du groupe, ou mieux, tentent d'en porter plus avant la réflexion, comme s'ils étaient soustraits à la nécessité de penser leur rapport à l'idéal de pureté, emportés par la tentation passionnée de l'incarner eux-mêmes avec le groupe d'appartenance dans une communauté de déni des méfaits de cette aberration et de cette servitude ?

Nous voilà avertis[1]...

1 – MALAISE DANS LA TRANSMISSION

1.1. La peste

Quand Freud, l'Européen, débarque à Boston en 1909, il aurait dit, parlant des Américains qu'il allait rencontrer : « Ils ne savent pas que nous leur apportons la peste ! »

1. En rétrospective, nous pouvons dire que « Pure culture... » s'est pensé et élaboré à partir de notre rapport respectif au dilemme suivant : *la pratique de la psychanalyse est inséparable de la prise en compte de la résistance à la psychanalyse.* Cette exigence de garder ensemble ce qui devrait rester des inséparables, n'est-ce pas ce à quoi notre idéal de pureté chercherait à nous faire échapper pour rétablir défensivement une sorte d'*intégrité* de la position analytique ? En ce qui nous concerne, nous avons cherché l'essentiel de nos résistances moins du côté de ce qui s'oppose manifestement au travail de l'analyse que du côté de ce qui semble, dans notre pratique, aller de soi. Le paradoxe de la résistance est qu'à la fois, celle-ci s'oppose au travail analytique et le favorise, elle distancie et montre la proximité du conflit inconscient, elle est obstacle et guide comme à son tour le transfert le deviendra.

Cadeau empoisonné des « vieux pays » au « nouveau monde », figure d'une dissémination grandiose, de quoi était donc fait ce qu'on exportait pour lui donner cette forme-là : celle de la maladie contagieuse qui avait ravagé des populations entières d'hommes et de femmes, sans égard aux frontières et aux civilisations, avant qu'on parvienne à en limiter les dégâts, jusqu'à croire, au début du siècle, qu'on était arrivé à l'anéantir à son tour.

C'est au moment même où la peste avait supposément disparu que Freud l'aurait ressuscitée pour présenter sa découverte en terre étrangère. En fait, moins la psychanalyse que le psychanalyste fondateur et ses disciples les plus proches, car la psychanalyse existait déjà en Amérique au moment où Freud s'apprêtait à y fouler le sol. « Ils ne savent pas que nous leur apportons la peste », nous, étrangers à leur table, qui allons leur laisser un parasite dont ils seront désormais les hôtes. Le « nous » du transfert.

N'est-ce pas peine perdue de chercher à savoir ce que Freud a bien voulu (leur) dire par cette phrase énigmatique, d'autant qu'il n'aurait jamais rien dit de tel... Mais que, depuis lors, cette phrase fasse partie du récit de son voyage en Amérique, récit de transmission, n'est que plus révélateur de ce que sa progéniture a pu inventer après coup pour rendre compte de *l'effet Freud* en Amérique et de tout ce qu'on y a projeté. Enfin, que ce soit Lacan qui ait prêté à Jung, le gentil, cette confidence ne fait qu'ajouter au petit mythe fondateur, à cette légende idéalisante qui continue à faire son chemin... et que nous empruntons à notre tour.

L'Amérique a souvent été considérée par les Européens comme la puritaine, la religieuse, l'idéaliste, comme l'état de grâce d'un corps propre sur lequel la peste ne saurait avoir de prise. Il y aurait, tôt ou tard, rejet du corps étranger, et retour attendu à l'aspiration au pur bonheur de l'*American way of life,* représentation persistante d'un « moi-plaisir purifié » et de son inévitable *happy end.* La pureté de l'autre est ici présentée comme dérisoire, celle qui relèverait d'une fausse pureté, comme on dit d'un « faux self ». Comment cette illusoire pureté de l'autre pourra-t-elle un jour être atteinte par l'authentique pureté des messagers de la peste... ?

L'analyste américain, si une telle chose existe, lui, ne se prend pourtant pas pour un pur. Bricoleur, pragmatique, efficace, toujours prêt aux aménagements sinon aux amalgames, à la mixité, au métissage, il se méfie des intellectuels et de la théorie, trafique volontiers principes et concepts, pourvu que ça fonctionne et qu'on puisse le vérifier. Sûr de son ouverture d'esprit, il est plutôt porté à voir la pureté dans l'intransigeante position de l'autre dont il se défend bien... lui aussi.

La pureté ne devrait pourtant pas être contagieuse. Ne se nourrit-elle pas plutôt d'exclusion ? Pour tenter de se répandre, elle a dû changer de visage, emprunter les traits de la peste, pur commensal parasite, évoquant l'abject le plus impur qui soit, la figure de la mort.

Y aurait-il des cultures résistantes à la contagion psychanalytique ? Freud lui-même avait des doutes sur les dispositions des Américains à accueillir sa découverte pour ce qu'elle était : ultimement, une expérience de pensée (au sens développé plus loin). Selon lui (Freud, 1930) leur *broadmindedness* ne faisait que cacher leur *lack of judgment.* À moins d'engendrer l'inévitable croyance.

Mais comment la foi peut-elle se propager sans courir le risque d'être contaminée par les autres croyances des nouveaux catéchumènes ? Sans doute est-ce le problème de tout prosélytisme. Et quand bien même il s'agirait d'une anti-foi, de l'avenir d'une désillusion, les choses peuvent-elles se passer autrement ? Comment pouvait-on en venir à croire à la psychanalyse, fût-elle une peste pour la croyance ? Dans l' « attente croyante » du visiteur viennois, au-delà de toute incrédulité sinon d'un athéisme affirmé, quel pouvait bien être le destin de cette entreprise du soupçon ?

Désormais le pur et l'impur étaient donnés ensemble. Double cadeau : des inséparables, comme dira Freud à propos du sacré et de l'impur, peu après, en 1913, dans *Totem et tabou.* C'était sur la route de l'université et de sa reconnaissance qu'il aurait annoncé la peste. Pureté et impureté de la psychanalyse hors des murs. Et d'où viendrait cette idée grandiose d'être ainsi le vecteur d'une atteinte aussi dépossédante ? Peut-être est-elle l'expression même de la résistance appréhendée, ou d'une frontière culturelle supposée étanche face à un envahisseur jugé d'emblée inconciliable. Ou bien, fallait-il avoir recours à la figure du plus impur, au cœur de laquelle gît le démoniaque, pour faire face à un Nouveau Monde supposément purificateur où aurait régné une sorte d'homogénéisation des différences, *melting pot* de l'étrangeté de tout étranger, domestiquant la peste de tout un chacun ? Quant à la réciproque...

L'invité était-il exempt de la tendance uniformisante ? Le recours à la peste ne cache-t-il pas l'idée d'une pureté inavouée, au moins le temps de sa propagation, souhaitant aussi rendre homogène ce qui de par nature ne le serait pas ? S'il y a des cultures résistantes, n'y aurait-il pas des cultures souches de la peste, envahissantes, triomphalistes ?

Et pourquoi *la peste* ? Pourquoi pas la *syphilis* ? Inimaginable comme récit de transmission, quand on sait pourtant ce que celle-ci doit toujours au sexuel. L'impur aurait donc aussi sa hiérarchie, et il y aurait des limites à ce qu'on peut rendre explicite de ce que la psychanalyse doit au sexuel. Sans compter ce que cela aurait révélé du premier porteur d'une telle calamité. Comme quoi la transmission n'est jamais purement symbolique et que les filiations sont souvent paradoxales. Qui en douterait ?

Autre paradoxe, il en serait des destins de la pureté et de sa propagation comme de ceux de la pulsion sexuelle, comme si celle-ci portait celle-là : double renversement : la pureté qu'on impose à l'autre, celle qui est imposée à soi-même ; à partir de la personne propre, retour sur la personne propre, le propre à soi. Du pur et de l'impur, l'un n'est pas celui qui refoule l'autre, celui-ci toujours prêt à faire retour. Existerait-il un refoulement pur, sans retour, sans tentation, une fois pour toutes ? À moins que le destin par excellence de la pureté soit celui de la sublimation qui *spiritualise* le corps charnel en représentation du corps, transformation sans reste, pur esprit. Destin idéal.

Et l'autre ! N'est-il pas la véritable source de mon « pur », pour en devenir sa seule cible ? Tant que j'ai des voisins dont je dis qu'ils font n'importe quoi, je conserve mon « or pur ». J'aurai beau leur apporter la peste, ils ne feront rien d'autre que s'en défendre, de la dénaturer, me laissant seul avec mon or, de plus en plus seul. Unique. Leurs doutes ne feront que confirmer ma certitude. Ce ne serait pas pour demain l'exportation de la psychanalyse si les anticorps étaient aussi résistants que les corps propres, et réciproquement. Transmission pure, sous contrôle. Y a-t-il des cultures plus résistantes que d'autres à la contagion ? Des cultures contre nature. Y a-t-il des cultures pures ?

1.2. Les registres de la pureté

Le registre de la pureté, individuelle et collective, indépendamment de toute connotation morale qu'on peut lui attribuer, est celui du narcissisme. En cela, il ne peut qu'évoquer la constitution même d'un moi, arraché à la « réalité du début » et au déplaisir qui lui est lié, « moi-plaisir purifié » qui s'établit à même ce qu'il expulse, à même la haine du non-moi au fondement de l'amour pur du moi. La pureté constitue déjà là ce qui cache le sang mêlé de l'origine, la source inévitablement ambivalente et impure du *moi,* et éventuellement du *nous. La pureté chasse donc l'étranger depuis le premier moment pénible du moi. Ausstossung* (Freud, 1925), *expulsion originaire totalement sous l'emprise du principe de déplaisir/plaisir, antérieur à tout jugement d'attribution et d'existence qui en serait indépendant : temps premier où clivage et projection protègent le moi purifié de toute effraction ennemie de son autarcie.*

Mais ce moi purifié, qui ne saurait longtemps se suffire à lui-même, devra donner naissance à d'autres moi, moi-idéal, idéal du moi et surmoi, pour que lui devienne conciliable l'épreuve de l'existence d'une réalité correspondante mais irréductible à la représentation de l'objet perdu. Notons au passage que ces instances dédoublées, toutes tributaires de la pureté narcissique, sont demeurées, depuis leur proposition théorique, source de difficultés conceptuelles, de façon telle que chacune d'elles arrive difficilement à faire saisir ce qu'elle tente de délimiter, et plus encore quand on cherche à les définir comme des entités autonomes, privées de la dialectique qui les constitue ; quand ce n'est le risque de verser dans un « bavardage sur l'idéal » (Freud, 1912) où le langage de l'idéalité tiendrait lieu de tout.

Moi, moi idéal, idéal du moi, surmoi ne pourraient se penser que conjointement, premier pas d'une *psychologie d'ensemble* dont l' « analyse du moi » est tributaire, comme une structure dépliable métissée dont les diverses parties peuvent, à un temps donné de la vie psychique, représenter un tout, sans pour autant qu'il soit justifié de leur reconnaître un statut souverain. La mélancolie, et le repli des instances qui la caractérise, offre toujours à qui veut bien l'entendre, la triste occasion d'assister à ce qui se joue sur la scène interne quand cette *interdépendance autarcique* est exacerbée, provoquée par le retour en soi (moi) de l'objet narcissique.

La constitution des limites du moi par un mouvement d'expulsion purificatrice entraînera forcément la création d'entités plus pures que le moi, toujours plus idéales par rapport à celui-ci en ce qu'il ne pourra se passer de l'objet. Pour l'idéal de pureté, le moi se compromet avec l'objet qui lui donne sa forme et dont il dépend dès lors misérablement. Le relais sera pris par la superbe du moi-idéal sans autre objet que le moi lui-même, objet d'amour de remplacement du moi-réalité des origines. La pureté est une exigence de retour à l'origine qui ne peut venir que d'un écart, d'un éloignement du moi-totalité, pour que le moi redevienne idéal sinon sans objet, sans dépendance à l'amour d'objet. *C'est donc à partir de cette coupure du réel infantile, temps désormais nostalgique où tout le réel était moi, que s'instaure l'idéal de pureté, qui n'est pas à confondre avec l'idéal du moi.*

Au contraire, entre le moi idéal, là où l'idéal est son *propre* moi, et le surmoi (Freud, 1923) qui représentera les idéaux des parents et de la culture, la conception progressive (1914) d'un idéal du moi introduit le rapport à l'Autre (1921) à travers la misc en place et du processus d'identification et des conditions qui le déterminent : « ... derrière l'idéal du moi se cache une identification originaire au père (aux parents) », à « l'Autre préhistorique inoubliable » (1896) qui *présente* à la psyché naissante cette perte du réel des origines. L'idéal du moi tentera de faire jouer au moi le rôle de cet Autre pour prendre à son propre compte la reconnaissance de la réalité de la perte initiale. Façon de personnaliser, d'individualiser la loi implacable et impersonnelle de l'existence d'un réel non-moi, médiatisée par l'Autre au compte de qui la réalité de cette perte est mise.

C'est davantage l'écart différenciateur de l'objet puis la mise en forme de l'idéalisation de celui-ci par les modes identificatoires narcissisants qui sont appelés idéal du moi. Le surmoi, pour sa part, *représentera* l'exigence d'idéal, poussée à la limite dans la mélancolie quand elle devient pure exigence impérative, « pure culture... », lors même que le surmoi en vient à montrer sa vraie nature catégorique, son diktat. *Dans ce contexte conceptuel il apparaît mieux que l'idéal de pureté est essentiellement fait de l'exigence du retour à l'état antérieur, ignorant l'objet qui est à sa source.*

Le moi purifié n'en finit plus de se reproduire pour échapper à un sort dont la tendance mélancolique révèle le tragique chez tout un chacun. Tant que l'objet est narcissique, qu'il possède ce qui manque au moi au regard de l'idéal, tant qu'il permet le rapport incestueux d'indifférenciation, les strates dans le moi continuent de se dédoubler, toujours porteuses et du mouvement de purification et du regard implacable sur celui-ci, dépliant-pliant une scène sadomasochique dont l'enjeu se referme sur cette inaccessible pureté. Malgré ce que laisserait croire ce fonctionnement en circuit fermé, les frontières sont poreuses et ne permettent pas au-dedans de se démarquer du dehors. Comme la pureté se conçoit à partir de l'impur, dont elle est indissociable, elle ne peut manquer d'être l'antithèse radicale de ce qu'elle cherche à circonscrire, abolissant aussitôt les limites qu'elle contribue à ériger. Instable pureté qui devient aussi contagieuse que ce contre quoi elle s'insurge. Elle ne reste pas longtemps repliée sur elle-même, sans projeter aussitôt d'envahir son proche étranger, pour le convertir à son image et à sa ressemblance, consolidant par là un idéal d'indifférenciation, déni de la réalité des différences de l'objet, qui démentirait la nécessité d'un lieu clos pour abriter sa précarité.

Ceci nous amène à l'alternative suivante : d'un côté, l'expulsion, le rejet hors de soi de ce qui est source de déplaisir, dégage, de manière troublante, les racines infantiles de la xénophobie. Si le moi-plaisir est purifié de toute effraction externe par un clivage dedans/dehors qui se consolide dans un mouvement projectif, on assiste à la constitution d'un noyau narcissique primaire qui se préserve de ce qui lui est étranger en le bannissant de son univers clos. D'un autre côté, il y a un moi « inclusif », dans le sens ferenczien du terme, constitué de toutes les identifications qui proviennent d'introjections à la suite de deuils d'objets libidinaux infantiles ; force est de constater les tensions, pour ne pas dire les conflits, entre ces deux moi. Seule une vision optimiste nous permettrait de croire que le second en vient à effacer toutes traces du premier. La persistance des exigences primaires du moi-plaisir purifié, leur retour en force lorsque le moi secondaire sent ses frontières menacées, nous donnent à penser que la violence irrationnelle de la xénophobie est proportionnelle à l'intensité du sentiment de fragilité dans la forteresse narcissique originaire. Nous retrouvons alors la question cruciale de savoir pourquoi certains favorisent l'ouverture de leur territoire moïque alors que d'autres s'en tiennent à un repli sur soi défensif.

Il faut choisir son camp : pur amour ou pure haine. L'« hainamoration » au cœur de la constitution imaginaire du moi devient la source du mouvement de rejet qui la caractérise. La pureté exige la mort de l'ambivalence, elle ne peut exister qu'en séparant l'inséparable, qu'en réduisant l'irréductible. Du pur moi, pur Éros, au pur surmoi, pure culture de mort, au ça. Du narcissisme de vie-mort au pulsionnel de vie-mort. Pure pulsion... vue du moi.

De la même façon, la pureté régie par le « principe de déplaisir-plaisir » n'est pas la même que celle qu'on mettrait au compte de son « au-delà ». Éros colore le rapport à la pureté, qui devient un outil et un objet de plaisir. Que l'on se réfère aux exercices de purification des mystiques avec l'exaltation qui les accompagne, ou plus modestement, à la satisfaction des interprétations *justes* pour l'analyste, comme le mot d'esprit pour son auteur, autant de puretés de forme, d'épurations d'une forme qui produisent du plaisir.

Il en va autrement de la répétition de l'identique, qui ne s'altère que le temps d'une intrication toujours momentanée avant de reprendre le cours de ce qui fait retour indépendamment du plaisir-déplaisir du moi. « Pure culture de pulsion de mort... », celle qui s'en prend au moi dans son repli narcissique individuel et exige qu'il *jouisse... à mort* : pure discordance. Mais aussi le pur de la culture c'est-à-dire ce qui, de celle-ci, existe « au-delà », indépendamment des exigences du moi individuel et collectif : culture de l'espèce, exigence irréductible au surmoi individuel et au surmoi culturel. C'est là toute la différence entre la psychologie de masse comme mode moïque de rapport aux autres et ce qui de la culture/civilisation s'avère indépendant du moi, et du nous qu'il forme avec les autres moi par le truchement de l'idéal. Contrainte de la civilisation qui pousse à l'impossible[1].

La pureté dans la nature... la pureté dans la culture, c'est-à-dire dans la nature humaine.

Si la nature des individus réside dans ce qui ne saurait manquer à chacun d'eux au-delà de toutes leurs particularités, la nature des individus humains

1. À la faveur du tournant 1920 qui introduit la dimension de l'« Au-delà », la prépondérance donnée non seulement au concept de compulsion de répétition mais surtout à la reconnaissance de sa place dans le transfert fera de la répétition la résistance au cœur de toute les résistances, l'ultime résistance au cœur des modalités de résistance venant du moi, du surmoi et du ça. Cette emphase sur la compulsion de répétition renouvelle ainsi et radicalise le paradoxe lié au concept de résistance : la résistance n'est plus seulement un guide pour l'analyse, avec la répétition elle devient la force motrice même qui permet l'analyse de ce qui n'est pas fait pour être analysé, pas fait pour *faire retour* sous l'influence du principe plaisir-déplaisir-réalité. Ultime obstacle et ultime allié. La force de cette résistance qu'est la compulsion de répétition contribuera à faire lever la résistance du moi, croyance et suggestion, cet automatisme demeurant toutefois au-delà (ou en deçà) de l'analyse à laquelle il prête son pouvoir. La compulsion de répétition actualise le paradoxe de ce qui de la psychanalyse résisterait à celle-ci sous forme de non-résistance. Elle est un au-delà du possible qui sera nécessaire à la réalisation de celui-ci.

réside donc dans le fait qu'ils sont des êtres de culture. L'homme est un fait de culture, comme le propose, d'une autre façon, Freud dans *Malaise dans la civilisation.* Et la culture de l'homme, instituée par ce qui a trait à une norme, par des règles de fonctionnement, selon la logique de l'anthropologue, est organisée à partir de la prohibition de l'inceste, loi universelle qui régit l'enjeu des différences et de l'identique.

> « La prohibition de l'inceste n'est ni purement d'origine culturelle, ni purement d'origine naturelle ; et elle n'est pas non plus un dosage d'éléments composites empruntés partiellement à la nature et partiellement à la culture. Elle constitue la démarche fondamentale grâce à laquelle, mais surtout en laquelle s'accomplit *le passage* de la nature à la culture. En un sens, elle appartient à la nature, car elle est une condition générale de la culture, et par conséquent il ne faut pas s'étonner de la voir tenir de la nature son caractère formel, c'est-à-dire l'universalité. Mais en un sens aussi, elle est déjà la culture, agissant et imposant sa règle au sein des phénomènes qui ne dépendent point, d'abord, d'elle » (Levi-Strauss, 1947, p. 29).

Dans cette perspective abstraite, il ne saurait y avoir de place pour la pureté. Cela n'empêche pas celle-ci d'exister doublement : du côté de l'inceste et du côté de sa prohibition ; autant partie de ce qui tend vers l'identique que ce qui doit s'en tenir éloigné ; autant désir d'abolir toutes différences par le meurtre et l'inceste que l'interdit qui en reconnaît la prédominance. Pureté du moi, pureté du surmoi. Mais la logique du désir et de l'interdit qui donne à la pureté sa connotation morale n'épuise pas la question en cours, car l'interdit sera tôt ou tard défaillant par rapport à l'idéal qui en constitue le versant imaginaire et qui rend précaire ce qui de l'héritage œdipien est lié au mouvement de passage, de transmission et à celui/celle qui l'incarne. Loin d'assurer la fondation définitive de l'ordre social et symbolique, l'interdit de l'inceste laisse ainsi apparaître par moments un autre niveau d'exclusion qui en constitue le soubassement narcissique, fait de mouvements identificatoires originaires où la pureté consiste à contre-investir les ambivalences qui menacent l'identité subjective, le lieu du propre à soi. La prohibition de l'inceste n'étant pas assurée par la *représentance* surmoïque, comme personnalisation de la loi morale, l'interdit seul ne saurait « constituer la démarche fondamentale... en laquelle s'accomplit *le passage* de la nature à la culture », ni figurer une loi universelle. Ainsi le champ devient libre pour la surenchère purifiante qui cherche à consolider du côté de l'idéal les instances du moi et du surmoi, moi et surmoi individuels et collectifs, plutôt qu'à assurer la démarche mutative en cause. *La pureté fige le mouvement de transformation au bénéfice de la forme, de l'imago et du régime de croyance qui lui est indispensable.*

Comme le laisse entendre Freud dans *Malaise dans la civilisation* :

> « Le surmoi d'une époque de civilisation a une origine semblable à celle du surmoi de l'individu ; il se fonde sur l'impression laissée après eux par de grands personnages,

des leaders, des hommes doués d'une force d'esprit dominatrice, des hommes chez qui l'une des aspirations humaines a trouvé son expression la plus forte et la plus pure, et par là même la plus exclusive » (Freud, 1929, p. 102).

La piété filiale à l'égard du Grand Homme – dont la figure de Jésus-Christ, fils de Dieu divinisé après sa mise à mort, et donnée comme l'exemple le plus saisissant par Freud lui-même – ne pose-t-elle pas la question de savoir dans quelle mesure les idéaux du moi communs à un groupe sont uniquement renforcés par la collusion homosexuelle de ses membres, ou ne le sont-ils pas également par le retour d'un moi idéal partagé qui se nourrirait de cette solidarité pour mieux préserver et maintenir intact le narcissisme primaire de pureté ? Idéal du moi qui évoque l'impossible retour au paradis des origines, ou glissement progressif vers la croyance en l'impossible, incarné dans l'imago du Surhomme nietzschéen.

Ainsi le Grand Homme « doué d'une force d'esprit dominatrice » va-t-il être reconnu pour son « esprit », pour sa « force dominatrice » ? En quoi contribuera-t-il à assurer ce passage de la nature humaine narcissique à une culture déterminée par la prohibition de l'inceste et par l'obligation de la « nécessité » ? Quelle est sa mission civilisatrice : est-ce la transmission de cette « force d'esprit... la plus pure » qui pourrait laisser croire qu'on peut satisfaire aux exigences de la civilisation, qu'on peut en venir à « aimer son prochain comme soi-même » ? Sublimation-idéalisation ou retour des exigences du surmoi le plus pulsionnel ? En quoi vont-ils, les Grands et leurs petits, accepter de s'effacer, de mourir, au service de ce qui, à travers eux, ne fait que *passer,* sans s'accrocher à ce qui assurerait leur immortalité ? Qui nous fera croire que la psychanalyse peut être mortelle[1] ?

1. Il y a ce que nous appelons le transfert-résistance, lieu par excellence de la double contrainte dont la névrose de transfert est l'actualisation, temps de l'analyse où le symptôme qui infiltre le transfert donne à celui-ci toute sa force d'opposition à l'analyse et aussi toute sa valeur d'authenticité. Quand se réactualisent, se resexualisent les conflits abolissant les catégories de temps, ne gardant que l'actuel de ce qui ne tend qu'à se mettre en acte, devant la force anti-analysante ne reste-t-il qu'un seul recours : la force persuasive du transfert-suggestion et ce qu'il puise à l'idéal pour imposer sa vérité, sa réalité. Ultimement la personnalité de l'analyste ?

La bonne disposition à l'analyse, l'apparente non-résistance n'est-elle pas la soumission à ce que Freud appelait : « L'influence d'un homme sur un autre homme. » L'analyse de ce qui résiste au travail analytique n'a donc pas le choix, il lui faut passer par le champ de l'idéal et de la croyance, par la force de l'attente croyante. Mais la croyance ne va pas supprimer la résistance, même si elle contribue à s'en approcher. L'alliance à l'idéal que la croyance implique ne permettra pas que la prise de conscience échappe au pouvoir de l'illusion et à la soumission à l'ordre du vrai-semblable.

Ne s'agit-il pas, là aussi, d'une forte résistance au cœur de ce qui se soumet sous l'apparence de non-résistance ? Au-delà du sens, la force de suggestion de l'autre humain est celle du semblable à moi mis en position d'idéal, le « grand homme » force l'alliance croyante au « faits », fiction religieuse, vénération politique, aléa du surmoi culturel. Les « faits » auxquels on croit sont alors des faits de croyance, des faits conciliables au moi. Dans la situation psychanalytique, combien il est tentant de s'imposer à la place de l'idéal pour faire croire aux « faits ».

2 – LA FONCTION « PSY » PURIFIÉE

2.1. Le sommet des chercheurs d'or

Une certaine conception de la psychanalyse la place au sommet d'une pyramide dominant la hiérarchie des psychothérapies. Vue d'en bas, la position semble enviable, la montée patiente et l'accès incertain. D'en haut, où on se trouve exposé à l'air pur raréfié, l'euphorie devient trompeuse, le panorama grisant laisse croire à l'origine entrevue, la source du Nil. Les étapes pour y parvenir ont été autant de marches d'un processus d'épuration qui ne laisserait à ses praticiens que la quintessence d'une disposition extraite de ses divers champs de provenance.

Depuis sa découverte, la psychanalyse n'a eu de cesse de se dégager – comme si les matériaux dont elle est issue tentaient de la recouvrir aussitôt – de l'hypnose, de la suggestion, de la catharsis, celle-ci contenant déjà l'idée de la purification. *Per via de levare.* Elle a dû se laïciser, échapper au médical, se différencier du psychologique, du thérapeutique traditionnel, de l'idée de guérison. Elle doit se défendre du mesurable, du réalisme quantitatif et objectivable, du scientifique pur. La psychanalyse en est toujours à s'abstraire du visible, du sensoriel, de l'intentionnel, du conscient, du social.

De plus, elle instaure également un cadre unique d'écoute et d'analyse du transfert qui repose précisément sur la *pratique de l'arrachement.* Coupure introduite dans le matériau analytique, ce travail sans cesse réitéré vise à se dégager non seulement de la tentation thérapeutique, dans son sens traditionnel, dont la manifestation primordiale demeure la compulsion à soigner, mais tout autant de la tentation pédagogique, dont Jean Cournut nous a pointé les pièges, sans compter les impasses des identifications duelles de l'empathie, les refuges défensifs dans la compréhension anticipée et le mirage d'une théorie réductionniste. Se priver de tous ces *conforts* suppose ce qu'on peut nommer, à la suite de Lacan, *la passion de l'ignorance,* pour naviguer à vue entre les récifs de la suggestion, de la séduction et de la croyance.

Si l'analyse ne se pratique que dans *l'arrachement* à sa discipline d'origine, quelle qu'elle soit, pour créer un cadre psychique qui favorise l'éclosion d'un trouble de pensée échappant à l'exclusivité du système perception-conscience, nos disciplines d'origine fonctionneraient dès lors un peu à la manière de retours de refoulés, replis répétitifs des formations et des savoirs qui se proposent en continuité avec la psychanalyse, alors que celle-ci s'exerce dans la mesure d'une certaine rupture réitérée nécessaire de ces mésalliances qui émoussent son objet, sa méthode et son champ théorique.

La coupure méthodologique et épistémologique du cadre analytique instaurée par Freud ne suffit pas à assurer la mise en place d'un processus analytique. Seule la création d'un espace psychique dans lequel l'analyste a pu excentrer son écoute en la libérant de l'emprise des processus secondaires rendra possible la déportation de l'analysant. Si Joyce McDougall a si bien décrit l'« anti-analysant », ne convient-il pas de conceptualiser tout autant le « faux self » de l'analyste ? Sans éthique du refusement du rapport duel et de l'action directe, sans la possibilité du réaménagement de l'écoute après coup, sans l'assomption d'un théâtre de la cruauté dans lequel l'insupportable souffrance de l'autre non seulement n'est pas à éradiquer, mais s'avère un allié de travail, sans ce positionnement, la conflictualité inconsciente qui se manifeste à travers la névrose de transfert ne pourra être repérée et entendue. Il y a une thérapeutique qui se présente comme étouffement de la souffrance au nom de son soulagement. *L'ascèse de l'arrachement se fonde sur le double temps du décentrement de l'analyste et de son excentrement, pratique qui contraint a minima, à une époquè, à une mise entre parenthèses, une suspension de nos références antérieures.*

Tout ce que la psychanalyse ne doit pas être la définit, la situe en négatif, cherchant à laisser derrière elle, en dessous d'elle, ce dont elle émane. Comme si elle devait s'abstraire des corps, devenir pur esprit. Sublimer, disons-nous. Et pourtant...

Ainsi on ne deviendrait psychanalyste qu'en se forçant à ne plus être ce qu'on a mis des années à devenir *per via di porre.* Fini le savoir accumulé, l'agrandissement des territoires professionnels. L'appellation elle-même de « psychanalyste » pousse à faire oublier toutes les autres, devenues taboues : médecin, psychologue, psychothérapeute, philosophe, etc. Ce qui n'est pourtant pas un titre réservé, malgré toutes les tentations actuelles de l'*incorporer,* exige une réserve, comme s'il s'agissait d'un nom propre, intouchable. Comme s'il s'agissait d'une nouvelle vie.

De plus, pour l'analyste patenté, la véritable position psychanalytique serait toujours en voie d'échapper à celui/celle qui croit la tenir, plus virtuelle qu'assurée, comme un état contre nature qui ne peut être que celui d'un temps fugitif, démentant toute prétention à quelque permanence que ce soit. Il va de soi que ce statut précaire, qui évoque tout autant un moment d'ex-stase, peut aussi contribuer à cette image des sommets où les conditions d'une rencontre idéale rendent celle-ci hautement exceptionnelle.

Dans ce contexte, la psychothérapie fait figure de camp de base, là où on trouve un refuge familier quand l'air pur du psychanalytique se raréfie, si ce n'est le nombre des analysants, en attendant des jours meilleurs pour quitter son poste en retrait qui protège l'image d'une pureté hiérarchique subordonnant le thérapeutique à l'analytique. Cela n'empêche pas le psychanalyste et le psychothérapeute de rester des inséparables, comme l'or et le cuivre/plomb, formant un drôle d'alliage où le pur et l'impur semblent y trouver leur compte dans la différence et l'identique (*RFP,* 1991).

Qu'en est-il alors de cette image de l'analyste pur : celui qui, à force d'épuration, en serait venu à n'être qu'un analyste ? Un psychanalyste à plein-temps, où qu'il soit. Les conditions des pratiques peuvent toujours exiger des modifications, des aménagements, les appartenances institutionnelles requérir d'autres rôles. Soit, lui demeure un analyste quoi qu'il arrive, et ne comprend pas en quoi on serait justifié de qualifier son travail autrement que de psychanalytique, son écoute privilégiant le transfert et les manifestations de l'inconscient. Comme si la permanence, dans son cas, ne faisait pas problème ; alors que pour d'autres, la pureté analytique continuera à résider dans l'éphémère, sorte de moment de grâce qui advient à partir d'une position psychothérapeutique.

Pourquoi est-il si difficile de déterminer ce qui différencie le psychanalyste du psychothérapeute quand il s'agit de les repérer en soi-même, de dire à quelles conditions l'un se transforme en l'autre ? Il semble plus facile, pour le psychanalyste, d'établir en quoi il n'est pas cet autre, psychothérapeute, qu'il contribue souvent à former, superviser, analyser. Que se joue-t-il dans ce flou identitaire où les territoires communs se superposent jusqu'au jour du démarquage, sorte de réaction négative au thérapeutique qui ne durera souvent que le temps de renouveler les alliances ?

Psychanalyste-psychothérapeute : voisinage familier en tout un chacun. L'analyste et le psychothérapeute psychanalytique sont aussi des inséparables. Le pur de l'un dépend de l'impur de l'autre. Inséparables, mais occupant la plupart du temps des territoires séparés, hiérarchisés, l'analyste demeure souvent sollicité par ceux du champ voisin, à qui il ne rend pas la pareille. D'ailleurs, les champs sont clôturés, permettant d'ignorer nos métissages, autant ceux qui nous constituent que ceux que nous contribuons à faire exister.

Et la « cure type », à qui est-elle réservée ? Déjà que la *cure* n'est pas sans évoquer la purification cathartique. Et ce qui la rendrait *type,* le modèle, l'idéal. Pourtant, ni l'usage du divan ni la fréquence des séances ne peuvent servir d'indice, tant la pratique psychanalytique et la pratique psychothérapeutique sont confondues. On appelle de nos jours psychanalyse des pratiques qui se rangeaient, il n'y a pas si longtemps, plutôt du côté des psychothérapies. On aura beau dire que l'essentiel de la différence ne tient pas dans ces éléments du cadre, il reste que ce glissement des pratiques donne plus que jamais dans la ressemblance. L'or pur a du plomb dans l'aile.

Il fut un temps où la partition était simple : psychanalyse des névrotiques, psychothérapie des psychotiques. Avec les « états limites », la pratique emprunte aux deux, et les aménagements font sentir l'ambiguïté des positions de chacun des participants. La délimitation de ce qui en serait du thérapeutique et de l'analytique constitue ici une épreuve difficilement concluante. Sans doute que l'exposition à ces « nouveaux cas lourds » a dû contribuer, depuis les dernières décennies, à indifférencier l'image des *intervenants* renvoyés eux-mêmes à leurs limites. On n'aurait plus le choix, ces nouveaux « analysants » seraient de plus en plus nombreux et, aussi bien s'y faire, les névrosés auraient déserté nos divans depuis un bon moment. À moins que ce brouillage nosographique ne soit souvent au service de la résistance à la psychanalyse, quand ce ne serait une commodité théorique.

La cure type est donc en voie d'être réservée aux « psy ». Cure de psy par un psy. Tel est le destin de la pureté. Mais pourquoi faudrait-il que l'analysant soit un psy pour que la cure analytique soit encore possible, comme s'il était le dernier des névrotiques *purs,* une espèce en voie de disparition ? N'en est-on pas là où le serpent se mord la queue ? En langage analytique, cela pourrait s'appeler : auto-analyse, mythe qui a la vie dure et qui révèle peut-être l'idéal secret de tout analyste, nouveau Freud sans Fliess, autosuffisance qui fait mentir l'aphorisme de François Perrier, qui prétendait que, « pour faire de la psychanalyse, il nous faut au moins un patient et un collègue ». Quand le collègue joue le rôle de patient, une condition risque de manquer.

Auto-analyse, sur la voie rétrograde de l'auto-érotisme et de l'auto-engendrement, tout comme l'autoproclamation de celui qui ne s'autorise que de lui-même. On pense aussitôt à la prolifération des lacaniens. On pense moins à ces situations frontières au cœur desquelles l'analyste ne peut être que juge et partie. Psychanalyste et/ou psychothérapeute ?

2 .2. *Psy de psy*

Depuis longtemps déjà dans le milieu psychanalytique francophone, l'appellation « analyse didactique » a disparu. Pour se référer à l'analyse d'un candidat, on aura recours plutôt au terme « analyse personnelle », celle-ci étant supposément purifiée de toute velléité formatrice. Cela n'empêche pas de continuer à penser que cette analyse ne doit pas être « conduite » par n'importe qui. Généralement, on persiste à croire que seuls sont habilités les analystes didacticiens. Si certaines sociétés, encore très minoritaires, ont étendu cette « habilitation » à une catégorie de membres *ordinaires,* il reste que pour nous tous, il va de soi que l'analyse de celui ou de celle dont le projet de devenir analyste est explicite n'est pas une analyse comme les autres. Le « didactique » effacé reste, au cœur du transfert, en contrepoint au désir-d'être-analyste qui deviendra vite un secteur réservé de celui-ci.

Qu'il s'agisse, comme chez Lacan, de le mettre au centre du projet analytique dont la version la plus pure serait précisément l'analyse didactique, ou encore de croire qu'il suffit de changer d'appellation pour faire entendre que le projet didactique doit être considéré désormais comme tout autre désir dans une analyse « purement » personnelle, le devenir-analyste en voie de réalisation de désir l'emporte finalement dans les deux cas, gagnant de vitesse le plus souvent l'analyse supposée de ce qui n'en serait que la motion (de désir). Ce qui nous permet d'affirmer parfois que l'analyse du désir-d'être-analyste n'est possible, dans le meilleur des cas, qu'à l'occasion d'une deuxième analyse dont on sait qu'elle est plutôt rare chez les devenus-analystes, ceux-ci étant plus enclins à croire en une possible auto-analyse sans fin qu'à remettre en cause véritablement une nouvelle identité chèrement acquise.

Par ailleurs, dans le métier psy[1], que l'on soit psychothérapeute ou psychanalyste, peu de temps passera avant de retrouver devant soi ou sur le divan, un autre psy, un semblable à soi. Aussi bien s'y faire au plus tôt, plus les années passent, plus les demandes seront faites par des psy de tout horizon. Un jour, didacticien ou pas, nous voilà tous inévitablement psy de psy. De toute façon, cette trajectoire est devenue suffisamment habituelle pour qu'elle nous interroge même si, du point de vue du psychanalyste, cela peut paraître aller de soi : le métier de psy est tel qu'on peut souhaiter ou même qu'il est nécessaire d'y passer soi-même ; et ce que la psychanalyse offre serait une démarche de choix pour tout psy.

Mais le divan et le fauteuil ne feront pas longtemps toute la différence. Vite devenues interchangeables, les positions asymétriques de départ feront place à un face-à-face qui mettra du temps à se faire reconnaître. Car la fonction psy biface, thérapeutique et analytique, est doublement partie prenante de la démarche qui s'instaure. Entre nous, entre psy, à quelles conditions pourra s'exercer la fonction psy ; quelle collusion cherchera à se mettre en place pour préserver la fonction psy de chacun ? Car il faut en convenir, il est très rare qu'une analyse de psy débouche sur la décision de renoncer à cette fonction, d'un côté comme de l'autre. Ce qui est d'abord recherché, n'est-ce

1. Dans ce texte, nous avons choisi, malgré certains usages contraires, de laisser le préfixe « psy » invariable afin de souligner la part commune aux différentes appellations auxquelles il se joint.

pas la consolidation d'un *choix* déjà fait ? Rares sont ceux qui, en image spéculaire inversée, comme cette analysante dans le domaine de la relation d'aide, après deux longues analyses, en viennent à dire : « Je ne deviendrai jamais comme vous », soulagée de se sentir enfin libérée de son sentiment d'échec face à une identification idéalisante à son analyste, libre d'investir en les valorisant d'autres champs étrangers à celui d'un modèle paralysant.

La conjoncture socioéconomique des dernières années nous a *offert* cependant de considérer l'ensemble de cette situation d'un point de vue un peu différent : en bref, il y a de plus en plus de psy et de moins en moins de patients ; ce qui se vérifie davantage pour les psychanalystes, mais n'apparaît pas moins notable pour toute pratique d'orientation analytique. C'est à se demander dans quelle mesure la pratique psychanalytique, « contrainte au surinvestissement d'une activité non liée à un objet qui pourrait venir à manquer » (M. Enriquez, 1984) n'en est pas venue à *fonctionner* en circuit fermé, entre psy, quand la fonction en vient à exister *pour* elle-même, jusqu'à un certain point, indépendamment des personnes en cause.

Il s'agit de forcer à peine le trait pour mieux faire ressortir ce qu'il en serait de cette fonction psy quand elle est gagnée par ce que Nathalie Zaltzman appelle la vocation mélancolique du psychanalyste. Cette vocation n'est-elle pas particulièrement sollicitée quand, dans la pratique courante, l'analyste se trouve en face-à-face avec un autre semblable, un psy ? La question de N. Zaltzman est pertinente : en quoi le candidat analyste – et on pourrait élargir la catégorie à tout porteur du devenir-psy – au cours de son analyse, n'est-il pas tenté par *une identification mélancolique à la fonction analytique qui viendrait en lieu et place d'un travail de deuil, travail de mise à mort sur le plan psychique de l'objet initial que l'analyste, dans le transfert, ne manque pas de devenir ?* (Zaltzman, 1983).

Quel choix le devenir-analyste offre-t-il au processus de deuil supposé inhérent à la démarche analytique du candidat psychanalyste ? S'il est juste que l'objet d'amour initial, ravivé dans l'actualisation transférentielle, doit être mis à mort sur la scène psychique, cela nécessite la mobilisation d'une violence contre l'objet mise au service de la rupture du lien à celui-ci. Pour sa part, le projet identificatoire, dans la mesure où il s'attache davantage à la fonction qu'à la personne de l'analyste, risque de transformer une occasion de deuil en sauf-conduit mélancolique : la fidélité intemporelle ainsi préservée prend une autre figure, semblant délaisser la proie pour l'ombre, celle-ci désormais devenue par la nouvelle identification narcissique substitut de l'investissement d'amour. L'objet n'est plus que contingent, interchangeable, comme au temps de l'objet partiel, dès lors que l'amour du moi se porte sur une ombre à son image et à sa ressemblance.

L'attachement, le lien indissociable à l'idéal, évite ainsi les deuils nécessaires et les réaménagements qui conduisent à des formations de compromis. La pureté peut dès lors se déployer dans l'intransigeance. La distanciation de l'objet érotique au profit de l'objet narcissique seul cherche à assurer l'absence de contamination, de contagion. Mais ultimement, tout objet d'investissement devient une menace, l'idéal seul sera investi, les personnes devenant secondaires, interchangeables face à cette épure. La cristallisation de cet idéal de pureté suggère justement la prolifération sur le mode de l'auto-engendrement de la vocation psychanalytique.

La fonction psychanalytique purifiée trahirait ainsi le mode mélancolique de l'analyste : dans les termes de Freud, « forte fixation » à la fonction devenue l'objet d'amour et « faible résistance à l'investissement d'objet » (Freud, 1914). Ajoutons qu'ainsi, l'objet – qu'il s'agisse de l'analyste ou éventuellement des analysants – peut toujours être perdu, la fonction, elle, demeurera... entre autres dans ces analyses interminables.

Remarquons que l'analyste ne prend pas facilement sa retraite, c'est bien connu. Son incapacité à se défaire de ce besoin de soigner, d'analyser, devenu une seconde nature, ne révèle-t-elle pas le lien libidinal et mortifère à une pratique qui mobilise les idéaux du moi et, tout autant, le pulsionnel le plus inconciliable ? « L'analyse sans fin... » de l'analyste, dans sa fidélité intemporelle, le préserve de la rencontre d'un manque d'autant méconnu que sa pratique le comble.

Dans la tentation mélancolique, la fonction analytique devient complice de la perte impossible d'un lien qui ne demande qu'à être préservé. La fonction analytique ainsi purifiée de ce lien qui l'occupe, se développe comme un intouchable autant chez l'analysant devenu analyste que chez son vis-à-vis dont le devenir-analyste, ou devenir-psy, doit connaître le même sort. Au contraire, le démantèlement par l'analyse de ce que recèle ce désir, ferait courir le risque aux deux participants de guérir de la compulsion à soigner et à analyser.

Autrement dit, la forme que prendra la demande de l'analysant dépendra aussi de ce que l'offre de l'analyste permettra d'esquiver du travail de deuil. La vocation psychanalytique répondrait ainsi à un appel. Dans cette filiation paradoxale, l'identification mélancolique à la fonction nécessite un détachement, côté analyste. La collusion transférentielle favorisée par le « psy de psy » rendra plus *vraisemblable* l'actualisation d'un lien insécable.

Un tel destin de la fonction psychanalytique, détourné à des fins mélancoliques, mérite qu'on s'y arrête. Si tous n'y succombent pas de la même façon, cette tentation reste liée au devenir-analyste, immanquablement. Il n'y a rien d'étonnant dans le fait que ce soit juste au moment d'un possible détachement du lien à l'objet initial incestueux, que surviennent ces modifications identificatoires dont le caractère conservateur est le plus déterminant.

2.3. Le purisme lacanien

Dans le monde psy francophone, nous avons tous hérité, sans parfois le reconnaître, de l'interrogation par Lacan du « désir-d'être-analyste ». S'il a été le premier à tenter d'élucider ce qui ne peut manquer de se mettre en place dans l'analyse didactique, lié aux effets transférentiels du candidat et du didacticien, il a été tout autant celui qui a institué la didactique comme l'ultime démarche, la seule « analyse pure ». Il n'y aurait d'analyse pure que dans la transmission. Beaucoup a été dit sur ce renversement de perspective : d'abord une invitation à analyser le désir d'être analyste comme tout autre désir, comme toute résistance à l'analyse, pour ensuite placer la situation didactique dans une classe à part et le désir d'y être, en haut de la hiérarchie ; seule analyse pure, là où le *pur analyser* constituerait le désir de l'analyste, le thérapeutique considéré désormais comme un reste de responsabilité médicale ou de mauvaise conscience sociale. Dans cette perspective, être analyste inclut le désir de s'analyser, prolongé par une éventuelle auto-analyse infinie, et le désir d'analyser incite un autre à s'analyser et à analyser à son tour quelqu'un d'autre : l'autoreproduction de l'espèce psy se révèle par là comme visée pure du fait d'analyser. D'un autre angle, l' « analyse pure » n'est pas sans rappeler ce que Ferenczi appelait « analyse exhaustive ». Quel serait le moment de chute dans le pur de l'analyse infinie, le point aveugle qui organise le fantasme de l'analyse panoptique ?

Retenons pour l'instant tant les propositions de Lacan que la critique qui s'en est suivie (Valabrega, 1969 ; Aulagnier, 1975, et d'autres), quant à ce passage de l'ordinaire de l'analyse à ce qui serait devenu condition de l' « analyse pure ». Il est tentant de tenir Lacan seul responsable d'une telle dérive, se permettant d'ignorer la réflexion qu'il n'avait pas moins initiée. D'autant qu'il y a chez lui un tel recours à la pureté qu'on retrouve tout au long de son œuvre, ce dont Patrick Guyomard a si bien rendu compte dans son livre *La jouissance du tragique* (1992).

Que se passerait-il donc dans ce *passage* où la psychanalyse devient analyse pure, et qui ne serait pas réductible aux incongruités lacaniennes portées par son idéalisation d'un pur désir ? La position extrême de Lacan ne nous servira ici qu'à susciter l'interrogation de nos « passages » purifiants respectifs. Retenons ce que sa proposition révèle de l'idéalisation de la fonction, de la fonction didactique d'abord, mais aussi de la fonction analytique proprement dite, quand elle gît au cœur de ce qui spécifie une analyse « pas comme les autres ». Ainsi, qu'il s'agisse de la fonction analytique ou de la fonction thérapeutique dont elle se démarque dans l'idée qu'on s'en fait habituellement, à partir du moment où on lui réserve une place à part dans la hiérarchie des désirs – et comment y échapper ? – ne se retrouve-t-on pas inévitablement sur la voie de la purification dont Lacan a donné l'exemple parfait ? *(sic)*.

Ce positionnement hiérarchique mérite qu'on s'y arrête un peu. Tout en haut, il y aurait l'analyse didactique ; puis le psy de psy supposément non didactique ; et enfin, sinon en bas, l'analyse dans sa plus *simple* expression, sans projet identificatoire avoué. Considérant que la démarche psychanalytique est d'abord une démarche de désidentification, tout statut spécial accordé à la fonction place le couple analytique en position paradoxale, où l'analyste et l'analysant sont sollicités par ce qui a été évoqué plus haut comme *la vocation mélancolique, identification idéalisante à la fonction et à sa transmission, au détriment de l'analyse du désir d'être analyste.* Quand bien même la vocation didactique n'est pas explicitement en cause, toute situation « psy de psy » ne manque pas de l'impliquer dans la mesure où il s'agit de préserver la fonction analytique, ou psychothérapeutique, du danger de l'analyse proprement dite, la mettant à l'abri des effets de démontage nécessaires au travail de deuil que doit comporter toute analyse bien nommée. La fonction psy est ainsi protégée de part et d'autre, qu'elle soit ignorée par l'analyse en cause ou qu'elle soit placée en position d'analyse pure. Dans les deux cas, la vocation analytique sera consacrée, pure et intouchable, et causera, à travers un même rapport d'obligation, un interdit de penser, surtout de penser la transmission.

Penser la fonction psy et risquer de la mettre en pièces, plutôt que de lui conserver à tout prix une image en miroir qui la met hors de portée de toute analyse, comme si tout désir psy pouvait s'équivaloir : celui de l'analyste et celui de l'analysant échappant ainsi à la reconnaissance de ce qui constitue la singularité de chacun au-delà de ce qui réduirait la demande d'analyse au reflet de l'offre, dans le piège de la seule reproduction du semblable. Un certain face-à-face fait retour dans la fascination inavouée, où le désir de la fonction tient lieu du lien à celui/celle qui la porte. Celui-ci pourra bien faire défaut, celle-là garantit sa présence, faisant d'une identification une identité qui se croit purifiée de l'autre.

Quant à la question : d'où viendrait, pour chacun, le désir d'analyser et aussi de guérir ? Toute tendance à en purifier le contenu, à en faire un Désir majuscule ne serait-il pas l'aveu même du refus de prendre en compte, au-delà de la singularité, la nature inévitablement ambivalente, donc impure, du désir en cause ? Dans l'idéalisation de la fonction, c'est bien *la branche haineuse et destructrice de cette ambivalence qui est ignorée.* Qu'il s'agisse du caractère sadique de la pulsion impliquée dans la vocation thérapeutique, ou du pouvoir de coupure, de déliaison nécessaire à la fonction analytique, toute tendance purificatrice de la fonction ne peut prétendre à son innocence, en ne convenant pas de ce qui la nourrit et dont elle ne saurait se passer.

Sans doute retrouvons-nous l'ambiguïté de cette compulsion à soigner lorsque nous rencontrons une filiation inversée, chez les filles devenues mères de leur mère dépressive ou même carencée. Elles sont prises dans le culte, rituel et parfois idolâtre, nécessaire à la mise en place d'un lien maternel autrement inexistant, et ce travail incessant pour faire advenir leur mère en tant que mère, pour lui soutirer un peu de maternage, se déploie sans ambivalence manifeste. Cet esclavage, cette contrainte à la maternité précoce chez ces filles, leur assure certes des bénéfices narcissiques secondaires importants. Mais leur refus de la maternité biologique en dit long sur leur ras-le-bol de cette assignation au sacrifice maternel. L'une d'elles dira dans un cri du cœur : « Si vous croyez que j'aime ma mère, vous n'avez rien compris. L'amour a peu à faire avec ce lien qui m'attache à elle. Je suis condamnée à ce lien pour qu'elle s'occupe un peu de moi en retour. »

Sous un autre angle, le « nourrisson savant » de Ferenczi débusque le clivage entre la fonction soignante et la capacité à donner du sens, qui débouche souvent sur de l'intellectualisme. L'apparition précoce de ces deux fonctions nous interroge sur leur présence dans toute vocation analytique. L'idéalisation du soigner masque la nécessité et la contrainte vis-à-vis de cette tâche pour le « nourrisson savant ». On peut d'ailleurs repérer dans le *Journal clinique* de Ferenczi comment la haine inconsciente, clivée du parent à l'égard de l'enfant – et non seulement sa culpabilité inconsciente – doit être jugulée sur le mode d'une formation réactionnelle par la bonté sans faille de l'enfant dont les bénéfices secondaires ultérieurs résideront dans l'amour que tous lui porteront, lui si bon...

Dans la mesure d'une identification purifiante du moi-psy, sa fonction devenue le reposoir idéal de l'objet incestueux protégé du danger analytique proprement dit, c'est désormais du côté de surmoi analytique que le pouvoir destructeur mis à l'écart fera retour, exigeant de la pureté qu'elle soit plus que pure, vers le rétablissement d'un moi idéal. Pure culture de pulsion de mort, c'est-à-dire désintrication du pouvoir séparateur de la pulsion, aussi bien du pouvoir analytique qui dévoile finalement de quoi est fait tout impératif. L'ultime pureté renvoie à l'inceste dont elle prétend pourtant s'exclure.

La part mélancolique de la vocation thérapeutique-analytique paraît conservatrice, comme toutes les vocations. Mais plus elle est conservatrice de l'imago, moins elle est conservatrice de la méthode qui reconnaît la résistance inévitable qui l'accompagne. Plus elle est nostalgique, plus elle trahit ce qui vient se retirer en elle, et trouver refuge dans un repli qui ignore la nécessité de l'objet, réalité de la perte toujours possible, au profit d'un type de conservation d'un amour qui tiendrait lieu d'objet, devenu pure passion de l'analyse, objet de besoin (Aulagnier, 1979), à condition de ne pas être confronté à ce qui pourrait en dévoiler le leurre. Cette passion repose sur l'idéal projeté dans des objets indéterminés qui en deviennent les supports sinon les complices complaisants ; maladie de l'imaginaire, elle « est le produit de la répétition du temps de l'inscription de la pulsion de mort dans le moi » (Assoun, 1989). La passion de l'analyse ne serait donc pas qu'amour de l'analyse mais tout autant son envers (cf. plus loin *La haine inconsciente du transfert*).

2.4. Pureté mélancolique, pureté conservatrice

Quand l'objet-analyste ou l'objet-patient deviennent interchangeables, l'analyste doit-il encore sa fonction à la demande de l'analysant ? Ni offre ni demande, il ne reste qu'une fonction assurée d'emblée, repliée sur elle-même malgré ses airs altruistes. « Va, confie-moi ton mal ! J'y tiens davantage qu'à toi-même. J'en fais mon affaire. Je m'en nourris. Ton (mon) mal, c'est ton altérité qui me fait souffrir plus que toi-même. Voilà toute ma *com-passion* ! Plus tu es autre, plus tu me blesses. De cette part de toi, je veux me (te) guérir. Voici mon projet thérapeutique ! »

Le moi-analyste mélancolique serait donc à son insu un moi guérisseur, dans un monde où on se méfie pourtant de l'idée de guérison. Quand on doit consentir à celle-ci, ce ne serait que de surcroît, l'air de s'en laver les mains, car guérir est mis au compte d'un péché d'impureté analytique. *En revanche, la tentation guérisseuse, dans la mesure où elle relève d'une identification mélancolique à la fonction analytique, serait plutôt à situer du côté d'une tendance purificatrice, d'une tentative, en deçà du travail de deuil attendu, de diviser l'objet abandonnique lui-même pour qu'ultimement l'amour de l'objet se retrouve dans le moi ainsi purifié de ce qui de l'autre le fait souffrir. Mais ce travail de démantèlement appliqué à l'objet d'amour et de haine incorporé ne fera qu'accentuer la division du moi lui-même, en révélant la méprise constitutive du moi narcissique : d'un moi à l'image de l'objet, et d'un objet à l'image de moi.*

Il suffirait de guérir l'objet de son altérité pour guérir le moi de son insuffisance. Entreprise infinie où l'identification mélancolique rejoint les enjeux les plus déterminants du moi de chacun, entreprise de purification, idéal de pureté. Le moi mélancolique ne demande pas mieux que de croire au retour à un « narcissisme primaire absolu », paradis qu'il aurait un jour perdu « par sa faute... par sa faute... par sa très grande faute ». Et depuis, le diabolique loge dans le moi.

> « Lorsque dans son autocritique intensifiée, il (le mélancolique) se dépeint comme un homme petit, égoïste, insincère, non autonome, dont tous les efforts ne tendraient

qu'à cacher les faiblesses de son être, il pourrait bien, à ce que nous savons, s'être passablement rapproché de la connaissance de soi, et nous nous demandons seulement pourquoi l'on doit commencer par devenir malade pour être accessible à une telle vérité » (Freud, 1914 *b*, p. 265).

À quelle vérité la maladie mélancolique donnerait-elle accès ? À ce qui constitue le moi de chacun, soit sa dépendance à l'autre, à l'objet, à son amour, à son image, à sa ressemblance ? Haine-amour au fondement identificatoire où règne la nostalgie d'un moi-plaisir-purifié, purifié d'abord de la « réalité du début », puis de l'objet expulsé et haï comme autre. Ce qui en viendra à être considéré tantôt comme le bon de l'objet, tantôt comme le mauvais du moi, exigera une autre répartition : le bon de l'objet sera incorporé et l'étranger du moi traité comme un dehors. C'est ainsi que les frontières se déplacent en fonction de l'exigence de pureté assimilatrice. Incorporer le bon de l'objet, faire du moi son objet, pour faire disparaître ce qui de l'objet entraînerait la perte du moi. Faire de l'objet sexuel interdit un simple objet d'amour, sinon de besoin, désexualisé, tentative de retour à l'autoconservation où la visée assimilatrice devient d'abord conciliatrice pour un moi purificateur. *Purification du mouvement identificatoire lui-même dans sa version narcissique qui cherche à ne retenir que la part imaginaire du rapport du moi à ses objets, en se soustrayant à tout ce qui viendrait rappeler le réel de l'objet, sa différence et la dimension symbolique de sa perte.*

C'est ainsi que la scène mélancolique servit à Freud de modèle pour renouveler sa théorie du moi, pour dévoiler le secret d'un moi de plus en plus divisé, donnant naissance à des instances différenciées et contraignantes : idéal du moi puis surmoi. Le moi qui se déplie en « strates » se repliera aussitôt cherchant à donner refuge à quelque chose de l'objet, se transformant en représentation à guichets fermés d'un scénario sadomasochique où s'étaleront deux versions de la tendance conservatrice : autoconservation par le moi et pure culture de pulsion de mort par le surmoi.

Reprenons la question différemment : à quelle vérité la vocation psychanalytique expose-t-elle ? Qu'est-ce qui, du processus analytique proprement dit ou de l'identification mélancolique qui le guette, convient le mieux « pour passablement s'approcher de la connaissance de soi » ? Ne faut-il pas reconnaître à l'inévitable proximité de la part mélancolique de sa vocation ce qui fournit à l'analyste, dans le meilleur des cas, l'occasion de trouver à même sa propre tentation identificatoire l'accès à une autre vérité – à distinguer de ce qui est appelé généralement connaissance de soi – sans pour autant succomber à la maladie ? À cet égard, ce qui deviendrait une *position mélancolique chez le psychanalyste serait conservatrice en ce qu'elle tenterait de dénier la part d'étranger, d'impossible et d'impensable de la fonction.* La vocation dès lors mélancolique, faite sur mesure et sans ambivalence, convient tout à fait à l'appelé. Par ailleurs, son élection institutionnelle consolidera la croyance déjà bien en place, que le processus analytique, de son côté, ne risque plus de démentir[1].

Comment une telle fonction, pourtant *contre nature* à bien des égards, peut-elle en venir à coller à la peau de plusieurs d'entre nous, au point d'en faire notre occupation principale sinon exclusive ? Comment peut-on devenir des permanents d'une fonction si étrange, en faire sa seule identité ? « Il n'y a rien, écrivait Freud à Binswanger, à quoi l'homme, par son organisation, soit moins apte qu'à la psychanalyse. »

Quand l'être-analyste prend une telle tournure, sa fonction s'est incorporée à la place même de ce qui manque au moi, *au lieu d'une perte, d'un impossible, qui n'a pu se formuler.* Fonction mélancolique plutôt que deuil inavouable. Conservation infinie plutôt que meurtre psychique de l'objet initial.

Contrairement au processus de deuil, l'incorporation cherche à rétablir l'idéal de l'objet, comme l'ont si bien décrit Torok et Abraham dans *L'Écorce et le noyau,* cherche à retrouver sur la scène psychique l'image intacte de l'objet, son intégrité imaginaire tant physique que morale. L'idéal objet du moi ne peut demeurer décevant, défaillant, source du sentiment d'abandon. Pour rétablir l'état antérieur, retrouver l'amour sans ombre purifié de toute haine, il faut que le moi-objet, ou ce qui en tient lieu, soit épuré de toute agression dont on sait le rôle si déterminant dans le deuil.

Dans le contexte analytique, un glissement supplémentaire peut s'opérer, de l'investissement de son propre idéal à celui de l'analyste et de l'analyse. Piera Aulagnier attire notre attention sur le bénéfice secondaire d'un tel déplacement : « La réduction maximale du conflit identificatoire. » Idéal d'emprunt en quelque sorte. Mais l'idéal ne l'est-il pas en son essence ? Ce qui est souligné ici, c'est qu'il se substitue à l'investissement libidinal. C'est l'Analyste et l'Analyse, en tant qu'idées subsistantes, qui sont investis. D'ailleurs cet idéal ne peut se maintenir qu'à la condition d'être coupé du corps et du sensible, la désincarnation évitant les mélanges et les impuretés.

Le mode mélancolique de guérison passant par l'identification narcissique, le retour à l'indemnité devient ce qui est cherché par-dessus tout. Le caractère conservateur de la fonction thérapeutique se révèle dans la tentative de retrouver un état antérieur intact, antérieur à la blessure de la perte

1. Vocation, tentation et position mélancoliques, sans qu'il s'agisse de la maladie elle-même : ce qui est appelé ici vocation mélancolique évoque la dimension mélancolique inhérente à toute vocation psychanalytique ; la tentation est ce mouvement de repli quant à ce à quoi expose la pratique psychanalytique ; enfin, la position constitue plutôt l'état de stase où se fige la fonction, suite à ce repli, dans une posture.

anticipée. Or, d'un point de vue psychanalytique, la tendance conservatrice évoque deux registres bien différents dont l'un risque toujours de faire apparaître l'autre : autoconservation des pulsions du moi et, au-delà de celui-ci, le caractère conservateur de toute pulsion, dans sa tendance ultime au retour à l'état antérieur. Ici, la « guérison » mélancolique ne peut manquer de mettre en scène la double polarité de la conservation : du vivant vers l'inanimé.

Les identifications ne sont conservatrices qu'à travers ce qu'elles font subir à l'investissement de l'objet, qu'elles désexualisent plus ou moins. « ... L'idéalisation devrait être considérée comme un investissement pulsionnel négativé » (Green, 1993, p. 100). On ne peut donc faire œuvre de conservation du moi sans chercher à neutraliser ce qui lui est le plus inconciliable : le sexuel. Non pas celui qui tient compte du moi et de l'objet, mais bien plutôt celui qui n'a rien à faire avec l'intégrité de l'un ou de l'autre. Non pas le libidinal moi-objet total, génital, mais le sexuel qui cherche la satisfaction totale avec l'objet partiel, sans attacher la moindre importance à la nature de celui-ci, à la manière du polymorphisme pervers. Contingence de l'image de l'objet, mais contingence du moi-corps imaginaire tout autant quand le sexuel de zones érogènes domine, pourvu que la satisfaction vienne, pourvu que l'extinction de la motion pulsionnelle puisse advenir.

Quand la conservation du moi nécessite la transformation identificatoire déjà décrite, celle qui requiert la désexualisation, la désintrication pulsionnelle ne peut manquer d'apparaître, là même où son action n'est plus attendue, « à l'encontre des visées d'Éros... au service des motions pulsionnelles adverses » (Freud, 1923).

S'il y a deux figures de la conservation, conservation de la forme du moi et conservation au-delà du moi, au-delà de cette forme, y aurait-il donc aussi deux registres, radicalement asymétriques, pour l'exigence de pureté : moi-pure forme, et pureté de l'informe, pur hors-moi, pure répétition ?

Dans la progression mélancolique quelle qu'elle soit, se met en scène la morphologie du moi et son inévitable division, stratification, donnant naissance aux formes idéales et au surmoi. Déploiement sur fond de ressemblance et de représentance où la configuration du moi est assurée par celui dont il faut se défaire, l'autre, pourtant le seul à pouvoir fournir sa forme au moi. L'exigence de pureté se manifeste au cœur de ce dilemme et en ignore l'essentielle dialectique en établissant une frontière à partir de laquelle « je » situe l'autre. De la ressemblance, du même à l'identique, il n'y a qu'un pas que l'exigence tyrannique du surmoi mélancolique risque de faire franchir, culture du vivant ou culture de mort. La resexualisation du surmoi, qui trahit son origine, replonge le moi constitué d'images du semblable dans l'exigence de l'identique, au cœur de l'inceste indifférenciant sexe et génération, au–delà de l'image : « Jouis ! » Pure jouissance impérative, catégorique.

L'autoconservation se réfère ici non seulement aux conditions qui donnent vie au moi et en assurent la préservation, mais à ce qui évoque tout autant l'ultime conservation dans le retour à l'identique de l'inanimé, au sens d'une pétrification psychique : « ... l'organisme ne veut mourir qu'à sa manière ; les gardiens de la vie ont eux-mêmes été à l'origine des supports de la mort » (Freud, 1920). Première tentative pour faire coïncider pulsion du moi et pulsion de mort. Malgré les remaniements, on retrouvera à l'œuvre dans chacune des instances les deux pulsions, vie et mort. Pulsion de mort, comme radicalisation de la visée à rester identique, aussi pur qu'à l'origine.

Le moi, et ses identifications narcissiques, se situe ainsi entre auto-érotisme et pulsion de mort, qui en serait son en-deçà et son au-delà. L'auto-érotisme devient le modèle et le mythe de ce qui fonctionne dans l'indifférence de l'objet d'autoconservation dont il est issu par étayage. Analogiquement, dans la fresque mélancolique de reconstitution du moi unitaire, de sa division et de ce qui finalement tentera de détruire le moi, sans égard pour la forme qu'il cherche à conserver, le pur pulsionnel de mort détruit la *contenance* que le moi emprunte à l'objet pour s'aimer et se faire aimer. L'évocation de l'auto-érotique à propos de l'autoconservation du moi indique la direction contraire à tout ce qui pourrait contribuer à l'unité, l'unification d'un moi conservé et conservateur. C'est au caractère fragmentaire et morcelé de l'expérience humaine qu'il s'agit de se laisser exposer, d'une expérience perceptuelle non dominée par la seule perception du semblable, qu'il soit pur ou impur. En deçà et au-delà du régime régi par le principe plaisir-déplaisir, de tout ce qui est conciliable avec le moi et son système de représentations et de croyances, n'y a-t-il pas à trouver, en deçà et au-delà de l'amour du moi et de son semblable, l'objet narcissique, la butée de l'objet qui ne peut être que l'épreuve de la perte pour « moi » de ce qu'il croit lui être propre ?

Et si la pureté n'est qu'une exigence du moi, la réalité de l'objet excède forcément la vision du monde de la pureté-impureté. Si la pureté n'est pas dans la nature... peut-on guérir de la tentation mélancolique ?

2.5. La haine inconsciente du transfert

Le psychanalyste a beau le savoir, toute nouvelle analyse sera pour lui l'occasion de la résurgence d'un espoir ignoré qui reprend vie en ce lieu même qui s'annonçait plutôt comme celui d'un renoncement, deuil d'un amour perdu dont la méconnaissance de l'objet contribuera au déni de la perte. Le sacrifice attendu ne tardera pas à se tromper de victime, laissant indemne l'objet initial qui continue de se dérober à sa nécessaire mise à mort. Le développement du transfert positif et du lien amoureux idéalisant fait le lit aux investissements désexualisés qui favorisent la projection du moi idéal de l'analyste sur *his majesty the new patient* ! Le rêve analytique reprend de plus belle.

Dans toute analyse, une force mortifère apparaîtra également, celle de l'enfant merveilleux issu des rêves et désirs des parents dont l'analysant et l'analyste devront faire le deuil pour accéder à leur désir propre. Représentation du narcissisme primaire, « part maudite et universellement partagée de l'héritage de chacun » (Leclaire, 1975). Expression des deuils non faits des parents, cet *infans* inconscient et muet continue à hanter tout sujet. Son meurtre, à la fois nécessaire et impossible, sera toujours à recommencer, comme celui d'un fantôme insaisissable, parfois plus manifeste dans certaines analyses interminables.

Tôt ou tard, l'emportement gagnera l'espace analytique. D'abord dans ce que l'idéalisation, tant de l'analyse que de l'analyste, permet, pour un temps, d'attendre du futur et du produit de cette nouvelle rencontre. Et surtout, quand la compulsion névrotique subvertit le transfert amoureux et commence à s'opposer à la patience suggérée, nul renoncement ne tient, nulle attente ne demeure acceptable. La conservation du lien d'amour voit dans la reprise transférentielle une occasion jusqu'alors inespérée, non pas de faire mourir l'objet et disparaître la nostalgie qu'on lui portait, mais au contraire d'en faire ressusciter la pérennité, à la condition de subvertir le projet psychanalytique et de charger l'analyste d'une image idéale dont il ne pourra pas se défaire aisément, dans la mesure aussi où celle-ci rejoint la tentation idéalisante de l'analyste lui-même de *se (laisser) prendre pour un autre*.

Car il va de soi que le transfert de l'analyste sur « son » analysant ne saurait échapper, en début de partie puis périodiquement, au retour des espoirs jusque-là déçus et ainsi donner prise à ce qui ne meurt jamais des premières satisfactions inconscientes (Leclaire, 1975). L'attente croyante partagée redonne de l'avenir à toutes les illusions, y compris celles qui viendront se fondre dans la haine acceptable, celle qui, de nos jours, est reconnue tout autant dans ce qui est appelé contre-transfert, au sens winnicottien du terme, comme une caution offerte en symétrie. Haine de transfert, haine de contre-transfert. La haine dans le transfert de l'analysant et de l'analyste peut donc aussi être valorisée comme objet d'analyse. Elle peut même donner prise à l'amour de la haine dont on sait ce qu'elle consolide du lien à l'image de l'objet désormais plus vivant que jamais. Car la haine *dans* le transfert idéalisant ne fait pas nécessairement courir de risque à son objet, bien au contraire, elle peut être au service de la préservation du lien à l'objet total, à la condition que celui-ci puisse ainsi continuer à jouer le rôle constitutif du moi qui le hait autant qu'il l'aime d'être le seul à pouvoir assurer en miroir sa propre totalité, en garantissant par ailleurs sa consistance à l'abri du sentiment de vide appréhendé.

Bien entendu, est préservée de la sorte la dimension narcissique de l'objet, qu'il soit analyste ou analysant, tenant à distance l'étrangeté de celui-ci et les risques de ne plus reconnaître l'image qu'on s'en est faite, qu'elle soit d'amour ou de haine. De ce transfert idéalisant, où tout semble possible dans l'ensemble du champ analytique, sorte d'envahissement imaginaire de la relation, on en viendrait à croire qu'il s'agit de l'amour, non seulement de l'amour/haine de transfert, mais de l'amour *du* transfert comme ce qui en serait de l'amour de la psychanalyse.

Qu'en serait-il au contraire de ce qu'on pourrait appeler *la haine du transfert* véritable, c'est-à-dire de celui qui est irréductible à sa face positive idéalisante ? Haine, non seulement des toujours possibles renversements désidéalisants, mais haine surtout de tout ce qui met à l'épreuve la réalité de l'objet retrouvé et de la nécessité d'en tirer les conséquences. Dans la mesure où l'objet-analyste et l'objet-analysant conservent ce qui constitue la complétude du moi de l'un en l'autre, l'amour recouvrirait une haine plus essentielle (Gantheret, 1986), qui ne serait pas que le complément dialectique du registre imaginaire. *La haine de ce qui, dans le transfert, révèle l'existence de l'« objectus », en jetant devant les yeux ce qui de l'objet excède le moi et le dépossède de ce qu'il croit être « son » objet à son image et à sa ressemblance. Haine de l'inattendu, de l'inconnu.* Cette haine-là, loin de préserver l'image de l'objet au service du maintien narcissique de celle dont le moi se pare, opère en silence, au-delà du rapport idéalisant qui, dès lors, ignore son soubassement destructeur. Cette haine ne veut rien entendre du sujet comme de l'objet, ne préservant que l'acte qui les assujettit en les indifférenciant.

L'acte psychanalytique risque ainsi de devenir *acte pur,* repris par la compulsion répétitive qui verse de plus en plus dans la passion de la psychanalyse, au-delà du sens du rituel qui le met en acte, acte dont on en viendrait à ne plus pouvoir se passer, côté divan, côté fauteuil. On connaît tous ces analystes qui n'en finissent plus et qui posent tragiquement l'insupportable question de l'*addiction* qui repousse *ad infinitum* le jugement d'existence en maintenant l'enjeu dans le registre du besoin, où la seule communauté acceptable est celle des « bouches pleines » (Torok et Abraham, 1972), qui rétablit la continuité « substantielle » entre la muqueuse et le flux en abolissant ainsi toute trace de l'étrangeté de l'objet (Gantheret, 1986). Quand, au lieu de « retrouver l'objet », il faut à tout prix le trouver dans le réel, réel de la substance ou réel de l'acte, le caractère toxique de celui-ci s'impose à vouloir guérir le mal par le mal, là où la quête indifférenciante du pur et de l'impur cherche à s'incarner. Homéopathe qui s'ignore, l'analyste aurait-il tiré parti de ce que lui a appris celui qui tient à son mal comme à son propre soi ? Traiter le même par le même ne dit-il pas assez combien le mal viendrait de la différence ?

La haine *du* transfert serait donc sous-jacente à l'idéalisation de l'analyse et du mode de transfert imaginaire qui semble en garantir la consistance, tout en le dénaturant. Cette sourde haine *du* transfert en vient à traduire le paradoxe de l'analyste qui s'offre aux transferts, tout en ne pouvant pas s'y dérober. Après plusieurs années de pratique pleines et continues, on ne peut que s'interroger sur l'appétence qui est la nôtre en ce qui a trait à ces transports dont nous sommes répétitivement l'objet et le sujet, et qui nous reflètent ce qui semble être pour certains, sinon pour tous au-delà d'un seuil, ce dont nous ne pouvons plus nous passer. Qu'on pense aussi au caractère envahissant de ce qui nous semble se présenter comme le champ analytique et qui ne serait en fait que notre difficulté à lui reconnaître des limites, la lunette psychanalytique ne nous quittant pas, toujours prête à s'interposer pour filtrer le Nouveau Monde et lui imposer notre *vision,* quand ce n'est notre savoir-*faire* ou savoir-dire. « Elle ne le lâche plus... »

Reste-t-il du non-psychanalytique, de l'inanalysable ? Là où un analyste plein-temps risquerait d'être en manque... Il y aurait d'autres formes de haine *du* transfert : celle, par exemple, qui nous ferait dire de plus en plus souvent que les patients ne sont plus ce qu'ils étaient, quand nous nous référons à la « cure type » comme à une espèce de transfert en voie de disparition. Les aménagements nécessaires à l'analyse des « cas lourds » font subir à la prise en compte des transferts, celui de l'analyste comme celui du patient, des modifications qui peuvent donner l'impression que la haine propre à chacun des participants est mise en avant, comme ce qu'on tarde à reconnaître au cœur de l'expérience tentée. De quelle haine s'agit-il ? Certainement pas de la haine *du* transfert telle qu'elle vient d'être exposée, à partir d'un cadre qui permet d'emblée la mise en place du transfert positif et son potentiel d'idéalisation réciproque. *C'est en effet la réciprocité, sinon la mutualité, dans l'idéalisation de transfert qui est ici en cause, comme étant ce qui recouvre le mieux la haine du transfert qui révèle l'insupportable « des petites différences », sinon des grandes.* Ce qui risque moins d'être le cas dans le transfert idéalisant de certaines pathologies narcissiques qui poussent rapidement l'analyste à ne plus voir son semblable dans celui qu'il considère désormais comme « un grand malade » le sollicitant d'emblée, au grand jour, dans sa fonction thérapeutique traditionnelle.

S'il est une conjoncture qui permettrait d'apercevoir parfois ce qui est appelé ici *haine du transfert,* c'est bien quand la « réaction thérapeutique négative » prend place là où l'analytique semblait promis aux plus grands espoirs. Quand le thérapeutique redevient l'enjeu essentiel, l'idéal change de camp et le couple analytique en vient à se disputer la position narcissique d'être le seul à pouvoir guérir l'autre, modalité d'être le seul à pouvoir se guérir, forteresse imprenable au cœur de la maladie psychique. Ce repli autosuffisant cherche à garder intacte la vocation mélancolique de chacun dans le déni de ce que l'un doit à l'autre pour exister. Guérir à tout prix, n'est-ce pas aussi tenter de guérir l'autre de son altérité, ultimement pour se purifier de l'autre en soi. Pour faire disparaître l'irréparable outrage qui fait que, tel que révélé par la tentation mélancolique, un moi est tenu à l'impossible. Cette résistance de l'amour-propre à l'action analytique exercée sur un certain type de transfert qui ravive plus que jamais l'éternel objet initial, dont il s'agirait de se défaire psychiquement, fait basculer le processus en cours au moment même où la *haine du transfert* est à son comble dans la mesure où celui-ci est de nature à exiger de l'analytique, pour qu'il garde sa prévalence, un sacrifice inacceptable au mode de pensée magique.

Ainsi cette femme, mégalomaniaque carencée, qui refusait toute aide d'un tiers institutionnel au nom de sa conviction de la toute-puissance de son analyste et d'elle-même à être seules capables de dominer ses démons. Elle pouvait se faire menaçante face aux limites de son analyste, pas toujours disponible pour elle comme elle le souhaitait ou face aux interprétations qui ne relevaient pas de sa pensée magique et qui révélaient, au contraire, à quel point la bulle narcissique primaire analyste-analysant ne tolérait d'aucune manière d'être démentie, sous peine d'un sentiment intense d'abandon, et surtout de ruminations paranoïdes dans lesquelles, par un mouvement de bascule, il n'y avait plus que du mauvais.

Ainsi, s'il est une modalité de la haine qui est dirigée parfois envers cet autre imaginaire qu'on nous impose d'incarner, il en serait une autre, plus fondamentale, réveillée au contraire par le nécessaire renoncement à se laisser prendre pour un autre, renoncement à être partie prenante du repli narcissique. Cette haine-là, chez l'analysant et chez l'analyste, risque de faire passer d'une attente thérapeutique à une autre : de la guérison psychanalytique à la guérison thérapeutique traditionnelle.

La guérison psychanalytique mériterait qu'on la distingue au moment où elle risque d'être sacrifiée pour laisser place à la reprise d'une attente toute thérapeutique. La réaction thérapeutique négative cherche à recentrer les efforts sur l'élimination, et non l'écoute de ce qui insiste, de la souffrance symptomatique, là où l'analyse commençait à pouvoir porter attention à une réalité humaine qui déborde et inclut ce qu'on considère généralement comme la maladie individuelle. Le transfert n'est pas que transgénérationnel. Il expose aux forces de l'ensemble, prégnance de la culture, nécessité relationnelle à laquelle tout un chacun appartient. Dans ce sens, il est autant ce qui met en contact avec cette réalité-là que ce qui contribue à s'y soustraire. La dimension imaginaire du transfert, quand elle réclame l'exclusivité, tente de rétablir la fiction protectrice de l'unicité et sollicite l'analyste dans ses propres attentes croyantes. L'inclusion du guérisseur de souffrance ne cherche qu'à se guérir du guérisseur comme de la part de l'autre. Le recours au thérapeutique seul chasse ce qui de la « tâche psychanalytique serait moins de rendre impossible les réactions morbides, mais d'offrir au moi du malade la liberté de se décider pour ceci ou pour cela » (Freud, 1923). Interdit de penser et retrouvaille de la toute-puissance de la pensée en acte ou liberté de penser... la toute-puissance à condition de sacrifier toute *Weltanchauung,* en s'exposant au contact du monde réel toujours donné par fragment. Thérapeutique aliénante, celle qui cherche à colmater d'emblée les symptômes, à faire taire la souffrance, par opposition à une thérapeutique psychanalytique où le rapport du sujet à ses désirs inconscients s'avère déterminant.

C'est donc au cœur de la séance, quand la réaction thérapeutique réclame son dû, que réapparaît l'enjeu du pur et de l'impur, qui tente de redonner à la guérison son pouvoir nettoyant qui consisterait à rétablir un état antérieur représentable, toujours mythique. La *haine du transfert,* dans la mesure où elle s'adresse à ce qui du transfert expose tôt ou tard à un « au-delà » de la méconnaissance, montre pourtant la voie, celle-là même qu'elle cherche à éviter, à l'épreuve de réalité : réalité de l'oublié, de tout ce qui fait retour, irréductible à un refoulé individuel dont on sait bien que le couple analytique peut tirer une existence infinie à l'abri de tout jugement d'existence. L'exemple qui suit l'illustre bien. Cet « au-delà » de l'individuel, où se rejoignent réel et symbolique comme excédant tous les deux les attributions du moi et le principe qui les régit, est bien ce qui peut forcer la prise en compte de la non-concordance entre la pensée et la réalité (Freud, 1913).

L'interruption d'une analyse pour cause d'affectation dans une localité très éloignée de l'analyste et de tout autre substitut possible, force la mise en place de rendez-vous téléphoniques réguliers. Au cours d'une de ces séances à longue distance, la respiration de l'analyste dans le cou de l'analysant, remarquée ou plutôt ressentie pendant un silence, devint source d'une angoisse insupportable au point de vouloir interrompre immédiatement la communication. Cet incident permit de débusquer une utilisation du cadre analytique classique pour maintenir désincarnée cette cure par la parole. Les deux analyses précédentes s'étaient déroulées entre purs esprits. La parole ne s'est faite chair qu'à partir de ce moment charnière. Lors d'un séjour dans la ville de son analyste, à deux reprises un rendez-vous avec lui fut manqué par oubli et par altération de l'heure convenue. Phobie de la proximité de deux corps, évoquant des corps-à-corps violents avec une mère alcoolique.

La mise à l'épreuve de la pensée magique et du monde de la croyance qui la révèle, par l'action psychanalytique, suscite la réaction thérapeutique négative qui met fin à cette épreuve et aux contacts subversifs qu'elle encourage dans le champ du hors-moi. « Moi, j'ai mal ; ne prends soin que de moi ! » Dans cette nouvelle forme de *pur thérapeutique* à laquelle s'adresse la demande d'analyse, la haine suscitée chez l'analyste est double : d'un côté, il se trouve repris dans le circuit fermé de la surenchère narcissique « d'être le seul à pouvoir guérir l'autre... soi-même » où l'amour et la haine ne peuvent manquer d'être pris l'un pour l'autre ; de l'autre, il se voit confronté à l'inadéquation et au rejet de ce qui est devenu symétriquement le pur analytique.

Les destins de la *haine du transfert* ne seront pas les mêmes selon que l'analyste est tenté soit par l'analytique pur, tel qu'évoqué par *le psy de psy* didactique, soit par le thérapeutique pur dont il vient d'être question avec la « réaction thérapeutique négative ». Dans le premier cas, quand l'analyse devient une affaire d'identité professionnelle à conserver, la haine essentielle nécessaire au deuil de l'objet non-moi laisse place à une modalité de haine comparable à celle qu'on retrouve dans le repli identificatoire mélancolique, où les attentes de l'idéal et les exigences du surmoi reprennent à leur compte l'exigence de pureté narcissique. Le psychanalytique pur d'une « cure type » sans taches, secteur réservé du transfert entre psy, détourne la haine sur ce qui, de la singularité de chacun, analyste ou patient, ne se résoudrait pas à devenir interchangeable.

La psychanalyse-entre-collègues ne peut que se prolonger dans les institutions que ceux-ci se donnent et dont ils ne demandent qu'à faire partie. L'entre-collègues ne laisse-t-il pas entendre, depuis quelques décennies, que les patients-cure type étaient de plus en plus rares, les collègues exceptés ? Que devient la haine de celui-celle qui se retrouve plus tard sans au moins ce qu'il lui faut de patients pour se croire analyste ? Cette haine ne manquera pas de s'adresser à ceux et celles qui l'ont laissé croire que sa formation d'analyste lui assurerait les demandes suite à son offre. Haine flottante, désamorcée du travail de deuil auquel elle devait s'appliquer, assujettie à tous les renversements imaginaires qui la déportent infiniment.

Dans le cadre de ce qu'on appelle maintenant une nouvelle clinique pour la psychanalyse, la haine du psychanalytique peut revêtir plusieurs formes. D'abord celle de s'en prendre à la légèreté de son propos habituel : comment peut-on encore offrir une analyse type quand du côté de la demande ça souffre *lourdement* que les limites vacillent, que les pouvoirs destructeurs prédominent. Du côté de l'analyste, en revanche, *la haine du transfert* peut se manifester par un ressentiment contre un outil de base qui lui fait défaut : sans transfert positif, sans névrose de transfert, que peut-il faire ? De plus, il est requis de restreindre la visée psychanalytique à la thérapie individuelle, inter-individuelle. Une seule guérison est attendue, celle de la maladie présentée pour qu'on en prenne soin, pour consolider le pouvoir narcissique qui s'y cache. L'autre guérison qui questionne ce qui fait qu'on tienne à son mal comme à la forteresse de son individualité, comme à un rempart qui protège contre l'épreuve de réalité, devient cette condition à partir de laquelle peut advenir l'ouverture sur « les grandes formations collectives dont il (le névrosé, le patient) est exclu » (Zaltzman, 1998).

La « narcissisation » de la pratique fait en sorte qu'on ne sache plus ce qui vient de l'offre, trop affairé à répondre à une demande qui presse l'analyste de changer sa méthode, d'y répondre comme s'il s'agissait d'un simple accommodement. N'y aurait-il pas à distinguer la haine qui trouve son compte dans la pratique analytique proprement dite, de la haine qui ne vise qu'à faire disparaître celle-ci sous le couvert d'agrandir son champ d'application. *La haine du transfert,* dans la mesure où elle révèle la rencontre avec l'inaltérable de l'autre, fait vaciller la ligne de partage de l'analytique et du thérapeutique. La haine de l' « impossible profession » ne s'en trouve qu'accentuée quand son levier privilégié se tourne contre celle-ci et exige d'elle l'impossible. Il reste la tentation mélancolique...

3 – LES HUMEURS DE L'INCESTE

> « L'humeur n'est ni un affect, ni une représentation. Elle est un *passage,* elle est le signe d'une *altération* en même temps qu'une altération des signes. Elle dit à sa façon la mélancolie du langage. Elle est notre salubre maladie venant témoigner de l'impossibilité où nous sommes d'être maître de nos *frontières...* » (*NRP,* n° 32, automne 1985).

3.1. La couche commune

Tous frères et sœurs de divan, on va et vient comme si de rien n'était. Il y aura bien, au passage, une petite remarque signifiant au collègue, avec l'humour de circonstance, que ce temps de promiscuité ne nous a pas échappé. Aussitôt dit, aussitôt oublié. On a beau savoir que ce qui se transmet là n'est pas innocent, ce sera désormais sur son propre divan que tout se déplacera : sa couche servira, à son tour, de transmetteur à des analysants qui à leur tour...

Notre vigilance porte habituellement sur le rapport d'un à un, analyste-analysant, assis-couché. Le double interdit du toucher, redoublé par l'abstinence du face-à-face, s'adresse aux deux seuls participants d'une séance donnée : l'interdit indique la forme et l'axe de l'inceste potentiel. Pour l'analyste, passant d'un analysant à un autre, quelques minutes suffisent, le temps de changer le tissu de l'appui-tête, le lit est refait, pas un pli, rien n'y paraît. Et au suivant !

Ce petit rituel n'est pas sans rappeler ce qu'il cherche à faire oublier : que l'analyste, à travers sa fonction, sa personne, sa méthode, sa théorie, son divan, met en contact des personnes qui s'adressent à lui pour ce qu'elles croient être limité à une rencontre individuelle. Or, ce passage d'un analysant à l'autre pourrait bien être un moment critique : ne risque-t-il pas de révéler un au-delà de celle-ci ?

Toutefois, le rituel fait en sorte qu'on n'en sache rien, et renforce les cloisons. Le suivant n'est déjà plus le même, encore moins l'identique. Pourtant ce qui affleure là pourrait bien se trahir à travers tant la mauvaise humeur de certains de n'être que des *suivants,* que la bonne humeur des autres de venir se vautrer dans la place encore chaude de leurs prédécesseurs, quand ce n'est l'insupportable de ce que cela fait soudainement apparaître. Vite, qu'on passe à autre chose.

Cet entre-deux-patients fugitivement dévoile aussi à quel point, pour un analyste, l'écoute préconsciente d'un seul patient est infléchie par l'ensemble de sa pratique, passée et actuelle. Polyphonie, certes au service d'une singularité, mais ce collectif, ces voix multiples habitent ce qui semble se présenter comme un contre-transfert univoque, gamme de référents transitant par un entremetteur inconscient des réseaux d'influence qui le traversent.

Passer d'une analyse à l'autre, pour l'analyste, de sa propre analyse à celle d'un de ses analysants, puis à celle d'un autre, ce passage n'est-il pas le temps et le lieu d'une répétition, moment de transmission, au-delà de la différence qui saute aux yeux, le retour d'un identique qui passe... inaperçu ?

Il y a quelques années, l'anthropologue Françoise Héritier tenta de rendre compte, dans un livre intitulé *Les deux sœurs et leur mère,* d'une part oubliée de la prohibition de l'inceste qu'elle a nommée : « L'inceste du deuxième type », dimension fondamentale qui aurait été ignorée par la théorie de son maître Levi-Strauss. Quand des consanguins de même sexe, non homosexuels, partagent le même partenaire sexuel, il y a mise en contact d'humeurs identiques par le truchement de celui-ci. Devient dès lors explicite, sous le couvert des différences, ce qui de l'identique peut circuler : sécrétions, sang, sperme, humeurs sexuelles, lait. Quelque chose d'homogène se met à courir sous l'hétérogène, en deçà de la différence des formes. Selon cette lecture, l'inceste entre Œdipe et Jocaste risque d'occulter ce que celle-ci, comme partenaire commune, fait passer entre Œdipe et son père Laïos. Elle est celle qui suscite et recueille les humeurs.

Car l'humeur, avant d'appartenir à celui-ci ou celle-là, circule, impersonnelle. Non seulement ce qui transite entre l'un et l'autre, mais aussi ce qui passe entre l'une ou l'autre de ses composantes : entre sang et sperme, entre sperme et lait... Mouvements d'humeur. Autrement dit, la substance commune en cause n'est pas une matière inerte, mais plutôt partie d'un flux, d'un passage, d'un mouvement qui fait surgir de l'identique entre les différences. Ne faut-il pas du commun comme onde porteuse sur laquelle se transmet de l'Autre ?

Avant de s'enfoncer plus avant dans ce qui pourrait n'avoir que valeur d'analogie, l'emprunt à l'anthropologie demande qu'on s'en explique. On ne peut pas passer des humeurs du corps aux *humeurs* psychiques sans risquer le malentendu : pour l'anthropologue, « il n'est question que d'une mécanique des fluides avec sa logique sous-jacente, qui met en jeu des notions objectives, concrètes, relatives et qui ne comportent par elles-mêmes aucun jugement de valeur... ce qui est en cause... ce sont des événements qui signalent une rupture d'équilibre » (Héritier, 1994, p. 244). Voilà un postulat à ne pas perdre de vue au moment d'importer la théorie de l' « inceste du deuxième type » dans ce qui (se) passe entre deux analysants d'un même analyste, et d'y faire usage des notions de pureté et d'impureté. De plus, et c'est ce qui importe davantage, pour le psychanalyste, l'horreur de l'inceste sur la scène psychique n'est pas réductible à ce que provoquerait l'interdit, d'où qu'il vienne. Au contraire, il témoigne plutôt de l'insuffisance de celui-ci. L'inconscient psychanalytique donne ainsi cours à une culpabilité *sans bornes* qui n'a d'autre issue que la croyance au tabou bien au-delà des exigences de l'interdit anthropologique. Ce n'est que dans le psychique que se produit l'indifférenciation, comme horizon asymptotique de la mise en commun, voire comme idéal identitaire.

Analysant, analyste ; être analyste, désirer le devenir ; s'analyser, analyser ; ce qui circule comme flux humoral n'est ni sang, ni sperme, ni lait, et tout cela à la fois. Différences fondues dans de l'identique par le transfert à un passeur commun. La couche commune donnerait naissance, à travers la singularité de chacun au retour au même du désir, au désir du même : désir et horreur.

C'est ici que se situe l'enjeu de la pureté analytique, au plus proche de la contagion incestueuse, prenant *forme* aussi bien dans l'appel de l'identique que dans la recherche de la différence, dans l'attrait du semblable que dans le rejet du semblable. Mais débordant les formes, l'humeur, en mouvement, sans repères visibles, devient ce qui est le plus contagieux et le plus déstabilisant.

La transmission risque, dans ces conditions, de prendre une tournure particulière en deçà de la représentation qu'on s'en donne. De plus, la pureté évoque une dimension morale qui se surimpose à la simple logique du « déséquilibre potentiel des fluides », issue d'un débordement coupable qu'elle cherche aussi à contenir, soumise aux humeurs du surmoi.

Que transmet le psychanalyste en séance ? Réponse attendue : un désir, désir de désir ? S'agira-t-il d'une motion suspendue jamais satisfaite, pure neutralité, ou d'une satisfaction imaginaire ? Face à la prolifération actuelle des analystes, à celle de tous les psy, quand l'offre non seulement dépasse la demande, mais semble *fonctionner* indépendamment de celle-ci, n'y a-t-il pas un malaise à propos de ce qui se (s'y) *passe* : peut-on encore parler d'une véritable *fonction symbolique* acquise de la génération précédente et éventuellement passée à celle qui suit quand l'être-analyste revêt à ce point une forme générée par l'image du semblable, purifiée d'une véritable motion de désir singulière incompatible avec un moi-analyste qui se suffirait à lui-même ?

Reprenons maintenant la question de savoir sur quoi reposent nos catégories de la différence et de l'identique, qui ne soit pas le simple renvoi à la plus fondamentale des différences, différence des sexes et ce qui en est une conséquence, la différence des générations. Impureté de l'origine. Pour cela, retournons à cette expression de Françoise Héritier et demandons-nous de quoi est faite, pour le psychanalyste, la « substance commune » dont le cumul serait le fruit de ce qui transite par le partenaire commun ? « Cumul de l'identique », cumul de cette humeur dont il faudrait dire ce qu'elle peut représenter dans le champ analytique comme flux circulant : ce que véhicule le transfert, transfert de transfert et transfert-résistance. Non pas le fait d'un passé propre à chacun qui deviendrait présent, transféré dans la situation analytique. Plutôt un présent, sans passé, à la manière de ce qui se répète et qui n'a jamais de lieu, de ce qui advient momentanément quand deux analysants se croisent, temps de l'entre-deux, avant que le suivant soit installé, avant que le précédent ne soit tout à fait parti, transitoire – transit-transe-trans – qui passe inaperçu, qui ne fait que passer, sans passé, sans futur, et si peu présent. Ici se croisent et se superposent l'identique, le semblable et le différent. Ce qui du différent de chacun se délie et se substitue de l'un à l'autre, dont l'analyste est soudainement saisi quand il lui arrive de se rendre compte, en ouvrant la porte, qu'il avait confondu l'identité du prochain patient.

Le partenaire commun, celui qui ouvre et ferme la porte, « fait se rencontrer dans une même matrice des humeurs de souche identique » (Héritier, 1994), humeurs dont il est l'activateur ; provocateur d'humeurs transférentielles qui échappent aux mesures des différences, aux formes des liaisons, pure déliaison, risque de l'identique. Ces mouvements transférentiels tendus vers l'idéal débordent cependant les images transférées et brouillent les singularités individuelles. L'analyste *leader,* mis en position d'idéal, rend possible que circule entre les membres la « chose commune qui reste dans l'inconscient » (Freud, 1900). Dès lors, la couche partagée peut devenir le terrain à partir duquel des analysantes mirent en commun, dans la surenchère, leur passion de l'analyse et de leur analyste idéalisée. Leur relation homosexuelle court-circuita l'analyste en tant que tiers, redoublant en quelque sorte leur transfert duel, pervertissant l'analyse de l'une et de l'autre, entraînant leur analyste dans une position perverse. Le moment de déprise et de rupture entre elles, faut-il s'en surprendre, fut particulièrement violent.

Pendant ce temps-là... dans les sociétés de psychanalyse, les frères et les sœurs de divan continuent à se croiser, sans égard pour ce qu'ils ont un jour partagé, encore moins pour ce qu'ils pourraient bien porter de commun. On se confine chacun au souvenir d'une démarche individuelle, pour ne pas dire unique, aux antipodes des conditions qu'aurait pu favoriser l'angoisse d'une contagion qui, depuis, a subi le sort qu'on lui connaît dans la nouvelle communauté de déni : consolider les cloisons et réaffimer les différences. À chacun sa démarche, purement individuelle !

Pourtant, combien y a-t-il de sociétés dont une majorité de membres ont passé sur le divan d'un très petit nombre d'analystes didacticiens ? Il nous arrive même d'évoquer l'impression largement partagée de faire partie de sociétés plus incestueuses que bien d'autres, sans trop nous y arrêter. Plus l'analyste est didacticien, plus il est passeur d'un *devenir analyste* : de lui à quelqu'un d'autre, cela va de soi ; quant à ce qui passe, à travers lui, de l'autre à l'autre...

« L'affection par la bile noire » ou : que devient l'humeur dans la mélancolie ? Reprenons la question de l'idéalisation de la fonction analytique et de l'identification mélancolique comme destins possibles de la vocation psychanalytique. Notre regard n'a porté jusqu'ici que sur la dyade patient psy-analyste dans la démarche individuelle. La tentation mélancolique illustre à souhait ce qu'elle cherche à extraire du rapport à l'analyste : l'image idéalisée de sa fonction, concentré d'idéal désormais fidèle comme une ombre dérobée qui ne quitterait plus l'analysant, quand celui d'où elle provient peut toujours faire défaut, n'avoir été qu'un passeur. L'analyste est alors renvoyé en position interchangeable, comme le sera souvent l'éventuel patient.

On a compris cependant que ce qui est proposé à l'aide de la théorie de « l'inceste du deuxième type » serait plutôt de considérer ce qui se transmet d'analysant à analysant à travers le même analyste, dès lors didacticien malgré lui dans la mesure de la tentation mélancolique qui convoite sa fonction d'analyste, au-delà de lui-même. Mais avant de prendre la forme de la fonction idéalisée, le désir-d'être-analyste sera sans doute exacerbé dans la relation à l'analyste-idéal, d'autant plus qu'en voie de réalisation chez les analysants-futurs-psy. Telle sera la substance commune aux frères et aux sœurs du divan, développée au contact d'un même analyste. Ce désir s'accomplit dans la mesure de l'identification narcissique à la fonction : « Je le suis, à jamais. » Par là, frères et sœurs, en devenant psy, sont porteurs potentiels d'un refus de deuil de la relation incestueuse à l'objet d'amour. Communauté de vocations mélancoliques, communauté de déni de la réalité d'une perte inavouable.

Quand il est en voie d'être sans patient, coupé d'une demande qui authentifierait son offre, le porteur de vocation mélancolique révèle son symptôme. La vocation mélancolique de l'analysant lui viendrait moins de son analyste comme tel que de l'autre analysant, frère et sœur de divan, devenu collègue, dans le mirage d'une fonction imaginaire, fixée dans l'être-semblable, identité tirée d'une identification insouciante de l'*incorporation* dont elle est le fruit. Indifférenciation des désirs singuliers vers le Désir majuscule devenu blason identitaire.

La pureté analytique prend ici la forme du fantasme *psy-sans-patient,* ou sans patient qui ne serait pas un autre psy, son semblable. L'analyste sans patient peut toujours se faire croire qu'il est *en manque,* pour toutes sortes d'autres motifs, qu'il doit se contenter du rapport aux collègues. Mais la pureté analytique, teintée de mélancolie, n'exige-t-elle pas ultimement que l'analyste de cure type soit sans patient, sans patient qui ne soit pas un collègue, comme il aurait été sans analyste qui ne fût pas un collègue ? Et ce que Lacan en est venu à proposer comme « analyse pure » n'est-il pas une variante de cette exigence idéalisante qui en vient à instaurer le Désir en position de pur désir ? S'analyser entre nous, analyse mutuelle, modalité de l'auto-analyse, modèle de l'analyse pure. Dans ce fantasme idéalisant se condense l'image de ce qui ne se reconnaîtrait qu'entre collègues, que dans le reflet imaginaire de la fonction coupée de sa dimension symbolique. *Être* à l'image de la fonction, sans avoir à l'exercer, sans s'exposer à la perdre. Transmission pure, sans perte.

> « Et les psychanalystes, quand trahissent-ils ? N'est-ce pas quand ils croient être les gardiens farouches de la parole de leurs maîtres ? Quans ils oublient que transmettre, *tradere,* suppose forcément une chute, la perte d'un fragment, d'un éclat, et non un impératif de reprographie. Trahir serait très exactement ici forclore cette part des pertes de la transmission » (Hassoun, 1989, p. 50).

Quand il n'est plus possible, pour *nous* faire exister dans *notre* être-analyste, d'être en contact avec des patients-analysants, ce que l'entre-collègues risque d'ignorer surtout c'est ce qu'il doit au partenaire commun, celui qui a permis « cette mise en contact d'humeur identique », d'identité de substance, ce « pur analytique » à partir de quoi on reconnaît *son* collègue, cette pureté recherchée et qui semble si souvent manquer à l'autre, collègue d'ailleurs dès lors désavoué. C'est ainsi que le surmoi individuel-culturel de la vocation mélancolique, devenu *pure culture analytique,* en vient à quadriller le monde de la psychanalyse.

3.2. Éloge de l'impur : la réduction intersubjectiviste

Il existe chez les psychanalystes américains, depuis une quinzaine d'années, une théorie de la technique analytique qu'ils appellent l' « intersubjectivisme ». Comme aucun des deux participants de la rencontre psychanalytique ne peut prétendre à l'objectivité dans son rapport à la réalité, aussi bien convenir que l'entreprise analytique est faite d'intersubjectivité, affirment-ils. À partir de ce constat difficilement contestable, d'autant qu'il ne s'embarrasse pas de définir ce qu'on entend par « réalité » et par « subjectivité », leur tentative de renouvellement poursuit son chemin, renversant l'un après l'autre les principaux postulats qui ont déterminé la position psychanalytique classique jusqu'à ce jour : neutralité, anonymat, régression transférentielle, résistance, réalité psychique, etc. Se trouve prises à partie, avant toute chose, la « supposée neutralité de l'analyste » qui ne serait qu'une stratégie injustifiable ne pouvant que contribuer à faire croître l'idéalisation et l'autorité de l'analyste retranché derrière son imprenable posture. L'idéalisation est contestée en tant qu'effet de la stratégie analytique et d'une méthode qui maintiennent l'asymétrie des positions respectives des protagonistes.

Du même souffle, s'énonce une critique du rapport à la réalité – appelé sans distinction : épreuve de réalité – à propos de laquelle l'analyste s'accorde le privilège d'une plus grande objectivité (Renik, 1998), maintenant ainsi une asymétrie à son profit et renvoyant le patient, et lui seul, aux distorsions subjectives. Devenu expert de l'épreuve de réalité, l'analyste n'en vient-il pas à lui donner valeur d'idéal ? Dans la perspective intersubjectiviste, il n'y aurait aucune raison de tenir pour unique la dynamique de la situation psychanalytique dans la mesure où le transfert se retrouve partout dans la vie courante, pourquoi faudrait-il lui reconnaître une connotation spécifique dans l'analyse proprement dite ? La conception freudienne d'un inévitable transfert positif de base, quand la suggestion joue un rôle déterminant dans la remémoration et la confrontation à toute réalité pénible, est rejetée en tant que culture de l'idéalisation de l'analyste. Quant à ceux qui prétendent déconstruire le mythe de l'analyste-supposé-savoir, ils ne contribueraient pas autant qu'ils le croient à sa désidéalisation, tant qu'ils continuent à promouvoir son anonymat. Car,

« jusqu'à quel point, croient-ils pouvoir offrir une cure qui ne serait pas ultimement basée sur la suggestion ? » (Renik, 1995, p. 479).

Le remède proposé : désormais, l'analyste n'a plus à être cette *oreille* anonyme, il doit s'exposer, dire ce qu'il pense et ce qu'il sent, proposer sa perception de la réalité en cause, tout comme il invite son vis-à-vis à le faire. L'analyste n'a donc plus à cacher ses humeurs. La mutualité ferenczienne vient donc remplacer l'asymétrie des positions, étant donné la subjectivité équivalente des deux participants, devenus des collaborateurs transigeant d' « ego à ego », étonnant héritage remanié d'un Ferenczi qui fut méconnu sinon honni. D'ailleurs, l'analyste peut consulter tout autant son patient qu'un collègue, le patient pouvant être considéré comme l'interprète de l'analyste et *vice versa.* L'éthique proposée en devient une éthique de pure franchise, pour ne pas dire de « candeur », comme le terme anglais le laisse entendre. Le postulat de la candeur suggère la pureté des intentions, la transparence escomptée : rien à cacher, pas d'inconscient !

L'analyse devient ainsi une thérapeutique pragmatique dont il faut évaluer périodiquement l'évolution de l'engagement et du progrès. À cette fin, l'interrogation de la réalité, partagée également, devient une activité de caractère empirique. Il va de soi que la régression transférentielle n'est plus encouragée, de même que toute dérive trop fantasmatique qui mènerait le patient et l'analyste dans une réalité onirique. Il est énoncé explicitement que le modèle du rêve s'avère complètement dépassé et ne saurait servir de paradigme dans le nouvel espace intersubjectif. La référence à la nature dialectique de la réalité psychique est rejetée au bénéfice d'une synthèse intégrative recherchée à la manière d'une sorte d'apprentissage dont la psychanalyse devient un champ d'application, comme bien d'autres.

La remise en cause des principaux éléments de l'application de la méthode analytique par ce mouvement intersubjectiviste américain dépasse de beaucoup l'interrogation de la technique analytique comme telle. C'est toute la profession psychanalytique, et sa spécificité, qui est questionnée. De la même façon que le patient est devenu l'interprète de l'expérience analytique, le grand public est aussi invité à prendre place sur le divan et à dire aux analystes leurs quatre vérités : surtout au sujet de la régression transférentielle induite par la création artificielle d'une réalité illusoire, en marge des vrais problèmes du quotidien. Selon les lois du marché, quand un produit ne se vend pas, c'est qu'il ne rencontre plus les besoins du consommateur. Il semble bien qu'il s'agisse des lois d'un marché qui ne reconnaît pas que l'offre précède la demande. On laisse entendre clairement que la psychanalyse traditionnelle n'est plus considérée comme une thérapie efficace, même si elle demeure un mouvement social qui continue d'attirer des adeptes, surtout ceux qui sont intéressés à devenir analystes. Pour les patients, les authentiques, selon l'approche intersubjectiviste, seule une transformation radicale de la pratique peut encore faire de la psychanalyse un produit attirant. Mais il faut être prêt à sacrifier une bonne partie des dogmes classiques et ultimement l'appellation « psychanalyse » elle-même, au profit de *getting real* (Renik, 1998).

Ce glissement de la reconnaissance de l'importance de la personne même de l'analyste dans la cure à l'affirmation de son être comme référent *principiel* de l'analysant, n'est pas sans rappeler la position similaire de Sacha Nacht sur ce même thème. Le conflit bien connu de Lacan et Nacht autour de la transmission n'a-t-il pas également mis en lumière l'écart entre une lecture de la dynamique transféro-contre-transférentielle en termes de relation duelle et celle qui insiste sur le tiers et même sur l' « analyse quatrième » ? (Valabrega, 1969).

Voilà donc ce qu'est devenue, pour un nombre grandissant de collègues américains, la peste supposée que Freud serait venu leur apporter en 1909. Il serait toutefois injuste et partial de dresser en quelques traits le portrait d'un étranger, dont on ne peut manquer de se dissocier tant il est caricatural. Il faut reconnaître que cette critique de la pratique analytique traditionnelle n'est pas sans mérite, malgré toutes les réserves et tous les désaveux qui ne font que grandir au fur et à mesure que l'on expose ce nouveau regard sur la psychanalyse, transformé aussitôt en changement technique radical. Bien évidemment, toute une conception de la psychanalyse et de la réalité psychique se trouve en jeu, sans qu'il en soit question de façon manifeste. Il serait donc tentant d'amorcer d'emblée une discussion critique de tout ce qui vient d'être rapporté et de dire en quoi « tout cela n'est plus de la psychanalyse ». Tâchons plutôt d'y retrouver notre propos et essayons de dire en quoi peut être entendu, dans le discours intersubjectiviste américain, un éloge de l'impur ou, au contraire, la visée d'une autre pureté, à l'abri de la contagion inconsciente, de l'autre. Car il faut reconnaître d'abord que dans ce discours-là la question de la pureté ne se pose même pas, bien qu'il se soit construit sur une attaque contre le purisme freudien traditionnel.

Cette critique de la technique psychanalytique dénonce en effet, l'idéal de neutralité et l'idéalisation de la position analytique qui ne peuvent que renforcer l'autorité de l'analyste. Cette lecture symptomatique de la neutralité analytique situe dans son application l'exigence de pureté de l'analyste, dont l'anonymat serait la plus manifeste des conditions : l'image d'un analyste sans visage, drapé dans la plus complète abstinence. Face à une telle abstraction, l'invitation à devenir réel ne cache pas ses couleurs. L'analyste doit descendre de son piédestal et rejoindre le patient là où il se trouve. Il doit être accessible : qu'on le regarde, qu'on l'entende, qu'on l'interprète. Tout pour le sortir de sa position anonyme et asymétrique, de son altérité, pour rétablir la plus grande réciprocité possible. Nouvelle version de l'analyse mutuelle, dont on méconnaît l'héritage : similitude apparente dans l'autodévoilement, mais différence quand même : alors que Ferenczi soigne l'enfant dans l'adulte pour que l'analyse reprenne son cours et que l'analyste retrouve sa position, chez Renick, l'analyste intersubjectiviste propose plutôt la syntonie des moi.

Si on n'est plus entre collègues, on se retrouve entre patients. N'aurait pas changé, la quête du semblable à soi. Pur ou impur : pourvu qu'on reste entre soi. Élitiste ou populaire, tant que l'un demeure le reflet de l'autre, son exact opposé. Impur sous un certain angle, on retrouve sa pureté d'un autre point de vue. Pour se rendre plus visible, l'analyste doit se départir de ses attributs, jusqu'à son titre même : le pur et l'impur renvoyés dos à dos, sinon face à face : à la neutralité de l'analyste se substitue sa personne ; à la référence à l'inconscient la préséance du préconscient et conscient ; à la réalité psychique la réalité quotidienne ; à l'association libre le plan de traitement ; à la régression la progression ; à l'antithèse dialectique la synthèse intégrative ; à l'unicité de l'expérience analytique l'universalité du transfert ; à la conflictualité le prendre parti, *take side* ; à la psychanalyse la psychothérapie cognitive, comportementale et d'apprentissage ; au divan et à l'invisible le face-à-face égalitaire, *to take a good look at the analyst.*

Il n'est pas sans ironie de retrouver, cinquante ans après le Lacan des années cinquante, le même recours à un intersubjectif par des Américains qui ignorent ce qu'ils doivent à leurs prédécesseurs. Il faut bien dire que l'intersubjectif de Renik et le sujet lacanien n'ont pas beaucoup en commun. Si celui de Lacan est un sujet divisé, celui des Américains est au contraire un sujet à part entière, a-conflictuel, sujet psychologique qui se méfie de sa face cachée. Pour ce pragmatisme trivial, il ne semble pas y avoir d'autre pôle à la pratique.

Le purisme lacanien et l'analyse mutuelle de Renik, tous deux des avatars de la filiation paradoxale ferenczienne... L'accent mis sur le contre-transfert depuis plusieurs décennies a de plus en plus marqué les théorisations de la majorité des analystes, attirant une attention accrue sur sa participation à *l'entre-prise* transférentielle commune analyste-analysant, à ce point qu'on en est venu à lui donner priorité sur le transfert, dont on parle moins. *Haine du transfert,* de celui qu'on subit. Chez Lacan, et à sa suite, cela s'est appelé « le désir de l'analyste », partie du transfert de celui-ci sur « son » patient. Pour Renik et les intersubjectivistes, le contre-transfert devient la réalité propre de l'analyste, réalité qu'il n'a d'ailleurs pas à garder par devers lui. L'éthique du premier deviendra celle de « ne pas céder sur le désir », tandis que chez l'autre, on prêchera une éthique de *self disclosure*, aussi appelée *ethic of candor,* tout cela reflétant la polarisation autour de l'idéal analytique chez l'un et de la visée thérapeutique chez l'autre. Remarquons, à travers eux, le glissement de la priorité analytique : du rêve à l'analyse des résistances, puis de l'analyse des symptômes à l'analyse du transfert, et finalement remaniements à partir du contre-transfert.

Et si ce n'était l'affaire que de l'absolutisme lacanien ou du réductionnisme intersubjectiviste ? Peut-on s'en tirer à si bon compte, sans s'y reconnaître tout de même un peu dans l'évocation de ces positions extrêmes mais non moins révélatrices, caché-montré nous servant tour à tour de miroir et de point aveugle ? De toute façon, on pourra toujours dire, pour les Américains : Lacan, connais pas ! Et pour les Français : Renik, connais guère ! Entre eux, il y a toujours un océan[1]...

« Pendant ce temps-là... », à Montréal, coexistent dans la même société, deux groupes d'analystes, l'un anglophone, le Quebec English Branch, l'autre francophone, la Société Psychanalytique de Montréal (SPM). L'un beaucoup plus sensible à l'influence américaine, incluant la tendance décrite plus haut, l'autre, traversée par la pureté française et lacanienne, bien au-delà de ce qu'elle veut bien reconnaître. Qu'est-ce à dire ? Une occasion sans pareille de partage, de confrontation ? Rien de tout cela. Il y a autant de distance entre nos deux groupes qu'entre ceux qui ont l'excuse de l'Atlantique pour s'ignorer. Deux conceptions de la psychanalyse sont là si proches l'une de l'autre qu'elles ne se rencontrent presque jamais. L'ours et la baleine. L'autonomie institutionnelle, jalousement défendue contre une standardisation des pratiques, n'explique pas tout.

Il n'y a pas de surprise à retrouver dans nos préjugés réciproques locaux les échos de ce que les analystes américains pensent des collègues français et *vice versa* : nos collègues anglophones disent de nous que nous sommes des purs, dévoués à une cause idéalisée. Ils nous voient souvent comme ceux qui sont portés à faire la leçon, à brandir des exigences éthiques abstraites et moralisantes, à prêcher un retour à Freud aux accents religieux et intellectuels, sans compter nos constantes références à la *transmission* et à la *filiation,* quand ce n'est au *désir-d'être-analyste.*

1. Dans l'après-coup de cette analyse, nous avons retrouvé au cœur et à la périphérie de notre propre « réserve » deux collègues qui ont été les avocats du dévoilement par l'analyste de son *intimité*. Le premier, dans un article controversé avait élu de révéler à sa patiente un de ses rêves à son sujet, le second, un collègue anglophone, se situe dans la foulée des positions d'Owen Renik. Il était manifestement plus aisé dans la distance d'un dehors sécurisant et a-conflictuel de dresser un portrait dans la différence plutôt qu'au plus près d'un étranger intime.

Il faut dire qu'on le leur rend bien : à nos yeux, nos voisins anglophones ne tiennent pas à grand-chose de « purement psychanalytique », toujours prêts à bazarder les postulats les plus fondamentaux de la pratique, à ignorer les concepts qui font la différence. Combien de fois on aura entendu chez nous : « Ça n'est plus de la psychanalyse, tout est mis en cause ! » Il n'y a plus rien de *sacré* !

Mais la pureté n'est toujours qu'une vérité révélée par d'autres, elle ne saurait être autoproclamée. On aurait donc besoin d'un voisin pour être pur, un moins pur que soi. Telle serait notre chance d'avoir été entourés d'analystes américains, de collègues anglophones. Tant qu'on aura des voisins dont on incarne un idéal, le risque est grand que cette partition imaginaire résiste à tout. Car, à partir du pur, il ne peut y avoir que de l'impur et *vice versa.* Dans ces conditions, que devient la prise en compte de l'état de nos concordances ?

Comment ne pas chercher un reste de pureté même chez nos voisins qui s'en défendent le plus ? Juste assez pour préserver une ressemblance, quelque chose de semblable à soi. Un reste de croyance commune. Ultimement, peut-être faudra-t-il passer leur pragmatisme au peigne fin, y débusquer un signe d'idéal désavoué ? Pourquoi tant se dissocier de l'idéal ? N'en finissent-ils pas par mettre la réalité en position d'idéal, comme si elle était *une* ? N'y a-t-il pas une théorie de l'unicité au cœur même des amalgames les plus hétéroclites ?

Quant à l'étanchéité des modèles, elle se reflète aussi dans l'exclusivité des références auxquelles, de part et d'autre, on choisit de s'exposer. Comme en témoignent les bibliographies des textes de présentations, aussi bien que des diverses publications par les membres des différents groupes, rares sont ceux qui puisent à plusieurs cultures psychanalytiques, au-delà de la familiarité des langues en cause. La bibliographie qui accompagne le présent exposé ne fait d'ailleurs pas exception.

Avec le temps est apparu, avec insistance, ce que la pureté laisse en souffrance. La partie de notre introduction relative aux figures de l'idéal de pureté chez nous tous, en fait état : les sociétés de psychanalyse ne nous apparaissent-elles pas par moments plus facilement tentées par le repli dans un resserrement imaginaire *incestueux* que d'autres collectifs, surtout quand, par la voix de certains, elles sont sur le point d'être confrontées à leurs conformismes, leurs intolérances, leurs compromissions, leurs croyances, à chaque fois qu'elles risquent de reconnaître les différentes modalités de leurs interdits de pensée ? Pris d'une angoisse commune, les membres de la *famille* serrent les rangs.

3.3. *De la réserve*

Société psychanalytique de langue française en Amérique. Cela pourrait être aussi bien de langue anglaise ou espagnole. S'agit-il d'une langue ou d'une culture qui porterait une véritable pensée psychanalytique bien nôtre, capable de se justifier, là où elle serait requise de le faire, des privilèges accompagnés du « devoir de réserve » ? Ou s'agit-il d'autre chose ? En France : lacaniens, non-lacaniens ; aux États-Unis : médecins, non-médecins ; au Canada : anglophones, francophones. À chacun sa réserve.

S'il est une caractéristique de notre mode d'échange, le nôtre... c'est celle de la non-confrontation : d'abord entre nous, le mode privilégié a toujours été celui qui pourrait être appelé de *libre association.* Cette façon de parler, et de se relier, emprunte à la situation analytique elle-même un procédé, une règle fondamentale, croyant préserver par là l'idéal psychanalytique hors de murs. Pas de confrontation, donc pas de démarquage. La position de chacun devient équivalente et semble être reçue dans le plus grand respect dans un milieu où la liberté de penser est idéalisée d'autant qu'elle ne risque rien. On peut parler kleinien, lacanien, winnicottien, chacun est écouté comme si, au fond, nous parlions tous le même langage. Pas de contestation, comme si la croyance de chacun valait la sienne propre. En cela nous serions bien ces Américains dont parlaient Freud. *« Openmindedness »,* disait-il, à la condition de ne pas porter de jugement.

À l'intérieur de la réserve, il y aurait justement suspension du jugement. Ce qui permet à l'intervenant de témoigner sans risque de son « être analyste », gardien d'une représentation depuis longtemps domestiquée. L'important devient « que ça circule », sous-entendant ainsi qu'on ne s'arrête pas à nos différends ; pratique *civilisée* de la discussion où le consensus est atteint avant même d'avoir été mis à l'épreuve. Sous le couvert de la liberté, il s'agit d'une forme d'interdit de penser.

Les psychanalystes de toutes obédiences sont obligatoirement aux prises avec le paradoxe d'avoir à se définir par rapport à un inconciliable – qu'on l'appelle l'inconscient, le sexuel, l'infantile, la chose, le réel ou la civilisation – dont ils ne peuvent éviter de faire « leur » champ propre. À partir de quoi, la tentation purificatrice ne peut qu'expurger ce qui permettrait de penser la réalité en cause. Mais comment faire pour ne pas croire que la psychanalyse nous appartient en propre, qu'on peut « être psychanalyste » à demeure ? Pour ne pas être des fidèles d'un surmoi psychanalytique d'autant plus insidieux que les « grands personnages, leaders... » qui déterminent les représentations et conceptions de notre petit monde sont loin de nous, et parfois trop proches.

Comment faire pour ne pas croire ce que « l'école nous apprend d'une réalité imprenable ? » (Freud, 1936). Comment plutôt en faire soi-même l'expérience ?

Ce caractère de non-confrontation marque aussi nos échanges avec l'extérieur de la réserve. Une extrême prudence a toujours accompagné en effet nos communications avec les non-sociétaires, qu'ils soient d'autres analystes, psy ou tout autre interlocuteur par rapport à qui notre position d'analyste serait questionnée. Comme si notre crédibilité n'avait pas à se donner à entendre, à se constituer sur parole adressée à d'autres dont elle dépendrait. Notre mandat nous viendrait d'ailleurs, ne pouvant être remis en question par l'entourage non psychanalytique ; vocation inscrite dans une sorte de transcendance, qui semble s'autoriser d'elle-même dès qu'elle sort de sa réserve... sans jamais se défaire de celle-ci.

Ainsi notre réserve, ce lieu de la conservation des espèces en voie de disparition, continue d'abriter une conception de l'analyse qui demande de ne pas être exposée à tout-venant, évitant de cette façon le risque du malentendu et de l'exécution sommaire, mais ce qui en fait aussi une parole sans adresse autre que spéculaire. Cette conception, qui représente ce que la psychanalyse a de plus pur, suppose donc à la réserve qui la protège un rapport privilégié à ce qui serait l'essence de la psychanalyse et les modalités de sa transmission. L'idée que cette découverte ne puisse être transmise qu'aux conditions qui seraient siennes, que dans son langage propre, trahit la conviction de promouvoir une cause civilisatrice ignorante des sources idéalisantes qui la portent. Tout cela n'évoque-t-il pas par ailleurs la famille incestueuse ? L'angoisse que suscitent des lignes de démarcation floues, mal assurées ou peu fiables amène à une compulsion à la territorialisation. Dans le processus analytique, le trouble sexuel déstabilise et pousse à définir une limite identitaire pour contrer la précarité territoriale induite par l'effet régressif des pulsions partielles. L'idéal de pureté devient alors une position de repli défensive, réserve rassurante face aux repères menacés.

Les idéaux de pureté reposent sur la nostalgie de l'imperméabilité narcissique. C'est pourquoi les stratégies défensives usuelles telles que le refoulement ne suffisent point à sauvegarder cette forteresse idéale. Le clivage et le déni des différences assurent mieux cet isolement qui tend à la grandiosité en ce qu'elle trouve ses racines dans le moi-plaisir purifié et le moi-idéal.

Le devoir de réserve nécessaire à la position de l'analyste, dans un mouvement dialectique, l'amène également à instaurer un retranchement. Un lieu collectif privé d'appartenance peut ainsi se consolider, mais donner lieu tout autant, en échappant aux contraintes de la pratique, à une intimité incestueuse de qui partage, sinon la même couche, le même idéal de pureté.

Si notre exigence de pureté cherche à compenser l'insuffisance de la force de démarcation de l'interdit-père, là où la pureté règne *en maître,* si l'on peut dire, on ferait bien de s'inquiéter de la bonne santé de la figure de celui-ci. Peut-on imaginer, en effet, « une société sans père », comme on l'entend dire de nos jours, et de plus en plus, sans préciser de quel père il s'agit : sans père de la horde, sans idéal de la masse, sans leader imaginaire puis spirituel, sans Moïse... ? Sans transmission, au sens d'un héritage à conquérir ? Peut-on imaginer une réserve, sans chef ?

Dans *Psychologie de masse et analyse du moi,* Freud transforma la problématique de l'interdit, telle que déployée dans *Totem et Tabou,* en une théorisation de l'idéal. Par le processus d'identification collective où l'image du père de la horde devient l'idéal de la foule, il est proposé que le sujet se fonde, par cette identification originaire, à partir d'une intériorisation du père, en transposant en lui-même la loi constitutive de sa propre existence. Le père placé en position d'idéal du moi fournit cette image d'objet qui à la fois s'éloigne du narcissisme et en préserve l'essentiel dans la mesure du lien aux autres qui partagent le même idéal. Dans cette progression culturelle, la « nature » du religieux se transforme : la figure du père devenue leader idéal perd son caractère sacré, sans pour autant échapper au registre de la croyance qui le constitue, ce qui n'en fait pas encore pour autant un père « spirituel », un père pour penser. Le meurtre du père n'est-il pas la question esquivée qui déterminerait nos modes de confrontation : autant elle s'imposait quant au destin de la horde, autant le maintien de l'idéalisation du leader la fait oublier au groupe qui confirme la force de l'existence de celui-ci. Ce n'est qu'à partir d'un père dont on peut douter, gardé en place par l'acte de *décision* filiale qu'il en soit ainsi (Granoff, 1975), que la croyance perd, en partie, sa prédominance au bénéfice de la pensée.

Société sans père, dit-on, dans une perspective sociologique. Devons-nous importer cette vision telle quelle pour l'appliquer à notre « réserve » psychanalytique locale ou serait-il plus juste de souligner l'absence de maître... de maître à penser ? Et comment lire Freud dans « Analyse avec fin et analyse sans fin » quand il suggère que l'analyste puisse « servir de modèle à ses patients et parfois de guide » ? Qu'ont en commun ou, au contraire, qu'est-ce qui distingue le père resexualisé dans le transfert, le leader, le modèle et le maître ? Qu'en est-il du rapport de l'analyste à la doctrine freudienne ? La représente-t-il, l'incarne-t-il ? Est-il, de par sa fonction, un délégué de la doctrine ?

La doctrine, à distinguer du dogme. La théorie freudienne en tant que corpus théorique fondateur d'un champ et d'une méthode, épistémologiquement distincts des autres pratiques similaires, constitue la condition de possibilité de la pratique analytique. En ce sens, elle est au-delà de chaque pratique singulière. Elle commande a minima une adhésion à un certain nombre de concepts organisateurs. Peut-on, doit-on alors, à la suite de Granoff, suggérer qu'on est toujours plus ou moins soumis à la doctrine, qu'on ne peut en changer comme si de rien n'était ? Paradoxalement cette soumission limite-t-elle les effets de la croyance *à* l'analyste pour la déplacer vers la *croyance* à la doctrine qui elle-même reposerait ultimement sur la conviction de l'existence de l'inconscient dans sa mise à l'épreuve dans le processus analytique même ?

La transmission de l'analyse, de par le processus analytique même, court-circuite la place traditionnelle du maître qui réapparaît, déplacé sur la scène institutionnelle. Entre le père de la horde et le *pater familias,* d'une part, et le leader et le maître, d'autre part, s'inscrit en tiers la doctrine qui « articule » chaque transfert-contre-transfert et s'en trouve régénérée.

Cela ressemble à certaines sociétés de chez nous ; « une société sans père » ; c'est en effet l'auto-appellation nostalgique la plus habituelle des membres de notre société de psychanalyse, la SPM. Notre pureté psychanalytique, pointée par nos voisins américains et anglophones, ferait-elle justement partie de cet héritage imaginaire, comme une posture empruntée qui méconnaît sa source ? Il y aurait bien, entre autres, ici comme ailleurs, des influences lacaniennes, de deuxième et troisième génération, généralement méconnues. Comme si *notre* pureté devait être réductible à ce lien nostalgique à des pères imaginaires choisis, pour qui nous conserverions secrètement un culte de croyance indéfectible, fidèles à un surmoi culturel venu des « vieux pays » ? En France, le retour à Freud de Lacan pourrait-il, *par-dessus* Lœwenstein et Bonaparte, indiquer une mise en scène similaire d'une filiation imaginaire ?

Pourquoi ne nous vient-il pas à l'idée de nous considérer aussi psychanalystes américains ? Et pourtant... Non pas pour emprunter d'autres postures, partager d'autres croyances, identifier d'autres souillures, celles de cette autre culture US déjà tellement présente en nous. Pur/impur à la française, pur/impur à l'américaine. Quelles différences ? Il nous faut repérer à quel idéal nous avons été promis, de quels fantasmes de transmission nous sommes porteurs ? À croire que la peste apportée en Amérique ne saurait survivre qu'en français, dans la réserve francophone ? En quête d'un référent culturel imaginaire, il arrive qu'on le croit...

La pureté, chez nous, qu'on soit grand clerc, athée, psychanalyste – ou, plus souvent, un amalgame des trois – évoque nécessairement la sexualité, celle de la chair, celle de l'esprit. Plus qu'ailleurs, peut-être, dans la mesure d'un catholicisme dormant, d'une société supposée sans père, Église et État confondus, la connotation religieuse du pur ne saurait nous échapper quand bien même il s'agirait de désavouer une telle visée de la morale civilisée. Mais la référence à ce qu'est le sexuel a changé. De la sexualité génitale au sexuel infantile, le clerc devenu psychanalyste en aura perdu son latin. De la reproduction sexuée à la transmission « spirituelle ».

Quant à la pureté, de gardienne de la foi n'est-elle pas devenue gardienne du sexuel ? Le dogme, à distinguer de la doctrine, n'est plus le même, mais n'en reste pas moins un dogme. En effet, le psychanalyste américain d'influence française, de pure obédience, comme ses collègues français d'ailleurs, est souvent celui qui rappelle à tous combien la psychanalyse contemporaine s'est *désexualisée* depuis Freud. Il a beau avoir *parfaitement* raison, cela ne l'empêche pas d'être devenu un porte-étendard trop souvent sermoneur ! D'une révélation dont il serait le conservateur attitré, permettant ainsi aux autres de ne plus avoir à s'en soucier et à se consacrer tout entiers au relationnel, quand ce n'est aux *public relations.* Le sexuel peut ainsi se retrouver tantôt exclu, tantôt inclus, tantôt pur, tantôt impur. Mais il ne reste pas moins l'enjeu de la pureté et du régime de croyance qui la soutient.

Le démoniaque de naguère n'a-t-il pas, là, repris du service, passant de la sexualité impure au sexuel pur ? Le sexuel (la chose, le concept ou le mot), une expression désormais consacrée. Tabou. Réserve de la langue psychanalytique commune à certains (Rolland, 1998). Et si la relation au sacré et à l'impur demeurait, au-delà de l'apparente laïcisation, l'enjeu de notre chapelle obligée à son totem ? En cela, l'analyste ne se distinguerait pas tellement du névrosé, ni du « primitif ». Prendre le mot pour la chose, déni de la mort de celle-ci, mot d'ordre ou tabou, comment limiter sa contagion ?

3.4. Le sacré et l'impur

« La profonde aversion que l'homme éprouve pour ses désirs incestueux d'autrefois », comme le rappelle Freud dans *Totem et Tabou,* l'amène à établir autour de la figure du père mort un système d'interdits qui évitera le contact, double prohibition du toucher, tant meurtrier qu'incestueux. La catégorie du sacré qui s'ensuit, associe l'interdit à l'impur, comme deux faces d'une même pièce, et permet d'instituer la religion du père en établissant en droit son autorité séparatrice, qui désormais déterminera ce qui doit être exclu et respecté par la communauté des fils, dont l'ambivalence des sentiments homosexuels consolide l'avènement d'une morale civilisée. Le tabou, en contenant le démoniaque contagieux, à la fois impur et sacré, conjoint deux versants de la « concordance première » et l'obéissance due au totem correspondant, assurant après coup l'interdit de contact. Par cette relation d'obligation croyante qui soumet à lui le *primitif-névrosé,* ce père-là impose aussi l'interdit de penser

(Gribinski, 1978). Père abuseur, père fondateur. De l'interdit de penser à la condition pour penser, chez Freud, tel que déjà évoqué, la progression théorique ira vers la conception d'un père devenu condition pour penser (Freud, 1938).

Peur du père, peur de l'inceste. Cependant, l'horreur que celle-ci génère n'est jamais réductible au pouvoir interdicteur de celui-là, et au tabou du meurtre qu'il cherche à contenir. La ritualisation du sacrifice qui rejoue compulsivement la mise à mort pour remettre perpétuellement en mémoire le totem paternel, n'en révèle pas moins la fonction expurgeante d'un impur sans frontières, dont le mythe de la dévoration cannibale pour prendre en soi le cadavre paternel révèle l'impensable. Cette autre face du sacré (Kristeva, 1980), au-delà de la dimension obsessionnelle de son culte, renvoie à l'horreur et à la phobie de l'inceste comme menace du fusionnel et tentation indifférenciante. Retour à l'origine indifférenciée : être/non-être, retour à l'indistinction des opposés.

L'originaire du moi est ici en cause, tant dans la perméabilité des limites qui constituent le dedans et le dehors que dans la fragilité identitaire de ce qui le distingue du non-moi. La répétition au cœur du rituel sacré met en acte une autre mémoire, non pas commémoration d'un événement déjà inscrit, mais incessante mise en acte d'une expulsion répétitive, fondatrice d'une identité subjective instable, en marge de la recherche mythique d'une « réalité disparue ». Ces rites religieux d'expulsion de la souillure « reposant sur le sentiment d'abjection et convergeant tous vers le maternel » tentent de « conjurer la peur chez le sujet d'engouffrer sans retour dans la mère son identité propre » (Kristeva, 1980, p. 87).

Cette logique de l'exclusion au fondement de l'idéal, s'imposant à partir des défaillances de la logique de l'interdit et de la loi symbolique, fait passer la saleté au rang de souillure rituelle d'où s'extrait le *propre* individuel et social ; et cela, à la condition de passer de l'ordre profane à l'ordre sacré de la pratique sacrificielle.

Pour l'anthropologue Mary Douglas, l'impur et le sacré s'associent à travers ce qui est ou ce qui devient marginal, et non à cause de quelque incapacité indifférenciante de la pensée « primitive », le corps humain servant de prototype aux mouvements de démarcation d'organismes individuels, sociaux, comme au système symbolique. La saleté, éventuellement souillure rituelle, n'y est considérée qu'en tant que se référant à une limite, sans valeur intrinsèque, créatrice d'une marge. « La saleté est une offense contre l'ordre... y réfléchir, c'est réfléchir sur le rapport entre l'ordre et le désordre, de l'être au non-être, de la forme au manque de forme, de la vie à la mort... l'erreur serait de considérer les confins du corps comme différents des autres marges » (Douglas,

1967, p. 27). Voilà pourtant bien l' « erreur » que revendique une lecture psychanalytique, qui prend en compte les déterminants pulsionnels inconscients de ces mouvements défensifs qui tentent d'établir des limites. Corps pulsionnel, corps imaginaire, et non seulement moi-corps réifié. Il reste la question de savoir ce qui transforme un déchet du corps en représentant de la défaillance de la structuration symbolique. Sang menstruel et excréments, souillures qui relèvent du maternel-féminin en ce qu'elles sont liées à ce qui choit de la mère (Kristeva, 1980). Ou plus généralement ce qui rejoint « la petite chose qui se sépare du corps », concept freudien de ce qui (se) passe à la marge des orifices corporels. Ces zones érogènes sont le siège d'ex-pulsion, avant de pouvoir maintenir, retenir sous l'influence de l'érotisme anal, et devenir un lieu d'échange et de transmission. Mais aussi lieu et temps privilégiés de la fragilité de la séparation, celle qui incarne et annonce déjà l'organisation symbolique. Là où se rejoue perpétuellement la tentation auto-érotique et le retour possible du pulsionnel de zones, réactivé en séance à travers l' « infection par le transfert », de l'énigme sexuelle (Freud, 1895).

Les opposés, le sacré et l'impur, renvoient ainsi aux racines pulsionnelles de l'ambivalence amour-haine avant d'être considérés dans toute espèce de logique de la contradiction. Le tabou qui les renferme empêche aussi la mise en jeu de leur opposition, les soustrait à l'épreuve de la perte qui obligerait à reconnaître que l'un n'est pas l'autre.

Le tabou, en incluant les opposés dont la discordance s'efface, établit dès lors l'interdit de contact à partir d'un mode de pensée animique. Comme si le trait de séparation se déplaçait. « Au tabou s'attache quelque chose comme le concept d'une réserve », disait Freud en 1913, réserve quant au temps et à l'espace : territoires réservés, purs et impurs, sacrés et impurs. La mise à l'écart d'un autre mode de pensée qui prendrait en compte l'existence des contraires et l'expérience de l'altérité des termes à différencier, déportation des opposés, n'est pas sans reprendre l'enjeu du deuil possible et impossible, celui de la mélancolie. Tabou des morts, tabou à partir de la mort du père, dont la nature des interdits révélera la limite de la possibilité des deuils en cause. Le tabou, en figeant la force des opposés, délimite les conditions de possibilité de l'historicisation, celle-ci devenue secteur réservé de l'expérience de pensée, et du travail de mise en mémoire nécessaire au travail de deuil (Laplanche, 1990). Le travail du deuil, qui échappe aux restrictions interdictrices du tabou, rétablit la prise en compte de la violence de l'altérité des opposés l'un pour l'autre. Violence réintégrant l'ambivalence pulsionnelle d'origine et violence projetée tout autant. Mais surtout, violence que l'autre fait à l'un d'exister sans lui : cette impensable altérité que le tabou comme la mélancolie abolissent en réduisant les opposés à du même imperméable à l'autre.

Dans *Le tabou de la virginité,* Freud semble reconnaître plus ouvertement ce qui se cache dans « la crainte principielle devant la femme... peut-être cette crainte se fonde-t-elle en ceci que la femme est autrement que l'homme, qu'elle apparaît incompréhensible et pleine de secret, étrangère et pour cela hostile » (Freud, 1918, p. 86). Cet « autrement que » au cœur des différences qui nous importent, au principe même du caractère antithétique des opposés, serait ce que tout repli indifférenciant cherche à faire disparaître.

« Le paradoxe ultime de la quête de la pureté est que c'est une tentative pour contraindre l'expérience à entrer dans les catégories logiques de la non-contradiction. Mais l'expérience ne s'y prête pas, et ceux qui s'y essaient tombent eux-mêmes dans la contradiction » (Douglas, 1967, p. 174). Voici comment Mary Douglas pose le destin de l'exigence de pureté, qui, appliquée à la sexualité, devient le déni non seulement de la sexuation, mais aussi de la possible fécondité qui en découle, fruit de la rencontre des (sexes) opposés : en d'autres termes, exigence de non-reconnaissance, exigence de non-transmission. D'un point de vue psychanalytique qui tient comme l'ultime de toute pulsion ce qui de la pulsion de mort renvoie au principe même de la contradiction, la quête de pureté quand elle devient « pure culture... » n'en est pas à une contradiction près. Là où le sadisme de l'interdit rejoint l'antagonisme radical au cœur du pulsionnel.

La tentation mélancolique face à l'irréductible altérité des semblables à soi contribue à établir la « réserve » et ce qu'elle doit à la logique du tabou et à l'interdit de penser le mode de concordance des opposés. Le traitement que subit en nos lieux la notion même de l' « autre » est révélateur de la tentation purificatrice, paradoxale en l'occurrence. Comment y revenir sans ajouter au discours qui n'a de cesse de domestiquer une notion qui devrait pourtant y échapper ? Petit autre, grand Autre et quoi d'autre encore, pour que « l'autrement... ne soit plus incompréhensible, secret, étranger et pour cela hostile » (Freud, 1918). Retour en force d'un *mot* originaire qui englobe ses sens opposés, pour faire taire le pulsionnel qui les porte. Sans compter la tendance purificatrice de l'emploi de la majuscule déjà notée chez Lacan : grand Autre dont l'altérité risque toujours d'être reprise par l'imaginaire. À la manière du « Grand Homme » du surmoi culturel freudien, qui tôt ou tard sera pris pour un autre.

Le recours à l'exigence de pureté, idéal commun maintenu en réserve, s'avère donc aussi le signe de l'insuffisance de ce qu'on attribue traditionnellement au pouvoir séparateur d'un « ordre » symbolique attendu du dehors. *L'opposition pur/impur cherche à imposer une hiérarchie organisatrice là où d'autres oppositions symbolisantes, différence des sexes et différence des générations, n'arrivent pas à opérer.* L'exigence de pureté à laquelle en vient à se livrer le surmoi dans la mélancolie n'en est-il pas une illustration ? Elle incarne le prototype qui amène à reconnaître dans le recours désespéré à l'idéal de pureté un symptôme de ce qui se conjoint du désir et de l'interdit dans le repli sadomasochiste des instances en cause, à l'écart de la réalité de la perte, comme il a été souligné dans « Pureté mélancolique, pureté conservatrice ». *La puissance de ce qui se traduit par une exigence de pureté et, indissolublement, le pouvoir de l'impur sont donc proportionnels à la fragilité de la limite à consolider et à la tentation marginalisante.* Quand, par exemple, il y a invasion de l'interdit dans « la réserve », c'est le retour du sacré et de l'impur, deux termes inséparables dont le dernier est généralement projeté sur le voisin.

L'obéissance rétrospective, comme la croyance ambivalente en la religion du père qui la génère, déborde de beaucoup les limites qui lui sont imposées. Morale religieuse du déni et de l'illusion. Dans l'idéalisation, l'objet est maintenu dans toute sa pureté, épuré du sexuel de zone. Son versant opposé, la perversion, idéalise la pulsion elle-même quand ce n'est la zone d'où elle surgit, indépendamment de l'objet. Autres mœurs, même idéal. Quant à la sublimation..., en désexualisant la pulsion, l'autre de l'autre, n'en devient-elle pas moins un idéal de purification dont on sait le destin, loin de nos théories de fin de cure, plus particulièrement chez ceux et celles qui *possèdent* la vocation...

Guyomard nous propose la figure d'Antigone comme l'incarnation d'un idéal mélancolique de fidélité à la parole d'un père. Pour nous, analystes, le problème de l'héritage et de la fidélité au père fondateur s'avère particulièrement aigu. Nos conflits autour de la transmission demeurent nos points aveugles, dans la mesure où nos idéaux de pureté de filiation ont des racines mélancoliques, de par notre incapacité à faire le deuil d'une validation de notre théorie et de notre pratique par la sanction de l'écrit sacré de l'ancêtre. Alors, comme Antigone, notre idéal devient à la fois « inanalysable, interdit d'analyse puisque passé dans le réel et producteur d'identité dans le mode d'une fidélité purement répétitive » (Guyomard, 1992).

3.5. Épreuve de réalité, relation d'inconnu

La « réserve » permet d'éviter principalement *l'épreuve de réalité* – c'est-à-dire ce qui cherche à distinguer la représentation d'une chose de la perception de celle-ci – et de différencier son monde de ce qui lui est extérieur. Bien que...

L'épreuve de réalité consiste ainsi dans la rencontre d'un monde de représentations bien à soi, bien au moi-plaisir, avec la réalité d'un dehors qui lui est inconciliable. Mais le moi, inhibiteur du libre investissement des représentations qui le constituent, s'avère le siège d'un paradoxe : pour répondre aux exigences de la réalité extérieure, de l'urgence de vie où domine le principe de réalité, il doit s'instituer à partir d'une coupure, en établissant un réseau de souvenirs conciliable avec le moi et avec le principe de plaisir qui le régit (Freud, 1895 ; Imbeault, 1989). De là, l'épreuve de réalité ne peut être considérée comme linéaire ou univoque. Freud, pour sa part, a pensé, pour un temps, qu'il devait l'attribuer au surmoi, avant de se raviser en prenant de plus en plus la mesure du type de « culture » dont celui-ci s'avère capable. Il a rendu l'épreuve de réalité du travail analytique de plus en plus indépendante du surmoi individuel et du surmoi culturel et de leur représentance.

L'exigence de pureté qui tente de déterminer les conditions de rencontre avec le dehors serait à mettre au compte de ce qui cherche à écrire l'histoire avant qu'elle n'advienne, d'établir une partition toujours déjà là : celle du futur, du présent, comme celle du passé ; alors que l'épreuve de réalité, passant d'abord par une déconstruction de l'histoire personnelle qu'on se donne, réclame l'assomption de la version de l'ensemble. En revanche, dans la « réserve », ayant droit aux « secteurs réservés », c'est l'ensemble qui peut en venir à se raconter des histoires. « ... une nation... qui réserve... un domaine déterminé qui doit être laissé dans son état original et préservé des transformations de la civilisation » (Freud, 1911).

La conception d'une psychanalyse unique, la croyance au *common ground* en deçà de ses modalités locales consenties, fait ainsi partie d'une histoire déjà là. Tout comme l'idée d'une psychanalyse française, britannique, américaine... ou québécoise. L'épreuve de réalité passe primordialement par l'expérience la plus singulière possible de la psychanalyse, par moments, par fragments inattendus, surtout quand il s'agit de la rencontre avec un autre dehors qui surgit tout à coup, répétitivement, sans mémoire déjà là, qui se nomme « civilisation » et non pas surmoi culturel, ni vision du monde, ni histoire officielle, ni psychologie collective. « Civilisation » au sens que Freud lui donne dans *Malaise*... : une exigence impossible à satisfaire, non pas exigence morale, mais exigence de la « nécessité » vitale, prise en compte de la rupture avec le narcissisme de l'origine : la nécessité de l'autre chose, des autres... pour vivre, pour défendre la vie contre la mort. La vie avant soi et la vie après soi. Indépendamment de soi. Un dehors qui s'impose (Imbeault, 1993). À l'envers de l'unicité, des seuls semblables à soi adhérant à un collectif modelé sur un idéal partagé, il y a cette soumission à la « nécessité réelle » de vivre ensemble pour que survive la vie ; civilisation-nécessité à distinguer du surmoi collectif humain.

Il ne suffit pas d'affirmer que l'épreuve de réalité est rencontre avec l'étranger. Car, du point de vue de la pureté du moi-plaisir, l'étranger est « son » autre bien à soi, la représentation de l'autre dont la réalité n'excède pas « ce qui n'est pas moi ». L'étranger n'est alors que l'impur prévisible du pur, son *alter ego,* ni plus ni moins. Cet étranger-là incarne plutôt un familier, comme un voisin qui finalement *me* ressemble, dont j'ai besoin de méconnaître la différence. Il n'y a pas de quoi en faire une épreuve, tant que la partition demeure respectée. Nos attributs peuvent varier, nous rapprocher, nous éloigner, nous situer dehors, dedans, ce qui n'empêche quiconque d'exister. L'épreuve de réalité s'exerce au-delà de la reconnaissance des simples attributs de chacun et du monde de représentations qui lui est propre, régi par le plaisir-déplaisir. *L'épreuve de réalité réside dans la rencontre de l'étrangeté du familier, l'insolite de l'inconnu et du connu.*

L'étrangeté (Freud, 1919), ne tient ni à la seule représentation ni à la seule perception de quoi que ce soit, mais bien à la rencontre de ce qui fait compulsivement retour dans une situation dont le caractère d'ambiguïté laisse dans l'indifférenciation, l'indécidable, ce qui en est de l'imaginaire et du réel, quand les limites entre ce qui est représenté et ce qui est perçu s'effacent. Si l'expérience de perception met à l'épreuve l'expérience de pensée, ce ne peut être qu'à partir de cette dernière que la réalité retrouvera son caractère inconciliable avec l'hégémonie imaginaire, trait de ce qui est le plus insolite au cœur du plus familier.

Il va sans dire que nul familier, nul étranger, n'assure en soi cette expérience-là, bien au contraire. À s'en tenir à la ressemblance du dedans et du dehors, à cet étranger-familier, la véritable épreuve de réalité n'adviendra pas.

Nulle culture, qu'elle soit française, américaine ou nordique, ne saurait mieux qu'une autre lever l'interdit de penser... l'interdit lié à l'adhésion collective de quelque réserve que ce soit. Si la culture humaine constitue sa vraie nature, comme le propose l'anthropologue, la prohibition de l'inceste qui serait au cœur de l'entre-deux, du passage de l'une à l'autre, risque le plus grand malentendu tant que la prohibition se réduit au visage humain tout *surmoïque* qu'il soit, tenant compte de la tentation purificatrice qui le guette et de l'univers de croyance qu'il impose. Le supposé caractère impersonnel d'une loi ne peut être préservé que dans l'abstraction d'une certaine expérience de pensée. Aussitôt que la pensée devient incarnée et reprise par quelque médiateur que ce soit, le retour du monde imaginaire et pulsionnel, qui s'infiltre inévitablement dans la représentance constitutive de son pouvoir, ne saurait être au service de la prise en compte de la nécessité réelle. Cette *lieu-tenance,* pour reprendre l'expression de Lacan, favorise plutôt le déni de celle-ci au bénéfice d'un autre mode de soumission qui garantirait le partage d'un pouvoir imposé. L'idéalisation du leader ne tend-elle pas à évacuer la logique de l'ambivalence nécessaire pour penser ?

Mais si, d'un côté, la croyance force à l'interdit de penser, ne faut-il pas, par ailleurs, l'existence d'un certain interdit pour pouvoir penser ? Condition pour penser le dehors, l'impensable du sexuel, comme tout inconciliable avec moi. Pour concevoir la transmission, la nécessité de se confronter au réel ne suffit pas. Que la voie soit obstruée, interdite, l'exigence d'élaboration deviendra encore plus insistante. Mais surtout, les différentes figures aimées-haïes du père chez Freud seront autant le support du doute que de la certitude, de la désillusion que de l'illusion. La croyance en *un père qui sait* protège du doute, comme la religion du père protège les fidèles de ce que l'idée de paternité introduit. Qu'en est-il de concevoir la conception ?

Le paradoxe du moi, énoncé plus haut, se trouve ici repris d'une autre façon : pour répondre aux exigences de la réalité extérieure, celui-ci doit élaborer un mode spécifique d'investissement des représentations qui le constituent, le protégeant de cette réalité et de l'épreuve qu'elle fait subir au narcissisme individuel et collectif.

L'évolution de l'usage psychanalytique des concepts moi-idéal / idéal du moi / surmoi n'est-elle pas révélatrice de ce paradoxe auquel cet usage n'a pu échapper ? Pour la majorité des psychanalystes contemporains, sans distinction de filiation, le moi demeure toujours ce qui assure tout simplement la reconnaissance de la réalité extérieure par un contact privilégié avec cette dernière. Tandis que le surmoi assurerait la contention du pulsionnel inconciliable avec le moi, tant individuel que collectif. Il reste l'idéal du moi, concept, pour certains, devenu caduc depuis l'entrée en scène du surmoi. Pour d'autres, il est confondu avec l'idéal de pureté et le moi idéal. Comme si l'adhésion de masse à ces concepts n'avait pu que réintroduire l'aveuglement et les interdits, de perception et de pensée, que la genèse de ceux-ci avait momentanément suspendus.

Dans la mesure où on redonne au concept *d'idéal du moi* tout son tranchant, comme représentant de « la nécessité réelle » imposée de l'extérieur, instaurant la figure de « l'Autre préhistorique inoubliable » (Freud, 1896) dans l'univers autosuffisant du narcissisme, là où l'idéal sert de médiateur à un « réel sans visage » (Assoun, 1984), il ne peut être que la contre-partie de l'idéal-de-pureté-sans-objet-autre-que-moi. C'est plutôt par le surmoi, dans son expansion mélancolique, que l'idéal de pureté reprendra du service, pour exiger, jusqu'à la mort du moi, que celui-ci redevienne sans objet, ultimement jusqu'à la perte de la réalité sur la scène privée.

TRANS-MISSION... POUR CONCLURE

L'idéal de pureté se reconnaît à sa vision manichéenne qui départage le dedans et le dehors de la « réserve » ; cet idéal dont « l'en dehors est pour l'en dedans à la fois condition et négation », comme le souligne Jankélévitch.

Dans sa quête du *même,* il devient intransigeant, faisant violence à ce qui résiste à sa tendance unitaire. Le mouvement originaire d'expulsion, *Ausstossung* du moi-plaisir tel que déjà souligné, protège contre ce qui menace l'homogénéité narcissique du sujet et se réactive le long de la ligne régressive chaque fois qu'une incompatibilité signale que le noyau primaire du moi semble en péril, gommant les ambivalences et les ambiguïtés. L'idéal de pureté, fruit d'une logique univoque, repose sur un mode de pensée dont le modèle est la disjonction dualiste.

Il y a sans doute un esthétisme de la pureté qui peut être source de jouissance. Notre parcours ne nous a pas conduits à l'explorer. La quête d'une forme pure, liée à la hantise de la ligne chez l'anorexique, *la* désigne comme l'incarnation de l'ascèse que nécessite l'asservissement à un idéal mélancolique de pureté nourri d'autoreproches et du repli narcissique. Coupée de tout lien significatif à l'autre, sa solitude s'avère prototypique. Les « réserves » analytiques permettent de contrer la solitude inévitable de toute vocation mélancolique. Quant au mutisme de certains analystes, ne pourrait-il pas être mis au compte de l'esthétisme d'une interprétation idéale paralysante ?

Phobie de l'Autre, du non-moi, angoisse de l'altération se conjuguent pour condamner l'idéal de pureté à l'immobilisme. Réfractaire au changement, il est anhistorique et intemporel. Il se construit dans l'absence de relation à un objet libidinal spécifique, se maintenant ainsi dans l'abstention et l'abstraction. *Alors que l'idéal a été lié traditionnellement soit à la perfection soit au devoir – dans sa version kantienne – nous avons tenté de faire valoir et d'illustrer que l'obsession de l'unicité et de ses frontières, spécifique à l'idéal de pureté, se fonde d'abord et avant tout sur la délimitation de l'ordre et du propre.*

L'analyse de l'idéal de pureté s'est avérée un outil qui a permis de cerner et les limites de l'analyse et celles de nos institutions. Nous avons rencontré la butée des limites de l'analysable dans l'analyse tout autant chez l'analyste que chez son patient, de même que les frontières d'un dedans/dehors de l'analyse à la fois mouvantes et circonscrites, à la fois rigides et méconnues lors d'exportations abusives ou pire encore dans des sur-interprétations addictives du matériel clinique en séance ou dans nos réunions scientifiques.

Ainsi la question de la confidentialité, assignée d'abord à l'intérieur du cadre analytique, est en fait déportée vers le dedans/dehors de l'institution via les nécessités de la transmission, supervisions, réunions scientifiques, ou même des tribunaux, publications et réseaux de communication en général.

L'oscillation souvent insoutenable du pur et de l'impur appelle une cristallisation, un durcissement de ces deux pôles vers des positions antithétiques et antinomiques. Défense du moi contre l'angoisse de l'étrangeté, la pureté conforte en délimitant les réseaux et lieux d'appartenance possibles, les contours et limites de nos théories. Comme le souligne De M'Uzan, nous ne cessons d'édifier des remparts contre l'anarchie « tellement nous redoutons l'égarement de la pensée ».

À la suite de Freud qui souligne que la relation analytique se fonde sur l'amour de la vérité, l'épreuve de la réalité qu'elle suppose ne peut être qu'une épreuve d'une vérité liée à celle de la castration, c'est-à-dire à un manque qui renvoie et à la différence sexuelle et à un manque-à-être, butée essentielle et incontournable de toute analyse. Est-ce ce qu'évoque indirectement Thomas Mann dans son hommage à Freud à l'occasion de son 80e anniversaire quand il présente la psychanalyse comme « un mode de connaissance mélancolique » ?

Les pôles de la résistance

Nous avons cru nécessaire, dans ce texte, d'interroger et de faire état de certaines formes, des figures que prennent nos résistances, particulièrement quand celles-ci s'infiltrent dans ce qui semble nous être le plus familier, là où nous nous croyons le moins résistants : *notre mode d'adhésion à la* fonction analytique elle-même et les enjeux mélancoliques de notre vocation ; la présence de *notre* fidèle divan, notre couche commune obligée ; nos modes d'appropriation des mouvements transférentiels, notre conception d'un sexuel bien à nous qui émousse la radicale étrangeté de la différence sexuelle, *nos* réserves et ce que nous gardons entre nous, sociétés et instituts, *nos* filiations psy de psy, *notre conception du* désir d'être analyste, nos diverses complaisances... toutes ces questions qui, à force d'insistance, deviennent, pour quiconque, insupportables. Car, comment ce qu'on en vient à considérer comme son propre à soi peut-il devenir le lieu privilégié de sa résistance ? Nous avons cherché, tant bien que mal, à nous maintenir au plus proche de ce malaise, là où la pratique quotidienne de la psychanalyse nous atteint, face à cette double contrainte de l'exigence paradoxale de la résistance où ce qui fait obstacle est aussi l'allié, et *vice versa.*

La pratique psychanalytique, telle que nous avons choisi de la présenter, dégage deux tendances qui semblent vouloir s'accentuer : la domination par le narcissisme des *trop petites différences,* côté analytique, lorsque la cure type tend à n'être réservée qu'à l'entre-psy et, côté thérapeutique, l'analyse mutuelle intersubjectiviste ; le narcissisme des *trop grandes différences* s'installerait lorsque le malade est identifié comme tel, dans le traitement des « états limites » par exemple. Comme le « sacré et l'impur », ces deux destins de la psychanalyse d'aujourd'hui, sont aussi des opposés qui s'ignorent. Clivage au service de quel déni ? Qu'ont en commun ces deux modalités de la pratique supposément aux antipodes ? Chacune est devenue à sa façon une cure type, c'est-à-dire une représentation prédéterminée de l'expérience. L'une organisée autour du sexuel, l'autre autour de la négativité. D'un côté il y a de plus en plus de psy-analystes, de l'autre les nouveaux patients sont de plus en plus « limites ».

Mais depuis que les névroses sont rares, ou qu'elles vont voir ailleurs, on se réfère de moins en moins à la question de la résistance en ces temps de nouvelles conquêtes chez les non-névrotiques. La résistance est identifiée loin de nous. D'abord, celle d'un socius de plus en plus réfractaire aux conditions de possibilité d'une telle démarche ; puis il y a ces nouvelles demandes de tous ceux dont le fonctionnement mental, différent de celui de l'analyste, « résisterait » au développement de ce qu'on appelle la névrose de transfert et, forcément, l'analyse de celle-ci.

Nos propres résistances à la psychanalyse y sont-elles pour quelque chose dans le développement de cette tendance à la polarisation de la pratique ? D'un côté, en bref, cette impression de ne faire de la psychanalyse qu'avec ceux qui donnent à penser qu'ils sont des non-résistants, sinon des croyants en voie de devenir psy-chanalystes, prêts à la cure-type ; et de l'autre, de moins en moins d'analyse avec les plus résistants à la méthode psychanalytique proprement dite, ceux qui nécessitent des aménagements à celle-ci, avec qui on en viendrait à penser que l'analyse de la névrose de transfert, c'est-à-dire l'analyse de la résistance à l'analyse, ne saurait s'appliquer.

Qu'y a-t-il de si inquiétant dans la transmission de la psychanalyse pour qu'on s'en soucie à ce point ? Il ne semble guère y avoir d'équivalent dans d'autres champs de pratique. L'évocation initiale d'un univers de contagion qui détermine la référence mythique à la peste ne renvoie-t-elle pas tout autant à la nature renversante de ce qui est transmis qu'à la progression tranquille d'une adhésion qui agrandira le « nous » institutionnel, invitant l'inconciliable et le conciliable à la même table ?

La contagion n'aurait gagné que les psy, leurs regroupements et leurs palabres, comme s'ils ne s'étaient multipliés *sans limites* qu'entre eux, assurés d'un cadre fixe, mais élargissant sans compter le cercle familial, enceinte exclusive où le sexuel peut encore être pris en considération, en fonction des croyances familiales bien entendu. La question des limites rebondit désormais du côté des cas frontières, à partir de leur mise à l'épreuve par la violence prévalente. Mais de quelles limites s'agit-il ? De celles du patient ou/et de celles de l'analyste ? De celles du cadre princeps ou des effets restreints de l'interprétation classique ; de la difficulté du *holding* de l'analyste face au transfert limite ou de son incapacité de penser lorsqu'il est paralysé par la pulsion d'emprise d'un transfert passionnel ?

Cette polarisation de la clinique psychanalytique, accentuée ici pour en faire ressortir une question, s'accompagne d'un mouvement similaire dans la théorie ; l'ensemble de la pratique est conçu de manière dichotomique, à un point tel que les théories s'appliquant à l'un et à l'autre ont supposément peu en commun et sont tour à tour déclarées caduques en ce qui a trait à l'expérience en cours. Pensons à ce qu'on retient, ou plutôt à ce qu'on évacue, des complexes d'Œdipe et de castration dans l'exercice de la psychanalyse contemporaine. Sans doute une multitude de facteurs ont contribué à infléchir celle-ci. Se peut-il cependant qu'il nous soit devenu très difficile de penser en quoi les analystes eux-mêmes sont partie prenante de cette dérive qui nous éloigne petit à petit de ce que la découverte psychanalytique recèle, depuis son origine, de plus insupportable ?

Quant à la pratique comme telle, nous disons tous que les demandes ont changé et nécessitent qu'on s'y adapte pour y répondre. Que sont devenues nos théories qui, dans le monde francophone depuis plusieurs décennies après Lacan, Aulagnier, Neyraut et bien d'autres, proposent que notre offre précède la demande qui, elle, ne serait pas faite pour qu'on lui réponde ? Se peut-il que notre offre ne soit plus la même, qu'elle ne se soit modifiée que pour satisfaire à la nouvelle demande ? Se peut-il qu'au contraire nous participions à ce que la demande ne soit plus ce qu'elle était ? Si l'on consent encore à considérer la cure type, c'est, le plus souvent, pour lui garder son statut référentiel ; en revanche, par les temps qui courent, celui qui parle de « cure type » est souvent soupçonné de purisme analytique nostalgique, d'être un tenant privilégié d'une pratique en voie de disparition, ou encore d'orthodoxie entêtée ou dogmatique au moment où la nouvelle « cure type » est en voie de devenir celle des « états limites ».

Cette nouvelle partition donne à voir : d'un côté, de l'être et du devenir analyste, familier de l'analysable sans fin, territoire conquis du semblable à soi, communautés sans surprise ; de l'autre, l'étrangeté de la psychanalyse, là où se situerait la terre à défricher, les contrées sauvages supposées seules propices à renouveler la découverte, à exposer quiconque à l'inconnu.

Culte et culture

Qu'est devenue pour nous la *culture* psychanalytique dès lors qu'on considère de cette manière l'évolution de notre pratique ? Comment aurions-nous pu échapper à la conviction d'être des porteurs de messages civilisateurs, conviction héritée d'une découverte déjà balisée ? Mais la culture est tributaire du surmoi culturel, de ce que celui-ci doit à l'influence « dominatrice » des

« grands hommes » et du système de croyance qu'ils favorisent. La multiplication des analystes, indépendamment de la demande, et l'institutionnalisation de la psychanalyse comme conséquences de l'intensification de ce qui a été appelé « psy de psy », ne peuvent que nous interroger sur le mode de transmission en cause, inévitablement tributaire des idéaux et du régime de croyance que régit le surmoi, avec son monde représentationnel et l'adhésion à ses exigences. Toutefois, il y a lieu de distinguer, après Freud, exigences de la culture et exigences du surmoi culturel, celui-ci cherchant à mettre à son compte les moyens souvent illusoires d'obéir aux exigences de celle-là.

Le malaise provient certes des prétentions de la transmission. Quand celle-ci tente de laisser croire en sa mission civilisatrice sans discerner la dimension imaginaire qui la constitue, et surtout sans reconnaître la part d'impossible de sa tâche, on aurait raison d'interroger ses descendants, lorsque domine la tentation mélancolique d'un enfermement dans lequel la fonction analytique tient lieu d'idéal, dans la méconnaissance de l'inaccessible, quand ce n'est le surmoi, individuel ou collectif, qui en fait parfois son exigence propre.

Si on voit mieux comment se conjoignent surmoi culturel et surmoi individuel avec le sentiment de culpabilité qui s'implante dans l'homme *civilisé,* et le névrotise, peut-on dire qu'il y a transmission tout autant de cette part de la civilisation liée à une exigence qui ne serait pas à la mesure de l'homme ? Une attente au-dessus de ses forces, un « au-delà » qui se présente à la psyché, venant du dehors, comme une épreuve de réalité, de nécessité devrait-on dire, faisant déborder le territoire individuel unifiant, réfractaire à ce qui de l'humain est régi par le moi-plaisir purificateur, autosuffisant. Comparable à un autre « au-delà », celui qu'on appelle l' « inconscient », tout autant impossible à satisfaire. Un inconscient non assimilable à la psyché individuelle, ce qui de la « culture » psychanalytique, et de l'inconscient, ne se transmet qu'à travers l'exigence de répétition.

Ce serait en s'exposant à sa propre résistance, à ce qui s'appelle « perlaborer, qu'adviendrait (Freud, 1914) un rapport étroit avec les forces pulsionnelles de celle-ci et ce qui la nourrit ». C'est ce « type d'expérience qui convainc le patient (et l'analyste) de l'existence et du pouvoir des pulsions » (1915), de la part pulsionnelle qui détermine l'inconscient dans ce qu'il a de plus déroutant. De s'exposer, d'être exposé à ce qui résiste à la croyance et au pouvoir de conviction de celle-ci, ultimement d'être exposé à la force compulsive de répétition qui, indépendamment du moi, de l'idéal, de la croyance et des principes qui les régissent, s'avère la force agissante de ce qui « différencie la psychanalyse de tout traitement par suggestion » (1914).

Perlaborer, ce pourrait bien être d'analyser nos compulsions : compulsions à analyser comme s'il n'existait pas de l'extra-analytique ; compulsion à interpréter en prêtant un surpouvoir à la quête de sens ; compulsion à agrandir le champ d'application de la psychanalyse laissant derrière du supposément acquis devenu propre à soi, lieu sûr de notre résistance ; compulsion à nous reproduire augmentant le nombre des sociétaires indépendamment de la pratique.

Dès lors, chercher en nous la double face de la résistance, interroger nos masques, nos postures, quand ce n'est nos impostures, chercher d'abord dans ce qui nous est propre, est-ce faire œuvre de désenchantement, ou n'est-ce pas plutôt tenter inlassablement de relancer le travail psychanalytique là où ça résiste d'autant plus que ça aurait l'air de ne pas résister ? N'est-ce pas, ultimement, tenter sans cesse de renouer avec la dimension de l'impossible de la profession là où l'on croyait l'avoir domestiqué ?

L'impossible pourrait bien être cette exigence, au-delà du psychisme humain individuel, qui ne prend pas moins effet sur l'homme, comme l'emprise de la nécessité, un non-humain au-dessus et au cœur de l'humain. Ce qui de l'inconscient et de la civilisation serait le plus étranger à l'homme et échappe à toute appropriation de sa part, à toute aspiration du propre à soi.

« À l'impossible, nul n'est tenu. » La psychanalyse nous apprend pourtant combien à la fois nous tenons à l'impossible, comme ailleurs on tient à son mal, combien aussi l'impossible nous tient. Quant à l'expérience psychanalytique du deuil, possible/impossible, l'évocation de la mélancolie, où l'impossible est exigé, nous mène-t-elle à l'impasse ou ne nous rapproche-t-elle pas d'une certaine lucidité concernant une vérité sur soi autrement inaccessible, pour le patient et pour l'analyste.

Quelles sont les limites de l'analysable ? On a sans doute raison de les chercher d'abord chez l'analyste et de les reconnaître aux « bornes et confins » de son expérience, là où le familier chavire pour laisser place à l'expérience de l'étrangeté. Ce qui n'est pas sans nous laisser croire qu'il n'en tient qu'à lui pour que l'analyse soit sans limites. Or, n'y a-t-il pas du non-analytique dans l'analyse, comme il y aurait du non-psychique dans le psychique, du non-humain dans l'humain ? Bref, du dehors qui dément la communauté de déni des adhérents à tout régime d'illusion dont la transmission du devenir-psychanalyste ne saurait être exempte.

Pour le Freud de 1930, celui de *Malaise dans la civilisation,* la névrotisation collective, à travers le surmoi culturel et le sentiment de culpabilité hérité de son influence, se développe avec le processus culturel en en devenant la conséquence nécessaire : logique de la culpabilité dont la logique de la pureté prend la relève.

Face à la souffrance et à son potentiel indifférenciant (Monique Schneider, 1993), le recours à la culpabilité donne une explication de la source et rétablit les territoires de chacun, alors que le thérapeutique causal, redonnant au médical son pouvoir, retrouve la partition traditionnelle ; désormais loin du thérapeutique psychanalytique qui procède à partir du brouillage des entendements, de ce qui se laisse ébranler par le potentiel masochique de soi et de chacun, là où rien n'assure la démarcation plaisir-souffrance, douleur-jouissance, à l'encontre de la logique de la territorialisation.

La problématique de la limite s'est posée d'abord et avant tout en termes méthodologiques et techniques. Graduellement la question des limites et des troubles narcissiques trouva sa niche du côté des « borderlines », figeant par cette appellation restreinte à certains ce qui en serait des états limites de chacun.

La polarisation de la pratique laisse entendre qu'il y aurait d'un côté ceux dont le fonctionnement mental s'avère semblable à celui de l'analyste, et de l'autre ceux qui se révèlent si différents qu'ils exigent des aménagements pour qu'on puisse *se (s'y) retrouver* avec eux. Techniques et théoriques, ces ajustements auront pour tâche de préserver une certaine vraisemblance à ce qui continuera de s'appeler psychanalyse. Mais au-delà de la ressemblance escomptée, la coupure reste établie entre les deux pôles, analystes ou patients, même s'il nous arrive de parler, pour chacun d'entre nous, d'une part psychotique, du narcissisme, du clivage... Dans cette partition-là, le fonctionnement psychique de l'un sert de borne sinon de modèle, au fonctionnement psychique de l'autre, un pôle subordonnant l'autre.

Risquons une analogie. Dans l'évolution de l'histoire de la pratique psychanalytique, comme dans le cheminement de la pratique de chacun de nous, n'y aurait-il pas eu, après une période plus ou moins longue de « transfert positif » envers l'analyse, temps de la mise en place des meilleurs dispositions pour cette méthode, temps de l'illusoire alliance thérapeutique, de l'idéalisation et de l'attente croyante sous l'influence du pouvoir suggestif de la découverte et du découvreur, n'y aurait-il pas eu une transformation de ce transfert bienveillant en ce qu'on appelle la résistance-transfert, équivalent de la névrose de transfert, transfert négatif, là où se développent les forces d'opposition et d'éloignement de ce qui est spécifiquement psychanalytique ? Quand une nouvelle façon de faire de l'analyse laisserait graduellement s'infiltrer le retour en soi de « ce qui, de par son organisation, soit moins apte à la psychanalyse », tout en continuant à adhérer à la fonction.

D'un certain point de vue, cette tendance polarisante dans la pratique contribue à écarteler ce qui doit être gardé ensemble, la polarisation purifiante se substituant à la situation paradoxale qui, elle, préserve en nous la logique de la double contrainte de la résistance inséparable la psychanalyse ?

À l'encontre de ces velléités, comment non seulement réintégrer la ligne de démarcation au cœur d'une logique des contradictions où sont possibles l'ambivalence et la formation de compromis, discordance-concordance, mais aussi tolérer, sans toujours chercher la seule résolution, l'ambiguïté des antagonistes de l'éventuel paradoxe où doivent être expérimentés des rapprochements inattendus, possibles quoique non logiques, comme dans l'humour, le jeu, un certain mode de création, ou l'attention flottante du psychanalyste, avant d'être appréhendé dans la psychopathologie.

Marge

S'il y a dérive comme nous le prétendons, de quels horizons nous sommes-nous donc, ensemble, éloignés ? D'une pensée qui chercherait constamment à se démarquer des deux pôles, fidèle à ce que propose de renversant la méthode analytique elle-même : établir et rétablir les conditions d'un espace, d'une *marge* où peuvent coexister les opposés, sacré et impur, interdit et impur, sans que l'un délimite l'autre. Reconnaître ce qui les unit sans pour autant les confondre, comme ce qui a trait à la représentation de la chose et à la chose elle-même chez chacun. Reconnaître aussi ce qui relie *notre* humanité et ce qu'elle doit à la perception prédominante de l'image du semblable, pour distinguer cette dimension de la culture qui se révèle au-delà de celle-ci, échappant en cela au monde régi par le principe de plaisir. Cette prise en compte ne peut s'accomplir que par une expérience de pensée qui n'aurait pas à prendre parti pour différencier ce qui d'un champ n'appartient pas à l'autre champ, mode de pensée qui conjoint déliaison et liaison.

En redonnant la priorité à cette marge pour retrouver une éthique de l'inconciliable qui ne serait pas angoisse de l'étranger, priorité à ce qui s'y joue comme aire de passage, de mouvement, de « trans », on subvertit les limites convenues des territoires de l'analysable. Or, cette marge se trouve au contraire réduite, sinon asservie, par ce que nous avons appelé la « réserve » et l'esprit d'évitement qui y règne. Les limites y déterminent des territoires mutuellement exclusifs dans le respect d'un pacte de non-agression, minimisant les différends au bénéfice des institutions qui les relient, confortant un milieu déjà protégé, *à l'abri de l'épreuve de réalité. Ce n'est que celle-ci qui permet de reconnaître le mode de coupure paradoxal en jeu entre l'objet hors d'atteinte de la pratique analytique qu'est l'inconscient et les différents rapports de croyance qui nous permettent de l'approcher, à la condition de s'en tenir éloigné.*

La tentation mélancolique de la vocation psy, de la même façon, fait de la fonction une *mission* conservatrice assurée qui ne peut longtemps courir le risque de maintenir ouvert un espace marginal de réflexion où peuvent cohabiter « le sacré et l'impur », l'en-deçà et l'au-delà, sans donner lieu à la résurgence du tabou et de l'interdit de penser ce qui les conjoint et les oppose. Refus de croire à la réalité comme refus du deuil. Quand toute croyance s'effondre et qu'il ne reste plus de vrai que l'inaltérable réel, la terreur dépressive est contagieuse et organise les barricades narcissiques.

La découverte psychanalytique, à l'origine, avait plutôt l'allure de ce qui n'allait pas respecter, encore moins consolider les territoires établis. Son caractère marginal, lié au trouble de pensée et à la pensée du trouble, était incompatible avec toute espèce de permanence à laquelle on a inévitablement voulu l'associer. D'où vient la douleur qu'on entend, la souffrance qu'on écoute, si on ne s'empresse pas de lui donner un sens, de lui trouver une cause, de lui assigner un sujet ? Ce qui pourrait aussi être dit du désir...

L'expérience analytique devient chaque fois, pour ses protagonistes, à travers les retrouvailles transférentielles, occasion de rencontre imaginaire de l'objet inaccessible et, par là, mise à l'épreuve de ce qui fait subir à la pensée l'écart entre ce qui cherche à satisfaire « la revendication pulsionnelle et l'objection par la réalité » (Freud, 1938). Le clivage du mode de pensée du moi qui s'ensuit prendra une importance variable selon qu'il se situera au cœur du fonctionnement psychique psychotique, état limite ou névrotique.

C'est à la toute fin de sa vie que Freud donne à la notion de clivage toute son étendue et reconnaît au fonctionnement de la pensée du moi de tout un chacun un voisinage avec la psychose. Dans cette révision ultime de sa représentation du moi, Freud en vient à proposer que cette « déchirure » dans le moi soit la condition même pour pouvoir en venir à penser l'impossible, à se représenter l'impensable. Jusque-là, le clivage avait été reconnu dans les psychoses et les perversions sans oublier les états précurseurs, l'hystérie par exemple, où la *division intrapsychique* avait déjà été décrite comme une donnée fondamentale de l'appareil psychique humain dont les différents systèmes séparés sont en conflit. Avec le clivage du moi, c'est au cœur d'un système que la division est prise en compte, au cœur du plus familier, où coexistent deux attitudes psychiques contradictoires par rapport à la réalité, mode de coexistence variable selon le contre-investissement prédominant : refoulement, déni, forclusion. Cette évolution dans la découverte freudienne retrace finalement chez lui, et en nous tous, cette coupure ; n'a-t-elle pas déterminé une transmission paradoxale dans la mesure où il s'agit là d'établir les conditions de l'épreuve de la réalité et de la croyance en celle-ci ? « Fente de la pensée », condition même de celle-ci, comme le disait Granoff.

Force est de constater que le recours à la notion de clivage a repris le chemin de l'étranger. Dans la polarisation de la pratique actuelle, le clivage est redevenu l'affaire des autres, quand ce n'est ce qui organise la partition elle-même. La troublante question du dedans et du dehors, telle que renouvelée par un regard psychanalytique qui l'appliquait aussi à lui-même, a, depuis, perdu de son *inquiétante étrangeté*.

La vocation psychanalytique et *l'entre-nous* qui la conforte redonnent de la pureté au familier et situent au-dehors ce qui menace l'intégrité de la fonction mise en position d'idéal.

Pourquoi nous inquiéter de nos modes de transmission de la psychanalyse ? En voie de devenir des psychanalystes sans patients, à quelles conceptions de ce qui ne *passe* plus allons-nous pouvoir nous exposer ? Inquiétant étranger, mais inquiétant familier tout autant. Y aura-t-il entre les deux, une aire marginale pour réinscrire la pensée de l'étrangeté de l'un et de l'autre, en deçà et au-delà des territoires du vraisemblable auxquels nous nous sommes depuis longtemps habitués ?

Jacques Mauger
40, chemin Bates, suite 228
Outremont/Qué H2V.4T5
(Canada)

Lise Monette
5601, place Camden
Montréal/Qué H3W.2M8
(Canada)

BIBLIOGRAPHIE

Abraham N. et Torok M. (1978), *L'écorce et le noyau,* Paris, Aubier-Flammarion.
Assoun P.-L. (1984), *L'entendement freudien,* Paris, Gallimard.
Aulagnier P. (1979), *Les destins du plaisir,* Paris, PUF.
— (1968), Comment peut-on ne pas être persan ?, *Un interprète en quête de sens,* Paris, Ramsay, 1986.
Chasseguet-Smirgell J. (1975), *L'idéal du moi : essai psychanalytique sur la maladie de l'idéalité,* Tchou.
Cournut J., Résistance à la psychanalyse aujourd'hui, in *Études freudiennes,* n° 37, 1996, 19-24.
Derrida J. (1966), *Résistances de la psychanalyse,* Paris, Galilée.
Douglas M. (1967), *De la souillure,* Paris, La Découverte, 1992.
Enriquez M. (1984), *Aux carrefours de la haine,* Paris, Desclée de Brouwer.
Ferenczi S. (1969), *Journal clinique,* Paris, Payot, 1985.
Freud S. (1895), *Études sur l'hystérie,* Paris, PUF, 1967.
— (1896), *La naissance de la psychanalyse,* Paris, PUF, 1956.
— (1900), *L'interprétation des rêves,* Paris, PUF, 1967.
— (1911), Formulations sur les deux principes du cours des événements psychiques, *Résultats, idées problèmes,* Paris, PUF, 1984.
— (1912), *Correspondance avec Jung,* Paris, Gallimard.
— (1913), Totem et tabou, *Œuvres complètes,* XI, PUF, 1998.
— (1914 *a*), Pour introduire le narcissisme, *La vie sexuelle,* Paris, PUF, 1970.
— (1914 *b*), Deuil et mélancolie, *Œuvres complètes,* XIII, PUF, 1988.

— (1918), Le tabou de la virginité, *Œuvres complètes,* XV, Paris, PUF, 1996.
— (1919), L'inquiétant, *Œuvres complètes,* XV, Paris, PUF, 1996.
— (1920), Au-delà du principe de plaisir, *Œuvres complètes,* XV, Paris, PUF, 1996.
— (1921), Psychologie de masse et analyse du moi, *Œuvres complètes,* XVI, Paris, PUF, 1991.
— (1923), Le moi et le ça, *Œuvres complètes,* XVI, PUF, 1991.
— (1925), La négation, *Œuvres complètes,* XVII, PUF, 1992.
— (1929), *Malaise dans la civilisation,* Paris, PUF, 1973.
— (1936), Un trouble de mémoire sur l'Acropole, *Résultats, idées, problèmes,* II, Paris, PUF, 1985.
— (1938), *L'homme Moïse et la religion monothéiste,* Paris, Gallimard, 1985.
— (1938), Le clivage du moi dans le processus de défense, *Résultats, idées, problèmes,* II, Paris, PUF, 1985.
Gantheret F. (1986), La haine en son principe, *NRP,* n° 33, p. 63-75.
Granoff W. (1976), *La pensée et le féminin,* Paris, Éd. de Minuit.
Green A. (1993), *Le travail du négatif,* Paris, Éd. de Minuit.
— (1982), La double limite, *NRP,* n° 25, p. 267-283.
Gribinski M. (1978), Le guéri, le sacré et l'impur, *NRP,* n° 18, p. 211-226.
Guyomard P. (1992), *La jouissance du tragique,* Paris, Aubier.
Hassoun J. (1989), *Les passions intraitables,* Paris, Aubier.
— (1995), *La cruauté mélancolique,* Paris, Flammarion.
Héritier F. (1994), *Les deux sœurs et leur mère,* Paris, Éd. Odile Jacob.
Imbeault J. (1989), *L'événement et l'inconscient,* Montréal, Triptyque.
— (1993), Un Surmoi hitlérien, *Ché vuoi,* n° 3, 1995, Éd. L'Harmattan.
— (1997), *Coup d'œil sur la crise. L'avenir d'une désillusion,* Paris, PUF, 2000.
Jankélévitch V. (1960), *Le pur et l'impur,* Paris, Flammarion.
Kristeva J. (1980), *Pouvoirs de l'horreur,* Paris, Le Seuil.
Lacan J. (1986), *Le Séminaire,* liv. VII : *L'éthique de la psychanalyse,* Paris, Le Seuil.
Laplanche J. (1990), Le temps et l'autre, *Le primat de l'autre en psychanalyse,* Paris, Flammarion.
Leclaire S. (1975), *On tue un enfant,* Paris, Le Seuil.
Le Rider J. (1998), Cultiver le malaise ou civiliser la culture, *Autour du Malaise dans la culture de Freud,* Paris, PUF, p. 91.
Levi-Strauss C. (1971), *Les structures élémentaires de la parenté,* Paris, Mouton de Gruyter.
Lussier A. (1994), L'idéal thérapeutique et le thérapeute idéal, *Revue québécoise de psychologie,* vol. 15, n° 1.
Mauger J. (1992), Coucher pour soigner : la condition de ma sollicitude, *Trans,* n° 1, « Le divan », p. 111-122.
— (1993), Concevoir la peste, *Trans,* n° 3, « Politiques », p. 11-28.
— (1997), *Pratiques de mémoires, pratiques de répétitions. L'avenir d'une désillusion,* Paris, PUF, 2000.
Monette L. (1990), Les fidèles de la mort, *Santé mentale au Québec,* n° 29, p. 211-220.
— (1991), Polyphonie, *Les voies de la recherche clinique en psychanalyse,* Montréal, Éd. du Méridien, p. 127-135.
— (1992), Du survenant ou de la survenance, *L'étranger dans tous ses états,* Montréal, Éd. XYZ.

M'Uzan de M. (1969), Le même et l'identique, *De l'art à la mort,* Paris, Gallimard, 1977.
Pontalis J.-B. (1974), Bornes ou confins ?, *NRP,* nº 10, p. 5-16.
— (1983), Permanence du malaise, *Le temps de la réflexion,* t. IV, p. 409-423.
Renik O. (1995), The Ideal of the Anonymous Analyst and the Problem of Self-Disclosure, *Psychoanalytic Quarterly,* LXIV, p. 466-495.
— (1998), Getting Real in Analysis, *Psychoanalytic Quarterly,* LXVII, p. 566-593.
— (1998), The Analyst's subjectivity and the Analyst's objectivity, *IJP,* nº 79, p. 487-497.
Rolland J.-C. (1998), Quelques conséquences psychiques de la différence entre une communication analytique et une communication scientifique, *Conférence tenue à la SPM en mars 1998.*
Rosolato G. (1978), *La relation d'inconnu,* Paris, Éd. Gallimard.
Scarfone D. (1999), *Oublier Freud ?, Mémoire pour la psychanalyse,* Montréal, Boréal.
Schneider M. (1993), La culpabilité et l'éthique originaire, *Trans,* nº 2, p. 189-209.
Valabrega J.-P. (1979), *Formation du psychanalyste : esquisse d'une théorie,* Paris, Belfond.
Zaltzman N. (1998), *De la guérison psychanalytique,* Paris, PUF.

Autres :

Psychothérapie et idéal psychanalytique, *RFP,* 1991, nº 3, t. 40.
International Journal of Psychoanalysis, vol. 79 et 80 : pour une critique du dernier article d'O. Renik dans cette revue (vol. 79), voir la « Brief Communication on... » de Marcia Cavell, vol. 79, p. 1195-1202, 1998 ; et une courte réplique de l'auteur dans une lettre à l'éditeur, vol. 80, p. 382-383, 1999.

« *Ils ne mouraient pas tous...* »

Jean-Luc DONNET

I – Le Mérite le plus incontestable de Jacques Mauger et de Lise Monette est de s'être saisis d'un Malaise de et dans la Psychanalyse que nous percevons tous et que nous avons du mal à penser. Il faut saluer l'ambition de leur projet et l'ampleur de leur parcours : pour rendre compte d'un malaise complexe, protéiforme, ils sont partis du phénomène et de la métapsychologie du purisme : et le champ entier de la Psychanalyse leur apparaîtra habité par une exigence, un idéal de pureté, révélateurs du fonctionnement ubiquitaire d'une ligne de démarcation régressive, reposant sur le partage du pur et de l'impur, partage précaire, exposé au renversement et à la paradoxalité.

A / Était-ce un bon point de départ ? À l'évidence, oui. Pour ma part, j'ai aussitôt pensé à nombre de circonstances où l'élaboration de conflits interanalytiques avait été remplacée par la projection sauvage du clivage pur-impur, se substituant régressivement à l'évaluation des différends et différences.

Je n'ai eu aucun mal à retrouver en moi la trace du « puriste » que j'ai pu être, et que je reste virtuellement, à la mesure de ce que mon amour pour la Psychanalyse a de déraisonnable, d'idéalisant et en fin de compte d'ambivalent.

J'ai donc adhéré au projet des rapporteurs : se servir de l'exigence de pureté comme d'un fil rouge pour explorer l'ensemble du champ de la Psychanalyse, depuis la situation analytique, en passant par l'analyse de l'éventuel futur analyste, jusqu'à l'institution analytique et la relation de l'analyse au champ socioculturel.

B / J'ai cependant été assez vite déconcerté : d'abord par la manière dont, d'emblée, les rapporteurs recensent sous le chef du purisme, des phénomènes hétéroclites, ensuite par l'utilisation ambiguë du terme « pur », tantôt valeur subjective affectée d'un signe positif par le narcissisme du Moi-plaisir purifié, d'un signe négatif dans sa dénonciation ; tantôt référence descriptive simple.

L'impression est née peu à peu, à la lecture du texte que l'idée du purisme serait « trop bonne », si la clef qu'elle constituait devait ouvrir toutes les portes... Peut-être une interrogation initiale du rapport éclaire-t-elle la contrainte qui semble venir peser sur son écriture : « Est-il possible, pour traiter un tel sujet, de ne pas se *rabattre*[1] sur les chemins balisés par une longue tradition ? »

Comment le lecteur pourrait-il ne pas répondre « oui c'est possible » à une question dont la forme même convoque par contraste la représentation d'un rapport conformiste, enfermé dans les contraintes du balisage ?

Nous voilà donc solidaires du refus d'une écriture « surmoïque » qui exigerait, par exemple, qu'on explicite sa filiation, dans une « linéarité » qui curieusement serait celle de l'histoire. La clef du purisme doit donc assurer aux rapporteurs une suffisante originalité et permettre en même temps de tenir à distance le trop transmis. Certains chapitres répondent à cette exigence « d'excentrique » (cf. la prohibition de l'inceste, par exemple). Mais dès lors qu'ils retrouvent, selon une perspective concentrique, les enjeux directement psychanalytiques, les auteurs croisent nécessairement les repères traditionnels ; et pour ne pas se sentir « rabattus », il leur faut parfois, dirait-on, rabattre les données de la tradition sur l'enjeu du purisme. Du coup, le traitement de ces données revêt un caractère ambigu : leur recension, parfois, prend le caractère d'un catalogue ironique des « idées reçues », sans qu'on sache à quel moment les rapporteurs les utilisent eux-mêmes pour penser. L'abord des questions métapsychologiques, s'il est parfois incisif, n'en reste pas moins souvent ébauché, approximatif, unilatéral.

C / Il en est ainsi pour la théorie du moi et de la différenciation moi-surmoi. Pour ne prendre qu'un exemple : il est surprenant que les rapporteurs ne s'attachent pas à creuser un problème crucial pour leur thème : celui de la différence entre l'idéalisation banale ou défensive, et ce qu'il en est de la fonction de l'Idéal même si leur origine commune se situe dans l'identification primaire, et le désir d'être qu'elle sous-tend. Les auteurs signalent en passant la mutation introduite par la constitution en instance du surmoi postœdipien :

Ils ne disent pas que son fonctionnement implique une auto-évaluation qui n'est pas étrangère à l'épreuve de réalité retrouvée à la fin du rapport, et qui situe la force d'attraction de l'idéal dans le champ de l'objectalité, et de la réalisation sublimatoire.

L'enjeu de la sublimation est absent du texte, alors qu'il est au cœur de la viabilité même de l'entreprise analytique, comme ce qui vient s'opposer à l'idéalisation fétichique de l'objet analyste ou analyse. C'est en fonction de

1. Souligné par moi.

l'introduction de la pulsion de mort que le Freud de *Malaise* est amené à conférer à la sublimation, du fait de sa vocation intricatrice, une place désormais centrale dans l'économie psychique (cf. par exemple, l'investissement du travail).

Pour revenir un instant au Surmoi : si Freud choisit ce terme « technique » et topique, c'est parce que le terme « Idéal du Moi » est en lui-même, surtout écrit sans tirets, porteur d'une ambiguïté gênante. Dans *Psychologie des foules,* il lui avait attribué la fonction de l'épreuve de réalité à cause de ce que montrait l'état hypnotique ; la délégation à l'hypnotiseur de cette fonction fait que le sujet confère statut de réalité perceptive à ce qu'édicte l'hypnotiseur qui a pris la place du Surmoi. La rectification de cette erreur dans « Le moi et le ça » n'a rien à voir avec la menace d'une pure culture ; elle a trait à une réévaluation incertaine de la fonctionnalité de la différenciation moi-surmoi ; et à l'exigence pour Freud de valoriser le lien du moi à la perception, à la mesure de l'emprise identificatoire que manifeste le surmoi. Je n'ai pas le temps ici de déployer cette problématique qui habite les articles sur « Névrose et Psychose », mais aussi sur l'humour (où le surmoi sert le déni de réalité), le fétichisme, etc., jusqu'à l'élucidation du « Trouble de mémoire sur l'Acropole ».

La question posée est celle du rapport entre le clivage moi-surmoi et le clivage du Moi qui vient, comme le rappellent les rapporteurs, occuper une place cruciale dans la réflexion terminale de Freud sur le Moi.

D / Je suis tenté de déceler dans le texte du rapport la pesée de la disproportion entre l'éclairage pertinent mais limite fournie par l'exigence de pureté (et son indexation sur le moi-plaisir purifié) et l'ampleur des sujets abordés. De là vient, me semble-t-il, que l'écriture prend plus l'allure d'une démonstration que d'une investigation, qu'elle ne paraît pas vouloir rencontrer d'obstacles à la pensée, ni expliciter une interrogation subjective. Le plus réussi du texte découle d'une sorte de distance ethnologique, mais qui empêche de s'identifier à ceux qui l'écrivent, dont on ne sent pas la position, si bien que la tentative pour saisir le malaise de la Psychanalyse dans une sorte de déploiement structural laisse surtout le sentiment de l'absence d'une authentique perspective historique (cf. à cet égard, la présentation de l'intersubjectivisme américain, artificiellement relié à celui de Lacan pour l'en distinguer, mais non rattaché au Hartmanisme dont il est le pur renversement). Si bien que – du moins est-ce mon impression – ce texte, qui témoigne pourtant d'une intense « expérience de pensée », fait l'effet prévalent d'un agir par lequel le malaise des rapporteurs devant le Malaise de la Psychanalyse se trouve renvoyé au lecteur, sur le mode d'une pure « dénonciation » ; le purisme des rapporteurs, répudié, semblerait faire retour à travers la *radicalité* du propos. Le sentiment m'est venu, peu à peu, qu'appelés au chevet de la

Psychanalyse, les auteurs pourraient être tentés de la laisser mourir de sa belle mort, plutôt que de la compromettre dans des transactions impures. Leur référence à une « éthique de l'inconciliable » – dont ils ne précisent pas le sens – voisine en fin de texte avec le surgissement du clivage du mot clivage qui « inscrit dans la structure même du moi, la virtualité du déni de réalité qui s'avère, en fin de compte, le sujet principal de leur tentative.

II – Il n'est donc pas aisé de dialoguer avec ce texte. J'en retiens d'abord le dégagement pertinent de la problématique du pur et de l'impur, qui occupe dans la vie des groupes humains... quels qu'ils soient, une place virtuellement – quand cela n'est pas réellement – ombilicale.

La question posée est celle d'une affinité spécifique du champ psychanalytique pour ce mode de fonctionnement ; la Psychanalyse est-elle électivement menacée par la maladie d'idéalité (J. Chasseguet-Smirgel) ? Les rapporteurs répondent positivement à cette question et je suis d'accord avec eux.

C'est sur le fonds de cet accord que je ferai écho à ce qu'ils disent sur la situation analytique en général et sur l'analyse de l'éventuel futur analyste en particulier. Je n'aurai guère le temps, pour conclure, que d'ouvrir la question de savoir pourquoi la Psychanalyse est exposée au « purificationnisme ».

A / La situation analytique :

1) Dans un passage fort brillant, le rapport évoque la genèse de la situation analytique à partir de ce qu'elle laisse *sous elle,* par *arrachement,* et purification. Cette évocation n'est pas à proprement parler historique et relève plutôt d'une sorte d'épistémologie lyrique qui apparaît comme une construction après coup dont on ne sait pas trop, d'ailleurs, si les auteurs la présentent comme une *légende* de l'origine, produite par le peuple psychanalytique, ou s'ils la prennent à leur compte. Toujours est-il que la présence d'une telle légende parmi nous n'est pas niable, et qu'elle reflète bien notre tentation de faire coïncider le dégagement empirique de la méthode et l'idéalisation de sa pureté.

2) Il est donc salubre de faire valoir, de manière réaliste, objective, des éléments qui s'inscrivent à rebours de cette « purification ».

Ainsi faut-il souligner que la relation hypnotique est marquée par le régime stable et pur de pulsions *inhibées quant au but,* à l'encontre de l'éventail ouvert et instable des mouvements transférentiels que suscite et accueille la situation analytique. De même vaut-il la peine de rappeler que le clivage hypnotique permet le dévoilement panoramique d'une *mémoire pure* – qui ne confond jamais le présent et le passé ; par contraste, Freud souligne l'impureté caractéristique de la remémoration analytique, faite de déformations, de souvenirs-écran, d'agieren, etc.

Plus largement : la situation analytique est spécifiée par son statut « intermédiaire » entre la réalité extérieure, et la fiction – sa gageure est donc de soutenir le jeu de la plus grande complexité, de la manifestation de l'ensemble des forces psychiques, de l'hétérogénéité des réalités concernées par la vie psychique. L' « écoute décentrée de l'Ics », la « déportation » du patient ne peuvent devenir fonctionnelles qu'à travers une transitionnalisation processuelle, qui n'est pas une donne inhérente à une situation « purifiée ».

B / Ceci posé, en quoi la situation analytique est-elle propice à une idéalisation spectaculaire ou rampante – dont la vocation serait de prévenir le deuil du transfert par le recours à l'identification narcissique ?

Il me semble que ce risque est inhérent à la promesse contenue dans le champ ouvert à l'illusion transférentielle. Le pari de la méthode est que cette illusion, portée par une régression dynamique débouche sur une désillusion civilisée-civilisante. Il est assez clair que ce pari comporte son risque, que la méthode a son ombre portée. Les rapporteurs désignent bien cette impasse.

1) Qu'est-ce qui rend le pari soutenable ? Je ne rappelle ici que des éléments qui font directement écho aux thèmes du rapport :

a) D'abord « la dynamique du transfert » qui joue contre ce que l'idéalisation implique de statisme. Le transfert névrotique est porteur d'une différence dans la répétition, à travers le déplacement symbolique qui le spécifie. Il a vocation à s'analyser, de telle sorte que le deuil qu'implique sa résolution est diffracté, *toujours déjà* à l'œuvre.

b) L'appropriation subjectivante de la méthode, à travers laquelle le patient devient un analysant, la dissymétrie des positions constitutives de la situation s'avérant *fonctionnelle* et non hiérarchique et aliénante. À cet égard, il faut rappeler que la description classique d'une introjection de la fonction analytique correspond à un mouvement résolutoire du transfert, par lequel l'analysant s'approprie une capacité auto-analysante de valeur symbolique, sans rapport avec l'exercice de la fonction d'analyste dont il va être question plus loin.

c) Le projet d'une transformation bénéfique (guérison analytique). À l'encontre de toute une ligne de pensée qui va à dissocier *abstraitement* l'analyse et la « thérapeutique », il faut poser que l'essence même de la démarche analytique contient ce pari, cet engagement d'une inscription positive dans l'espace extérieur à la cure, des effets de celle-ci.

Il ne faut pas se méprendre sur la notion freudienne de guérison « de surcroît » : la disjonction de la méthode et des « résultats » est technique : elle repose sur un postulat : c'est la mise en œuvre la plus rigoureuse de la méthode qui assure à la cure ses effets les plus consistants, les plus constants : *effets à distance, indirects,* mais qui découlent de l'action analytique si elle est bien indiquée et bien menée. En fait, la disjonction suppose, sous-jacent, un étayage naturel qui ne repose sur rien d'autre que la capacité, inhérente à l'exercice de la règle fondamentale, de suspendre la représentation de but d'accéder à une logique de l'après-coup, etc.

Bien entendu, la description de phénomènes comme l'analyse interminable ou la réaction thérapeutique négative, vient remettre en question ce postulat, et c'est tout le problème de la situation analytique après le virage de 1920, dès lors que le principe de plaisir (modèle 1915) n'est pas assuré d'emblée et qu'il doit être établi après coup à partir de la compulsion de répétition.

Il reste que le projet, disons d'une harmonisation intérieure, propice à la capacité d'aimer et de travailler est *partie constitutive* de l'entreprise de la cure, de l'inscription de la pratique analytique dans le champ socioculturel – et, pour entrer dans la logique du rapport, il est une *garantie d'impureté : la cure est, doit être « psychothérapique ».*

2) Qu'est-ce qui aggrave les risques d'idéalisation, de régression à une modalité de lien identificatoire-narcissique ?

À n'en pas douter, l'extension des indications, et l'évolution des demandes, comme des structures psychopathologiques : comment la prévalence progressive des conflits liés au mal-être, à l'identité, au registre dépressif sur les conflits proprement névrotiques relatifs au désir et à l'interdit, ne viendrait-elle pas marquer la dynamique du transfert, et sa mise à mort, source d'introjection pulsionnelle ?

Le creusement du transfert : à la mesure même de ce que le processus analytique, en s'approfondissant, vient actualiser dans le transfert, les relations les plus archaïques aux objets primaires, le risque s'accroît que l'interprétation soit reçue par le patient comme venant de la place que l'analyste occupe dans le transfert. Ainsi tendent à se confondre l'analyste comme objet (omnipotent) du transfert, et l'analyste interprété. Le progrès même de la cure aggrave l'ombre portée de l'instrumentation analytique : il faut le savoir.

Savoir aussi que pour prévenir le moins mal possible ces risques, il nous faut disposer d'une conception toujours plus complexe et plus souple de la situation analytique, évitant notamment le double excès du silence de l'analyste (si fâcheusement à l'œuvre dans la Psychanalyse « française ») et de la saturation interprétative.

B / L'analyse de l'éventuel futur analyste :

Le problème de l'Idéal transmis, et d'une idéalisation fétichique de la fonction analytique est le thème le plus central du rapport, je partage pour une bonne part la préoccupation des rapporteurs. Je dois cependant faire état d'un désaccord sur la manière de traiter le problème.

1) Les rapporteurs font de Lacan une référence centrale à propos de la « didactique » et l'on comprend bien que l'assimilation par Lacan de la didactique à la Psychanalyse pure illustre à merveille la problématique du purisme

qui les occupe ; ils procèdent ainsi à une certaine critique de cette « dérive » puriste : ce que j'ai dit tout à l'heure sur le projet de guérison me fait plus qu'y souscrire.

Le problème est que, par-delà ce qu'ils désignent comme les « incongruités » de Lacan, les rapporteurs paraissent, en fonction de la radicalité et de l'audace innovante de sa pensée, inscrire leur réflexion dans le cadre de problématisation imposé par Lacan.

Ils ne veulent pas, écrivent-ils, « céder à la tentation de le tenir pour seul responsable de cette dérive... ». On mesure la confusion du propos. De quelle dérive s'agit-il, et qui aurait cette tentation ?

a) S'il s'agit de la dérive par laquelle l'analyse didactique en est venue à occuper une position hiérarchique, on ne voit pas qui voudrait l'imputer à Lacan.

Le problème de la didactique est aussi ancien que l'institutionnalisation de la deuxième règle fondamentale, et il est clair que sa visée, qui était à l'origine celle d'un échantillon d'expérience pour le futur analyste, est devenue peu à peu celle d'une analyse « à fond » (Ferenczi cité par les rapporteurs), dont chaque école d'analyse proposait implicitement ou pas, un modèle d'achèvement.

Il est clair que cette ligne est corrélative d'une conception du processus analytique qui ne recule pas devant l'idée d'un développement programmatique et d'une conformité à un modèle. La théorie de la didactique ne distingue pas vraiment l'analysant et l'élève.

Ce n'est qu'à travers les conflits de scission, en France, conflits où les « élèves » sont pris (en otages ?) qu'a émergé une critique de la didactique, et de son *impureté,* découlant de l'incidence du projet de formation. Et c'est ainsi que s'est dégagée l'idée d'une institution dont le fonctionnement à ses différents niveaux préserverait, *autant que faire se peut* l'analyse – désignée comme « personnelle » – de l'incidence du projet. Dans cette évolution, Lacan a eu sa part par sa critique de l'institution.

b) S'il s'agit de la double dérive par laquelle :

— d'une part, la critique de l'institution a conduit au slogan du « s'autoriser de soi-même » ;
— d'autre part, la didactique devient l'analyse pure, n'est-il pas naturel d'en tenir Lacan pour seul responsable ?

Et, au lieu de lui faire seulement mérite d'avoir « initié » une problématique, n'est-il pas requis de penser l'articulation de sa théorisation avec la pratique effective qui a été la sienne et celle de son institution ? Lacan s'est placé très tôt dans une position qui excluait que le transfert sur lui soit analysable, puis il a dit pourquoi le transfert ne devait pas être interprété. Il a toujours et avec passion, voulu faire de ses analysants, des élèves et il finira par désigner cette activité comme pure analyse, alors qu'elle transforme le processus analytique en processus d'introjection de la pensée-Lacan (transformation non négligeable, mais qui est à l'opposé de notre conception freudienne de l'analyse du transfert). Lacan a critiqué – non sans raison – la notion de contre-transfert mais c'est pour introduire le Désir de l'analyste, jolie trouvaille qui recouvre la justification du n'importe quoi dont nous sommes encore si souvent les témoins. N'est-ce pas le ressort sous-jacent à la (re)production en quelques années, sur un mode lapinique, de milliers d'analystes ayant endossé mimétiquement la posture analytique, et s'auto-autorisant au nom de la prescription paradoxale du Maître ?

Pourquoi les auteurs du rapport feignent-ils de croire que la reproduction excessive des analystes est un phénomène général, alors que les chiffres ne disent rien de tel en ce qui concerne les habilitations à peu près responsables ? Pourquoi, alors qu'ils se centrent sur la vocation mélancolique de l'idéal transmis, omettre de rappeler ce qui l'illustre si « exemplairement » : l'aboutissement de la didactique à la Lacan dans le *désêtre,* découlant de la perte du sens, de la désillusion (radicale bien sûr !) du démasquage du réel ; désêtre valant toutefois, car le moi idéalisant veille, comme insigne, et comme preuve institutionnelle qu'on détient « la théorie de la fin de la didactique », affirmation particulièrement anti-analytique à mes yeux.

Lacan doit donc être tenu pour seul responsable de *ses* dérives, et celles-ci, pour nous servir à penser doivent être saisies dans l'articulation de la théorie et de la pratique. Si, depuis quarante ans, la « Psychanalyse française » non lacanienne s'est efforcée – en partie grâce à Lacan – de problématiser l'ancienne « didactique », dans le sens de l'apurement de l'incidence formatrice, ce n'est pas pour s'obnubiler sur le renversement par lequel Lacan transforme la vieille didactique en analyse pure : l'analyse pure me paraît une idée spécieuse, et qui exploite sans vergogne l'idéologie sommaire de la dissociation de l'analytique et du thérapeutique.

L'analyse pure de Lacan produit une forme de guérison : l'adhésion à la pensée-Lacan et le support identificatoire narcissique qu'elle apporte. Il me semble que les auteurs du rapport auraient été amenés à déployer de manière moins caricaturale, la problématique de la formation-transmission, s'ils ne s'étaient pas inféodés à un cadre de pensée lacanien.

2) Ainsi les rapporteurs opposent curieusement à Lacan « ceux qui croient qu'il suffit de désigner l'analyse comme personnelle pour éliminer le problème du désir d'être analyste ». Je ne veux que reprendre ici certaines formulations de mon rapport de 1983 sur la deuxième règle fondamentale.

a) Celle-ci postule que, en dépit de la représentation de but de la formation, un processus analytique peut s'instaurer et se déployer ; postulat qui table sur une certaine capacité de l'intéressé à devenir un analysant, et sur la force d'une situation analytique stricte, celle-ci incluant un analyste convenable (je traduis par ce mot la notion winnicottienne de « suffisamment bon », très utile lorsqu'il s'agit de prévenir l'idéalisation de l'analyste par lui-même).

La suspension de la représentation de but n'est à concevoir, d'abord, que comme un cas particulier de la suspension que suppose l'exercice de la première règle fondamentale. Il arrive que le désirant-devenir analyste soit un anti-analysant, qui conçoit la situation analytique comme lieu d'une « leçon » de Psychanalyse : c'est le cas de certains normopathes, de névroses de caractère avec lesquels aucun processus ne s'instaure. Dans la très grande majorité des cas, le processus analytique s'instaure, et il est tentant de dire que, comme la guérison, l'effet de formation viendra de « surcroît ». Il est donc tout à fait forcé de dire, avec les rapporteurs que « très vite, s'installe le secteur réservé du transfert ». Par ailleurs, et dès lors qu'il y a processus, que signifie cette « fixation » d'allure programmatique sur l'analyse, du désir de devenir analyste ? On l'a déjà souligné à juste titre, les auteurs du rapport semblent s'enfermer dans le paradoxe selon lequel la preuve que ce désir a été analysé serait que le sujet en fait si bien le deuil qu'il y renonce. Quelle conception se profile ici des rapports de l'interprétation à ce qu'elle interprète ?

3) Ceci étant posé, il n'en demeure pas moins, et je rejoins alors les rapporteurs, que l'analyse de l'éventuel futur analyste, de manière très variable, mais, à la limite structurelle est marquée par l'incidence d'une problématique identificatoire :

a) Elle est une analyse prescrite, même quand elle s'avère désirée ; elle ne peut pas ne pas être porteuse d'une représentation surmoïque-idéale liée à l'institution, à la place de l'analyse dans la culture, etc. Cette incidence joue même quand le discours institutionnel exprime avant tout, le souhait que cette analyse trouve sa trajectoire propre, aussi indépendante que possible des exigences réelles ou imaginaires d'une habilitation. L'incidence est souvent massive – en négatif – avec ceux qui récusent la médiation institutionnelle.

L'analyse est, par définition, une analyse dont il sera témoigné, directement ou indirectement.

b) Elle est une analyse où pourra intervenir, pour l'analysant l'acte de passer du divan au fauteuil (ou de faire demande à l'institution). Autant, me semble-t-il, le désir de devenir analyste se présente « comme il veut », en fonction du contexte processuel, autant le passage à l'acte *convoque l'exigence d'une perlaboration de son enjeu dans le transfert.* C'est une exigence qui ne peut s'assimiler à ce qui se passe pour d'autres décisions importantes.

c) Ceci découle d'abord du fait que l'introjection de la fonction analytique, à l'œuvre dans toute cure qui marche, se colore ici d'une identification professionnelle qui inclut la capacité contre-transférentielle.

À ce niveau, la relation du transfert et du contre-transfert prend, structuralement, une dimension spéculaire qui est au cœur de la perspective des rapporteurs.

Ce temps identificatoire est particulièrement propice à une collusion idéalisante, à travers laquelle, en effet, la fonction analytique se transmettrait *à l'identique,* au détriment de l'élaboration processuelle, singulière, véridique du transfert et du contre-transfert. Et une telle transmission ne manque pas de prolonger ses effets dans les modalités identificatoires des liens interanalytiques, dans les fonctionnements institutionnels.

d) Le fait que la fonction analytique idéalisée se trouve transmise à l'identique est donc l'indice d'un malaise ; c'est pourquoi je n'aime pas ce terme de transmission – proposé par Lacan qui rejetait celui de formation –, en ce qu'il tend à mettre l'accent sur la continuité et la conservation à l'identique (comme dans la suggestion !) ; la correction même par l'idée de perte à assumer me paraît malheureuse. Pour ma part, j'ai suggéré de considérer que, dans son déploiement historico-structural, la deuxième règle en était venue à signifier *l'intransmissibilité de l'analyse* : non seulement l'impossibilité de la transmettre par la théorie, ce qui impliquait sa vérification empirique ; mais l'impossibilité (désirée !) que l'expérience du divan transmette autre chose que la pertinence du cadre, l'adéquation de la méthode. Il faudrait évoquer la paradoxalité d'une transmission de l'intransmissibilité, la reconnaissance non d'une perte (en ligne) mais de l'aléatoire d'un événement jamais assuré de sa conséquence ; de la nécessité pour chacun de faire son analyse, et pour la Psychanalyse de courir le risque de ne pas s'y retrouver : aventure à courir, et principe d'une discontinuité radicale (dont la relation à l'exogamie est perceptible).

4) Qu'est-ce qui limite les risques de la collusion idéalisante, si contraire à la structuration d'une véritable « fonction de l'idéal » chez l'analyste :

a) Je n'insiste pas sur les remèdes institutionnels divers qui ont été proposés et mis en œuvre pour limiter l'ombre portée de la deuxième règle fondamentale. Il faut reconnaître qu'il y a pour nous quelque chose d'indécidable entre la ligne qui estime que l'ombre portée découle principalement de la réalité sociale et institutionnelle (par exemple : que l'existence d'analystes « didacticiens » habilités est la base de, ou aggrave l'ombre portée) ; et celle qui estime qu'elle est inhérente à la situation analytique particulière (et qui fait valoir, du coup, l'intérêt d'un analyste expérimenté).

b) Dès lors qu'il y a processus analytique, et que s'actualise en virtualité d'acte le désir de passer au fauteuil, l'opportunité existe d'élucider son sens à travers l'enjeu transférentiel.

Le plus souvent, cet enjeu s'élabore à un niveau suffisamment œdipien, où l'analyse est reconnue comme un objet incestueux, et la fonction analytique comme support phallique d'une identification ambivalente, transgressive.

Mais il faut admettre *l'attraction d'une collusion* entre :

— le support qu'offre dans la réalité, l'identité commune d'analyste ;
— et la mise en acte d'un transfert identificatoire narcissique, visant à éviter le deuil de l'objet (transféré).

Une telle collusion réalise une sorte de collapsus de l'espace transférentiel, de telle sorte que la fonction tiercéisante de l'interprétation s'y évanouit.

Dans ces cas qui, convenons-en avec les rapporteurs, ne sont pas rares, le processus analytique ne trouve pas sa fin naturelle, entre l'interminable, et l'interruption agie. On est bien tentés de compter sur la tranche future : mais ne sont-ce pas là, justement, les collègues qui ne font pas volontiers une tranche ?

III – Pourquoi la Psychanalyse a-t-elle une affinité particulière pour la logique du purisme ?

Je crois que Jacques Mauger et Lise Monette le suggèrent tout au long de leur travail c'est à cause d'une incertitude d'identité qui lui est à la fois chère et douloureuse, et découle de son objet même : l'Ics.

Le flottement identitaire se manifeste à tous les niveaux : dans le pluralisme de ses théorisations, dans le caractère autoréférentiel de ses interprétations, dans la relativité de ses pratiques, leur porosité à l'environnement socioculturel et à la loi du marché, dans la précarité structurelle de la fonction tiercéisante au cœur de la situation analytique ; dans la différence qu'on voudrait plus saisissable entre celui qui est analysé et celui qui ne l'est pas.

Dans la difficulté toujours recommencée : à tenter de penser « scientifiquement » un objet qui indéfiniment se dérobe ; à vouloir combler un écart théorico-pratique dont il est simultanément nécessaire de poser l'irréductibilité.

L'idéalisation combat l'ambivalence qui habite notre amour pour la Psychanalyse, cette hystérique, cette petite peste dont nous ne voulons pas guérir ?

Jean-Luc Donnet
40, rue Henri-Barbusse
75005 Paris

Malaise dans la transmission... « Immaculée perception »

Paul LALLO

En tant qu'analystes, il nous arrive souvent de redouter ou de fuir comme la peste l'égarement de la pensée à laquelle nous convions pourtant quotidiennement nos analysants et qui se situe au cœur même de l'analyse. Que cela me serve de justification !

Il y a un certain temps déjà, j'ai fait un rêve dans lequel je recevais un appel téléphonique où quelqu'un (une femme) me demandait d'introduire la discussion à un congrès de psychanalystes de langue française. Sentant confusément que le rêve pourrait très vite tourner au cauchemar, je m'éveillai brusquement pour tenter d'échapper à l'angoisse d'une intenable situation traumatique, à un destin si *fupeste,* mais non sans entendre des voix répétant en écho : « Tu n'échapperas pas à la pureté – elle va toujours te poursuivre – elle va t'attraper et ne te lâchera plus. » Je réussis tout de même à les faire taire et me rendormis en lisant un livre traitant de la folie privée.

Et voilà qu'un jour, je reçois le programme du 60e congrès et aperçois mon nom parmi les discutants. M'est alors revenue l'anecdote rapportée par Robert Gardner (R. Gardner, 1984) au sujet de son fils de trois ans : il s'était réveillé au milieu de la nuit en criant. Il hurlait : « Billy est tombé dans le trou de l'évier – Billy est tombé dans le trou de l'évier. » Son père alluma la lumière et lui montra son frère Billy, confortablement couché dans son lit. Il lui expliqua également la différence entre les faits réels et les rêves. Le lendemain, le père entend l'enfant dire à son frère Billy, alors qu'ils étaient tous deux près de l'évier : « Attention Billy, rappelle-toi ce qui s'est presque passé la nuit dernière. » Quant à moi, j'ai beaucoup pensé à ce samedi matin, réel ou onirique, ne sachant plus très bien si je devais m'éveiller ou m'endormir pour y échapper.

Et cette semaine, à l'heure d'une séance régulière avec Thérèse, je me dis intérieurement qu'il me faut lui rappeler que sa prochaine séance est déplacée à... samedi matin. Finalement, dans les faits, je lui ai bien rappelé que nous nous verrions le jeudi et Thérèse n'a jamais rien su de mon lapsus mental à moins qu'elle aussi ne se soit mise à rêver. Alors pourquoi ce rendez-vous en ce samedi matin à l'heure du congrès ? Thérèse serait avec moi tout juste avant que je vienne introduire la discussion sur la pureté ? Ou alors, j'aimerais mieux être avec elle qu'avec vous ? Peut-être que comme Freud avec Fliess, cette rencontre avec elle serait notre congrès ? Mais plus gênant encore, elle et moi serions exposés à la Place des Arts au regard de plus de 400 psychanalystes et de 1 200 yeux ? Juste ciel ! Savez-vous seulement que cette salle où nous sommes depuis trois jours est construite sur l'ancien emplacement d'un orphelinat et d'une toute petite chapelle où une sainte (c'était sainte Thérèse de l'Enfant-Jésus) gisait immobile, morte, belle et pure dans sa statue de cire.

La pureté est une défense du moi contre les angoisses de l'étrangeté. Thérèse, non pas celle de la statue de cire dans laquelle un mouvement de pureté m'a amené à la figer, mais l'analysante toujours en devenir, m'avait parlé de la fascination qu'avait exercé sur elle la nouvelle de la découverte dans des grottes du sud de la France de peintures rupestres représentant des femmes, représentation très rare dans l'art rupestre. « La question des femmes est importante », ajouta-t-elle et lui revint alors en tête une belle chanson où il est question de femmes qui portent les hommes. J'ai pensé alors à ce que m'avait dit une responsable scientifique du congrès : « Ton rôle consiste à porter le texte de Lise et de Jacques jusqu'au samedi matin. »

Comme tout un chacun, je n'ai pu évidemment lire ce texte d'une façon neutre et objective. Quand Lise Monette et Jacques Mauger insistent sur le caractère de lucidité des perceptions mélancoliques et qu'André Green leur souhaite, ainsi qu'à nous tous analystes québécois, de sortir des ornières de la mélancolie, n'y a-t-il pas dans ce souhait une invitation à résoudre un paradoxe plutôt que de le laisser se déployer et de le questionner comme l'a fait Freud. En référence aux autocritiques du mélancolique, Freud s'interroge sur le fait qu'il faut commencer par devenir malade pour être accessible à une telle vérité. Je serais pour ma part très hésitant si je devais quitter ces ornières. Je me souviens qu'au début de ma formation, j'avais un jour fait allusion à ce passage de « Deuil et mélancolie » (S. Freud, 1914 *a*) et que l'analyste formateur me disait ne pas se souvenir que Freud ait écrit une telle chose. L'un l'a oublié, l'autre m'invite à l'oublier. Pourquoi tant de sollicitude ? Quel épouvantable danger me guette ?

En écoutant tous ces débats autour de la pureté et en m'étonnant parfois des réactions violentes que le texte a suscitées, je me suis souvenu de cette belle expression de Robert Gardner (je m'excuse d'introduire pour la deuxième fois un psychanalyste américain dans la réserve parisienne ou franco-québécoise) : l'Immaculée Perception. Il arrive parfois que la pureté s'entende comme ce mythe ou ce dogme faisant de l'analyste un écran blanc sur lequel viennent se déposer toutes les projections du patient. Ne pourrait-on s'exclamer : Ah Pureté, que d'identifications projectives interprétées en ton nom ! Se pourrait-il que certaines réactions au texte tiennent au fait qu'il nous empêcherait de nous maintenir dans le confort d'une immaculée perception ? Une patiente, un jour, s'interrogeant sur l'absence de souvenirs concernant une sœur aînée morte dans la vingtaine, se demandait si le surgissement de ces souvenirs ne lui ferait pas perdre sa sœur : « Peut-être que je ne la trouverais plus aussi bonne, aussi parfaite. Et alors je me retrouverais seule avec ma solitude. » À la question posée par Danielle Quinodoz dans les communications prépubliées : « Jacques Mauger et Lise Monette, où êtes-vous ? », je serais porté à répondre que comme pour ma patiente, les deux sont sans doute aux prises avec une âme sœur, comme vous, comme moi.

Mme Quinodoz, comme bien d'autres, sent le besoin de proclamer que la psychanalyse est bien vivante. Certains ont réagi au texte en le trouvant déprimant, étouffant, mélancolisant, désenchantant ou en reprochant aux rapporteurs de passer sous silence le plaisir et les bienfaits de l'analyse, de ne pas souligner le plaisir de participer au déploiement de l'autre ou alors de ne plus croire aux vertus interprétatives. À ceux-là, je voudrais seulement leur proposer cette réflexion qui m'a encore été soufflée par cet Américain (que voulez-vous, c'est la faute de Freud qui lui a apporté la peste) : « En Patagonie, on dit que quiconque s'attribue les mérites du soleil doit aussi accepter le blâme pour la pluie » (R. Gardner, 1984).

Un certain discours sur la pureté peut facilement renvoyer à sa propre impureté celui à qui il s'adresse. Le pur et l'impur sont donnés ensemble et le pur de l'un dépend de l'impur de l'autre. J'ai été frappé par le fait que dans le texte des rapporteurs québécois, il y soit fait mention de deux exemples de purgation, l'une concernant les « déviationnistes » et l'autre, rapportée tout de suite après, les « candidats ». Écarter les déviationnistes entourant la communauté psychanalytique ou écarter les candidats (jusqu'à tout récemment, les candidats ne pouvaient assister aux colloques de notre Société) ! Ce n'est peut-être pas un hasard que ces deux objets d'exclusion soient mis côte à côte.

Serait-ce que le questionnement du déviationniste n'est pas sans résonance avec la réflexion d'un analyste en devenir ou qu'à l'inverse, le questionnement d'un analyste en devenir a aussi une certaine portée déviationniste, sans quoi la formation analytique ne serait plus fondée sur une méthode de recherche de l'inattendu, voire du non-sens, mais deviendrait un timide parcours de lieux obligés. L'exclusion, en tout cas celle des candidats, viserait alors à faire taire ce qui pourrait ne pas être « du même » et donc, à maintenir un lien incestueux alors même que l'exclusion se ferait au nom de la prohibition de l'inceste.

Mais que se passe-t-il alors dans un congrès de psychanalyse portant sur la pureté, où se retrouvent tout à la fois des analystes patentés (et quelques-uns surpatentés), des candidats et des psychothérapeutes ? Figure moderne d'un congrès mais ai-je besoin de rappeler à mes collègues d'outre-mer le sens du terme « congrès » en ancien français : il est synonyme de rapports amoureux. Au XVIe siècle, le terme acquiert un sens plus juridique : accouplement charnel de l'homme et de la femme ordonné par l'arrêt de la cour afin de déterminer la puissance ou l'impuissance de l'homme (P. Darmon, 1986). L'acte doit être accompli en public et constitue la preuve irréfutable de la virilité des accusés. En cas de fiasco, c'est la perte d'honneur et la dot doit être rendue à la femme. On rapporte que ces congrès duraient entre deux heures et plusieurs jours. En somme déjà au XVIe siècle, on s'intéressait au malaise dans la transmission.

De quoi les analystes doivent-ils aujourd'hui faire preuve dans leur congrès ? Les « surpatentés » doivent peut-être montrer qu'ils sont des « pères-formants ». D'autres doivent faire la preuve qu'ils sont classiques et purs. D'autres encore voudraient faire la preuve que leur pureté tient au fait de ne pas être classiques. Quoi qu'il en soit, les analystes sont malades de pureté et je me demande si la conclusion de La Fontaine à sa fable, ne pourrait pas nous inspirer, en tant que congressistes, quelques réflexions :

> « Selon que vous serez puissant ou misérable,
> les jugements de cour vous rendront blanc ou noir. »

Paul Lallo
4431, rue Old-Orchard
Montréal/Qué H4A.3B5
(Canada)

RÉFÉRENCES BIBLIOGRAPHIQUES

Darmon P. (1986), *Le tribunal de l'impuissance. Virilité et défaillances conjugales dans l'Ancienne France,* Paris, Le Seuil.

Freud S. (1914 *a*), Deuil et mélancolie, *Œuvres complètes,* XIII, PUF, 1988.

Gardner R. (1984), *Enquête sur soi,* Paris, Aubier.

Réflexion d'un pur-impur

André Lussier

À mes deux amis et collègues, qui me le pardonneront bien. Il y a des amitiés dont je ne saurais me passer.

Voilà un rapport plein de richesses tout autant que de provocation, débordant d'originalité tout autant que souvent hermétique. Travail audacieux mais non moins dérangeant et confrontant. Justement, l'audace ne va jamais sans risques ni écueils. Ce texte ne laissera le lecteur ni indifférent, ni indemne.

1 / Après trois lectures acharnées et devant tant d'analyse subtile, souvent effectuée au scalpel impitoyable, j'en suis encore à me demander pour quelles obscures raisons il nous est rendu si difficile de réagir au brio de la pensée pour laisser dans l'ombre le climat étouffant du rapport ? J'en reste un peu trop avec ce que le texte a de déprimant, son action *mélancolisante*. Qu'est-ce qui a bien pu faire qu'au fur et à mesure de cette lecture, je perdais de vue que les auteurs étaient vraisemblablement occupés à analyser un symptôme parmi d'autres, susceptible parfois d'affecter gravement la nature du travail de quelques psychanalystes qui se leurrent, gouvernés par leur Moi idéal ? La conviction est devenue forte, comme malgré soi, qu'il s'agirait plutôt du sort qui attend tout analyste – y compris, probablement, les rapporteurs eux-mêmes –, tous dans la même galère. Si je me laissais prendre dans les filets du rapport, j'en viendrais à me considérer comme un imposteur, un genre nouveau de mythomane ; et plus j'avance dans le texte, plus ce que je croyais être, dans son essence même, un travail avant tout centré sur l'autre, s'avère une façade trompeuse, le plus souvent au service d'un intérêt narcissique du niveau le plus archaïque (Moi idéal). Je ne travaillerais que pour le rétablissement de ma pureté première, tristement perdue. L'altérité de l'autre me déstabilise ; si je refuse de me rendre à l'évidence, c'est que je préfère un déni pathétique dont mes patients souffriront.

Face à cette opération chirurgicale, si je n'y prends garde, je risque d'être confronté à l'unique issue « propre » à sauver la face : plier bagages, fermer boutique et me chercher un emploi où je n'offrirais plus de faux services.

D'où peut bien venir mon désarroi ? D'où vient qu'on soit empêché de lire ce texte comme on lit tout autre aperçu clinique ? Serait-ce le ton ? Les coups tranchants qui n'épargnent personne ?

Pourquoi fermer boutique ? La liste des raisons est écrasante : *a)* je souffre d'une *compulsion* à soigner et à analyser ; *b)* je me suis fait prisonnier d'une « solution mélancolique » d'évitement, grâce à une identification qui signe mon refus d'un deuil (menaçant) ; *c)* je souffre d'un purisme aussi néfaste qu'inévitable ; *d)* en tant qu'analyste, je « ne peux manquer de contribuer » à l'idéalisation de la fonction analysante et de l'analyste, par mes silences, mes interprétations et le cadre que j'impose. Je suis traqué ; *e)* mon métier est au service exclusif d'un narcissisme archaïque qui ne voudra pas lâcher prise ni faire de place à l'autre ; *f)* mon désir d'analyser est impur et je n'en veux rien savoir, car il comprend la partie haineuse qui m'habite ; je suis la personnification d'un déni. Un mensonge qui s'ignore. Je plie bagage...

Je me surprends à souhaiter que les rapporteurs ne se prêtent pas à un jugement aussi radical et dévastateur. Mais, encore une fois, qu'est-ce qui amène le lecteur à penser autrement ? Nos propres susceptibilités ? C'est possible.

2 / Revenons au moment le plus cru du rapport, là où les rapporteurs nous mettent carrément le nez dans notre inconscient le plus nu. Dans ce paragraphe qui commence dans un style hermétique, sinon ambigu, ma fonction thérapeutique est mise à jour dans une opération à froid : c'est comme suit que, sans le savoir, je m'adresse à mes patients : « Va, confie-moi ton mal ! J'y tiens davantage qu'à toi-même. J'en fais mon affaire... Ton (mon) mal, c'est ton altérité qui me fait souffrir plus que toi-même. Voilà toute ma compassion... » Nous sommes pris en flagrant délit. Le malaise s'intensifie. Dans notre métier, nous sommes pourtant devenus familiers avec des vérités qui dérangent ! Cette fois, il s'agit de beaucoup plus que d'une vérité encombrante ; on se sent pris à partie, comme à un procès, parfois avec une ironie mordante. Le lecteur pourtant ne demanderait pas mieux que d'être simplement invité à réfléchir sur lui-même.

3 / Le regard dénonciateur se poursuit : « Face aux déviationnistes... nos porte-étendards... (sont) atteints dans leur intenable posture. » Les petits comme les grands porte-étendards sont classés. Comment pourrais-je ne pas me sentir concerné ? Sans perdre de vue la modestie qui s'impose, je me sens impliqué, car, comme d'autres et dans la mesure de mes moyens, j'ai sans cesse combattu les déviationnistes. Je suis confronté ici à l'ironie (« porte-étendards ») et au verdict (« intenable posture »). Si les rapporteurs répliquent qu'ils ne visent que le genre fanatique de porte-étendard, on ne le sent pas. Leur texte révèle un penchant accentué pour la généralisation. Alors quoi ? Comment m'en sortir ? L'opération de secours est simple : je me tourne

du côté de Freud. Quand il combattait les positions de Jung, d'Adler, de Rank, Reich et les autres, il ne le faisait pas au nom d'une quelconque pureté mais pour empêcher que l'édifice ne s'écroule. Travailler au nom de la rigueur de pensée n'a rien de « pur » ; c'est, de dire Paul Ricœur, le regard de l'aigle qui voit ce que les autres ne voient pas. Que le Moi idéal prête son concours à cette opération de sauvetage, je n'y vois rien d'inquiétant, dans la mesure où c'est la rigueur qui prime. Freud savait se protéger contre l'emprise du narcissisme à l'affût ; avec ses intimes, il répétait sa devise : « Chercher la vérité, seulement la vérité, quel qu'en soit le prix pour son amour-propre. »

4 / On nous dit que le projet de devenir analyste, quand il est en voie de se réaliser « gagne de vitesse l'analyse, de sorte qu'il ne sera jamais analysé – sauf *peut-être* dans une deuxième analyse ». On est bien près d'affirmer que les psychanalystes sont les moins analysés de tous les analysés, ce qui ne serait pas tout à fait faux. Mais le rapport va plus loin et semble fort tenté de suggérer que l'analyse réussie d'un psy devrait, le plus souvent, lui faire abandonner son projet de devenir analyste. On lit que : « Il est très rare que l'analyse d'un psy débouche sur la décision de renoncer à cette fonction... » Le lecteur est presque invité à penser que l'*idéal* proposé est le cheminement de cette patiente qui est soulagée de pouvoir s'écrier : « Je ne deviendrai jamais comme vous. » Ce petit témoignage n'est pas inclus innocemment.

De mon côté, que la chose (*i.e.* l'abandon du projet) soit rare ne m'étonne ni ne m'inquiète outre mesure. Je sais que depuis Lacan, dans ses positions ambiguës, une hantise règne au sujet du désir de devenir analyste, hantise qui sème confusion et excès. C'est je crois Conrad Stein qui, le premier déjà en 1970, identifia le problème baptisé de « secteur réservé du transfert ». En trente-cinq ans de pratique de la psychanalyse, qui comprend l'analyse de bon nombre de psy, j'ai souvent assisté à des confrontations intérieures avec la source conflictuelle du désir de soigner (sa mère, son père...), avec la source conflictuelle du désir de devenir psy, y compris l'identification à son analyste, sans que cette épreuve conduise à l'abolition du projet. Je dirais plutôt qu'il est rare de constater, en analyse, que ce projet, confronté à sa source, s'avère un château de cartes et rien d'autre qu'un amas défensif.

Personne n'apprécie de se voir soumis à des comparaisons, mais avons-nous le choix ? Quand je lis Nathalie Zaltzman, abordant précisément le même sujet (le désir de devenir analyste), dans un style confrontant pour le lecteur (devenu analyste ou en voie de le devenir), je me sens profondément interpellé mais désireux néanmoins de poursuivre avec l'auteur ; elle nous invite à nous questionner sur l'authenticité de nos positions personnelles, sans que ce soit une charge à fond. Dans son exposé bref et dense (dans *De la guérison psychanalytique*, PUF), elle ne néglige pas de préciser, *à deux reprises*, que « l'intention de l'analysant de devenir analyste ne présente en elle-même aucun caractère de résistance particulièrement infranchissable à la progression du processus analytique ». Il n'en reste pas moins que le projet de l'auteur demeure d'analyser les cas où l'analysant troque son projet initial de recherche de sa liberté intérieure pour la fuite dans une solution narcissique antimélancolique, où l'on voit le projet de devenir analyste transformé en « but prioritaire inquestionnable ».

J'ai peine à comprendre qu'un rapport d'inspiration freudienne fasse si peu de cas et si peu de place aux forces d'Éros, à l'authenticité de la relation à l'autre, relation objectale, donc altruiste ; si peu de place au pouvoir créateur de la sublimation vraie des pulsions libidinales. La sublimation est mentionnée une fois et cela dans un contexte pour le moins étonnant : on parle de la possible sublimation de la pureté ! Faudrait-il classer la pureté parmi les pulsions ?

Les rapporteurs ne vont-ils pas trop loin dans leur jugement de valeur quand ils concluent qu'une « Collusion entre psy ne peut manquer de se mettre en place pour préserver la fonction psy de chacun... Ce qui est d'*abord* recherché (souligné par moi) c'est la consolidation d'un choix ». Généralisation qui me paraît abusive et anéantissante. Quand ils affirment que les analystes, en majorité, partagent le même refus de la mise à mort de leur analyste idéalisé, impuissants à assumer un deuil redouté pour finalement former « une communauté de déni de la réalité d'une perte inavouable », je me dis que c'est le coup de grâce : une psychose collective, sans psychose. Que nos sociétés soient menacées de devenir des communautés d'analystes peu analysés, on en voit partout des signes. Les rapporteurs ont raison de s'inquiéter. Mais le problème tient au fait de les voir mettre tous les œufs dans le même panier. Je crois que les causes majeures sont aussi et surtout ailleurs et multiples : le refus de l'inconscient, du pulsionnel, de l'irrationnel...

Le rapport donne l'impression d'une confession générale sur l'impuissance des psychanalystes à cerner un symptôme (le « devenir-analyste ») et à le faire s'évaporer. Tout le rapport, ou presque, est marqué du signe de cet échec. Il n'y aurait qu'un pas à franchir pour croire que les rapporteurs seraient désemparés par l'idéalisation indéracinable dont ils seraient l'objet. Je trouve méritoire de les voir se soucier gravement à cet effet. Ils prennent fermement le contre-pied des positions dernières de Lacan, le Grand Autre, lequel par ailleurs doit se délecter à la pensée de *l'indéracinable idéalisation du Maître*.

5 / Peut-on faire dire à Freud, dans le texte sur le narcissisme, qu'on observe chez ces analystes-psy « une forte fixation à la fonction devenue objet d'amour » ? Je ne le crois pas, même si Freud a déjà parlé de l'investissement d'une pulsion. Investir une fonction à des fins narcissiques donne du poids à cette fonction sans faire de cette fonction un objet d'amour. C'est le Moi-en-fonction qui reste objet d'amour. Débat qui mériterait d'être « investi ». Je

sais que Nathalie Zaltzman prend des libertés avec ce concept d'identification à une fonction tout en se réclamant de Freud, en le citant à sa manière à elle, comme suit : « L'identification narcissique avec l'objet (en l'occurrence la fonction analytique) devient le substitut de l'investissement d'amour » ; c'est Nathalie Zaltzman qui ajoute la parenthèse et non pas Freud. Si une fonction usurpe un investissement dont bénéficiait un objet d'amour, cela ne fait pas de la fonction un objet d'amour ou un objet identificatoire.

C'est sur cette même lancée que les deux rapporteurs abordent de façon draconienne un sujet qui ne me concerne en rien ! (Le lecteur va vite me comprendre). On nous signale en effet que : « L'analyste ne prend pas facilement sa retraite, c'est bien connu. » Le mal est identifié : une fois de plus, c'est « la *compulsion* à soigner et à analyser ». Si les seniors ne peuvent faire preuve de générosité en se retirant, c'est qu'ils sont, nous dit-on, désespérément accrochés à une fonction qui leur tient lieu de Moi idéal et ainsi ils évitent le si redouté deuil mélancolique, « tentation qui reste liée au devenir-analyste *immanquablement* ». On se croirait dans *Totem et tabou* nouvelle version : pas de pères parmi nous, pas de meurtre en perspective, mais tout indique qu'il y a les grands frères. Qu'est-ce qu'ils attendent pour débarrasser le terrain et nous dispenser de tragédie ? Les rapporteurs en sont-ils venus à craindre que quelques seniors obstinés ne soient mordus par le fantasme hypomaniaque de se voir un jour élevés à la dignité de « pères » ? Si oui, l'invitation au courage est entendue. Freud, octogénaire entêté au travail, a manqué de courage, Winnicott aussi. Les pauvres, ils sont légion. En ce moment, j'aimerais croire que je suis en train de plaisanter en débordant grossièrement le cadre des intentions des rapporteurs. Sait-on jamais ! Le problème tient au fait que le rapport se prête peu à l'humour.

Il y a une objection de taille que l'on pourrait me soumettre, mais qui ne changerait pas grand-chose au problème : si on me soulignait que les rapporteurs, tel que déjà proposé, nous mettent tous dans la même galère y compris eux-mêmes, je dirais alors que, dans ce cas, je me porterais à la défense des rapporteurs contre eux-mêmes, conscient qu'ils se passeraient bien de mes services !

6 / Les rapporteurs se penchent sur les vues de Freud concernant l'influence du Grand Homme dans le processus de civilisation (section 1.2), et en viennent à poser l'hypothèse voulant que les idéaux du moi communs à un groupe, non seulement soient renforcés par la collusion homosexuelle de ses membres mais tout autant « par le retour d'un moi idéal partagé » nourri à même l'identification idéalisante au Grand Homme et cela afin de « mieux préserver et maintenir intact le narcissisme primaire de pureté » ? N'y aurait-il pas confusion quand le texte poursuit immédiatement en parlant de ce même « idéal du moi qui évoque l'impossible retour au paradis des origines » ? Selon cette conception des instances, il y aurait simultanément le moi idéal récupéré

et le moi idéal inaccessible. Quant à l'idéal du moi, on le voit à la fois être renforcé par le moi idéal et avoir pour fonction d'évoquer l'impossible retour au paradis de la Grande Pureté (Moi idéal).

Je ne suis pas toujours d'accord avec les fonctions contradictoires attribuées aux instances (moi idéal, idéal du moi, surmoi). Pour le maintien de la santé mentale, je ne crois pas possible qu'il y ait collusion heureuse entre idéal du moi (identification objectalisante aux parents idéalisés, selon moi) et le moi idéal (représentation mentale de soi purement narcissique sans égards pour l'autre) si c'est le Moi idéal qui prend les commandes. Quand les idéaux du moi sont mis au service du Moi idéal, sauf dans les cas exceptionnels de grande créativité, c'est le chaos, l'anarchie, la mégalomanie, la psychose. Il est bon que le Moi idéal participe à tout, mais non qu'il gouverne. S'il gouverne trop, c'est qu'il a envahi les idéaux du Moi pour les corrompre. Les applications de ceci aux objectifs collectifs sautent aux yeux.

Je m'inscris en faux aussi contre la tendance à relier le mélancolique à un désir « de retour à un narcissisme primaire absolu ». Chez le mélancolique on découvre toujours, dans les couches les plus profondes, un rapport à l'objet idéalisé.

7 / Un dernier point que je souhaiterais pouvoir taire mais ne le peux pas. Au sujet des psy-candidats en formation et en analyse avec le même analyste, on croit faire un mauvais rêve quand on lit qu'ils viennent « se vautrer dans la place encore chaude de leur prédécesseur ». Vraiment ? Se vautrer ? J'ai fouillé tous mes dictionnaires dans l'espoir de trouver par chance un peu de noblesse au verbe, mais en vain. Je me dis que l'expression aura échappé à mes amis, une fois n'est pas coutume. Ce leur sera sûrement pardonné. Je me dis aussi, songeur, que la fréquentation de Lacan comporte des risques quant à l'attitude à emprunter vis-à-vis le « petit autre ».

Dès le premier paragraphe du rapport, nous sommes prévenus qu'il ne sera pas question de payer ses dettes à quelque filiation que ce soit ; on nous dit en somme, à quelques exceptions près : il n'y aura que nous deux... et Lacan.

Je suis certain que d'autres collègues sauront faire ressortir tout le mérite de ce rapport, en particulier les hypothèses inédites que je n'aurai pas su relever. Les rapporteurs avaient raison de vouloir traquer et dénoncer le mal que le purisme peut répandre parmi nous. Je trouve, cependant, dommage que dans sa forme, ce rapport recourt trop souvent au piège même qu'ils dénoncent.

André Lussier
30, chemin Bates
Outremont/Québec H2V 4T4
(Canada)

L'eau vive de la psychanalyse : le plaisir d'analyser l'autre

Roger DUFRESNE

Dans « Pure culture... », Jacques Mauger et Lise Monette (1999) ont fait un travail considérable pour nous proposer une cartographie exhaustive de la position mélancolique du psychanalyste et nous convoquer à considérer avec eux les dérives auxquelles conduisent le repli narcissique sur le moi-idéal, l'enfermement dans l'analyse du double de soi et le refus de l'étrange et de l'étranger.

Dans leur souci peut-être de ne pas altérer l'eau trop pure de leur exergue, leur carte n'indique guère de variantes ni les voies pour éviter ou sortir des impasses. Ainsi dans « Psy de psy », ils nous entraînent sur un chemin qui conduit d'une diminution des demandes à une psy qui ne serait bientôt plus que psy de psy, puis psy du même avec fixation à une identification idéalisante mélancolique à la seule fonction analytique, devenue pure compulsion et « auto-engendrement » sans fin, dont il n'y aurait guère d'autres issues que la retraite des uns... et le retrait des autres. Je ne doute pas que les rapporteurs ne se soient interrogés eux-mêmes sur un destin si funeste. Leur texte n'en suggère pas moins un glissement quasi inéluctable et généralisé d'une psy de psy à une psy du même, où l'analyste, en « collusion » avec l'autre psy pour « la consolidation d'un choix déjà fait » par chacun, ne serait plus en mesure de discerner ce que chaque analysant soit-il psy a de singulier, la souffrance relationnelle au fondement de toute demande d'analyse et la diversité des motivations et des parcours de chacun dont le désir d'analyser n'est que la résultante.

D'autre part, sans méconnaître l'importance, les difficultés et parfois les impasses de l'analyse du secteur réservé du transfert, il faut se demander s'il n'y aurait pas un autre risque de pureté absolue à concevoir que l'analyse d'un désir conduise idéalement à son extinction, à son « démantèlement ».

Par ailleurs, quand ils évoquent la Société psychanalytique de Montréal et nos rapports avec nos collègues anglophones, les auteurs mentionnent nos différences bien réelles et nos solitudes respectives. Ils notent avec justesse qu'on aurait besoin d'un voisin moins pur pour être pur, et nous savons que nos rivalités externes ont favorisé la cohésion de notre groupe... et du leur. Une telle présentation toutefois ne laisse-t-elle pas trop dans l'ombre qu'avant ces projections entre voisins, les différends et les clivages entre purs et impurs s'inscrivent dans la filiation même de notre Société de Montréal fondée par des membres issus de traditions analytiques si diverses (Londres, Paris, Boston, Philadelphie, etc.), dont aucune du reste n'était et n'est monolithique.

Aussi, quand certains déplorent trop de réserve dans notre « réserve » ou la non-confrontation dans nos rangs, me reviennent en mémoire certains silences certes, mais aussi et surtout ce qui les a provoqués, plusieurs débats fort houleux et des affrontements anciens ou récents où plus d'un parmi nous s'est senti exclu de parole au nom de quelque pureté théorique ou technique. Sans réserve ou tolérance aux références kleiniennes, winnicottiennes, lacaniennes, bioniennes, etc., des uns ou des autres, ce qui n'exclut ni la rigueur ni les convictions personnelles, notre Société n'aurait pas été ou nos échanges seraient encore plus réservés.

Ces quelques remarques auront laissé percevoir que j'ai entendu le rapport de Lise et Jacques comme un exposé dialectique pour forcer le lecteur à s'interroger et à réagir, à l'instar des débats contradictoires à la mode dans les universités anglo-saxonnes où deux protagonistes s'affrontent dans la défense de deux propositions antithétiques. L'influence britannique en nous est parfois plus forte que nous n'aimons le reconnaître !

Je voudrais maintenant partager avec vous quelques associations à la recherche d'une voie de sortie d'une pureté trop idéale, mélancolique et conservatrice, très conscient que tous nos discours ne peuvent favoriser que la prise de conscience de ce qui est préconscient, l'inconscient relevant d'une autre démarche et d'un autre lieu.

Alors que je réfléchissais, à l'invitation des rapporteurs, aux motifs qui m'avaient conduit à devenir analyste et à mon désir de poursuivre, je me suis souvenu d'une analyse particulièrement éprouvante. Un jeune homme déprimé, colérique et suicidaire me révéla après quelques années et non sans un évident plaisir exhibitionniste, les pratiques coprophagiques qu'il imposait sadiquement à des partenaires étonnamment consentantes et qui ne manquaient pas de provoquer en moi un profond dégoût et de fortes nausées. Qu'étais-je venu faire dans cette galère et pourquoi avais-je désiré devenir analyste, m'étais-je alors souvent demandé. J'ai repensé avec tristesse à son enfance douloureuse, à l'absence du père et à une mère mêlée à des trafics de drogues et de corps féminins. Je me suis souvenu aussi de la fin plutôt heureuse de son analyse et surtout d'une visite qu'il me fit spontanément quelques années plus tard pour me faire part de ses nouvelles entreprises, son union avec une compagne, la naissance de leur enfant et sa nouvelle existence, non plus de mort mais de vie..., et me remercier d'avoir été là. Ma vive émotion devant son témoignage est-elle à mettre au seul compte de quelque gratification narcissique ou d'un sentiment de puissance de l'avoir aidé ? Je ne saurais les nier et n'ignore pas tous les désirs archaïques que les analysants viennent susciter ou réveiller en nous. Mais à moins de me leurrer entièrement, je n'étais pas heureux seulement pour moi mais aussi pour lui, qu'il ait pu trouver une voie moins grandiose et omnipotente, mais plus gratifiante quoique imparfaite dans des relations d'échange avec autrui.

Mes associations m'ont également conduit à des réminiscences des débuts de notre Société de Montréal, où plusieurs collègues ont fait des exposés touchants sur la souffrance du psychanalyste et où de nombreux intervenants se voulaient au moins aussi douloureux que les présentateurs. Quand quelques voix ont fait remarquer que le désir d'analyser ne saurait découler uniquement d'une aspiration masochiste, un véritable tollé s'est élevé à l'encontre de ceux qui, ne semblant pas souffrir suffisamment, n'étaient sans doute pas assez analystes.

Aurions-nous donc du mal ou quelque honte à reconnaître que parmi les nombreuses composantes du désir d'analyser, il y a aussi le désir de toucher et d'être touché métaphoriquement, d'entrer par les mots dans le monde intérieur de l'autre, de ses fantasmes et de ses désirs autant que de ses peurs et de ses souffrances, d'Éros autant que de Thanatos ? Par-delà les composantes narcissiques, mélancoliques, scoptophiliques ou sadomasochistes, n'y a-t-il pas aussi le plaisir de participer au déploiement de l'autre dans sa singularité propre, à sa guérison au sens où l'entend Nathalie Zaltzman (1999), à l'éclosion d'une vie plus riche et plus créatrice, qui simultanément nous est l'occasion de nous enrichir de ces expériences affectives partagées ?

Peut-on se représenter une pureté du désir d'analyser qui ne soit pas que « pure culture de pulsion de mort », mais une pureté de vie, assurément toujours imparfaite, telle une eau vivante, ni absolument pure, ni trop polluée, une eau qui soit source de vie ?

Quand Freud (1912) écrivait que l'analyste « doit s'être soumis à une purification psychanalytique », il ne poursuivait ni objectif moral, ni pur idéal, mais il cherchait plus simplement à rendre l'analyste apte à entendre l'inconscient de l'analysant. Une pureté vivante ne serait-elle pas à rechercher dans l'abstinence de l'analyste, dans ce que Francis Pasche (1963) a appelé l' « ascèse psychanalytique » ? Suspens ou mise entre parenthèses de ses propres désirs, l'abstinence de l'analyste n'est pas une modalité technique mais essentiellement un projet, une intention, une volonté, un désir de donner priorité à l'analysant, de lui ouvrir un espace, un lieu d'écoute où ses désirs puissent émerger, se dire et se découvrir.

Taire tous nos désirs est certes impossible. Car d'emblée s'il est une facette de son désir que l'analyste ne peut taire, c'est bien son désir d'analyser. Néanmoins, afin que le monde inconscient puisse se projeter sur l'écran analytique pour qu'analysant et analyste puissent l'y repérer, il importe que le désir de l'analyste soit tu (Dufresne, 1991). Comment surmonter ce dilemme ? Je ne saurais en proposer aucun artifice technique, tant cette tension est au cœur de notre pratique et que l'analyste est seul avec lui-même pour évaluer à chaque instant le sens et les motivations sous-jacentes à ses silences et à ses paroles. Je n'en donnerai que de brefs rappels.

Ainsi, quand un sujet mal orienté se présente à nous avec un autre projet, il nous faut parfois surseoir à notre offre malgré le désir qu'on en ait et l'insuffisance des demandes, parce qu'une analyse entreprise dans de telles conditions peut s'avérer dramatique pour l'analysant qui souvent abandonne et se trouve renforcé dans sa conviction que personne ne s'intéresse à son désir, obérant ainsi la possibilité d'une demande future.

Parfois lorsqu'une interprétation brillante et vraisemblablement juste surgit en nous, il nous faut parfois la retenir pour permettre à tel analysant d'y accéder par lui-même et de ne pas se sentir dépossédé. Il nous faut parfois ou souvent protéger le narcissisme de l'analysant de notre propre narcissisme.

La phase de terminaison constitue un moment de vérité. Nous souhaiterions poursuivre plus profondément encore. De nombreuses résistances ont été analysées, divers aspects du transfert ont été compris et intériorisés, l'analysant a d'autres projets de vie. Ou alors l'analyse se prolonge sans fin et semble apporter plus de gratifications substitutives que de levées du refoulé. Il nous faut alors renoncer à la satisfaction de quelque désir trop idéal.

Le désir de l'analyste, comme tout désir, est toujours limité par la rencontre du désir de l'autre et ne peut s'accomplir que partiellement et que partagé. L'abstinence de l'analyste est la transcription sur la scène analytique du renoncement au moi-idéal au profit de ce que Béla Grunberger (1976) appelait l' « objectalisation du narcissisme ». Freud (1914) écrivait dans « Pour introduire le narcissisme » : « Il est bien plus difficile de convaincre l'idéaliste de ce que sa libido reste logée dans une position inappropriée que d'en convaincre l'homme simple qui est modéré dans ses prétentions. »

L'abstinence ou l'ascèse de l'analyste, le deuil de l'objet idéal et le renoncement au moi-idéal ne sont pas des valeurs morales ou idéalistes, mais relèvent d'une économie du désir, d'une position plus appropriée de la libido, selon l'expression de Freud, de la recherche modérée d'une prime supplémentaire de plaisir dans la relation à l'autre réel, tout psy soit-il, en lieu et place d'une perpétuation toujours décevante de l'aspiration infantile idéalisante.

L'analyse, comme l'eau vive, est impensable sans impureté, sans les ambivalences, les restes de désirs archaïques en chacun, les pièges contre-transférentiels et les renoncements toujours à refaire. L'analyse serait « purement » impossible sans le désir et le plaisir de l'analyste d'écouter, de s'identifier, de chercher un sens, de partager et d'accompagner l'autre, le nonpareil, l'étranger.

Roger Dufresne
5757, Decelles, Suite 227
Montréal/Québec H3S 2C3
(Canada)

BIBLIOGRAPHIE

Dufresne R. (1991), Le désir du psychanalyste dans la cure. Désir nécessaire, désir impossible, désir partagé (Réflexions cliniques), *in* J. Beaudry, R. Pelletier et H. Van Gijseghem, *Le désir de l'analyste dans la cure,* Montréal, Méridien, p. 63-83.

Freud S. (1912), Conseils aux médecins sur le traitement analytique, trad. Anne Berman, in *La technique analytique,* Paris, PUF, 1970, p. 67.

Freud S. (1914), Pour introduire le narcissisme, trad. Jean Laplanche, in *La vie sexuelle,* Paris, PUF, 1969, p. 99.

Grunberger B. (1976), *Le narcissisme. Essais de psychanalyse,* Paris, Payot, p. 112.

Mauger J. et Monette L. (2000), Pure culture..., *Revue française de Psychanalyse,* n° 5, 1391-1460.

Pasche F. (1963), L'ascèse psychanalytique, in *À partir de Freud,* Paris, Payot, 1969, p. 201-205.

Zaltzman N. (1999), *De la guérison psychanalytique,* Paris, PUF.

La psychanalyse est vivante

Danielle QUINODOZ

Lise Monette et Jacques Mauger où êtes-vous ? Je me suis réjouie à l'idée de vous rencontrer en lisant votre rapport. Mais cette lecture m'a plongée dans un jeu de miroirs renvoyant à l'infini des images de psychanalystes purs et impurs, et je ne savais plus où se trouvaient ceux qui sont bien vivants, comme Lise Monette avec laquelle j'avais eu le plaisir de travailler à Santiago, lors de la Conférence des analystes formateurs. Considérer la psychanalyse du point de vue de la pureté ne rend pas la tâche facile. Pour moi la pureté n'a rien d'un concept psychanalytique, elle tient plutôt du caméléon et présente autant de visages que d'objets qualifiés : du poison pur au pur nectar, du pire au meilleur, sans compter qu'une vraie émeraude se distingue de sa copie synthétique en particulier par la présence d'impuretés !

Vous présentez, comme « le sacré et l'impur », « deux modalités de la pratique supposément aux antipodes » : d'une part, « la domination par le narcissisme des trop petites différences, côté analytique, lorsque la cure type tend à n'être réservée qu'à l'entre-psy » et, d'autre part, « côté thérapeutique... ; le narcissisme des trop grandes différences s'installerait lorsque le malade est identifié comme tel, dans le traitement des états limites par exemple ». Cette présentation me donne l'impression d'emprisonner mon horizon psychanalytique entre ces deux pôles ; comment m'en dégager afin de communiquer avec vous ?

Patients « psy » et patients « non-psy » : la même psychanalyse

J'ai toujours été attentive à ce que la moitié au moins de mes patients en psychanalyse appartiennent à un monde professionnel autre que la psychiatrie ou la psychologie. Mais, qu'ils soient « psy » ou « non-psy », les patients que j'ai en analyse aujourd'hui ne sont pas de « purs » névrosés qui relèveraient d'une cure type idéalisée. Ces personnes qui me demandent de l'aide, ou qui en demandent aux candidats que je supervise, sont des patients qui souffrent de leur difficulté à intégrer différents aspects d'eux-mêmes ressentis comme incompatibles : d'un côté ils sont capables de symboliser et d'utiliser des mécanismes psychiques secondaires, alors que, d'un autre, ils ont recours à des mécanismes psychiques tels que le déni, l'identification projective massive, l'idéalisation et utilisent le clivage sous différentes formes. L'importance de ces derniers mécanismes entrave le fonctionnement de leur capacité symbolique. J'appelle *hétérogènes* ces patients pour souligner une de leurs caractéristiques : ils souffrent de sentir en eux la coexistence de deux aspects opposés, un aspect évolué d'un côté, et un aspect qu'à défaut de meilleur qualificatif j'appellerais archaïque de l'autre.

Lorsque vous présentez la psychanalyse écartelée entre des extrêmes, nous risquons de rencontrer le piège dans lequel certains patients hétérogènes tournent sans fin, lorsqu'ils se demandent si le sentiment d'unité interne peut être obtenu par confusion (tout confondre pour ne plus voir les différences) ou par clivage (en éliminant tout ce qui gêne). Poser ainsi la question est sans issue car, si le clivage est utile pour sortir de la confusion, il devient destructeur s'il est utilisé comme un but en soi. Il s'agit de sortir de ce cercle et de lier ce qu'il avait d'abord été utile de distinguer, afin qu'émerge une création nouvelle qui ne peut être réduite à la somme de ses composantes. L'intégration ainsi obtenue me semble bien différente de l' « homogénéité narcissique » dont vous parlez page 1449 et qui ressemble davantage à ce qu'on appelle « corps pur » en chimie. Chacun de nous, analyste y compris, demeure hétérogène à des degrés divers, tout en tendant de façon asymptotique vers l'intégration.

Toute identification n'est pas mélancolique

Vous avez laissé en suspens votre titre : « Pure culture... » et j'ai continué intérieurement « de la pulsion de mort ». Mais alors, si vous ne désignez que la pulsion de mort sans la lier à la pulsion de vie, est-ce à dire que vous tenez spécialement à souligner la destruction ? La mort de la psychanalyse ? Des psychanalystes ? Est-ce aussi votre intention lorsque vous écrivez à la fin du rapport que (nous sommes) « en voie de devenir des psychanalystes sans patient ». Cela vaut la peine de se référer à la citation complète de Freud : « Ce qui maintenant règne dans le sur-moi, c'est, pour ainsi dire, une pure culture de la pulsion de mort, et en fait, il réussit assez souvent à mener le moi à la mort si ce dernier ne se défend pas de son tyran en virant dans la manie »

(Freud, 1923 [1981, p. 268]). Présenteriez-vous la psychanalyse sans autre issue que la mélancolie ou la manie ? Désirez-vous nous donner en modèle des psychanalystes qui feraient un deuil pathologique et présenteraient une identification mélancolique au père idéalisé de la psychanalyse en gardant en eux un écrit sacré mort ? Ils retourneraient contre eux-mêmes l'agressivité : une agressivité qui aurait été constructive si elle avait été tournée vers l'objet perdu non idéalisé avec ses aspects bons et critiquables, mais qui devient mortifère dès lors qu'elle est retournée contre soi. Cela pourrait effectivement mener à la mort de la psychanalyse.

Mais nous rencontrons aussi des psychanalystes qui font un deuil suffisamment normal : ils acceptent avec gratitude l'héritage d'un père admiré mais non parfait, et sont identifiés de façon introjective à lui dans une identification qui leur permet de découvrir leur propre originalité au contact de la sienne et de développer de façon vivante ce qu'il a ébauché avec génie. En effet, les patients hétérogènes, Freud les voyait déjà venir en 1938 lorsque dans l'*Abrégé de Psychanalyse* il décrivait le clivage du moi. Plus j'avance dans ma pratique de la psychanalyse et plus je découvre, chez mes analysants et chez moi-même, la perspicacité dont Freud a fait preuve en décrivant la présence en nous des deux attitudes vis-à-vis de la réalité dans des proportions variables et mouvantes. D'ailleurs nous pouvons sentir notre liberté psychique s'exprimer, tout en faisant vivre le précieux héritage reçu, lorsque nous prenons en compte de multiples formes de clivage au-delà du clivage du moi.

Oser proposer une psychanalyse

Alors, qu'est-ce que je propose aux patients actuels qui, sans être psychotiques, utilisent parfois des défenses que, faute de mieux, je qualifie d'archaïques ? Certains psychanalystes préfèrent les prendre en psychothérapie. Pourquoi pas ? Beaucoup de choses passionnantes se passent en psychothérapie. Pourtant, selon mon expérience, davantage de patients qu'on ne croit pourraient bénéficier d'une psychanalyse. Ces patients ne nous demandent pas directement une psychanalyse car, le plus souvent, ils ne savent même pas en quoi cela consiste ; pourtant ils font la démarche de nous demander de l'aide, à nous psychanalystes, et leur décision de faire ou non une psychanalyse dépendra grandement de l'attitude du psychanalyste qui les reçoit. C'est à nous, de reconnaître leur demande inconsciente ou préconsciente, de savoir les accueillir et de leur proposer cette aventure. Il serait dommage de répondre à la demande manifeste de psychothérapie du patient, sans voir qu'il peut y avoir une demande latente pour un travail qui ne pourrait être fait qu'en analyse. Dans les entretiens préliminaires, lorsque j'envisage de proposer une psychanalyse à un de ces patients, ma préoccupation première n'est pas de savoir s'il s'agit de névrose, de psychose ou d'état limite, ni même de me fier à une évaluation souvent trompeuse de leur capacité ou incapacité à symboliser, mais de déceler si ce patient a un désir inconscient ou préconscient d'unification, et s'il présente au moins une ébauche d'aptitude à utiliser de façon constructive un objet transférentiel.

Par ailleurs, j'essaie de sentir si, avec ce patient-là, je serai prête non seulement à analyser l'aspect névrotique, mais aussi prête à :

— reconnaître la présence de ses aspects archaïques ;
— tenir compte de la coexistence des deux aspects, évolué et archaïque ;
— analyser les mécanismes psychiques archaïques inconscients, en particulier l'identification projective massive, et utiliser ma contre-identification projective ;
— utiliser un langage « qui le touche » et qui pourra réveiller sa capacité de symboliser.

De plus, pour entreprendre une psychanalyse avec un patient hétérogène, je pense important que l'analyste ait confiance dans la capacité du patient d'inventer, en fin d'analyse, une issue insoupçonnée au départ. Je pense également important que ces patients qui redoutent de découvrir en eux ce qu'ils ressentent comme fou, puissent s'identifier à un psychanalyste qui ose regarder sa propre folie.

Transmettre la psychanalyse

Dans mon souci de transmettre la psychanalyse, j'essaie de rendre les candidats attentifs à l'écoute de ces patients dès les entretiens préliminaires. C'est pourquoi j'ai animé pendant plusieurs années un séminaire clinique sur le thème – « Comment permettre à un patient de prendre conscience de son éventuel désir de faire une psychanalyse ? » En effet, nous pouvons bien expliquer rationnellement au patient ce qu'est l'inconscient, ou faire une belle description comparative des cadres de la psychothérapie et de la psychanalyse : le patient écoutera cela comme une jolie histoire, mais ne sera pas prêt à s'embarquer dans le voyage que nous proposons. Le patient, pour découvrir ce qu'est une psychanalyse a besoin de le ressentir lui-même de l'intérieur. L'insight peut alors entraîner l'adhésion de toute la personne. Cela est valable aussi pour les patients « psy » même s'ils ont une connaissance intellectuelle de la psychanalyse.

Qu'est-ce qu'un langage qui touche ?

Pour qu'un patient hétérogène « s'embarque » dans l'aventure analytique il ne suffit pas de la proposer, il a besoin que le psychanalyste utilise un langage qui le touche. Pour le faire sentir voici une vignette ponctuelle tirée de la psychanalyse d'Élise :

Élise a commencé la séance par le récit d'un rêve : « Dans un bassin couvert, un grand chien blessé, la patte cassée, tourne en rond entraîné par le courant. Il a l'œil vitreux, il va mourir. Je pars impuissante, puis je reviens car je ne peux pas le laisser se noyer ainsi, mais je ne sais que faire. » Élise associe : « J'ai vu autrefois, en voyage, un chien blessé qui se mourait sous le regard indifférent des passants. J'aurais voulu demander de l'aide, mais ne sachant pas la langue du pays je ne pouvais pas parler. » Le regard du chien du rêve lui a fait penser au regard de sa mère, une dame âgée malade en fin de vie. Élise a associé encore : « Cela me fait penser à un drame survenu près de l'endroit où, petite, j'allais en vacances. Il y avait des trous dans le torrent, creusés par le courant, cela faisait des tourbillons qui attiraient au fond ; on les appelait des marmites. Un couple se promenait avec un chien. Le chien est tombé dans un de ces trous, l'homme a plongé pour le sauver et il s'est noyé avec le chien. » À travers ce rêve et ses associations, j'entendais la demande d'aide d'Élise ainsi que sa crainte et son désir inconscients de m'entraîner dans le tourbillon mortel.

J'ai alors ressenti un moment d'intense soulagement : enfin Élise apportait un rêve, des associations, elle semblait élaborer des conflits. Le côté vivant d'Élise était bien présent. Mais brusquement l'autre côté d'Élise est réapparu : en une seconde Élise a repris son ton distant et froid : « L'analyse c'est des mots, l'analyse ne sert à rien. » J'ai alors été submergée par une sensation d'effondrement, je me sentais tomber dans la marmite du torrent. Dans mon contre-transfert j'ai pensé que ma sensation d'effondrement était liée à l'identification projective massive utilisée par Élise et qu'elle correspondait à une contre-identification projective. Élise avait sûrement eu besoin inconsciemment de me communiquer ainsi une expérience précoce d'avant la parole pour que je l'aide à lui trouver un sens : « Je ne savais pas parler... »

Comment aider Élise à sentir qu'elle a inconsciemment projeté à l'extérieur un vide mortifère pour éviter de le sentir en elle ? J'imagine que, même si elle l'a toujours nié, n'en ayant aucun souvenir direct, elle avait bien dû déjà éprouver ce vide à huit mois, lorsqu'elle s'était retrouvée en clinique pendant plusieurs semaines parce que sa mère, malade et contagieuse, ne pouvait pas s'occuper d'elle. Selon les récits familiaux, lors des retrouvailles Élise avait détourné la tête en refusant de regarder sa mère. J'ai senti moi-même tout cela lorsque j'ai eu l'impression corporelle que tout s'effondrait. Comment utiliser ma contre-identification projective pour interpréter l'identification projective excessive d'Élise ?

Alors, comme j'entends Élise dire : « Je me demande bien à quoi vous servez dans l'analyse ! » Je lui réponds avec une profonde conviction : « Je suis peut-être la marmite. » Élise sursaute, incrédule : « Quoi ? » J'ajoute : « Oui, la marmite qui pourrait contenir de bonnes choses à manger et qui au lieu de cela est un trou qui vous aspire au fond du torrent dans lequel vous pouvez tourner et vous noyer... » Élise reste silencieuse, très concentrée, paisible. Et comme il me semble évident que si je me propose à Élise comme objet, elle pourrait éprouver, elle, l'affect correspondant, je rajoute : « Et vous détournez la tête pour me dire tout ce que vous sentez de tristesse et de colère et combien je vous déçois. » En effet, pour qu'Élise retrouve ce qui se passe en elle à ce niveau précoce, j'essaie de partir du geste, afin qu'Élise, retrouvant la sensation, découvre sa signification émotionnelle. « Je détourne la tête ? » « Quand vous me dites que je ne peux rien pour vous, c'est bien un peu une façon de détourner la tête de moi, comme quand votre mère est venue vous chercher après votre séjour en clinique. » Silence, puis Élise dit avec émotion : « Personne n'avait senti que j'ai vraiment un trou au fond de moi... (silence)... Je pense que c'est pour cela que je ne peux pas m'occuper profondément de ma mère ; je le fais par devoir, mon frère, lui, prend réellement soin d'elle... (silence)... Avant l'analyse, jamais personne n'a su que j'ai cette tristesse au fond de moi. Ma mère a toujours été la présence d'une absence. »

Je m'étais proposée comme un objet partiel en négatif. Dans le transfert j'étais le sein qui manque, un sein en creux. Élise me dira la fois suivante qu'après cette séance elle a eu envie de vomir et qu'elle a rêvé d'une panthère en cage (son aspect cannibalique). Elle a aussi repensé à une séparation qui a eu lieu à un âge plus avancé et où son frère intervenait. Elle a alors associé en parlant de différence des sexes et de conflits de rivalité avec son frère, se situant à un niveau secondarisé touché à son tour.

Voici en quoi cette vignette caractérise un langage qui touche :

— Ces patients sont souvent touchés lorsque l'analyste s'offre lui-même dans le transfert comme *représentant de l'objet mauvais* irreprésentable ou rejeté. Par contraste, le patient peut mieux alors se représenter aussi l'objet bon, même absent.

— Pour interpréter l'identification projective massive, l'analyste est amené à *utiliser la contre-identification projective.* Or, nous remarquons que pour prendre conscience de cette dernière, l'analyste a besoin non seulement d'être à l'écoute de ses propres affects mais aussi des *manifestations corporelles qui accompagnent ses affects et de ses fantasmes corporels.* Le patient a besoin d'être aidé pour prendre conscience de la répétition d'un geste significatif, afin de passer du geste à sa signification émotionnelle. *En psychanalyse, l'absence de support visuel favorise chez le patient la prise de conscience de l'expérience corporelle.* Je pense que la prise de conscience du fantasme corporel et de sa signification émotionnelle peut constituer un point de départ pour la mentalisation.

— L'*effet de surprise* de l'interprétation crée un déséquilibre dans le système psychique du patient, qui fait vibrer tout son *« réseau »* d'associations (A. Green, 2000, p. 763) et l'aide à sortir du cercle dans lequel il tourne sans fin pour s'ouvrir sur la symbolisation. Cela peut entraîner sa surprise devant ses propres capacités de représentations et stimuler sa liberté psychique.

— Un *langage à double entrée,* au niveau des mots ou du discours, fait sentir à ces patients que la combinaison des contraires est possible, c'est une ouverture sur le symbolisme.

Pour transmettre une psychanalyse vivante

Je pense que pour transmettre une psychanalyse vivante, il peut être important de prendre conscience que c'est parfois nous-mêmes qui creusons la marmite dans laquelle la psychanalyse pourrait tourner sans fin et se noyer. Nous récupérerons ainsi une agressivité créatrice indispensable pour, à la fois conserver vivant notre héritage et découvrir notre propre langage à son contact. Ce langage, indispensable pour toucher les analysants d'aujourd'hui, nous le construisons en même temps que nous nous accordons assez de liberté psychique pour découvrir nos propres aspects fous.

Danielle Quinodoz
53 A, chemin des Fourches
1223 Cologny (Genève)
(Suisse)

BIBLIOGRAPHIE

Green A. (2000), La position phobique centrale avec un modèle de l'association libre, *Revue française de psychanalyse,* t. LXIV, 3, p. 743-772.

Freud S. (1923), Le moi et le ça, *Essais de Psychanalyse,* Paris, Gallimard, 1981, 221, 275.

Mauger J. et Monette L. (1999), Pure culture, *Revue française de psychanalyse,* 2000/5, 1391-1460.

Transmission d'un malaise

André GREEN

1 – À QUI PROFITE LE CRIME ?

J. Mauger et L. Monette, nous dressent le tableau le plus sombre qui ait jamais été peint par des psychanalystes de leur discipline et du sort qui les attend. J'entends bien qu'ils cherchent à nous secouer pour nous réveiller de ce cauchemar, mais au réveil nous demeurons perplexes quant aux intentions de leur démarche.

Au sentiment, que je crois partagé par beaucoup d'entre nous : « Où veulent-ils en venir ? Et où veulent-ils nous conduire ? », j'aurais envie d'ajouter : « À qui profite le crime ? », interrogation qui s'adresse à eux autant qu'à nous. L'audace leur aurait-elle manqué de l'évoquer devant nous ? Peut-être pensent-ils que la situation n'est pas encore mûre pour s'y risquer. À la fin de leur rapport, J. Mauger et L. Monette déplorent la situation de non-confrontation de nos échanges. Je ne suis pas sûr qu'ils ont tout fait pour les faciliter. Je chercherai à ne pas me dérober à leur attente.

2 – L'ARGUMENT DU RAPPORT

À mes risques et périls, j'essaierai d'extraire l'essentiel de ma compréhension du rapport :

1 / Freud part du Moi-plaisir *purifié*. Cette référence basale à la purification va de pair avec une expulsion de l'extérieur, du mauvais, de l'étranger au moi.

2 / Cette position est fondamentalement *narcissique*, manquant le but auquel parviendraient les théories centrées sur l'autre.

3 / Elle alourdit le poids des formations de l'idéal : Moi idéal et Idéal du Moi, qui aggravent la dimension narcissique.

4 / L'idéalisation est négatrice de l'ambivalence, c'est-à-dire du rapport amour-haine aux fondements du psychisme, entraînant la méconnaissance de la branche haineuse du transfert. Plus généralement, il y aurait haine du transfert au profit de l'idéalisation. Autant dire qu'il n'y a que leurre analytique.

5 / La vocation analytique serait porteuse, à son insu, d'une dimension mélancolique. Or, la mélancolie est une névrose narcissique. Cette dimension est issue du refus de la mise à mort de l'objet initial dans le transfert. Il en résulte que celui-ci est préservé dans l'idéalisation. Ce mouvement non reconnu dans la sélection professionnelle reparaît sous la forme d'un déplacement sur la fonction analytique et une mélancolie s'installe comme une maladie professionnelle.

6 / Cette situation se transmet indéfiniment, renforçant la méconnaissance de ses sources, réitérant la mélancolie professionnelle dans la transmission. Une dérive y succède dans l'adoption d'une position guérisseuse ou réparatrice qui entretient le non-analysé et conforte les analystes de la communauté repliés dans leur réduit narcissique.

7 / La pratique analytique serait divisée entre la cure type, réservée à l'entre-psy, où les analystes sont unis par des liens de solidarité envers un idéal d'enfermement narcissique et l'analyse impure – à l'exemple de la pratique de ceux qui se sont ralliés à l'intersubjectivisme – pour tenter de guérir le patient (le vrai patient) de la réaction thérapeutique négative, trouvant là l'occasion de mettre en œuvre la tentation guérisseuse d'origine mélancolique. Ce qui serait souhaitable, aux yeux des rapporteurs, serait une répartition consentant au mélange, pour aller au-delà des défenses identitaires, entre sacré et impur[1]. Deux conceptions de la pureté s'affrontent : l'analytique pur et le thérapeutique pur, polarisés aux extrêmes. Les rapporteurs concluent en demandant que nous suspendions nos accusations mutuelles de déviationnisme (exclusion de l'autre) et que nous nous retrouvions ensemble sur le terrain du corps (comme antidote de l'idéalisation), du sexuel (comme antidote du narcissisme), de l'objet (comme antidote du Moi).

Tel est le schéma essentiel que j'ai cru, à tort ou à raison, dégager de mes différentes lectures du rapport. En finissant par faire passer la pureté du côté du sacré, les rapporteurs veulent nous faire penser que cette dérive est telle que les tenants d'une certaine rigueur analytique en viendraient à considérer leur position comme intouchable. Mais qui sont ces brahmanes de la psycha-

1. L'analyse du « purifié » a été transférée sur le terrain anthropologique à la lumière de la seule référence aux travaux de Mary Douglas. Il y en a pourtant bien d'autres traitant du thème, quasi universel en anthropologie, de la dialectique pur-impur, dont la prise en compte serait des plus profitables (voir le *Dictionnaire des Mythologies,* sous la direction d'Y. Bonnefoy, Flammarion-Éditions).

nalyse et où voit-on qu'ils interdisent la discussion sur la conception à laquelle ils se rallient ? Il me semble que le reproche de « sacralisation » s'applique davantage aux mouvements psychanalytiques militants. J'en vois deux, principalement les kleiniens et les lacaniens. Actuellement, aucun débat n'est interdit au sein du polymorphisme accusé de la communauté psychanalytique. Ce qui frapperait plutôt, c'est la surdité de ceux qui, sous prétexte de prôner le débat, cherchent surtout à faire des adeptes.

Je ne contesterai pas qu'il y a un malaise dans la transmission mais je n'en donne pas la même analyse. Loin de porter sur la dichotomie avancée par les rapporteurs, ce malaise concerne la cohérence de ce qui est à transmettre avec l'apparition de corpus théoriques, plus ou moins divergents, par rapport à la théorie freudienne. En fait, le défi théorique n'a pas manqué de porter sur ce que Freud lui-même hésitait à définir comme « postulats ou résultats de la recherche » *(Some Elementary Lessons).* Aujourd'hui, le recul permet d'affirmer que ce sont bien les hypothèses organisatrices qui ont subi un démantèlement, voire une désagrégation, à telle enseigne que l'on se demande bien quel regroupement permettrait aux psychanalystes de tous bords de se reconnaître. Ce n'est pas le lieu de détailler les directions optionnelles de ces orientations. Bien entendu, cette dispersion a été favorisée par la plus grande diversité des structures cliniques admises à tenter l'aventure analytique. Mais il serait illusoire de penser que les analyses dites de formation permettraient de retrouver ce sol commun, leur spectre clinique étant moins ouvert. Rien ne garantit à la « psy de psy » de n'inclure que des analyses de style névrotique, idéalement analysables. Il y a lieu de contester cette division entre psy « névrotiques normaux » et patients « vrais malades ». C'est se donner, à bon compte, un certificat de « bonne vie et mœurs » psychanalytique que la simple observation de la vie groupale réfute. N'avons-nous pas appris que les névroses de caractère qui abondent parmi les aspirants à notre profession, présentent des résistances à l'analyse encore plus difficiles à lever que les névroses symptomatiques ? Or, ces névroses font souvent le pont, par les types de décompensation qu'elles peuvent présenter et notamment sous la pression du transfert, avec ceux que, sans plus de précision, les rapporteurs désignent comme vrais malades. Notre réflexion nous inviterait plutôt à approfondir les relations entre organisations stables (qui présentent souvent l'inconvénient d'être rigidement fixées) et vulnérabilité dynamique (obligeant à porter une attention aux rapports entre latence et potentialité désorganisationnelle), lorsqu'elles sont mises à l'épreuve par l'expérience analytique. La division des rapporteurs ne répond qu'à une vision macroscopique insuffisante devant notre tâche de mieux comprendre le cours aléatoire de l'analyse chez certains patients, à la lumière des modalités de transfert qu'ils manifestent.

Quant à l'affaire des relations entre le pur et l'impur, elle remonte au temps des articles techniques de Freud, autour des années 1910, lorsque ce dernier opposait « l'or pur de la psychanalyse » au « cuivre de la psychothérapie ». Elle mérite pourtant d'être actualisée si l'on veut bien la reposer en fonction de la présence, au sein de la psychanalyse, de la coexistence entre les structures que l'expérience désigne comme analysables et celles qui vont se révéler réfractaires aux mesures supposées en favoriser le cours et pour lesquelles, néanmoins, l'aide d'un analyste ne semble pas pouvoir être remplacée par celle d'un autre type de thérapeutique avec un plus grand profit.

En fait, l'évolution interne de la pensée de Freud va vers la reconnaissance des écarts de structure et de fonctionnement, plus importants qu'il ne l'avait soupçonné, au sein d'un appareil psychique que sa reformulation, en 1923, rend beaucoup moins homogène par rapport à celui de la première topique. Ce remaniement de 1923 implique en fait un sujet frappé d'impureté essentielle, conséquence de l'obligation d'abandonner la cohérence antérieure, centrée autour de la référence à la conscience, contraignant Freud à reconnaître des différences plus marquées entre le régime de fonctionnement des instances. Dès 1984, dans mon travail sur le langage, répondant à l'invocation du « pur signifiant » par J. Lacan, je soulignais que la pluralité des manières de communiquer dans la cure (représentations, affects, etc.) et donc de signifier, que j'avais déjà traitée dans *Le discours vivant* (1973), avait pour conséquence, sous peine de verser dans une vision essentialiste, que la théorie du sujet qui en découle devait « renoncer à l'unité et à l'homogénéité [...]. Une telle théorie est celle d'un sujet impur qui appelle un signifiant (comme support de ce qui fait sens) encore plus impur, soit encore foncièrement hétérogène » (*Le Langage dans la psychanalyse,* p. 96).

3 – OPPOSITION DE L'ANALYTIQUE ET DU THÉRAPEUTIQUE

Il est regrettable que les rapporteurs se contentent de l'opposition entre analytique et thérapeutique. Car ils se refusent au moindre examen de la population de ceux qui ont recours à l'analyse aujourd'hui. La demande et la « faisabilité » de la psychanalyse ont pourtant donné lieu à de bien intéressantes observations au Centre de consultations et de traitements psychanalytiques de Paris. Si bien qu'on en est réduit à localiser la pureté chez ceux qui seraient déjà prédestinés à la recevoir comme un viatique. D'un côté, impossible de découvrir quoi que ce soit, de l'autre, rien à découvrir qui n'eût déjà été pseudo-découvert au préalable et dont il faut entretenir l'illusion d'avoir acquis ce qui était déjà supposé d'avance, sinon produit par influence suggestive contre-transférentielle. On s'étonne, si la transmission était si huilée, qu'il y ait si peu d'harmonie entre analystes ex-analysants et leurs analystes au sein des institutions psychanalytiques. Lorsque celles-ci les rassemblent autour d'une doctrine unique, cela semble plutôt aggraver la situation, si l'on en juge par l'exemple des sociétés qui se réclament de Lacan et qui n'en ont jamais fini de scissionner. L'Autre y joue le rôle d'un diviseur qu'on ne saurait rejoindre qu'au nom d'une pureté perpétuellement trahie.

Je désire mettre en question cette thèse de départ par des raisons tirées de ma propre expérience. Je suis moi-même un psychanalyste de psychanalystes, ayant analysé en première, seconde ou troisième analyse beaucoup de collègues. Et pourtant, les travaux auxquels je me suis consacré sont bien issus de mes analyses de patients non psy appartenant, dans une proportion notable aux structures non névrotiques. Avec eux, mon travail a été prioritairement dicté par des objectifs analytiques sans nier, pour autant, que leur analyse n'ait pas nécessité d'autres modèles de pensée que ceux qui trouvent leurs applications dans la cure des névroses. Les effets thérapeutiques qui s'en sont suivis ont découlé de mon travail analytique. D'ailleurs, en quoi consiste le thérapeutique en tant qu'il serait l'opposé de l'analytique – cure d'amour ? technique de suggestion ? réassurance narcissique ? appel au Moi ? thérapie de soutien ? Il y a longtemps que nous avons perdu nos illusions quant à leurs pouvoirs thérapeutiques, en ce qui concerne, tout au moins, ceux qui s'étaient essayés à trouver, dans leur activité analytique, d'autres leviers mobilisateurs. La plupart du temps, l'adoption de ces paramètres permet surtout une « sortie » de l'analyse, parce que les analystes qui les adoptent ne supportent pas d'attendre que la situation évolue jusqu'au moment où leurs instruments leur permettront de l'aborder – je ne dis pas de la résoudre, mais une mobilisation de positions bloquées n'est pas un résultat négligeable – ou bien ils tentent d'obtenir, hypocritement, de l'analysant qu'il débarrasse le plancher, quand ils ne s'en défont pas cyniquement. Mais il est vrai qu'il ne suffit pas d'endurer son mal en patience et que la mobilisation nécessite une adéquation minimale entre l'interprétation et la folie privée (A. Green) du patient. Manque ici une vraie discussion sur la technique exercée librement, en connaissance de cause, ou adoptée de manière contrainte avec le souci de maintenir un cap qui se rapproche autant que possible de la visée analytique la plus abordable. En outre, faut-il comprendre que l'analytique n'est aucunement thérapeutique ? Il est remarquable que ceux qui, il y a quelques années, ont adopté cette position, se sont dépêchés d'y renoncer lorsqu'ils se sont sentis menacés d'être privés d'avantages sociaux. En ce qui me concerne, je considère qu'analyser a pour but, à terme, de guérir, dans un sens autre que celui qu'il a en médecine, puisque nous savons l'impropriété des modèles médicaux appliqués à la clinique psychanalytique. C'est-à-dire d'obtenir, à travers l'expérience du transfert, le développement d'une capacité à la reconnaissance (toujours partielle, fragmentaire, périodiquement perdable, limitée mais tendant à une forme de cohérence tardivement acquise, autorisant une plus grande marge de jeu entre les diverses positions conflictuelles décelées au cours de la cure). Si un idéal devait s'en dégager, ce serait celui-ci : « Guérir en analysant, en analysant le plus complètement possible », sans oublier qu'il y a bien des échecs et de l'inanalysable à aborder, dans les meilleurs cas, lors d'une analyse ultérieure. Et je le répète, le meilleur résultat à attendre de l'analyse c'est l'acquisition, chez le patient, du sentiment que si de nouvelles difficultés se faisaient jour ou si d'anciennes retrouvaient, à la faveur des circonstances, une vigueur dommageable, la remise en marche du processus analytique, sous la forme la plus appropriée au patient, possède une valeur que rien ne saurait remplacer, même si elle devait s'accompagner d'autres mesures adjuvantes, à condition que celles-ci ne portent pas préjudice aux objectifs – de toute façon prioritaires – de l'analyse.

4 – PLACE DE LA PURETÉ DANS LE CADRE MÉTAPSYCHOLOGIGUE

La critique de la notion de pureté donne l'occasion aux rapporteurs de mettre en question le mythe de la construction freudienne du psychisme. Or, celui-ci me paraît avoir été un peu cavalièrement traité par les rapporteurs.

Cette mise en question part de la notion de Moi-plaisir purifié. En fait, Freud ne l'utilise qu'*une fois* dans « Pulsions et destin des pulsions » en 1915. Celle-ci qualifie l'état hypothétique où le sujet coïncide avec tout ce qui est de l'ordre du plaisir tandis qu'à son opposé le monde extérieur est dit indifférent – c'est-à-dire indifférent au but du plaisir. Toutefois, lorsque Freud dix ans après, dans « La Négation » (1925) reprend cette description métapsychologique en la remaniant, il remplace l'expression *Moi-plaisir purifié* par *Moi-plaisir originaire*. L'idée de purification est donc mise de côté. *Elle ne reparaîtra plus dans l'œuvre freudienne.*

Ces choix doivent être contextualisés. En 1915, la découverte récente du narcissisme lui fait concevoir le réel comme indifférent[1]. C'est sur ce fond

1. En fait Freud émet la possibilité que le monde extérieur puisse être générateur de déplaisir, mais il en attribue l'origine à l'objet (notons que Freud n'est pas gêné de parler à la fois d'un état qualifié de narcissique et des effets, marginaux à ses yeux, produits par un objet comme source éventuelle de stimulations désagréables, mais il paraît ne conférer à l'objet que le rôle d'une variable qui n'affecte pas significativement la nature fondamentalement narcissique de cet univers mental).

qu'apparaît l'idée d'un Moi-plaisir purifié. Mais il faut situer l'origine de cette formulation plus en amont, suite à son travail, en 1911, sur les « Deux principes ». Il veut bien reconnaître, en la circonstance, que sa présentation d'un système sous la domination du principe de plaisir est une fiction théorique, mais il est à la recherche d'un argument pour rendre compte d'un état psychique illustrant le fonctionnement d'un tel système – le rêve. Il imagine pouvoir trouver une explication justifiant la fiction proposée dans l'étayage fourni par les soins maternels, qui réalise « presque un système psychique de ce genre ». Cette réserve, qui concède au réalisme une part de sa critique, lui paraît suffisante pour poursuivre la démonstration s'appuyant sur le rêve. Et pour lui, la prise en considération de ces soins n'implique nullement la conscience de l'objet. À ses yeux, les arguments tirés d'une observation réaliste sont d'ordre conjoncturel et ne peuvent constituer une objection valable devant des faits de structure à l'exemple du rêve qui réclament, prioritairement, d'être élucidés. Les découvertes récentes qui paraissent s'inscrire en faux contre cette conception, somme toute catalytique, des soins maternels méritent une discussion que nous ne pouvons ouvrir ici[1]. L'idée de purification défendue quatre ans après s'inscrit dans une ressaisie théorique qui a à cœur de rappeler que toute la complexification de l'appareil psychique dépend des processus internes en son sein, sous l'influence prévalente de la libido sexuelle, à l'origine des mouvements inconscients. Il s'agit donc là d'une construction génétique-structurale, génétique dans la mesure où elle respecte la primauté du structural. En tout état de cause, même si ce mythe métapsychologique est améliorable, on ne saurait en ignorer l'esprit. Les hésitations quant à l'ordre des figures du fonctionnement du Moi traduisent seulement la recherche de la succession la plus pertinente de cette évolution ; elles témoignent du souci de présenter ces transformations sous l'angle d'une perspective, avant tout diachronique. La structure n'est concevable que sous l'ordre des transformations que lui impriment ses mouvements, provoquées par des influences combinées. Les changements d'opinion (voir la note de la p. 134 de la *SE,* XIV) s'inscrivent dans une préoccupation de cohérence plus que de vraisemblance. D'abord conçu de la façon la plus simple, le Moi-plaisir donnant naissance au Moi-réalité (« Deux principes »), ce passage s'avère ensuite plus compliqué, puisque les phases en sont inversées. Bien que l'objet agisse de l'extérieur, l'effet de son action est ressenti par rapport à l'exigence de satisfaction d'origine interne. Le psychisme, à mon avis, se construit par la rencontre pulsion-objet, mais ce dernier n'est pas défini par son extériorité mais par la façon dont l'attente pulsionnelle le modèle en fonction

1. Nous l'avons développée ailleurs : « La sexualité a-t-elle un quelconque rapport avec la psychanalyse ? » *(Revue française de psychanalyse).*

de la situation créée par le rapport, Et c'est en quoi l'objet externe me paraît devoir être conçu d'abord sous l'angle de sa fonction de couverture et dans la forme qu'il peut prendre selon les coordonnées du monde interne. La reconnaissance de la nécessité des soins maternels a été interprétée comme la preuve d'un éveil précoce à l'existence de l'objet. Ce que Freud nous signifie est que leur action est complémentaire de celles des pulsions capables de se satisfaire auto-érotiquement pour y étendre, aussi complètement que possible, l'empire du narcissisme. Il me paraît loin d'être sûr que le narcissisme doive être remisé (ce que l'on a tendance à défendre un peu trop rapidement – alors que la clinique oblige à lui reconnaître une part prépondérante dans les non-névroses). Il faudra attendre l'article sur « La Négation » de 1925 pour voir vraiment développée l'idée d'un Moi-réalité définitif, comme une évolution – différée par le détour par le Moi-plaisir – du Moi-réalité originaire.

La visée théorique divergente de Freud et des rapporteurs est ici patente. Freud a surtout en vue une construction hypothétique axiomatique dont le but n'est pas de qualifier un phénomène isolé, si originaire fût-il, que d'esquisser un cadre de pensée dynamique évolutif, dont la discontinuité se traduit par des paliers mutatifs, où le dépassement des étapes antérieures ne les supprime pas mais leur assigne une topique différente. Mauger et Monette s'attachent à la dénonciation d'un péché originel dont l'originarité ne saurait être ni dépassée, ni absorbée dans le processus dynamique évolutif, mais pèse comme une tare inexpiable. Eux-mêmes, dans leurs propositions alternatives, n'offrent pas la moindre idée qui permettrait de penser plus avantageusement les figures d'une évolution autrement conçue, car ils ne pourraient le faire qu'en abordant une réflexion sur la temporalité, absente de leur travail. Leur version de remplacement me paraît échouer doublement : d'une part, comme je viens de le dire, parce qu'elle n'est soutenue par aucune dimension diachronique qui nous parle davantage que celle de Freud ; d'autre part, parce qu'elle ne nous permet pas mieux de penser de quelle manière sont articulées entre elles les références de remplacement qu'ils proposent (rapport amour-haine, corps, sexuel, objet). L'allusion à un état idéal doit être comprise, à mon sens, comme la recherche d'une forme matricielle destinée à ancrer en « soi-même » la source de la subjectivité comme temps fondamental de ce qui établit l'assise ultérieure du temps de la reconnaissance, quels qu'aient été les péripéties des transformations pulsionnelles et le rôle des événements subis selon la marge de tolérance admise, les unes et les autres ne pouvant échapper au destin qui les voue à devoir être réappropriés, appelant à être reconnus comme faisant indissociablement partie intégrante du sujet. Le narcissisme, une structure plus qu'un état, ai-je soutenu, procède comme marginalement à la constitution d'un foyer de concentration subjective.

On sera enclin à se montrer sceptique quant à la capacité du sujet d'échapper à son enfermement narcissique. Mais c'est dans la mesure où *notre* narcissisme est loin de recouvrir tout le champ que Freud lui accordait. Ainsi, toujours dans « Pulsions et destin des pulsions », il ajoute à ses observations antérieures sur le narcissisme que le retournement de la pulsion sur le moi du sujet, en s'accompagnant de la transformation de l'activité en passivité, dépendrait de *l'organisation* narcissique du Moi et porterait la marque de cette phase. Opinion soutenue par la recherche d'un sujet étranger pour y venir occuper la place qu'il a abandonnée, se réservant de jouir par identification. Car, à l'époque, la position psychique de base est exclusivement active. La subjectivité paraît s'instaurer pour le rabattement sur le Moi. Cette place subjective, visée par le narcissisme, ouvrira sans doute ultérieurement la voie à l'investissement de pulsions à but passif. Et c'est ce en quoi je pense que l'Autre de Lacan y trouve sa source qui ne saurait être relevée au niveau de l'objet, car elle seule est instauratrice d'un moment réflexif. À preuve, la relation à l'objet partiel (a) se double immédiatement du rapport à l'image spéculaire de cette relation i(a), l'altérité renvoyant forcément, du moins à cette étape, au dédoublement entre investissement et image de celui-ci, en miroir. Lacan n'a jamais cessé de rappeler que ce que le sujet est amené à découvrir de son investissement de l'objet, c'est ce qui le renvoie à l'image qui est en lui. La clôture narcissique fait souvent l'objet de critiques adultomorphiques. Elle est conçue sur le mode de l'enfermement monadique, alors qu'il faut surtout voir en elle les conditions qui président, de par cette réflexivité, à l'émergence du signifiant psychanalytique dans la complexité qui le définit dans son rapport à lui-même, aux autres signifiants, à ce qu'il n'est pas et qui résiste à la mise en chaîne qui lui donne sa consistance. L'ancrage narcissique du signifiant formera le socle où la subjectivité aura à reconnaître son impossibilité à se tenir jamais hors de soi, mais qui ne saurait échapper au fait d'avoir à composer avec cet hors-soi sans l'atteindre ni le renier, hantée par le désir de se l'assimiler pour servir ses fins, s'exposant du même coup à en subir la marque qui le rend différent à ses propres yeux, sans même qu'il s'aperçoive de la différence. À moins qu'un autre sujet, lui faisant revivre son désir, lui fasse prendre la mesure de son intangibilité. C'est cette fonction subjective qui aura à être reconnue par la voie de cet Autre, qui s'origine peut-être à l'occasion du recours à cet autre moi étranger auquel est déléguée la fonction d'accéder une jouissance qui ne sera obtenue que par la médiation de l'identification.

Nous sommes ici au large de la sempiternelle relation fusionnelle, avec la relation de dédoublement dépendant du mouvement réflexif. L'objet naît dans la haine, écrit Freud. Comme si s'opérait une mutation qui l'amenait à exister autrement que par les opérations de renversement ou retournement. Il y a là un mouvement en écho à l'échec de la solution hallucinatoire de la satisfaction. Plus le Moi s'affine dans l'élaboration de solutions purement internes, plus la résistance de l'objet lui révèle la nécessité d'une prise en compte d'un autre ordre. Bien entendu, nous savons tous que, d'un point de vue réaliste, la séparation s'accomplit sur un mode progressif. Mais, métapsychologiquement, il est important d'imaginer un changement dans le statut de l'objet qui permette, désormais, de le considérer à la fois comme perdu (c'est-à-dire hors des créations de mon désir) et à retrouver autrement. Cela n'est pas facile à penser et la solution de le doter d'une existence dès le début fait l'économie de la conceptualisation de la perte des objets qui, autrefois, apportaient la satisfaction (« La Négation »). Au moment où l'objet est défini par son objectivité en tant que non-Moi, on ne peut pas dire pour autant qu'il se soit débarrassé de son statut antérieur puisqu'il est relégué maintenant dans l'inconscient. Il me semble d'ailleurs qu'à la différence de M. Klein, Lacan laisse ouverte la possibilité d'une coexistence du narcissisme et d'une certaine forme d'objectalité s'y réfléchissant.

Lorsque nous comparons la version de « La Négation » de 1925 avec celle développée en 1915 dans « Pulsions et destin des pulsions », nous constatons que Freud balaie ses hésitations antérieures. En 1915, on le voit porté par des mouvements contraires. Son affirmation d'un réel indifférent semble relativisée sinon contestée. En fait, il y a coïncidence entre la tentative d'établissement d'un Moi-plaisir purifié et la première appréhension de l'objet, ce dernier mettant un terme à l'indifférence antérieure supposée. Mais ici, une nouvelle donne est introduite, née de la réflexion élaborative à laquelle le texte donne naissance. La référence aux soins maternels que nous avions détectée est maintenant supplantée par une autre idée. Freud se débarrasse de l'étayage externe des soins maternels en proposant l'hypothèse de l'incorporation dévoratrice. Ainsi donc, la purification est consécutive à cette incorporation et la haine est le résultat d'une répulsion visant à l'éloignement de l'objet ou, lorsque celle-ci ne peut suffire, à l'intention de le détruire (intérieurement). Il est important de souligner que la purification, loin d'ignorer l'objet, nécessite, pour se maintenir, de le poursuivre pour le détruire quand il est source d'extrême déplaisir. Par la suite, Freud dialectisera, à un degré supplémentaire, cette opposition : dévorer l'objet, c'est le consommer pour prendre à l'intérieur la réserve de plaisir qu'il offre, mais c'est aussi par le même acte le détruire, l'ayant consommé. Il n'est pas négligeable de noter que Ferenczi a partagé cette idée avec lui et que l'on peut encore en voir le prolongement sous la plume de Winnicott qui lui accorde une importance centrale.

Le remaniement de 1925 pousse la spéculation jusqu'à une audace jamais atteinte. Il radicalise ce qu'il avait désigné comme simple déplaisir : le haï et le mauvais sont rattachés non au reliquat non incorporable de l'objet dans la réalité mais à une puissance destructrice de fondation qui doit être expulsée, parant ainsi à une menace de destruction interne. Freud a tranché définitivement pour chercher un corrélat à l'incorporation, même conçue sous l'angle de la contradiction interne qui l'habite. Il faut maintenant la concevoir complémentairement doublée d'une excorporation projective.

Depuis l'hypothèse de la pulsion de mort et ses développements avec « Le problème économique du masochisme », l'obligation d'expulsion hors de soi devient une nécessité fondamentale pour limiter les effets internes de la destructivité. J'ajoute, en passant, qu'avec des modifications, tout compte fait mineures (le désir de se débarrasser des éléments de la psyché impropres au travail psychique, c'est-à-dire à l'élaboration), Bion suit le même schéma directeur et Winnicott, bien qu'il préfère l'interpréter comme une forme d'amour sans pitié, conclut à une nécessité équivalente de laisser le champ libre au maximum de destructivité pour parvenir au passage de l'objet interne, subjectivement conçu, à celui d'objet externe investi par le perçu.

Le geste théorique de Freud vaut qu'on y réfléchisse. Alors que « Pulsions et destin des pulsions » procédait à la complexification subjective par un travail de rabattement purement interne de renversement (vers la passivité) et substitution (élection d'un autre sujet), désormais Freud déploie, dans toute son ampleur, un double mouvement bidirectionnel vers le dedans et au-dehors. Ce qu'il implique est que cette excorporation est indispensable à la constitution d'un noyau primitif de viabilité organisatrice, comme sauvegarde d'un intérieur délivré de trop grandes tensions, et que le Moi-réalité définitif devra réintégrer ce qu'il aura tenté antérieurement d'expulser lors de son changement en Moi-plaisir, donnant corps, à ce moment, à l'ambivalence au sens propre[1]. L'enjeu de l'évolution à attendre est l'accès à la reconnaissance de l'altérité, quand bien même elle continuerait à susciter la large gamme des sentiments négatifs. Or, l'introduction de la négation accomplit, selon le préalable de l'excorporation des attributs à rejeter de l'objet, le substitut du refoulement et ouvre sur la décision qualitative (et non plus seulement spatiale) en introjectable ou excorporable. Une fois encore, la qualité se fonde sur le mouvement (comme auparavant la satisfaction auto-érotique et celle exigeant le détour par l'objet), mouvement ici fondateur de catégories logiques (affirmation, négation).

C'est surtout cette identité du haï, du mauvais et de l'étranger qui demande, de notre part, l'effort de pensée le plus grand. À l'identité des per-

1. Remarquons que le premier emploi qu'en fait Freud s'applique au retournement d'activité en passivité et à la coexistence d'états inchangés et modifiés de l'activité pulsionnelle.

ceptions qui vise aux retrouvailles des apparences permettant de renouveler la satisfaction, ferait pendant une autre sorte d'identité qui ne serait pas fondée sur la représentation mais sur une communauté rassemblée, réunissant qualitativement et analogiquement les propriétés négatives des affluents participant à la constitution du Moi. Car c'est par rapport à lui que nous parvenons à la définition des pulsions connaissables uniquement par leur statut d'opposition à ce que nous connaissons du Moi. Comment ne pas penser ici à un écho lointain d'une des deux racines de la conception de l'Autre, moins celle qui parle que celle qui cherche à instaurer le silence, non par le manque de l'objet mais comme effet d'un manque à soi-même, laissant le sujet, faute d'internalisation face à une étrangéité encore plus radicale, où il n'a rien à reconnaître, laissant alors le champ à une force persécutrice tentant de forcer le barrage. La spéculation porte ici sur la conception d'un espace désigné comme un pur dehors, alors qu'il ne se définit que par l'impossibilité du corps à y faire disparaître les excitations déplaisantes. Espace sans qualité qu'au mieux on ne peut concevoir que comme « non-dedans » et qui, source de transformations par les pressions qu'il exerce, ne peut lui-même être l'objet d'aucune transformation, occupé à ménager une distance infranchissable avec le dedans. On peut dire qu'ici, la mère change de statut. Au lieu de se borner à assurer positivement la souveraineté du principe de plaisir, elle veille à accueillir au maximum, dans le consentement, ce qui se rattache à son statut d'étrangère et de victime substitutive, sans cesser de rester à portée de ce que la recherche de satisfactions doit pourvoir et surtout témoigner de capacités de pensée qui se poursuivent en elle. C'est la transformation métapsychologique qui doit retenir l'attention ici. Dans l'acquisition au Moi-réalité définitif, Freud procède à un double mouvement, fait à la fois d'ouverture et d'englobement de cet espace exclu – solution seulement disponible une fois que le noyau primitif a la possibilité de lier les représentants pulsionnels – ce qui, sans cette modification, ne pouvait que menacer sa fragile édification. Prenons garde à ne pas nous méprendre. Ce n'est pas la réalité de l'objet qu'il s'agit d'admettre au sein du moi, mais la réalité de l'aversif, c'est-à-dire des conséquences de la non-satisfaction. Cela ne saurait prendre la forme d'une pure inclusion du négatif, mais d'une confiance suffisante faite à l'intrication des pulsions (grâce à l'objet) dont le résultat est moins le gain en réalisme que la réalisation d'une véritable introjection pulsionnelle des deux polarités coexistantes, qui autorise l'éveil du Moi à la présence des forces psychiques qui appellent son concours, non pour être maîtrisées, mais pour qu'il puisse s'en servir à son profit. Je vois trois conséquences à cette introjection pulsionnelle : d'une part, la reconnaissance contradictoire des investissements d'objet, d'autre part, la condition de la création d'une nouvelle catégorie d'objets – ceux qui seront définis dans le cadre de la transitionnalité (Winnicott), nouvelle création d'une orientation inverse du processus interne auquel se rattache l'introjection aux frontières du réel – et, enfin, la possibilité que les investissements d'objet se présentent à la psyché avec leur pénombre d'associations (Bion).

Le Moi-plaisir, purifié ou originaire, est nécessaire pour constituer le noyau du Moi comme pôle de croyance et de bien-être (ou de croyance en un bien-être possible), illusion fondamentale qui permettra de rendre supportables les vicissitudes de l'existence, les déceptions et, bien sûr, les agressions, l'inévitable désillusion, etc. Comme l'a montré Winnicott, une trop précoce admission de l'objet externe a pour conséquence l'impossibilité de constituer l'objet subjectif dans l'omnipotence vue ici comme une valeur créatrice. Si l'on centre la réflexion sur le monde interne, le désir d'accorder des valeurs équivalentes à l'amour et à la haine n'a donné lieu jusque-là à aucune théorisation qui permette de penser l'équilibre de leur rapport, parce que seule la prévalence de l'amour et son corollaire, la fondation de l'attente du retour des expériences de plaisir, peut rendre compte des structurations progressives et de la complexification du psychisme. Autrement, on aboutit vite à la version kleinienne où les pulsions de mort, quelle que soit la manière dont on les désigne aujourd'hui, dominent le tableau. Tous les efforts du psychisme visent alors à tenter de neutraliser leur action, de telle sorte que le plaisir y devient difficilement pensable, au point même de disparaître de la théorie. Alors que la simple observation du réel démontre amplement que sa part, loin de décroître, ne fait qu'augmenter, nous obligeant à constater la force tentaculaire de l'hybris moderne qui s'est pourvue des moyens d'une puissance et d'une portée autrefois inconnus pour se développer sur une plus grande échelle encore.

5 – LE LEURRE DE LA PURETÉ LACANIENNE

Mais qui donc a fait l'éloge de l'analyse pure ? C'est Lacan, en effet, qui a soutenu que la didactique était la seule analyse pure, entendez la didactique avec lui. Le *pur analytique,* disent les rapporteurs, serait du côté du désir de l'analyste, le thérapeutique étant considéré désormais, selon Lacan, comme un reste de responsabilité médicale ou de mauvaise conscience sociale. Pourquoi les rapporteurs écrivent-ils : « La voie de la purification dont Lacan a donné l'exemple parfait *(sic)* » ? Que de hics dans ce « sic » ! Puisque Mauger et Monette ont jugé nécessaire de faire figurer, dans leur rapport, les effets de la réalité socio-historique sur le développement de la psychanalyse québécoise, je me suis senti obligé à mon tour d'entreprendre une démarche correspondante concernant le contexte réel de la référence, à la fois dominante et ambiguë, aux idées de Lacan. J'aurais préféré éviter d'avoir à le faire et je déplore qu'eux-mêmes m'y contraignent. Il n'est guère agréable de paraître dénigrer un homme qui peut prétendre, à bon droit, d'être considéré comme un auteur majeur de son temps. Mais n'est-ce pas lui qui ne craignait pas d'affirmer que l'erreur de bonne foi ne l'intéressait pas ?

La pureté lacanienne n'a d'existence, telle qu'elle est présentée, que sur le papier, elle passe sous silence tout ce que l'on sait de la pratique de Lacan, non seulement à cause des séances courtes, trop facilement excusées au nom d'une scansion que ne soutient aucune théorie psychanalytiquement convaincante, mais aussi de par l'exploitation sans vergogne du transfert à grands renforts de séduction, de pressions directes, de passages à l'acte, ne reculant pas devant les coups portés aux analysants, ceux-ci ayant eu lieu, contrairement à ce qu'en disent les lacaniens, bien avant les années terminales. Violences, chantages, injonctions suppliantes ou embarrassées de retour au bercail pour répondre aux velléités de rébellion d'analysants maltraités, étaient de pratique courante. Le transfert reposait sur le support hypnotique de la relation s'abritant derrière le Grand Autre. Il faut du temps pour comprendre que la théorie lacanienne reflète indirectement la pratique de Lacan. En fait, le désaccord des rapporteurs est ambigu puisque la prétention de Lacan de l'incarner est un mensonge et qu'ils paraissent vouloir s'en prendre à d'autres qui ne l'ont jamais défendue sous cette forme. Craindraient-ils de l'aborder sous l'angle de la rigueur et du sens que celle-ci prend aujourd'hui ?

Les rapporteurs se rattraperont par leur critique du thérapeutique pur. L'analytique pur s'étayait sur le concept dont nous avons montré la précarité. Mais que peut donc être, en regard, le thérapeutique « pur » sinon une fausse fenêtre pour la symétrie ? Où sont ici les références bibliographiques, sinon dans la bouche des adversaires de la psychanalyse ? Qu'importe, après avoir forgé la notion de toutes pièces, ils vont même jusqu'à inventer le personnage de l'analyste-thérapeute, lui prêtant un discours qui ne manque pas de perfidie : « Va, confie-moi ton mal. J'y tiens d'avantage qu'à toi-même. J'en fais mon affaire, je m'en nourris. Ton (mon) mal, c'est ton altérité qui me fait souffrir plus que toi-même. Voilà toute ma compassion. Plus tu es autre plus tu me blesses. De cette part de toi, je veux te guérir. Voilà mon projet thérapeutique. » Nous pouvons y opposer un discours parallèle, aussi rigoureusement imaginaire, de l'analytique pur : « Va, parle-moi ton désir. Mais n'aie crainte, il est sous la tutelle de mon insoupçonnable désir d'analyste. J'y tiens beaucoup plus qu'au tien. Quant à ton désir, il fait mon affaire. Ton (mon) désir, c'est ton désir d'être moi et je ne saurais souffrir que tu sois autre chose.

Sois donc à l'image de ce que je suis. Je suis l'incarnation de ton autre. Ta différence ne saurait prendre d'autres formes que celles que j'ai déjà pensées pour toi. Qu'au premier regard on puisse deviner mon ombre doublant la silhouette où se profile ton être. De ce qui est toi hors moi, dépouille-toi. Voilà ma transmission délivrée du tout malaise. » Si une couche commune fit circuler les humeurs incestueuses entre psy, c'est bien celle de Lacan.

6 – LA SURPRENANTE PURETÉ MÉLANCOLIQUE

Un axe fondamental de la réflexion des rapporteurs est l'utilisation des idées de Nathalie Zaltzman. Je ne souhaite pas discuter des idées de N. Zaltzman qui, elle, se garde bien de les fétichiser, mais de la place qui leur est accordée dans le rapport. Une question : s'agit-il de l'objet initial ou de l'objet œdipien ? On est fondé à croire que la mise à mort concerne la reproduction du meurtre du père, de ce meurtre auquel échapperait le candidat analyste et qui l'enchaînerait à vie à l'analyse, la fonction analytique étant devenue objet narcissique comme substitut de l'investissement d'amour. La référence à la mélancolie laisse pourtant penser qu'il s'agirait plutôt de la mise à mort de l'objet primaire (objet dit « initial »). N'est-ce pas ici s'orienter du côté de Melanie Klein qui lie la réparation à la phase dépressive ?

À rigoureusement parler, si toute analyse devait aboutir à la mise à mort psychique de l'objet initial, ou bien ce deuil devrait s'élaborer à travers un travail qui aboutirait, à terme, à la reprise du mouvement libidinal, donc à la relance d'Éros, comme c'est le sort commun du deuil, ou bien les circonstances de cette mort s'éterniseraient dans une mélancolie interminable. Par voie de conséquence, aucune analyse ne devrait conduire à devenir analyste, Mauger et Monette y compris. À moins qu'ils ne nous expliquent comment ils ont eu la chance d'en réchapper. On le voit, l'hypothèse de la sublimation avec ses avatars et ses ratés est évacuée de la problématique. Celle d'une identification non mélancolique mais à l'idéal du Moi, poussant à la poursuite du processus analytique, n'est pas envisagée.

Leur interprétation de la mélancolie est bien singulière. Je ne l'ai jamais rencontrée sous la plume de qui que ce soit. Accordons-lui le privilège de l'innovation. Donc, disent Mauger et Monette, le Moi mélancolique ne demanderait pas mieux que de croire au retour à un narcissisme primaire absolu, paradis qu'il aurait un jour perdu par sa faute ! Cette thèse me paraît relever de l'interprétation théologique de la chute et de l'exil, dans ce catholicisme dormant évoqué par les rapporteurs. Car je ne vois guère comment il y aurait croyance au retour à un narcissisme primaire absolu alors que, d'après Freud, l'objet perdu est re-érigé dans le Moi sous la forme d'une identification primaire et, du fait de la désintrication pulsionnelle, soumis à la plus grande tension possible d'un Surmoi ayant régressé au sadisme le plus cruel.

À cette occasion se révèle clairement un amalgame au sujet du concept de pureté. *Mauger et Monette cherchent à réunir la pureté du Moi-plaisir purifié de la Métapsychologie et la pureté adjectivale la formule « pure culture de la pulsion de mort »*[1]. Dans le premier cas, ils ont vu une exclusion de l'objet, opinion qui gagnerait à être nuancée, dans le second, cette désignation métaphorise la mobilisation destructrice accaparant le psychisme entier, laissant le Moi sidéré sans réactions. Ce dernier trait ne suscite de leur part aucune réflexion, car ils n'ont cessé d'occulter la question des pulsions destructrices. Ils se contentent de parler d'ambivalence et de haine, qui sont loin de définir à elles seules la mélancolie, comme le montre le texte d'où est extraite l'expression (« Les relations de dépendance du Moi » dans *Le Moi et le Ça*), mais qui, en revanche, font le lit de la régression et de la désintrication favorisées par le mode primaire de l'identification dans ce cas, précisions auxquelles ils ne s'attardent guère. Sans doute me répondront-ils qu'ils se réfèrent à la mélancolie d'une manière beaucoup plus large que celle de sa forme psychotique. Ne parlent-ils pas alors du *spleen,* maladie de langueur des psychanalystes, nostalgique d'une pureté forgée après coup dans la méconnaissance de ses origines.

L'idéal de pureté, tel qu'il apparaît dans les configurations cliniques, manifeste l'exigence, plutôt que le désir, de l'expulsion de *toute* la vie pulsionnelle (cf. « L'Idéal, mesure ou démesure » dans *La Folie privée,* A. Green), forme extrême du travail du négatif s'accomplissant à travers une vocation sacrificielle du Moi.

7 – L'AUTRE

Éloge de l'autre, découverte de l'altérité, qui n'y souscrirait ? Mais derrière ces professions de foi, qui est l'autre ?

Cliniquement, pour une psychanalyse d'indication courante (c'est bien ce que veut dire analyse de « psy » chez les rapporteurs), l'autre, cet inconnu étranger familier, nouveau venu dans le champ clinique, c'est le sujet des états limites ou, plus généralement, des structures non névrotiques, sujet où les cliniques freudiennes comme lacaniennes ne retrouvent pas leurs petits. Or, de

1. Qu'ils ne citent d'ailleurs pas en entier, se contentant de « pure culture ». Pas convenable la pulsion de mort ?

ces états limites, les rapporteurs ne veulent pas entendre parler. Pensent-ils s'en tirer en soutenant que les états limites ne seraient que l'expression des limites de l'analyste ! Limites de l'analyste peut-être, mais surtout limites de l'analysable qui pose d'autres problèmes que celui des susceptibilités individuelles des analystes et nous confronte aux formes de pensée où la clinique balbutie et où la théorie des névroses s'enlise. Je me suis expliqué là-dessus dans *La Folie privée* et je ne cesse d'y revenir pour avancer. C'est bien avec les états limites que la soi-disant pureté analytique est mystifiante. Non parce que l'analytique aurait déserté le terrain – il n'est que de consulter Winnicott ou Bion pour s'en rendre compte – mais parce qu'il y apparaît sous un jour déconcertant que Freud n'a abordé que tangentiellement mais dont cependant il avait prévu qu'il fallait nous attendre à le rencontrer, sous des visages inconnus, dans des formes dont il avait prédit, à la fin de sa vie, qu'elles s'éloigneraient toujours davantage du sens commun, comme sans doute, du sens inconscient découvert à partir de la névrose *(Some Elementary Lessons).* Lacan, lui, du fait de sa pratique, ne s'est pas donné les moyens de les identifier, de les situer, de nous proposer les repères devant guider notre action. Et les lacaniens de conclure que les états limites n'existent pas. Peut-on prétendre que nous n'avons rien appris sur l'analyse à travers leur étude ? Je soutiendrai que des avancées essentielles sont venues de ce côté et même que l'essentiel – oui l'essentiel – des avancées de la psychanalyse depuis la mort de Freud est né des travaux qu'ils ont inspiré. Et je dis qu'il est urgent de préciser les rapports qui les relient et les séparent des névroses, dont je n'ai pas de mal à affirmer la centralité dans la pratique analytique comme modèle d'intelligibilité.

Je ne crois pas que l'alternative aux formules de Freud par l'Autre lacanien soit acceptable sans risque. Car ce que Freud désigne par une succession d'adjectifs semble interdire toute nomination, tout rapport à l'ordre du pensable, l'espace hors psyché auquel cette description renvoie ne pouvant relever d'un statut analogue à l'Autre comme émetteur renvoyant au sujet ses messages sous une forme inversée, encore moins comme lieu de la Vérité ou trésor du signifiant. Il signifierait plutôt le gouffre où il s'y engloutît. En revanche on pourrait, partant de là, trouver un fondement théorique possible à la forclusion.

Aspirer à installer l'Autre au sein du narcissisme, c'est faire bon marché de ce que la formule de Freud extraite de « La Négation » ne tient sa consistance qu'à y trouver la forme originaire de la pulsion de destruction qui pourrait entrer dans le cadre des manifestations inaugurales de ce que j'ai proposé d'appeler la désobjectalisation. Mauger et Monette aimeraient bien se passer de se prononcer sur l'interprétation de cette question épineuse, mais alors, mieux vaut éviter l'hybridation douteuse et éclairer leur démarche, en proposant à notre réflexion la présentation de leur montage personnel. S'il faut qu'il y ait de l'Autre, qu'on ne se dérobe pas à nous dire comment le concevoir. Faute de quoi j'en serai réduit à chercher qui est *leur* Autre. On peut le conjecturer. Comment peut-on parler de la « méconnaissance de la branche haineuse du transfert » en expulsant littéralement de l'élaboration psychanalytique des rapporteurs toute l'école anglaise ? Ni le rapport, ni la bibliographie, ne paraissent connaître l'existence de Melanie Klein, Wilfred Bion, Donald Winnicott, tombés sous le coup d'un d'interdit de penser ! Peut-on vraiment écrire quelque chose aujourd'hui sur la haine dans le transfert et le contre-transfert en ignorant leurs travaux, au moins pour les discuter ? Ici, se rejoignent la volonté de réduire la portée et l'originalité de la clinique des cas limites et celle de passer sous silence les auteurs qui ont renouvelé la théorie à partir de leur étude[1].

Si Melanie Klein, Bion et Winnicott sont passés au blanc, n'est-ce pas parce qu'ils démontrent l'inanité de l'opposition de la pureté et de l'impureté, proposant une nouvelle manière de penser la clinique et la théorie qui s'en dispense ? N'est-il pas là le malaise de la transmission d'avoir à intégrer le nouveau tout en conservant l'ancien, en posant la question des pensées et des pratiques différentes qu'ils appellent ? Le cas que je continue à faire de la théorie freudienne montre bien que tout souci d'être à la page m'est étranger !

Il y a mieux à faire qu'à se contenter de prôner le mélange sacré-impur. Car il y a trop de flou sur cette artificieuse notion d'impureté sous la plume des rapporteurs. Artificieuse, parce qu'elle est née du contrepoint posé en regard d'une pureté mythique. Artificieuse aussi parce que, sous prétexte de tolérance, je crains qu'elle ne serve de passeport à la dissolution des paramètres dont l'analyse contemporaine a établi l'importance : celui du cadre, celui de la compréhension de la situation basale des positions destructrices, précédant l'analyse des manifestations d'un Éros paradoxal, celui du déni d'existence s'attaquant alternativement aux deux partenaires de la situation, celui d'une logique différente de celle à laquelle le névrosé nous a habitués. Peut-être ne ferme-t-on les yeux sur certains mouvements portés par la mode que pour mieux nous inviter à admettre ce que beaucoup considèrent comme des distorsions des conditions des possibilités de l'analyse. Plus de clarté aurait levé les soupçons. On ne saurait s'en défendre en jouant les naïfs : « Pourquoi serions-nous soupçonnés ? C'est celui qui le dit qu'il l'est » est une litanie des jeux d'enfants. Il faut s'ouvrir à des pensées nouvelles (dont certai-

1. J'ai déjà souligné que Freud avait procédé à un changement d'axe comparatif après l'instauration de la deuxième topique. Le rapport névrose-perversion se voit substitué par celui névrose-psychose. Certaines structures assurent la transition : le clivage.

nes datent de près d'un demi-siècle), nées de ceux qui n'ont pas eu peur de cette clinique souvent inquiétante et parfois décourageante, qui ont osé s'affronter à de nouvelles formes de folie, en sauvant l'essentiel pour aborder ce qui paraissait hors de portée de l'analyse. La transmission en devient à coup sûr plus malaisée mais elle nous oblige à penser l'unité de l'analyse dans la pluralité des modèles. C'est ce que j'ai trouvé dans l'œuvre de ces penseurs originaux qui m'ont aidé à ouvrir les yeux sur certaines séductions théoriques, certes brillantes mais muettes quand elles ne sont pas égarantes, sur l'analyse de ces structures non névrotiques. Si nos écrits ne permettent pas de rejoindre le sentiment d'une vérité clinique qui en serait dévoilée, fut-ce par fragments et entrecoupée d'éclipses, ils ne sont bons qu'au décorum analytique pour rapiécer le manteau d'une identité d'analyste mise à mal par ceux de nos patients qui nous obligent à regarder en face les carences de notre entendement. « Psy » ou pas.

André Green
9, avenue de l'Observatoire
75006 Paris

Entre l'espace et le temps : pour sortir de sa réserve

Daniel WIDLÖCHER

On ne peut poursuivre la réflexion introduite dans le rapport de Lise Monette et de Jacques Mauger sans la situer dans les cadres de lieu et de temps qu'ils ont pris soin de bien nous indiquer. Certes les problèmes soulevés dépassent les limites de ces cadres. La transmission de la psychanalyse, les effets de filiation qu'elle implique, les processus de deuil et d'identification liés au transfert et aux aléas de sa résolution sont des questions posées dans nos institutions depuis leur fondation. Mais pour les étudier sérieusement il faut se référer à des cadres institutionnels et historiques précis. C'est ce qui a permis aux rapporteurs de se situer dans deux dimensions, celle de l'isolement culturel pour ce qui est de l'institution, celle de la rareté d'une pratique psychanalytique pour ce qui est de l'histoire.

Je reviendrai à la fin de cette intervention sur l'isolement culturel, ce que les auteurs ont plaisamment nommé leur réserve. Notons d'emblée que nous trouvons ici, sous fort grossissement, un trait qui semble appartenir à de nombreuses sociétés de psychanalyse, même quand ni la langue ni la culture justifient de telles ségrégations. J'ai jadis évoqué le conflit entre le moi-idéal de ma Société et l'idéal du moi qu'avait représenté l'Association internationale. Mais ceci nous conduit à la dimension historique.

Je préférerais nommer celle-ci historique plutôt qu'historienne, pour marquer une différence de méthodes. On peut étudier l'histoire de la psychanalyse en historien, considérer l'influence des hommes et des faits sociaux, retracer les enjeux de pouvoir, les rivalités, etc. Bref, appliquer à la psychanalyse la méthode de l'histoire. Mais on peut étudier également cette histoire en psychanalyste (et non plus en historien). C'est-à-dire observer les processus de changement et de résistance au changement qui affecteront moins la vie de l'institution que les pratiques et les modèles théoriques.

On peut discuter l'ampleur des pressions externes qui s'exercent sur les pratiques psychanalytiques. Mais toute autre est la question des effets sur les pratiques. Les rapporteurs travaillent sur un « scénario-catastrophe » qui n'est pas tout à fait une fiction. Celle d'une situation dans laquelle la « cure type » n'intéresserait plus que la formation des psychanalystes. Quelle conséquence peut-on attendre d'une telle situation ? Pour y répondre, les auteurs se placent dans une filiation qu'ils appellent paradoxale et que, pour ma part, j'appellerai imaginaire. Ce qui est certes un risque réel, est pris ici comme une sorte de cas d'école qui permet de tester un modèle d'interprétation, un modèle « mélancolique » de la transmission. À chacun et à chaque institution de se projeter dans le cas et de mettre à l'épreuve ses propres solutions pour lui faire face. Les auteurs ont fait là un travail salutaire et je proposerais bien aux candidats et aux membres – de mon institution – de se pencher sur ce cas d'école.

Les auteurs nous proposent de décrire ce processus d'un point de vue métapsychologique. Ici, j'ai quelque mal à les suivre. Dans quelle mesure peut-on rapprocher le moi-idéal du moi-plaisir purifié, isolé par Freud dans *Pulsions et destins de pulsions ?* Comment peut-on articuler le processus d'introjection qui définit l'identification narcissique et les processus d'incorporation et de rejet qui sont à l'œuvre dans le moi-plaisir ? Nous sommes en présence de deux structures radicalement différentes, celle où l'introject surmoïque vient attaquer le moi ou du moins l'objet haï introjecté, et celle où se déposent dans un moi-idéal mégalomaniaque les empreintes d'identifications de type hystérique. Comment articuler l'une à l'autre ? Comme deux étapes d'un processus commun ? On pourrait également supposer que si le deuil impossible de l'objet-analyste et l'identification à la fonction opèrent sur le mode de l'identification narcissique (l'introjet surmoïque) chez le psychanalyste, ce serait sur le mode du moi-idéal mégalomaniaque qu'on en retrouve les effets dans l'institution. Si la première structure correspond bien au montage mélancolique (rappelons que la référence à la mélancolie correspond ici à un modèle strictement métapsychologique), la seconde, l'autarcie narcissique du groupe, relèverait plus d'une position autistique. La problématique de la culpabilité répond bien à la première structure, celle de la souillure à la seconde. Ainsi pourrait être levée ce qui m'apparaît comme une ambiguïté entre les notions de mal et de souillure, entre la pureté morale et la pureté « esthétique ».

On a reproché aux auteurs de s'en tenir à un constat sans proposer de remède. Ce reproche ne me semble pas justifié. Le rapport envisage clairement deux issues possibles : la capacité de faire le deuil de l'objet et la nécessité de sortir de l'isolement autarcique. Considérer d'abord le deuil de l'objet – tuer symboliquement le père – c'est assurer le travail de deuil. C'est là d'ailleurs un aspect paradoxal du processus de filiation tel que les auteurs le reprennent après Granoff.

J'établirai ici un lien entre cette mort symbolique et la liberté de l'interprétation. Nous avons connu, particulièrement en France, l'ère du soupçon de l'interprétation. Interpréter n'est-ce pas toujours passer à l'acte ? Un effet du contre-transfert ? L'illusion du sujet supposé-savoir ?

Pour moi l'interprétation n'est pas le produit d'un savoir, mais la proposition d'une copensée. C'est offrir une voie. C'est exposer ses choix, ses associations à l'épreuve de l'autre. C'est une prise de risque, et l'acceptation du risque. Au contraire un certain silence, érigé en système, fut-ce sous le terme trompeur d'écoute, me paraît renforcer le montage mélancolique. C'est en s'exposant par l'interprétation que le psychanalyste rend possible sa propre « mort » dans le deuil opéré chez l'analysant.

Pour conclure, je rejoindrai les auteurs à propos de la nécessité de sortir de l' « endogamie » narcissique. Je plaiderai pour le métissage de l'exogamie. Nous devons apprendre, non seulement, à connaître l'autre, le psychanalyste d'en face, mais nous devons apprendre à débattre avec lui. La controverse est probablement la principale méthode des progrès en psychanalyse. Il nous faut, non seulement confronter les idées, les théories, les pratiques, mais encore partager une démarche critique nous permettant de comprendre la logique des différences qui sans doute ne fait que refléter la complexité du champ de notre pratique.

Daniel Widlöcher
248, boulevard Raspail
75014 Paris

II — Surmoi culturel

Surmoi culturel

Gilbert DIATKINE

AVANT-PROPOS

Lors d'un colloque de la SPP à Deauville en 1992, mon père nous avait proposé une relecture de *Malaise dans la civilisation* à la lumière de la première des guerres de Yougoslavie[1]. Il était convaincu que la psychanalyse ne peut apporter qu'une contribution modeste à la compréhension de pareils désastres, mais qu'il valait la peine d'essayer d'y réfléchir avec nos moyens spécifiques. Lui-même avait consacré un rapport au Congrès des psychanalystes de langues romanes à la théorie de l'agressivité[2]. Dans ma contribution à ce colloque, j'ai tenté d'expliquer le narcissisme des petites différences. Il m'est aussi apparu qu'après la *Shoah,* les parties de la métapsychologie qui sont liées aux écrits anthropologiques de Freud ne peuvent plus être lues de la même façon[3]. Depuis, le hasard a fait que plusieurs aspects de ma pratique ont convergé vers les rapports du surmoi et du collectif. Une trentaine d'années d'expérience du traitement des enfants violents au Centre psychothérapique « Le Coteau » de Vitry-sur-Seine m'a amené à constater que le surmoi peut se développer chez des enfants asociaux, souvent élevés en dehors de leur famille, dans des conditions où le collectif se substitue aux objets parentaux[4]. La lecture des travaux de Melanie Klein sur le surmoi précoce, et de ceux de ses élèves comme Herbert Rosenfeld (1965, 1987), et aujourd'hui Rosine Perelberg (1998) sur les patients violents m'a beaucoup éclairé sur ces faits. En dirigeant les *Monographies* de la *Revue française de psychanalyse* aux côtés de

1. R. Diatkine, 1993.
2. R. Diatkine, 1964.
3. G. Diatkine, 1993.
4. G. Diatkine, 1999.

Claude Le Guen, j'ai lu attentivement le travail de Jean-Luc Donnet sur le Surmoi. Donnet y présente cette instance comme bien plus collective que je ne me la représentais jusque-là[1]. La présidence de la SPP, puis mon travail à l'Institut de psychanalyse de Paris, et à la Commission d'éducation psychanalytique de l'Association psychanalytique internationale m'ont fait mesurer le poids du groupe sur les idéaux professionnels des analystes. J'ai écrit pour la collection « Psychanalystes d'aujourd'hui », dirigée par Paul Denis, un livre sur Lacan. Lacan critiquait notre mode de formation, auquel il reprochait de pousser l'analyste à présenter son moi idéal à ses patients pour que ceux-ci en fassent leur idéal du moi. Il n'a pas réussi à créer un mode de formation purifié qui préserve les analystes du moi idéal[2]. Depuis, Donnet a montré que les analystes ne peuvent manquer d'avoir un « surmoi culturel analytique »[3]. Tout en admettant les idées généralement reçues au sein de la SPP au sujet de l'Idéal du moi et du moi idéal depuis l'important rapport de Janine Chasseguet-Smirgel (1973), j'ai ressenti un besoin de clarifier certaines contradictions qui naissent d'un emploi trop systématique de ces termes[4].

La notion de « surmoi culturel » m'a semblé constituer l'axe de la pensée anthropologique de Freud, de *Totem et tabou* à *Moïse,* même si Freud ne le mentionne explicitement que dans *Malaise dans la civilisation.* Mon intention dans ce rapport n'est nullement de remettre au goût du jour un concept qui aurait été méconnu, et qui viendrait s'ajouter à la liste déjà trop abondante des outils dont nous nous servons pour décrire le narcissisme. Bien au contraire, j'ai voulu faire la critique de cette notion, tout en montrant qu'elle joue à notre insu dans nos théories un rôle plus grand que nous ne le pensons. Mais en même temps, j'ai voulu étudier comment s'opèrent les investissements inconscients des idéaux que nous trouvons dans nos cultures, et qui finissent par faire partie intégrante de notre surmoi. Pour le montrer, j'ai utilisé des exemples cliniques, et une application de la psychanalyse à la culture, un passage du *Livre des juges.* Le surmoi, parce qu'il est nécessairement culturel, est peut-être l'un des rares concepts métapsychologiques qui puissent nous servir à penser les rapports de l'individu et du collectif.

Tout au long de la rédaction de ce rapport, j'ai été vivement stimulé par les réactions des participants à mon séminaire à Paris, et à Toulouse, puis par les conseils du Comité scientifique du congrès, par les réactions prépubliées parues avant le Congrès, et enfin par les quatre jours de discussion du Con-

1. Donnet, 1995.
2. G. Diatkine, 1997 *a.*
3. Donnet, 1998.
4. G. Diatkine, 1997 *b.*

grès lui-même. J'ai intégré le plus possible de ces remarques critiques dans la version que la *Revue française de psychanalyse* publie, en sorte qu'elle diffère quelque peu de celle qui a été discutée à Montréal.

I – LE NARCISSISME DES PETITES DIFFÉRENCES

Suivant Emmanuel Lévinas, « l'universalité est instaurée par ce fait, après tout extraordinaire, qu'il peut y avoir un *moi* qui n'est pas *moi-même,* un moi vu de face : la conscience, par ce fait extraordinaire qu'un moi souverain, envahissant le monde naïvement, comme "une force qui va" selon l'expression de Victor Hugo, aperçoit un visage et l'impossibilité de tuer »[1]. Pourquoi ce rôle du visage ? Et pourquoi cette impossibilité de tuer, généralement respectée, disparaît-elle dans certaines circonstances ? Question philosophique capitale, et dont la portée va bien plus loin que la psychanalyse. Peut-être même ferions-nous bien de ne pas nous les poser. Marilia Aisenstein pense que tout ce que nous pouvons dire ne concerne que des individus : « La psychanalyse ne serait pas apte à théoriser des phénomènes sociaux comme le racisme ou l'antisémitisme. »[2] Nous n'avons pas à nous exprimer sur la guerre du Kosovo ou le désarmement nucléaire, autrement qu'à titre de citoyens. Si nous ne pouvons pas nous empêcher de nous intéresser au racisme et à la violence en tant qu'analystes, nous devons au moins nous méfier de ne pas exonérer les dirigeants et les peuples de leurs responsabilités par l'éclairage psychanalytique que nous cherchons à apporter. Récemment, en s'appuyant sur les idées défendues par Freud dans *Malaise dans la civilisation,* le sociologue Wolfgang Sofsky[3] a présenté un tableau impressionnant d'une violence intemporelle, ayant toujours les mêmes caractéristiques quel que soit le contexte historique et politique, de la préhistoire au XXe siècle : puisque pulsion de mort il y a, la violence sera toujours la violence, comme si la lutte des peuples pour la paix, et le courage politique des dirigeants ne pouvaient pas infléchir le cours des choses.

En 1993, j'avais pensé que la notion de narcissisme des petites différences pouvait nous aider à comprendre la catastrophe qui était en train de se produire en Yougoslavie. En effet, dès les *Considérations actuelles,* écrites au début de la première guerre mondiale, Freud se montre heurté par le fait que cette guerre entre nations européennes, qui ont tant de valeurs en commun,

1. Lévinas, p. 22.
2. Marilia Aisenstein, p. 15.
3. W. Sofski, 1996.

est « aussi cruelle, acharnée, impitoyable, que toutes celles qui l'ont précédées »[1]. En 1918, dans « Le tabou de la virginité », il a l'intuition que c'est peut-être bien le fait même qu'il n'y ait que très peu de différences entre les belligérants qui les rend impitoyables : « ... ce sont justement les petites différences dans ce qui se ressemble par ailleurs qui fondent les sentiments d'étrangeté et d'hostilité entre les individus. Il serait tentant, en prolongeant cette vue, de faire dériver de ce "narcissime des petites différences" l'hostilité qui, nous le constatons, combat victorieusement, dans toute relation humaine, le sentiment de solidarité, et terrasse le commandement d'amour universel entre tous les êtres humains. »[2]

D'où les petites différences tirent-elles leur pouvoir ? Dans *Psychologie collective,* Freud décrit le narcissisme des petites différences d'une manière détaillée, mais il avoue son impuissance à expliquer son effet[3].

Schibboleth

Nous ne manquons malheureusement pas d'exemples actuels à étudier pour essayer d'aller plus loin. Depuis le Colloque de Deauville de 1992, où le conflit Serbo-Croate était au cœur de l'actualité, d'autres épurations ethniques et d'autres crimes contre l'humanité se sont produits chaque année. Mais il s'agit de questions tellement douloureuses, et si propres à soulever les passions, que j'ai préféré prendre un exemple éloigné dans le temps. Je l'ai trouvé dans la Bible en travaillant sur l'histoire de l'Association psychanalytique internationale. Quand Freud crée celle-ci en 1910[4], le problème des critères permettant d'identifier un psychanalyste se pose aussitôt[5]. Dans « Le Moi et le Ça », il affirme que l'inconscient est « le premier *Schibboleth* de la psychanalyse »[6]. Les critères changent, les exclusions et les scissions durent, mais qu'est-ce qu'un *Schibboleth* ? Pour le savoir, j'ai lu le *Livre des Juges.* L'une des douze tribus d'Israël, celle des descendants de Joseph, s'est divisée en deux branches. Le fils aîné de Joseph, Manassé était l'ancêtre commun des « Galaadites », ainsi nommés à cause de son descendant, Galaad, père de Jephté. Les « Éphraïmites » venaient du fils cadet, Éphraïm. Galaadites et

1. Freud, 1915 *a,* p. 13.
2. Freud, 1918, p. 72.
3. « Pourquoi ? Nous ne le savons pas » (Freud, 1921, p. 163).
4. Freud, 1910 *b.*
5. À Groddeck, à qui il propose de se joindre aux analystes, il écrit : « Celui qui reconnaît que transfert et résistance sont les axes du traitement celui-là appartient irrémissiblement à la horde sauvage » (Freud, 5, 6, 17, *in* Groddeck, 1977, p. 42).
6. Freud, 1923, p. 223.

Éphraïmites avaient tout en commun : langue, religion, et ancêtre originaire (Joseph). Une seule chose permettait de les reconnaître. Les Galaadites prononçaient « Sh », là où les Éphraïmites prononçaient « S ». Cette marque distinctive n'avait en elle-même aucune signification particulière. Elle aurait pu être inversée, ou remplacée par une autre qui aurait eu exactement la même valeur. Cette différence perd encore de l'importance quand les deux demi-tribus s'unissent contre un ennemi commun, les Ammonites. Mais Jephté, chef des Galaadites, ne juge pas utile d'associer les Éphraïmites à une bataille, que les Galaadites gagnent tout seuls. Les Éphraïmites viennent s'en plaindre à Jephté. La querelle dégénère en une bataille rangée en Transjordanie, perdue par les Éphraïmites. Ceux-ci refluent en désordre et tentent de franchir les gués du Jourdain, mêlés à leurs vainqueurs. Jephté ordonne à ses hommes de les y attendre : « Puis Galaad coupa à Éphraïm les gués du Jourdain, et quand les fuyards d'Éphraïm disaient "laissez-moi passer", les gens de Galaad demandaient : "Es-tu Éphraïmite ?" S'ils répondaient "Non", alors ils lui disaient : "Eh bien, dis *Shibboleth* (épi)." Il disait *Sibboleth,* car il n'arrivait pas à prononcer ainsi. Alors on le saisissait et on l'égorgeait près des gués du Jourdain. Il tomba en ce temps-là quarante-deux mille hommes d'Éphraïm » (Jg., 12, 4-6).

Une question de sémiologie

Doit-on dire « Schibboleth » ou « Sibboleth » ? Les petites différences entre deux peuples voisins portent sur des traits sans importance de la vie quotidienne, comme des manières de se nourrir, de se vêtir, de se déplacer ou de parler, et, d'une façon générale, sur ce que Marcel Mauss appelle les « techniques du corps »[1]. Elles pourraient être inversées ou remplacées par d'autres tout en conservant la même signification. Un geste de la vie quotidienne symbolise l'appartenance à un groupe par un lien aussi arbitraire que, dans un mot, celui par lequel un signifiant symbolise un signifié. L'étude des petites différences relève donc de ce que Saussure nomme la « sémiologie », c'est-à-dire la science de « l'ensemble des systèmes fondés sur l'arbitraire du signe »[2]. Mais qu'il s'agisse de l'acquisition du langage ou des techniques du corps, les petites différences concernent toujours les valeurs acquises par l'enfant au cours de ses premières relations avec sa mère. L'acquisition du langage commence dès le début de la vie au sein d'une interaction intense

1. M. Mauss, 1924, 1936.
2. F. de Saussure, 1915, p. 100.

entre les parents et l'enfant, par sélection à partir d'une infinité de virtualités (R. Jakobson)[1]. De même, l'enfant peut potentiellement faire siennes les techniques du corps de n'importe quelle nation, mais il sélectionne seulement celles de son entourage. Bien que le bébé ne soit pas censé les comprendre, les parents (ou les adultes qui en tiennent lieu) donnent un sens aux activités précoces de l'enfant. Ils accompagnent de mots en apparence absurdes les techniques du corps en relation avec les soins maternels. Dès les premières minutes de la vie, le bébé est capable de réagir de façon spécifique à la voix de sa mère. Très tôt, le rythme et la modulation de sa voix et de ses gestes répondent à ceux des parents et « s'accordent affectivement » à eux (Stern)[2]. Déterminés par le hasard de l'appartenance à une communauté, ces mots et ces gestes de la mère sont arbitraires. Mais ils sont fortement chargés affectivement. Ils expriment l'amour pour l'enfant, et classent les choses qui composent le monde en « bonnes » et « mauvaises ». Dans la langue que parle la mère, il y a une « bonne » manière d'opposer les traits pertinents des phonèmes et beaucoup de « mauvaises ». Celles-ci, le bébé doit y renoncer, s'il veut rester accordé affectivement à elle. De même, il y a pour la mère une « bonne », et beaucoup de « mauvaises » façons de tenir le bébé, de le nourrir, de le changer, de le bercer, et de veiller sur son sommeil.

La mère dispose d'un certain degré de liberté dans le choix de ce qu'elle considère comme « bon » ou comme « mauvais ». Néanmoins, fondamentalement, ses choix reflètent la culture particulière à sa famille, à son milieu, et à sa nation. C'est à travers eux que les particularités de sa culture vont être formulées à l'enfant comme des « exigences ». Les exigences de la civilisation sont d'abord énoncées par la mère, avant que celle-ci soit relayée par les autres figures qui sont appelées à jouer un rôle important pour l'enfant : le père, les éducateurs, les enseignants, les grands personnages qui mèneront les groupes dont il fera partie. Inversement, la perception d'une petite différence chez l'autre semblable met en question la relation du sujet à la civilisation, c'est-à-dire son identité. Y a-t-il une explication psychanalytique à la violence que suscite cette mise en cause ? On est d'abord tenté de chercher la réponse du côté de la rivalité fraternelle.

1. « Un enfant est capable d'articuler dans son babil une somme de sons qu'on ne trouve jamais réunis à la fois dans une seule langue, ni même dans une famille de langues... Il perd pratiquement toutes ses facultés d'émettre des sons lorsqu'il passe du stade prélinguistique à l'acquisition de ses premiers mots, première étape à proprement parler linguistique » (Jakobson, 1935, p. 24).
2. D. Stern, 1985, p. 180.

Rivalité fraternelle

Si la guerre entre Éphraïmites et Galaadites a réellement eu lieu, elle a dû prolonger la politique par d'autres moyens, et la violence se faire l'« accoucheuse de l'histoire ». Mais un texte biblique ne peut pas être pris comme le reflet fidèle d'un fait historique. Nul ne pourrait dire quels enjeux économiques et politiques réels ont causé cette guerre. En revanche, la Bible nous renseigne sur l'origine transgénérationnelle de l'antagonisme entre les deux demi-tribus. Quand Joseph, vendu par ses frères en Égypte, retrouve son père Jacob après de longues années de séparation, il lui présente ses deux fils pour qu'il les bénisse. Jacob commet alors une erreur étonnante. Il bénit d'abord le cadet, Éphraïm, au lieu de commencer par l'aîné, Manassé. Jacob semble incorrigible. Sa préférence affichée pour son fils cadet, Joseph, a déjà été à l'origine d'une terrible rivalité entre ses enfants. Elle s'est terminée par la déportation de Joseph. On dirait qu'il cherche à transmettre à ses descendants la fraude dont lui-même à bénéficié, et qui lui a permis d'usurper le droit qui revenait à son aîné, Ésaü, avec la complicité de sa mère, Rébecca. Cette rivalité fraternelle semble faire retour dans le massacre qui se produit ce jour-là sur le Jourdain. Les Galaadites rétablissent le droit d'aînesse bafoué successivement par Jacob, par Joseph et par Éphraïm. Le narcissisme des petites différences pourrait donc se ramener à la rivalité fraternelle. Mais cette solution ne fait que déplacer le problème. De la solidarité à la haine, toutes les relations affectives peuvent exister au sein de la fratrie. Pour expliquer que la rivalité fraternelle atteigne de telles extrémités, il faut des hypothèses supplémentaires.

Jephté. Le rôle du leader

Le rôle du meneur semble décisif. En effet, si, dans certains cas, la mutation de la petite différence en menace identitaire semble spontanée, le plus souvent, elle est puissamment activée par le meneur du groupe, ou par un ensemble de meneurs qui se réclament d'une doctrine ou d'une religion.

Jephté, le chef des Galaadites, et le responsable du massacre du Jourdain, est le fils de Galaad, mais sa mère est une prostituée. Chassé par les enfants légitimes de Galaad, il s'enfuit au loin, et réunit autour de lui « une bande de gens de rien qui faisaient campagne avec lui » (Jg., 11, 1-3). Il ne parvient à imposer sa légitimité, et donc son identification au père de la demi-tribu, qu'en faisant la preuve de ses capacités de chef, et en faisant masssacrer les

Éphraïmites. Il peut alors être reconnu par tous les Galaadites comme le fils de son père, et comme un descendant de l'ancêtre de la tribu, Manassé. À partir de là, chaque Galaadite peut, en s'identifiant à Jephté, avoir le sentiment qu'il appartient bien à la demi-tribu. Le meneur désigne à chaque membre du groupe les idéaux auxquels il doit satisfaire pour être membre du groupe. Lui-même n'a nullement besoin d'incarner de tels idéaux. Hitler n'était pas un grand blond aux yeux bleus, Lénine n'était pas un ouvrier. Tous les membres du groupe sont identifiés les uns aux autres et à cet idéal mythique. Janine Chasseguet-Smirgel a montré qu'un *leader* occupe, contrairement aux apparences, la place d'une figure maternelle[1].

Les raisons psychologiques qui peuvent pousser un *leader* psychopathe à usurper la place de la mère, et à pervertir les valeurs de chacun de ses sujets sont très intéressantes à étudier. Il n'est pas indifférent que Milosević soit le survivant d'un suicide mélancolique altruiste. Mais le leader ne fait qu'exploiter le narcissisme des petites différences. Il ne les crée pas.

Une solution simple

Malaise dans la civilisation est le seul texte de Freud qui propose une solution. On y trouve une description détaillée du narcissisme des petites différences (terme que Freud trouve d'ailleurs critiquable)[2], en même temps qu'une explication simple de ses effets. Si on admet la réalité de l'existence de la pulsion de mort et de son inévitable déflection vers l'extérieur, l'effet désastreux du narcissisme des petites différences va presque de soi[3]. Mais cette réponse ne fait qu'inverser le problème : il ne s'agit plus de savoir pourquoi les communautés proches sont dressées les unes contre les autres, mais plutôt de comprendre comment elles peuvent coexister pendant des siècles et multiplier les échanges entre elles pour leur plus grand avantage, sans que la violence se déchaîne.

À soi seule, une petite différence ne suffit pas à déclencher une violence meurtrière : le plus souvent, elle est au contraire vécue comme un objet de désir, que le moi cherche à « introjecter », au sens où l'entend Ferenczi[4]. Le goût de la nouveauté, le plaisir du voyage, la soif de connaissances reposent sur cet aspect désirable des petites différences. La cause de la violence est à

1. Chasseguet-Smirgel, 1973, p. 822.
2. « Nom qui ne contribue guère à l'éclairer » (Freud, 1929, p. 53).
3. « Or, on y constate une satisfaction commode et relativement inoffensive de l'instinct agressif, par laquelle la cohésion de la communauté est rendue plus facile à ses membres » *(ibid.)*.
4. Ferenczi, 1909.

rechercher dans le contexte économique, politique et religieux, et elle est différente dans chaque cas. En revanche, il se peut que le même mécanisme puisse être invoqué à chaque fois. La petite différence change de statut. D'objet de désir, elle devient le signe de la présence chez l'autre semblable d'une menace contre l'identité du sujet. Le détail de cette transformation nous obligera à réexaminer la métapsychologie du narcissisme. Dans tous les cas elle a pour effet de supprimer les mécanismes inhibiteurs mis en place par le processus de civilisation, c'est-à-dire par ce que Freud appelle « le surmoi culturel ».

II – FREUD ET LE SURMOI CULTUREL

Freud n'emploie le terme de *Kultur-Überich* (aussi traduit par « surmoi collectif » et par « surmoi de la communauté civilisée » par Ch. et I. Odier[1], et par « sur-moi-de-la-culture » par l'équipe de J. Laplanche)[2] qu'en 1929, dans les dernières pages de *Malaise dans la civilisation* : « On est en droit de soutenir que la communauté elle aussi développe un Surmoi dont l'influence préside à l'évolution culturelle. »[3]

Mais en réalité, l'idée est présente chez lui depuis longtemps. Dès *Actes compulsionnels et exercices religieux,* il montre que l'analogie entre l'individu et la société est si grande que l'observation des faits de société peut précéder les découvertes de la levée du refoulement[4]. Cette thèse est reprise dans *Malaise dans la civilisation,* où Freud écrit que les commandements du surmoi culturel tels qu'ils se donnent à voir directement et sans effort, coïncident point par point avec ceux du surmoi inconscient[5]. Pour Freud, le développement de la civilisation est parallèle à celui de l'individu. Il en décrit à plusieurs reprises les étapes[6], comme il montre celles du développement psychosexuel. De même que le surmoi postœdipien résulte du deuil des objets œdipiens et des désirs de mort contre le parent du même sexe, de même le « surmoi culturel » résulte d'un premier meurtre, et n'est intériorisé qu'après une période de latence. Un grand homme a introduit un nouveau progrès de la civilisation. Il a été méconnu de son vivant, parfois maltraité par son peuple, et mis à mort.

1. Freud, 1929 *a,* p. 77. Freud se sert indifféremment les deux mots *Kultur* et *Zivilisation,* car il refuse de prendre part au débat allemand qui oppose ces deux termes.
2. Freud, 1929 *b,* p. 329.
3. Freud, 1929 *a,* p. 76.
4. « La conscience de culpabilité faisant suite à une tentation non assouvie, et l'angoisse d'attente entendue comme angoisse face au châtiment divin ont même été connues de nous plus tôt dans le domaine religieux que dans celui de la névrose » (Freud, 1907, p. 140).
5. Freud, 1929 *a,* p. 76-77.
6. Avec des différences d'un texte à l'autre (Freud, 1908, p. 34, 1929 *a,* p. 40-41).

Secondairement, la foule s'identifie à lui et fait siens les commandements moraux auxquels elle s'était opposée de son temps. Le non-respect de ces commandements entraîne une « angoisse de la conscience morale ». *Moïse et le monothéisme* illustre cette définition du surmoi culturel. On pourrait trouver dans l'histoire quelques autres exemples semblables à celui de Moïse, mais ils ne sont pas très nombreux.

La notion de « surmoi culturel » est critiquable à un double point de vue : 1 / Elle repose sur une des idées les plus discutables de Freud, le meurtre du père de la horde primitive. 2 / Les exigences du monde extérieur n'ont pas du tout sur l'individu les mêmes effets que le surmoi.

Le meurtre du père de la horde primitive

L'identification du surmoi individuel et du surmoi culturel repose sur plusieurs piliers fragiles :

D'abord une comparaison, maintes fois faite par Freud, entre le développement de l'individu et celui de la civilisation : la névrose obsessionnelle est une religion privée, et « la religion une névrose obsessionnelle universelle »[1]. Les mythes « correspondent aux vestiges de désir propres à des nations entières, aux rêves séculaires de la jeune humanité »[2, 3]. Comme les individus, les peuples peuvent régresser[4]. Puisque les sociétés primitives sont la jeune humanité, on peut comparer l'enfant et le sauvage[5]. Ensuite une comparaison entre l'évolution de l'individu et celle de l'espèce, et l'application au psychisme de la loi de Haeckel. L'évolution de l'embryon semble reproduire le développement de l'espèce : « L'ontogenèse récapitule la phylogenèse. » Freud pense que certains processus psychiques, comme le complexe d'Œdipe, peuvent involuer « avec la fatalité d'un processus organique ». Freud, dans « La disparition du complexe d'Œdipe », est clair : le processus qui fait se dissoudre le complexe d'Œdipe pourrait bien être de nature phylogénétique[6]. Au reste, il est tout à fait prudent quant à cette hypothèse, qui n'est que l'une des deux explications qu'il va discuter toutes deux pour en formuler ensuite une autre plus satisfai-

1. Freud, 1907, p. 141.
2. Freud, 1908 *b*, p. 45.
3. «... Les peuples, ces grands individus de l'humanité... répètent le développement des individus... » (Freud, 1915 *a*, p. 24).
4. Freud, 1915 *a*, p. 22.
5. Freud, 1912-1913 *b*, p. 166.
6. « Même si le complexe d'Œdipe est vécu individuellement par le plus grand nombre des êtres humains, il n'en reste pas moins qu'il est un phénomène déterminé par l'hérédité, établi par elle et qui conformément au programme doit passer lorsque commence la phase de développement prédéterminée qui lui succède » (Freud, 1923 *b*, p. 117-118).

sante pour l'esprit. Il n'empêche : dans *Moïse,* il attribuera cette détermination héréditaire du déclin du complexe d'Œdipe à la répétition du meurtre du père de la horde primitive, et à la mise en latence qui s'ensuit avant que les fils ne s'identifient à lui. De même, le refoulement peut répéter un événement survenu dans le passé de l'espèce, et avoir ainsi des racines « organiques ». Une note de bas de page de *Malaise*[1] enchaîne dans une accélération vertigineuse le social au biologique, et décrit le « refoulement organique » qui est à l'œuvre dans le processus de civilisation, d'une manière qui rappelle fortement la « théorie génitale » de Ferenczi[2]. Le glissement du développement de l'espèce à celui de la civilisation, ancre le progrès de l'humanité dans un déterminisme « organique ». L'abandon de la religion (dans *L'avenir d'une illusion*)[3], la paix universelle (dans *Pourquoi la guerre ?*)[4] peuvent être attendus d'un tel déterminisme.

La notion de surmoi culturel repose sur l'hypothèse d'une « mémoire phylogénétique de l'individu » dont Freud fait part à Jung dès 1911[5]. Dans une ambiance d'euphorie assez étonnante, Freud, Jung, Ferenczi et Jones travaillent tous sur cette idée. Jung la développe dans *Métamorphoses et symboles de la libido*[6]. *Métamorphoses* démontre l'existence des « idées innées ». Cela mène « loin au-delà de la limitation originelle de la psychanalyse » pense d'abord Freud. Mais très vite, Jung en tire argument pour soutenir que « les souvenirs d'enfance ne sont pas du tout des réminiscences individuelles, mais phylogénétiques »[7]. La rupture avec Jung va s'ensuivre.

1. « Ce revirement [de la périodicité à la permanence du processus sexuel] se rattache avant tout à l'effacement du sens de l'odorat dont l'entremise mettait la menstruation en état d'agir sur l'esprit du mâle... L'érotique anale succombe la première à ce "refoulement organique" qui ouvrit la voie à la civilisation... Le rôle des excitations olfactives fut alors repris par les excitations visuelles. Celles-ci, contrairement à celles-là (les excitations olfactives étant intermittentes) furent à même d'exercer une action permanente. Le tabou de la menstruation résulte de ce "refoulement organique" en tant que mesure contre le retour à une phase surmontée du développement. Cependant le retrait à l'arrière-plan du pouvoir excitant de l'odeur semble être lui-même consécutif au fait que l'homme s'est relevé du sol... le redressement ou la "verticalisation" de l'homme serait le commencement du processus inéluctable de la civilisation. À partir de là un enchaînement se déroule, qui de la dépréciation des perceptions olfactives et de l'isolement des femmes au moment de leurs menstrues conduisit à la prépondérance des perceptions visuelles, à la visibilité des organes génitaux, puis à la continuité de l'excitation sexuelle, à la fondation de la famille et de la sorte au seuil de la civilisation humaine » (Freud, 1929, p. 40, n. 1).

2. Ferenczi, 1923.

3. « On peut prévoir que l'abandon de la religion aura lieu avec la fatale inexorabilité d'un processus de croissance » (Freud, 1927, p. 38).

4. « Le développement culturel est bien un tel processus organique » (Freud, 1933, p. 215).

5. Freud à Jung, le 13 octobre 1911, à propos de *Gilgamesh* : « S'il existe une mémoire phylogénétique de l'individu, ce que malheureusement l'on ne pourra bientôt plus nier, alors l'angoissant dans "le double" est aussi de cette provenance » (c'est-à-dire du « frère jumeau le plus faible », le placenta, dont il est question dans certains mythes rapportés par Frazer) (p. 205).

6. Jung à Freud, n. 2, p. 206.

7. *Ibid.* Jung à Freud, 17 octobre 1911.

De son côté, Jones pose dès 1912 le problème de la non-transmission des caractères acquis[1]. La critique tourmente Freud, qui décide de mettre à profit l'oisiveté forcée de la guerre pour écrire avec Ferenczi un ouvrage sur le Lamarckisme[2]. Freud lit le *Traité de philosophie zoologique*[3], mais ce travail ne sera jamais mené à bien[4]. Cela n'empêche pas Freud de maintenir sa position. Il écrit dans « Le Moi et le Ça » « qu'une hérédité croisée a transmis ce phénomène [la moralité] aux femmes également »[5]. *Malaise* développe pleinement l'idée du meurtre du père de la préhistoire primitive et de sa reprise par le surmoi culturel. De même que le surmoi individuel s'établit par identification aux objets œdipiens attaqués et perdus, de même le surmoi culturel résulte d'une identification secondaire à un grand homme d'abord rejeté et mis à mort.

Arguments cliniques

En 1907, dans « Action compulsive et cérémonial religieux », Freud apporte un argument clinique à l'appui de sa thèse : les prescriptions du surmoi culturel coïncident point par point avec celles du surmoi individuel inconscient. Il reformule cette affirmation en 1929, dans *Malaise dans la civilisation,* mais elle n'est guère confirmée par l'expérience : il arrive fréquemment que les idéaux d'un patient soient en avance sur ce que son temps lui permet, ou qu'au contraire, il respecte jalousement des interdits que la société dans son ensemble a abandonné depuis longtemps.

Entre 1923 et 1939, Freud discute longuement un second argument clinique : il lui semble impossible d'expliquer la sévérité du surmoi chez des sujets éduqués par des parents bienveillants autrement que par un facteur phylogénétique. L'idée est introduite indirectement dans « Le Moi et le Ça »[6], et longuement développée dans *Malaise* : la sévérité du surmoi n'est proportionnée ni à celle des modèles parentaux et culturels dont il s'est inspiré, ni à la gravité des fautes réelles du sujet[7]. Pour expliquer ce paradoxe, Freud pro-

1. Jones à Freud, 7 août 1912, p. 202.
2. Freud à Ferenczi, 22 décembre 1916.
3. Freud à Ferenczi, 1er janvier 1917, p. 191.
4. Freud à Ferenczi, « Le travail sur Lamarck, longtemps ajourné, pourrait en bénéficier » (des vacances projetées) (21 avril 1918, p. 307).
5. Freud, 1923, p. 250. La transmission héréditaire des caractères acquis est aussi mentionnée p. 251.
6. « Même en donnant à l'influence des parents une expression persistante », le surmoi individuel trouve dans le Ça les traces mnésiques héréditaires des « contenus principaux de ce qu'il y a de plus élevé dans l'homme » (Freud, 1923, p. 250).
7. Freud, 1939, p. 193 : « Le comportement de l'enfant névrotique à l'égard de ses parents dans le complexe d'Œdipe et dans le complexe de castration surabonde en réactions qui semblent injustifiées du point de vue individuel et qui ne peuvent être comprises que phylogénétiquement, par rapport à l'expérience vécue de générations antérieures. »

pose diverses explications : d'abord, que ce qui définit un homme vertueux, c'est qu'il a justement une sévère conscience morale[1]. Puis, les désirs sont innombrables, tandis que les actes coupables, quelque criminels qu'ils soient, sont forcément limités. Or, le surmoi punit les désirs autant et plus que les actes. Le sujet vertueux doit lutter contre plus de tentations que le débauché. Céder aux tentations apaise le surmoi, parce qu'il y a moins de tentations quand on leur a cédé[2] ! Freud propose encore deux autres solutions, beaucoup plus solides métapsychologiquement : 1 / Le surmoi résulte d'une identification secondaire aux objets œdipiens. Or, cette identification nécessite une transformation de la libido objectale en libido narcissique. Cette transformation ne porte que sur la libido. Il se produit donc une défusion pusionnelle, et une libération de pulsion de mort. C'est cette pulsion de mort qui est retournée contre le moi par le surmoi[3]. 2 / L'agressivité du surmoi contre le moi est celle que le moi a renoncé à satisfaire contre ses objets. Cette agressivité peut être précisément celle que le sujet a développée contre l' « autorité » en raison de la frustration qui lui est infligée[4]. Ce sont donc les projections du sujet sur les premiers objets introjectés qui donnent au surmoi ses caractéristiques individuelles. Cette conception est l'un des seuls points sur lequel Freud s'accorde avec Melanie Klein[5]. Ces explications pourraient largement suffire. Pourtant, Freud ne s'en contente pas. Finalement, à ses yeux, la véritable explication de la sévérité excessive du Surmoi, c'est qu'elle « reproduit... une réaction de nature phylogénétique »[6]. Cette affirmation sera reprise avec force dans *Moïse.* La sévérité du surmoi, quand elle semble injustifiée du point de vue individuel, s'explique fort bien si on admet que le sujet se punit pour un crime commis réellement dans la préhistoire, le meurtre du père de la horde primitive[7].

Freud s'est quelquefois montré lui-même critique à l'égard de ce genre de spéculation. Il répugne à trop projeter sur le groupe des concepts appartenant à l'individu, par exemple à parler d'une civilisation « névrosée »[8]. Il pourrait s'agir de coïncidences, mais cette objection ne l'arrête pas longtemps[9]. Il hésite aussi à parler d'une « psyché de masse », parce que l'accent mis sur le collectif a conduit Jung, dans *Métamorphoses et symboles de la libido,* à se passer com-

1. Freud, 1929, p. 63.
2. *Ibid.*
3. Freud, 1923, p. 242-243.
4. Freud, 1929, p. 65.
5. Freud, 1929, p. 66, n. 1 ; Klein, 1932, p. 141.
6. Freud, 1929, p. 67.
7. Freud, 1939, p. 195.
8. Freud, 1929, p. 79.
9. Freud, 1912-1913 *b,* p. 114-115.

plètement de la sexualité infantile et de l'inconscient individuel. Mais si il n'y avait pas une « psyché de masse », rien ne se transmettrait, chaque génération serait obligée de recommencer les expériences de la génération précédente[1].

Moïse et le monothéisme, sa dernière œuvre, le montre inflexible : « Depuis cette époque [1912, *Totem et tabou*], je n'ai plus douté de ma thèse, à savoir que les phénomènes religieux ne sont accessibles à notre compréhension que d'après le modèle des symptômes névrotiques bien connus de l'individu, en tant que retour de processus importants, depuis longtemps oubliés, ayant eu lieu au cours de l'histoire primitive de la famille humaine, qu'ils doivent donc leur caractère contraignant à cette origine même et donc qu'ils agissent sur les êtres humains en vertu de leur contenu de vérité *historique.* »[2]

Objections venues des autres sciences

Pourtant il doit affronter des objections formidables :

1 / Les observations de Darwin sur les primates, d'où est parti Freud, ne sont pas confirmées par les éthologues. Il n'y a pas de « horde primitive ».

2 / Les anthropologues modernes contestent les observations de Robertson Smith sur le repas totémique.

3 / « L'évolutionnisme culturel » de Spencer et Tylor est, comme l'écrira plus tard Lévi-Strauss dans *Race et histoire,* un « faux évolutionnisme ». Au rebours de l'évolutionnisme de Darwin, il repose sur des observations rares et laisse beaucoup de place à l'interprétation. Il ne s'appuie sur aucune réalité biologique : il faut un cheval pour engendrer un cheval, il ne faut pas une hache en pierre polie pour engendrer une autre hache. Il est antérieur à l'évolutionnisme biologique, et repose sur des intuitions et des préjugés[3].

Freud sait très bien que des anthropologues plus récents ont rejeté Robertson Smith[4], de même qu'il n'ignore pas que les généticiens de son temps, contrairement à Darwin[5], refusent la transmission des caractères acquis[6]. Mais il se produit un phénomène étonnant. Freud, si attaché à la vérité scientifique qu'on l'a souvent accusé de scientisme, n'en veut rien savoir[7] : « Ces mises au point

1. Freud, 1912-1913 *b,* p. 313.
2. Freud, 1938, p. 136-137.
3. Lévi-Strauss, 1952, p. 23.
4. Freud, 1938, p. 235.
5. Darwin, 1879.
6. *Ibid. :* « La position de notre problème devient certes encore plus difficile par l'attitude actuelle de la science qui ne veut rien savoir de la transmission des caractères acquis aux descendants. Mais nous avouons en toute modestie que nous ne pouvons malgré tout pas nous passer de ce facteur dans l'évolution biologique » (p. 196).
7. « Mais nous avouons en toute modestie que nous ne pouvons malgré tout pas nous passer de ce facteur dans l'évolution biologique » (Freud, 1938, p. 196).

faites, je n'hésite pas à affirmer que les humains ont toujours su – de cette manière particulière – qu'ils ont possédé un jour un père primitif et qu'ils l'ont mis à mort. »[1]

Exigences de la civilisation et surmoi

Les exigences de la civilisation

Comme Régine Prat l'a bien montré[2], c'est dès les *Lettres à Fliess* que Freud attribue l'origine des névroses au processus de civilisation. Cette responsabilité de la civilisation dans la genèse du refoulement est clairement formulée en 1907 dans *Actions compulsionnelles et exercice religieux,* et en 1908 dans *Moralité sexuelle civilisée et maladie nerveuse des Temps modernes.* La civilisation exige des individus qu'ils renoncent peu à peu à la plupart de leurs pulsions. Tout d'abord, ils doivent consacrer une partie de leur libido au lien social[3]. Ceux à qui leur « organisation récalcitrante » ne permet pas ce sacrifice sont condamnés à développer des psychonévroses[4]. Freud s'élève contre l'injustice qui exige le même effort de répression sexuelle d'individus constitutionnellement différents[5]. Elle est « la cause de l'hostilité contre laquelle toutes les civilisations ont à lutter »[6]. La répression de la curiosité sexuelle fait peser sur tous, mais surtout sur les femmes, un « interdit de penser »[7], sur lequel ont insisté Michel Gribinski[8] et Jean Imbeault[9]. La culture impose aussi une limitation des pulsions du moi[10]. Parmi elles, les pulsions agressives, dont la pulsion d'emprise[11], mais Freud aura un long chemin à parcourir avant d'admettre, dans *Malaise,* que c'est le renoncement à la violence qui est la plus insupportable des exigences de la civilisation[12]. Il lui aura fallu pour cela

1. « ... notre pensée a conservé la liberté de découvrir des conséquences et des relations à quoi rien ne correspond dans la réalité et elle place manifestement cette faculté très haut... » (Freud, 1938, p. 197).
2. R. Prat, 2000.
3. Freud, 1929, p. 47.
4. Freud, 1907, p. 142.
5. Freud, 1908, p. 36.
6. Freud, 1929, p. 39.
7. Freud, 1908, p. 42.
8. Gribinski, 1978.
9. Imbeault, 1999.
10. « Un renoncement progressif aux pulsions constitutionnelles dont la mise en activité pourrait procurer au moi un plaisir primaire semble être l'un des fondements du développement de la civilisation humaine » (Freud, 1907, p. 140).
11. P. Denis, 1997.
12. En effet, Freud se refuse longtemps à isoler une « pulsion d'agression ». Dans *Le petit Hans,* il critique l'individualisation par Adler d'un instinct d'agression, à côté des instincts sexuels et des ins-

la deuxième théorie des pulsions, et la déflexion vers l'extérieur, sous forme d'agressivité, de la pulsion de mort. Dans *Malaise,* il critique avec humour l'absurdité du commandement « tu aimeras ton prochain comme toi-même ». Impossible de renoncer à la haine[1]. Il n'a dès lors plus de réserve sur « l'existence d'un instinct agressif, spécial et autonome »[2] qui est le principal adversaire de la civilisation[3, 4, 5].

Le surmoi

En même temps que la pulsion de mort, Freud met en place la seconde topique, et le surmoi. Freud en parle pour la première fois, sous le nom « d'idéal du moi », dans *Pour introduire le narcissisme.* Dans ce texte, alors que la terminologie n'est pas encore fixée, il met en place l'idée d'un écart possible entre l'idéal du moi et le moi actuel. Cette « formation d'idéal serait du côté du moi la condition du refoulement »[6], ce qui annonce le surmoi proprement dit. Le terme de « surmoi » (« sur-moi » dans la traduction de Laplanche)[7] apparaît pour la première fois dans *Le Moi et le Ça*[8]. Comme il le dit dans *Malaise dans la civilisation* : « Un grand changement intervient dès le moment où l'autorité est intériorisée, en vertu de l'instauration d'un Surmoi. Alors les phénomènes de conscience (morale) se trouvent élevés à un autre niveau, et l'on ne devrait parler de conscience et de sentiment de culpabilité qu'une fois ce changement opéré. Dès lors l'angoisse d'être découvert tombe

tincts de conservation. La même année, dans *L'homme aux rats,* il ramène la haine à une modalité régressive de l'amour. C'est dans *Totem et tabou* qu'il change d'avis, et accepte pour la première fois l'idée d'une « hostilité inconsciente ». La guerre qui éclate en 1914 donne une actualité tragique à ce qui n'était d'abord qu'une fiction concernant la préhistoire. Dans les *Considérations actuelles,* Freud parle, pour la première fois, d'un « désir de mort ». Pour soutenir ce nouveau point de vue, il prend explicitement appui sur la thèse de *Totem et tabou.* La même année, dans *Les pulsions et leur destin,* il pose que « la haine... est plus ancienne que l'amour ». Avec la deuxième théorie des pulsions, l'agressivité pure sera rapportée à la déflection vers l'extérieur de la pulsion de mort : « Par suite de l'hostilité primaire qui dresse les hommes les uns contre les autres, la société civilisée est constamment menacée de ruine » (Freud, 1929, p. 50-51).

1. Freud, 1929, p. 48.
2. *Ibid.,* p. 55.
3. « ... je ne comprends plus que nous puissions rester aveugles à l'ubiquité de l'agression et de la destruction non érotisées et négliger la place qu'elles méritent dans l'interprétation des phénomènes de la vie » (*ibid.,* p. 57).
4. « L'agressivité constitue une disposition instinctive primitive et autonome de l'être humain... la civilisation y trouve son entrave la plus redoutable » (Freud, 1929, p. 59).
5. « Désormais la signification de l'évolution de la civilisation cesse à mon avis d'être obscure : elle doit nous montrer la lutte entre l'Éros et la mort, entre l'instinct de vie et l'instinct de destruction, telle qu'elle se déroule dans l'espèce humaine » (Freud, 1929, p. 59).
6. Freud, 1914, p. 98.
7. Freud, 1923 *b,* p. 272.
8. Freud, 1923 *a,* p. 240.

aussi, et la différence entre faire le mal et vouloir le mal s'efface totalement, car rien ne peut rester caché au Surmoi, pas même des pensées. »[1]

Comme l'ont rappelé Guy Laval[2] et Paul Denis[3], il faut tracer une ligne de démarcation nette entre « les exigences de la civilisation », auxquelles Freud attribuait jusque-là le refoulement[4], et le surmoi intériorisé. On serait même tenté de croire que Freud n'a décrit le surmoi en 1914 que sous le contrecoup de sa désillusion devant l'effondrement des valeurs de la civilisation au moment du déclenchement de la guerre, mais c'est inexact. Quand Freud écrit *Pour introduire le narcissisme,* pendant l'hiver 1914, nul ne songe à une guerre généralisée entre Européens[5]. Reste que la description complète du surmoi dans *Le Moi et le Ça* après la guerre creuse un abîme entre le surmoi proprement dit, instance intériorisée inconsciente, et les pressions du collectif. Ces exigences du monde extérieur peuvent être comparées au surmoi, mais elles ne sauraient se confondre avec lui.

L'investissement des exigences du monde extérieur exigé par le surmoi culturel peut sembler se réduire à un pur conformisme, bien différent de l'activité du surmoi véritable. Dès que Freud, dans l'*Introduction au narcissisme,* décrit l'idéalisation de son moi par le sujet, il implique que la soumission aux idéaux de la culture puisse n'être qu'apparente[6]. Cette possibilité, virtuelle dans *Pour introduire le narcissisme,* devient une réalité consternante dans les *Considérations actuelles* avec le déclenchement de la guerre de 1914. Chez la plupart des belligérants, le respect de la morale n'était dû qu'à la crainte du châtiment extérieur[7]. Les exigences de la culture contraignaient beaucoup d'individus à vivre « au-dessus de leurs moyens » . La guerre n'a fait que les ramener à leurs possibilités éthiques réelles[8]. Freud répétera ce constat lucide dans *Malaise*[9], dans *Psychologie collective*[10] et dans *La décomposition de la personnalité psychique*[11]. Rien d'étonnant à cela. Le surmoi, héritier du complexe d'Œdipe, ne s'installe

1. Freud, 1929, p. 62.
2. Guy Laval, p. 126.
3. Paul Denis, discussion du rapport.
4. « Il ne faut pas non plus s'étonner que le relâchement de tous les rapports moraux entre les grandes individualités collectives de l'humanité ait eu une répercussion sur la moralité de l'individu, car notre conscience morale n'est pas le juge inflexible pour lequel la font passer les moralistes, elle est à son origine "angoisse sociale" et rien d'autre » (Freud, 1915 *a,* p. 48).
5. Freud rédige *« Pour introduire le narcissisme »* entre janvier 1914 (Freud à Ferenczi, 444, 3 janvier 1914) et mars 1914 (Freud à Ferenczi, 465, 18 mars 1914).
6. Freud, 1914, p. 98.
7. « ... notre conscience morale n'est pas le juge inflexible pour lequel la font passer les moralistes, elle est à son origine "angoisse sociale" et rien d'autre » (Freud, 1915 *a,* p. 15).
8. *Ibid.,* p. 20.
9. Freud, 1929, p. 62.
10. Freud, 1921, p. 129.
11. Freud, 1933 *c,* p. 86.

dans le moi qu'au terme d'un long développement, qui exige des conditions rarement réunies. Idéalement, il faudrait avoir vécu toute son enfance avec ses deux parents. Il faudrait avoir déployé auprès de chacun d'eux l'ensemble des relations d'objet et des identifications qui constituent le complexe d'Œdipe sous sa forme complète, directe et inversée. Le surmoi est intériorisé quand les conflits entre les investissements érotiques et hostiles des deux parents ont abouti à une identification secondaire à chacun d'eux. La simple identification au rival du même sexe ne suffit pas[1].

Le moi idéal

Aujourd'hui, la plupart des analystes de langue française s'accordent pour associer ce surmoi postœdipien à l'idéal du moi*. Pour Marty, comme pour Misès, l'idéal du moi fait référence à l'objet. Il est par conséquent compatible avec l'action du surmoi et l'activité du préconscient[2]. C'est une formation secondaire, tardive[3]. Il est adapté à la réalité (Misès, Rosolato)[4]. Ce couple surmoi/idéal du moi évolué s'oppose point par point au moi idéal. Le moi idéal est un état de conformisme, dans lequel le sujet se soumet à ce que son entreprise, son parti, ou son église exigent de lui, sans éprouver ni ambivalence, ni culpabilité par rapport à autrui. Selon Lagache[5], « l'attribut essentiel... du moi idéal... est la toute-puissance magique, source durable d'exigences exorbitantes, non seulement envers les autres, mais envers soi-même ». Pour le moi idéal, l'autre n'existe pas, et par conséquent tout se passe comme si le surmoi n'existait pas. Green définit le moi idéal comme un « moi qui tient le plaisir et la satisfaction pour valeurs absolues »[6]. Le moi idéal ressemble beaucoup au « moi-plaisir-purifié » dont Freud, dans les *Deux principes du fonctionnement mental*[7], postule l'existence au début de la vie. Conséquence très importante, pour Marty, le « Moi-Idéal de toute-puissance » peut aller de pair avec « l'insuffisance fonctionnelle... ou la disparition de l'organisation préconsciente[8] ». Le moi idéal est « massif, omnipotent et inconscient »

1. Freud, 1923, p. 245.
2. Marty, 1980 p. 26 ; Misès, 1990, p. 25.
3. *Ibid.*
4. Rosolato, 1976 ; Misès, 1990, p. 25.
5. Lagache, 1960, p. 154.
6. Green, 1983, p. 281.
7. Freud, 1915 *b*.
8. Marty, 1980, p. 80-84.

* De nombreuses divergences existent sur l'emploi des majuscules et des tirets dans la graphie des notions de « moi idéal » et « d'idéal du moi ». Dans ce texte, j'ai respecté les différents choix des auteurs que j'ai cités, mais je n'ai employé personnellement ni tirets, ni majuscules.

(Rosolato)[1]. Il « vient combler le vide consécutif au sevrage fauteur de la dépression primitive. Cette identification mégalomaniaque... [si elle persiste] sera la mégalomanie du psychotique et du maniaco-dépressif » (Pasche)[2]. Quelques auteurs, comme François Duparc et Cléopâtre Athanassiou, suivant en cela une conception de Grunberger concernant les formes archaïques de l'Idéal du Moi[3], concèdent au moi idéal de laisser subsister quelque activité du surmoi, mais il ne s'agit alors que d'un surmoi précoce. Duparc couple le moi idéal avec ce surmoi archaïque[4]. Cléopâtre Athanassiou attribue au moi idéal lui-même une « valeur surmoïque »[5], comme le faisait déjà Lagache[6].

Le surmoi culturel semble bien produire un tel moi idéal. Si par ailleurs, nous abandonnons l'idée du meurtre du père de la horde primitive, qui justifiait son insertion dans la culture, le surmoi culturel ressemblerait assez au couteau sans lame auquel on a enlevé le manche, dont parle Lichtenberg : ça ne serait pas un surmoi, et il ne serait pas culturel !

Dès lors, d'ailleurs, l'énigme du narcissisme des petites différences se résoudrait facilement. Dans une foule, ceux qui se laissent contaminer par la violence meurtrière sont ceux dont le surmoi était insuffisamment développé ou absent. Les sujets dont le surmoi a atteint son plein épanouissement sauront résister à la contamination collective. Ceux qu'emporte le groupe vivaient « au-dessus de leurs moyens éthiques »[7]. Ils feignaient de se soumettre aux exigences du monde extérieur, mais en secret, ils se soustrayaient à elles, et en transgressaient les interdits.

Métapsychologie du surmoi culturel

En somme, il y aurait deux ordres d'individus. Les uns auraient un surmoi, et seraient capables de résister victorieusement aux pressions de leur milieu culturel. Les autres n'auraient qu'un moi idéal, et seraient dépendants des exigences du monde extérieur. Mais deux ordres de faits cliniques nous montrent que cette différence n'est qu'apparente :

1 / Le surmoi se construit entièrement à partir du monde extérieur, par introjection d'abord des objets œdipiens, puis par une série indéfinie

1. Rosolato, 1976, p. 15.
2. Pasche, 1993, p. 9.
3. Grunberger, 1973.
4. Duparc, 1997.
5. Athanassiou, 1995, p. 9.
6. Lagache, 1962, p. 303.
7. Freud, 1915 *a*, p. 11 : « Au sein de chacune de ces nations avaient été établies, pour l'individu, des normes morales élevées, auxquelles il devait se conformer dans la conduite de sa vie, s'il voulait trouver sa place dans la communauté civilisée. Ces préceptes d'une rigueur souvent excessive exigeaient beaucoup de lui, un grand effort de limitation de soi-même et un large renoncement à la satisfaction pulsionnelle. »

d'identifications secondaires à des objets investis puis perdus. Chacun de ces objets impose au sujet des idéaux qui vont s'intégrer à son idéal du moi, et auxquels son surmoi va l'obliger à satisfaire.

2 / À l'inverse, le surmoi, une fois établi, peut régresser et disparaître dans nombre de conditions cliniques, comme l'état amoureux[1] et certaines situations de groupe. L'homme ordinaire, incapable de s'opposer aux exigences d'un meneur pervers, peut alors commettre des actes de violence qu'il aurait réprouvés en d'autres circonstances. C'est déjà ce qu'indique le chapitre VII de *Psychologie des foules et analyse du moi,* sur l'identification, qui introduit une vision nouvelle et inquiétante des relations du surmoi au collectif. Dans une foule, chaque individu substitue à son idéal du moi celui du meneur[2]. Même ceux qui ont un surmoi véritable peuvent devenir dépendants par rapport à un leader, qui peut lui assigner ses propres objectifs[3] ! L'histoire du XXe siècle a multiplié les exemples de peuples qui ont pris comme idéal du moi des leaders psychopathes. Les pires violences ont alors été commises sans soulever d'opposition, à l'exception de celle de quelques « justes ». Que penser des individus à la conscience morale élevée qui acceptent une idéologie abjecte et la servent pendant des années avec zèle, exactitude et subordination[4] ? Les régiments de police qui ont tué à bout portant des centaines d'hommes, de femmes et d'enfants juifs chaque jour, dans les pays de l'Est occupés par l'Armée allemande en 1941 et 1942 étaient composés de réservistes. Browning[5], qui les a étudiés, a montré que ce n'était, pour la plupart, ni des pervers sadiques, ni des psychopathes, ni d'ailleurs non plus des nazis convaincus. L'idéal du moi de ces « hommes ordinaires » semble bien avoir abdiqué devant l'idéal nazi.

Devrait-on s'en tenir à ne parler que d' « idéaux culturels » et non de « surmoi culturel », comme l'a proposé Michèle Perron ? Cela serait justifié si l'on pouvait séparer les idéaux du surmoi. Mais les idéaux ne tirent leur force contraignante que de leur investissement inconscient, qui implique le surmoi. Nous sommes donc contraints d'examiner la façon dont, comme l'écrit Freud, s'opère au cours de la vie d'un individu la « transposition de la contrainte externe en contrainte interne »[6], ou, si l'on préfère, comment les exigences du

1. « Dans l'aveuglement de l'amour, on devient criminel sans remords » (Freud, 1921, p. 178).
2. Freud, 1921, p. 178-181.
3. Freud, 1921, p. 198.
4. Arendt, 1966.
5. Browning, 1992.
6. « Au cours de la vie d'un individu s'opère une constante transposition de la contrainte externe en contrainte interne... On peut finalement admettre que toute contrainte interne, qui se fait sentir dans le développement de l'homme, n'était à l'origine, c'est-à-dire au cours de l'histoire de l'humanité, qu'une contrainte externe » (Freud, 1915 *a,* p. 48).

monde extérieur se trouvent investies inconsciemment, ou encore de tenter une description métapsychologique du surmoi culturel.

Au point de vue dynamique, Freud fait d'emblée de l'idéal du moi une formation collective : « L'idéal du moi est commun à une famille, une classe, une nation. »[1] Plus tard, dans *Le Moi et le Ça,* le surmoi se construit sur le modèle des parents, mais aussi sur celui des éducateurs, des maîtres, et des modèles idéaux[2]. De même que l'idéal est celui de tout un groupe, de même les objets à partir desquels le surmoi se construit par identification secondaire sont forcément multiples[3]. Il devient ainsi de plus en plus « impersonnel »[4]. Nous participons toujours à des groupes nombreux, simultanément et successivement[5]. Si on admet avec Freud qu'un couple d'amoureux est une foule à deux, il faut ajouter aux groupes les couples successifs que nous avons formés et quittés. Chacun laisse derrière lui des modifications successives du caractère[6]. À chacun de ces traits de caractère correspond un idéal qui enrichit l'idéal du moi. Quoique parfois minuscules, ces idéaux commandent des prescriptions. Le sujet doit s'y soumettre. Parfois on peut rattacher une prescription particulière à un objet perdu déterminé qui fait désormais partie du surmoi. *Identification d'une femme,* film de Michel-Angelo Antonioni, commence par le retour chez lui du héros. Il franchit sa porte en rampant. Une voix *off* explique : « Il s'était séparé de sa femme, mais il avait conservé l'alarme qu'elle avait mise à la porte de leur appartement, et en avait perdu la clé. » Cet épisode cocasse introduit à l'énigme beaucoup plus inquiétante qui donne son nom au film. Dans *Baisers volés* de François Truffaut, c'est à la fin du film que l'héroïne dit au héros : « Je vais t'apprendre quelque chose que tu n'oublieras plus jamais : il suffit de mettre deux biscottes l'une sur l'autre pour qu'elles ne se brisent pas quand on les tartine. » Un tiers psychologue peut d'ailleurs tirer parti de ces changements de caractère pour les exploiter à son profit. Le narrateur de *À la recherche du temps perdu* respecte scrupuleusement le tabou de la virginité. Il comprend avec soulagement qu'Albertine

1. Freud, 1914, p. 105.
2. Freud, 1923 *a,* p. 249.
3. « Ce qui avait incité le sujet à se former l'idéal du moi dont la garde est remise à la conscience morale, c'était justement l'influence critique des parents telle qu'elle se transmet par leur voix ; dans le cours des temps sont venus s'y adjoindre les éducateurs, les professeurs et la troupe innombrable et indéfinie de toutes les autres personnes du milieu ambiant (les autres, l'opinion publique) » (*ibid.,* p. 100).
4. Freud, 1933 *c,* p. 90.
5. « Chaque individu pris isolément participe donc de plusieurs âmes des foules, âme de sa race, de sa classe, de sa communauté de foi, de son État, etc., et peut par surcroît accéder à une parcelle d'autonomie et d'originalité » (Freud, 1921, p. 198).
6. « Chez des femmes qui ont eu de nombreuses expériences amoureuses, on a l'impression de pouvoir facilement retrouver dans leurs traits de caractère les restes de leur investissement d'objet » (Freud, 1923, p. 242).

n'est plus vierge parce que son langage a changé. Il en profite pour passer à l'acte : « Dès les mots “à mon sens”, j'attirai Albertine, et à “j'estime”, je l'assis sur mon lit. »[1] Le surmoi se construit par identification aux parents, puis aux divers meneurs des groupes que rencontre le sujet. L'idéal du moi est constitué de l'agglomération des idéaux de tous ces objets. L'idéal du moi est donc composé d'idéaux multiples. En apparence, il est unifié et garantit l'identité du sujet. En réalité ces idéaux sont contradictoires, et, comme le dit Freud[2], la bataille fait rage entre eux.

Au point de vue économique, dans « Le problème économique du masochisme », Freud écrit que le plaisir masochique inconscient du moi dans le masochisme moral peut aussi bien venir « du surmoi que de l'extérieur, des puissances parentales »[3]. Le surmoi proprement dit et les exigences de la civilisation sont donc placés sur le même plan en ce qui concerne la libido objectale. Au contraire, l'économie du narcissisme semble permettre d'opposer nettement le monde extérieur et le surmoi. Dans *Moïse et le monothéisme,* Freud remarque en effet que renoncer aux pulsions sous l'effet des exigences du monde extérieur ne procure que du déplaisir, tandis que la soumission au surmoi entraîne non seulement du déplaisir, mais aussi un plaisir narcissique[4]. Mais il ajoute un peu plus loin[5] que le peuple juif a tiré un sentiment de fierté extraordinaire de sa soumission au monothéisme.

Au point de vue topique, le processus d'intériorisation du surmoi décrit par Freud, dans « Le Moi et le Ça » situe aussi avec précision le surmoi et les exigences du monde extérieur. Le surmoi est le mandataire du ça[6], tandis que c'est le moi qui est le mandataire du monde extérieur[7]. Toutefois, il s'agit là des pressions du monde extérieur contemporain, actuel. Les exigen-

1. *Du côté de Guermantes*, p. 356.

2. Freud, 1923, p. 252 : « Le combat qui avait fait rage dans les couches profondes, et qui n'avait pu être mené à son terme par une rapide identification et sublimation, se poursuit maintenant, comme la bataille contre les Huns peinte par Kaulbach, dans une région supérieure. »

3. Freud, 1924, p. 296. Et p. 297 : « Le retournement du sadisme contre la personne propre se produit régulièrement lors de la *répression culturelle des pulsions* qui retient une grande partie des composantes pulsionnelles destructrices de s'exercer dans la vie. »

4. Freud, 1939, p. 216 : « Le moi se sent élevé, il s'enorgueillit, et il acquiert l'amour du surmoi – qu'il ressent comme fierté. »

5. Freud, 1939, p. 240 : « Dans une nouvelle ivresse d'ascèse morale, on s'imposa toujours de nouveaux renoncements aux pulsions et on atteignit ainsi, à tout le moins dans la doctrine et les prescriptions, des hauteurs éthiques qui étaient restées inaccessibles aux autres peuples antiques. »

6. L'identification secondaire aux objets œdipiens perdus remplace de la libido d'objet par de la libido narcissique. Elle est à l'origine du narcissisme secondaire. Elle implique une désexualisation et donc une défusion des pulsions. Tandis que la libido objectale redevient narcissique, la pulsion de mort est libérée, et fusionnée secondairement avec de la libido, expliquant le sadisme du surmoi (Freud, 1923, p. 243). Dans la mélancolie, le surmoi est tellement le représentant du ça, que « ce qui y régne, c'est une pure culture de la pulsion de mort » (*ibid.*, p. 247).

7. *Ibid.,* p. 249 : « Le Moi est essentiellement représentant du monde extérieur, de la réalité. »

ces du monde d'hier s'inscrivent, elles, dans le surmoi, à partir du ça. En effet, dans *Malaise,* Freud précise que le surmoi se construit par identification non pas aux parents, comme il l'avait d'abord écrit dans *Le Moi et le Ça,* mais au surmoi de ceux-ci[1]. Il est porteur de tout l'héritage phylogénétique, et donc de toute la culture du passé. Cette partie du surmoi culturel, qui soutient les idéaux du passé est inscrite dans le ça, où sont emmagasinées pour Freud les traces mnésiques phylogénétiques des expériences vécues par les générations précédentes, à commencer par celles du meurtre du père de la horde primitive[2]. Ceci pose le problème de la transmission phylogénétique[3] de l'idéal. Comme l'écrit Jean-Luc Donnet, dans sa *Monographie sur le Surmoi,* « il n'y a guère de Surmoi individuel », mais plutôt un « Surmoi-germen »[4]. Le surmoi a une « dimension concrètement sociale »[5]. On pourra trouver ces spéculations métapsychologiques abstraites et fort éloignées de la clinique. Je voudrais montrer qu'elles s'appliquent concrètement à la cure.

III – LE SURMOI CULTUREL DANS LA CURE

Dans toute analyse, le surmoi collectif se présente nécessairement sous la forme des inévitables différences culturelles[6] qui séparent le patient de son analyste. Dans le cas d'Arnaud, ces différences sont nombreuses. Arnaud est venu d'un autre continent à la fin de son adolescence. Son éducation a brassé plusieurs cultures, plusieurs langues, plusieurs religions. L'élaboration de son surmoi a en grande partie reposé sur les apports de l'école, puis de la religion. Il a très tôt constitué, à partir de l'image idéalisée de son père, décédé quand Arnaud avait 5 ans, un idéal du moi auquel il s'efforçait de ressembler.

Six ans plus tôt, Arnaud m'avait consulté avec une demande ambiguë. À la suite d'un conflit conjugal grave, il n'avait évité le divorce qu'en promettant de faire une analyse. Mais cette demande forcée ne l'était qu'en apparence. Arnaud voulait aussi faire une analyse pour comprendre le sens de ce qui lui

1. Freud, 1929, p. 13, voir aussi 1933 *c,* p. 93-94.
2. Freud, 1923 *a,* p. 250.
3. Freud, 1923 *a,* p. 251 : « Il semble que les expériences vécues du moi se perdent tout d'abord pour le patrimoine héréditaire, mais que si elles se répètent avec une fréquence et une force suffisante de génération en génération, elles se transposent, pour ainsi dire, en expériences vécues du ça, dont les empreintes sont maintenues par hérédité. »
4. Donnet, 1995, p. 40.
5. *Ibid.,* p. 39.
6. M. Gibeault et J.-Fr. Rabain, 1993.

arrivait et qui brisait sa vie. Il ne songeait pas à se plaindre d'une inhibition intellectuelle relative, responsable d'un échec universitaire, puis professionnel, qui venait de lui faire perdre son poste.

Politesse orientale et interdit de penser

Arnaud fait partie des patients qui préparent leurs séances. Il vient chaque fois avec un ordre du jour précis. Toutefois il a souvent le plus grand mal à aborder les sujets auxquels il a pensé. Au début de la cure, la séance entière pouvait se passer sans que j'aie pu me faire la moindre idée de ce dont il était question. Quand je devinais très vaguement ce à quoi il faisait allusion, il me semblait que c'était comme si le référent de son discours avait été placé à une si grande distance que je ne pouvais en distinguer les détails. Quand j'ai attiré l'attention d'Arnaud sur cette difficulté, il en a volontiers convenu. Il connaissait bien l'origine de ce style allusif. Dans le pays d'où il vient, c'est une coutume généralement observée de ne pas dire les choses directement, mais de toujours prendre des détours.

Au bout de quelques mois, Arnaud me fait part d'une rêverie diurne. Il aime à s'imaginer comme un oiseau qui planerait à une haute altitude au-dessus du paysage, et n'en verrait que les grandes lignes sans trop entrer dans les détails. Ses associations montrent qu'il s'identifie ainsi à un père qui serait au ciel là-haut, et qui, comme on le lui avait appris quand il était enfant, verrait tout ce qu'il fait. Dans sa rêverie, il maintient ce père omniscient à une distance suffisante pour qu'il ne voie pas tout. En s'exprimant d'une manière floue, Arnaud me place à mon tour à une distance considérable de la scène qu'il souhaite me décrire. Malgré le savoir analytique qu'il me prête, j'ai le plus grand mal à comprendre de quoi il me parle. Le lent développement de l'analyse nous a montré que l'inhibition intellectuelle, d'abord présentée comme une particularité culturelle, provenait de son identification à un père omniscient rendu secondairement inhibé intellectuellement. Peu à peu, l'interprétation de cette répétition dans le transfert a produit une perlaboration de la politesse orientale, et une transformation de la signification du style allusif d'Arnaud. Aujourd'hui, il a encore du mal à en venir directement à ce qu'il veut exprimer, mais son discours est davantage de style obsessionnel. Des digressions successives l'écartent sans cesse du but de son discours. Il semble avoir peur de détruire son objet en l'atteignant. Tout se passe comme si il en était écarté par une force invisible, celle de son surmoi, quand il s'en approche. Arnaud fait d'ailleurs allusion à des idées obsédantes et à des rituels. Les uns et les autres ne semblent pas l'incommoder beaucoup. Peut-être sont-ils apparus en cours d'analyse. Peut-être ont-ils toujours existé, sans avoir attiré l'attention d'Arnaud jusque-là. Il m'est devenu plus facile de faire des rapprochements et des liens interprétatifs depuis qu'Arnaud s'adresse plus explicitement à moi. Inversement, le travail interprétatif lui a permis d'atteindre son but plus directement. L'extrême difficulté où il me mettait en me perdant dans les méandres de son discours reflète un sadisme qui s'exprime sous une forme déplacée et sublimée.

Moi idéal et surmoi

Pendant toute la première partie de la cure, rien dans le discours d'Arnaud ne semble signaler une activité surmoïque. Son discours est allusif et imprécis, mais sans hésitation ni silence, ni survenue d'une idée inattendue. Seuls les récits de rêves témoignent de l'existence d'une conflictualité psychique, mais, au début, les associations sont rares. Des récits de la vie quotidienne d'Arnaud et de ses souvenirs se dégage une adhésion précoce et inconditionnelle à l'image d'un père idéalisé qui veille sur lui du haut du ciel. À l'adolescence, plusieurs figures religieuses successives actuelles s'ajoutent à cette image. Arnaud leur ressemble parfaitement par ses convictions, ses conduites, et son apparence physique. Comme elles, il a occupé rapidement une place de meneur dans les communautés dont il a fait partie, s'imposant par son dévouement, son charisme et sa générosité. L'absence de prise en considération de la réalité de la signification psychique de la différence entre les sexes, ce qui est une façon exacte, mais lourde, de parler du déni de la castration, répond pour une grande part des échecs universitaire et professionnel d'Arnaud, sans qu'on puisse parler d'un masochisme moral ni de conduite d'échec. Arnaud s'est au contraire remarquablement adapté aux circonstances difficiles qu'il a rencontrées au cours de sa vie.

Arnaud illustre bien la différence tranchée que l'on peut faire entre les exigences du monde extérieur et le surmoi proprement dit : il s'est soumis à la perfection aux exigences du monde extérieur, et a construit un moi idéal étouffant. Tout se passe comme s'il n'avait pas de surmoi. Cependant cette manière de décrire les choses ne me semble pas lui rendre justice, ni m'aider à comprendre ce qui lui est arrivé. Tout d'abord, il me semble difficile de dire qu'Arnaud s'est construit un « moi idéal » sans m'intéresser à l'idéal qu'il a donné à son moi : le père idéalisé. Cette image lui a été fournie par les groupes successifs qui l'ont hébergée, mais elle lui a d'abord été désignée par sa mère, qui, après la mort du père, a brossé de lui le portrait d'un homme irréprochable, en effaçant du tableau des griefs sérieux qu'elle avait contre lui et dont Arnaud retrouvera le souvenir au cours de la cure. Arnaud a fait en sorte de se persuader lui-même qu'il était identifié à cette image idéalisée, et pour s'en persuader, l'assentiment du groupe familial, puis celui du groupe des pairs lui a été indispensable. Difficile donc de parler de « moi idéal » sans parler en même temps d'un « idéal du moi ». Mais de plus, il me semble difficile d'expliquer la compulsion qui pousse Arnaud à se présenter comme identifié à son idéal du moi sans faire l'hypothèse de l'existence d'un surmoi inconscient qui le contraint à cette mise en scène. Certes, en retour, ce surmoi inconscient est réduit au silence par la réussite du moi idéal, mais la notion même d' « idéal » implique par définition la possibilité, au moins théorique, d'un surmoi.

Le surmoi qui s'est progressivement manifesté dans la cure était un surmoi d'un grand sadisme, et qui, à bien des points de vue ressemble au surmoi kleinien précoce. Mais il existe une continuité entre les premières manifestations du surmoi et ses manifestations les plus évoluées. L'interprétation des conflits liés à ces manifestations du surmoi dans le transfert ont aidé Arnaud à prendre conscience de la dimension masochiste de beaucoup de ses conduites. À mesure que l'analyse progresse, l'interdit de penser se lève. Arnaud a repris des études universitaires et les a menées à terme. Il a aussi commencé à s'interroger sur l'histoire de sa famille.

Différences culturelles

En venant en France à l'adolescence, Arnaud s'est facilement et complètement intégré à sa nouvelle patrie. Les premières années de l'émigration ont été très dures quoique facilitées par le soutien de la communauté. Jusqu'au début de l'analyse, il n'est jamais rentré dans son pays. Il s'exprime dans un français impeccable. Il est exceptionnel que des mots de la langue de son pays lui reviennent à certains moments chauds de la cure, comme c'est le cas pour d'autres patients dont le français n'est pas la langue maternelle. D'ailleurs, il est difficile de définir la langue « maternelle » d'Arnaud. Sa mère lui a parlé dans un mélange de trois langues, dont aucune n'est celle dans laquelle sa propre mère lui parlait quand elle était enfant. La première était la langue de son mari, la seconde celle du pays, et la troisième était le français. Le père et la mère d'Arnaud ont été élevés dans deux langues différentes, celles de deux communautés, qui après une période de coexistence de plusieurs siècles, sont entrées en conflit l'une avec l'autre. La guerre s'est terminée par l'écrasement de la communauté à laquelle appartenait le père. Encore adolescent, celui-ci a dû fuir la grande ville où ses parents s'étaient établis et avaient prospéré.

Ceux-ci, comme la totalité des habitants, ont dû se réfugier à l'étranger, après avoir tout perdu. La ville a été incendiée, puis reconstruite et repeuplée par la communauté à laquelle appartenait la mère. Cet antagonisme, qui aurait pu être la source d'un conflit insurmontable entre les idéaux d'Arnaud, n'était heureusement que superficiel. Les parents d'Arnaud savaient tous deux qu'en réalité leurs ancêtres viennent d'une autre ville d'Orient, et appartiennent à la même minorité ethnique. Depuis des siècles, cette minorité est tantôt tolérée et bien intégrée, tantôt persécutée par la majorité, de religion différente. Vers la fin du XIXe siècle, les aïeux d'Arnaud ont émigré, peut-être pour des raisons économiques, peut-être parce qu'ils étaient persécutés. Comme les ancêtres paternels et maternels ne se sont pas installés dans la même ville, ils ne se sont pas intégrés à la même communauté, et quelques dizaines d'années plus tard, les caprices de l'épuration ethnique les ont placés de part et d'autre de la barrière. De toute façon, le conflit s'est terminé par l'expulsion de tous les étrangers. Les grands-parents maternels d'Arnaud se sont réfugiés dans la même grande ville d'un autre pays d'Orient que ses grands-parents paternels. Ses parents s'y sont rencontrés, et Arnaud y est né. Dans cette ville, chaque famille gardait ses relations avec sa communauté d'origine. La mère d'Arnaud, tout en restant attachée à la religion familiale, fréquentait indifféremment tous les temples des religions pratiquées localement.

Les souvenirs retrouvés d'Arnaud ne vont pas au-delà des deux générations précédentes. Il a souvent accompagné son père dans les institutions de sa communauté. Il a quelques images des visites que faisaient à sa grand-mère maternelle les membres de la communauté adverse. Au cours de l'analyse, il est retourné dans son pays, et dans d'autres régions où ses ancêtres ont vécu. Il a visité la ville d'où son père s'est enfui pendant la catastrophe, et celle où sa mère a été élevée. Ce mouvement d'intérêt pour sa préhistoire personnelle semble avoir été la conséquence progressive de la levée du déni de réalité qui touchait sa vie fantasmatique. Son enquête historique l'a conduit bien plus loin dans le passé que ses souvenirs personnels. Il a découvert avec étonnement que son arrière-grand-mère maternelle venait d'une tout autre civilisation d'Orient, qu'elle parlait une autre langue, pratiquait une autre religion, avait subi les aléas d'une autre Histoire. Cette arrière-grand-mère maternelle s'est totalement assimilée à la culture de son mari quand elle l'a épousé, et n'a rien transmis à Arnaud de son passé. Apparemment, ce blanc dans son histoire familiale n'a joué aucun rôle dans le surmoi culturel d'Arnaud. De même, comme les grands-parents d'Arnaud, victimes du terrible conflit qui a opposé leurs communautés respectives, n'y ont pas été eux-mêmes partie prenante, ils n'ont pas repris à leur compte cet antagonisme. Ils ont donc apporté chacun à Arnaud leurs lots de coutumes et d'expressions différentes, sans qu'adopter les uns soit forcément trahir les autres. De même encore, le détail des discussions théologiques qui avaient causé de terribles guerres de religion dans son pays ne troublait en rien la foi d'Arnaud.

L'Histoire ne redouble pas forcément de son lot de dénis de réalité ceux qui encombrent une histoire personnelle. Quand deux idéaux d'Arnaud se contredisent dans le domaine des techniques du corps, ou dans le domaine religieux, il abandonne facilement l'un des deux. L'idéal du moi d'Arnaud lui interdit de poser des questions risquant de mettre en question l'idéalisation de ses parents. Mais le conflit qui a opposé les communautés d'origine de ses deux parents n'a pas à être dénié.

Le surmoi culturel analytique

Parmi les figures qui peuvent faire partie du surmoi culturel d'un sujet, l'analyste occupe une place particulière. Neutre, ne donnant jamais de conseils, mais seulement des interprétations, invisible et souvent silencieux, l'analyste fait tout pour ne pas être un guide, un maître ou un modèle pour son patient. Cependant, dans la « foule à deux » que constitue le couple analytique, et qui ressemble à ce point de vue au couple amoureux, le patient prend un risque considérable, dont la prévention constitue l'éthique analytique. L'influence de l'analyste sur le patient reste un élément déterminant du processus analytique. C'est elle qui transforme l' « avoir-entendu » en « avoir-vécu » et qui tromphe de la seconde censure[1]. C'est aussi elle qui vient à bout des résistances[2]. C'est pourquoi on peut dire « avec raison que le traitement psychanalytique est une sorte de *postéducation* »[3]. Les préjugés et les idéaux de l'analyste risquent constamment d'infiltrer ses interprétations et ses constructions[4], tout autant que son silence, et de devenir des idéaux auxquels le patient doit s'efforcer de satisfaire. Le surmoi culturel analytique précède le début de la cure, qui n'aurait pas lieu sans lui : comme le fait remarquer Jean-Luc Donnet, jamais un patient n'irait accepter de s'allonger sur un divan et de dire tout ce qui lui vient à l'esprit si l'analyse ne faisait pas partie du surmoi culturel contemporain. Le surmoi culturel constitue « le cadre du cadre »[5]. De son côté, l'analyste est lui aussi soumis, non seulement au surmoi culturel global,

1. Freud, 1915 *b-c,* p. 215 à 232.
2. Freud, 1916, p. 477-478.
3. Freud, 1916, p. 483.
4. Freud, 1937.
5. Donnet, 1998.

mais aussi à un surmoi culturel analytique spécifique. Chaque fois qu'il choisit de parler ou de se taire, il est influencé par le poids de ses lectures, des conférences qu'il a entendues, des séminaires auxquels il a participé, des cas qu'il a fait superviser, et des interventions de ses propres analystes. D'un pays à l'autre, d'une époque à l'autre, les données matérielles du cadre varient sensiblement, en fonction du surmoi culturel. Jean Favreau racontait qu'il y a quarante ans, un analyste français renommé n'avait pas hésité à interrompre une cure parce que le patient lui avait demandé un reçu de son paiement. Aujourd'hui, aux États-Unis, la rédaction du *bill* est une partie intégrante du cadre et ses modalités sont ritualisées.

Insight ou endoctrinement ?

À la première séance qui suit des vacances de printemps, Arnaud m'annonce qu'il veut me faire part de deux choses : un événement qui c'est passé pendant les vacances, et quelque chose qu'il a compris sur lui-même. L'événement, au récit duquel il ne parvient pas tout de suite, c'est qu'il a rencontré une femme qui lui a beaucoup plu. Cette femme était chez des amis, dans la maison desquels il a fait étape. Il voyageait avec ses enfants, mais sans sa femme. Cette femme l'a tant attiré qu'il a cru un moment qu'ils allaient passer la nuit ensemble. Ça n'a pas été le cas. Il en vient ensuite au deuxième point : ce qu'il a découvert. Il a compris que ce qui l'avait attiré chez cette jeune femme, c'est, qu'à un certain moment, elle a été ironique avec lui, et assez blessante. Bien que la moquerie ait été passagère, il s'est demandé si ce n'était pas précisément parce que cette femme avait été désagréable qu'il avait été attiré par elle. Il se demande si une certaine dose de méchanceté de la part de l'autre n'est pas une condition nécessaire de son désir. Ceci expliquerait pourquoi il n'a aucun problème relationnel avec les hommes, dont il a subi tant d'humiliations, alors qu'il a tant de mal à être attiré par les femmes, qui souvent, sont amoureuses de lui et l'idéalisent.

Arnaud reprend à son compte, comme quelque chose qu'il semble découvrir, un point que nous avons abordé sous de multiples angles depuis plusieurs mois. Le mouvement du transfert ces derniers mois nous a fait explorer plus précisément la dimension masochique de son désir. Il n'est pas exceptionnel qu'un nouvel *insight* s'accompagne d'un déni du travail analytique fait les mois précédents. C'est tout juste si le patient ne reproche pas à l'analyste de ne pas lui avoir parlé plus tôt d'un aspect de sa vie psychique que l'analyste a l'impression d'examiner sous tous ses angles depuis des mois ou des années. À chaque fois, on peut se demander si la perlaboration est enfin parvenue à son terme – ou si on a endoctriné le patient. Certes, Arnaud a changé. Mais cette amélioration symptomatique peut être mise au compte de mon influence sur le patient, et ne prouve donc rien quant à l'authenticité de son *insight.* Dans un tel dilemme, écrit Freud, c'est la suite du discours du patient qui permet de trancher[1].

Les séances suivantes

À la séance suivante, Arnaud parle du mariage religieux d'un ami. Cette cérémonie a déclenché en lui une frénésie auto-érotique nocturne. Il a passé sa nuit à rêver qu'il faisait l'amour et à se masturber. Je lui rappelle un cri du cœur qu'il a eu, quand je m'étais étonné qu'il n'ait jamais vu de contradiction entre sa foi et son auto-érotisme. Il s'était écrié : « Mais je me suis dit : "Dieu, tu m'as fait comme ça, maintenant, tu te démerdes !" » Est-ce que la profanation ne fait pas partie de son plaisir ?

[Quand j'avais relevé la discordance entre sa foi et son auto-érotisme, Arnaud avait d'abord été surpris. Sa vie privée n'avait rien à voir avec la religion. Ce n'est que dans un deuxième temps, qu'il a ainsi insulté Dieu. Quand le souvenir de son cri du cœur me revient, je pense en même temps qu'il se pourrait que le clivage entre sa foi et sa sexualité ne soit pas aussi total qu'il me l'a d'abord présenté, mais qu'il tire sa jouissance du fait même d'insulter un Dieu auquel il croit. Derrière cette profanation s'adresserait une agression contre son père, « au ciel là-haut », et qui aurait pour effet de maintenir celui-ci vivant.

Mon intervention est soutenue par des souvenirs de lecture, qui font partie de mon surmoi culturel : l'*Homme aux rats* insultant son père mort, Lacan sur la névrose obsessionnelle, dans le *Séminaire sur la relation d'objet.*]

À la séance suivante, il revient sur sa peur obsédante d'être surpris dans le cabinet de toilette ou dans son cabinet de travail, « alors qu'il ne fait rien de mal ». Autrefois, c'est là qu'il se masturbait. Mais il ne le fait plus. C'est comme un réflexe conditionné qui lie les cabinets à la masturbation. Je dis : « C'est un lieu consacré ! »

[Toujours sur la lancée de mon intérêt pour la valeur érotique du sacrilège, je ne fais pas attention au fait que je le reçois dans un « cabinet » de consultation, et que j'ai pris par mon intervention précédente la position d'un personnage qui se souvient de tout, et qui voit tout.]

Une semaine plus tard, il rêve qu'il est dans une salle d'attente. Il y a là une femme d'un certain âge. Entre dans la pièce un homme plus jeune, la

1. Freud, 1937, p. 274.

trentaine, mal rasé. Il s'accroupit aux pieds de la femme, lui écarte les jambes, enfonce son bonnet dans son vagin, le retire, l'examine, et recommence plusieurs fois. Quand la main de la femme, excitée, se dirige vers son vagin, il se réveille.

Je dis : « Une salle d'attente, c'est justement ce que je n'ai pas. »

Il associe sur son sentiment de dispersion. Depuis quelque temps, il se plaint fréquemment que ses idées et ses intérêts intellectuels s'éparpillent, sans qu'il puisse faire un travail suivi. Il n'y a que la lecture de la Bible et la méditation qui lui fassent retrouver un sentiment d'unité.

[Arnaud est beaucoup trop bien élevé pour renverser l'ordre des syllabes du mot « consacré » et me l'adresser. Il est exceptionnel qu'il se permette la moindre critique à mon égard. Il ne m'a jamais reproché mon manque de salle d'attente. Il lui est arrivé une fois de me faire remarquer que mon col de chemise était froissé, ce qui avait entraîné un mouvement transférentiel « éducatif » et séducteur qui l'avait beaucoup embarrassé. Quand je relève qu'il parle de ce qui me manque, il associe sur son sentiment de « dispersion ». L'angoisse de castration se transforme très vite chez lui en angoisse de morcellement. Si je ne suis pas une mère omnisciente et omnipotente, sa pensée et son *self* se transforment en un grouillement inquiétant. D'autres rétablissent en pareil cas leur unité par un acte violent. Arnaud a Dieu – mais pas que Dieu !]

Le lendemain, il revient sur ce sentiment de dispersion. Il y a encore autre chose qui lui redonne un sentiment d'unité, c'est un fantasme érotique. Puis il repense au rêve. La femme d'un certain âge lui fait penser à une cousine de son père, qu'il revoit régulièrement depuis qu'il s'intéresse à l'histoire de sa famille. Il la prend pour la célibataire type, mais elle a été une jeune veuve qui a eu de nombreuses aventures. Elle lui fait aussi penser à la sœur aînée de sa mère, également veuve, qui a eu aussi de nombreux amants, y compris quand elle était grand-mère. Il ajoute que les circuits du désir doivent être complètement séparés dans son cerveau.

Je dis que s'il en était ainsi, les deux personnages du rêve seraient encore plus séparés qu'ils ne le sont déjà par le bonnet, qui est comme un préservatif. Ils sont à la fois intimes et étrangers.

Il associe sur les deux aspects de lui que lui renvoie sa femme. En groupe, elle fait son éloge. Dans l'intimité, elle le méprise et le hait.

[Nous avons très souvent vu que son désir le protégeait contre l'angoisse de morcellement. Il en est convaincu. Est-ce un autre *insight,* ou autre endoctrinement ? Je suis intrigué par le « bonnet ». Il me semble figurer le clivage qui isole les unes des autres les différentes parties de sa personnalité.]

À la séance suivante, il revient sur ses sentiments pour sa femme. Il ne sait plus ce qu'elle pense de lui. Il se sent instrumentalisé. Le personnage du rêve est un instrument. Il disparaît du champ, et la femme met la main sous sa jupe vers son sexe.

[Au lieu de le suivre attentivement, je m'aperçois que je suis en train de penser à un scandale qui fait grand bruit à ce moment. Le préfet de Corse, Bonnet, a été accusé d'avoir fait mettre le feu à des « paillottes »*. Je me sens honteux de ma distraction, et me demande si sa dispersion ne me gagne pas.]

Il a revu sa tante, l'une des deux femmes que lui a évoqué la femme du rêve, quand il est retourné dans son pays il y a quelques années. Tout de suite, elle lui a mis le grappin dessus. Elle l'a pris sous son bras, et a tenté de le faire parler de son cousin. Il a eu un mouvement de recul. Il a habité chez elle quelques jours. Elle infantilise sa fille, sa cousine, qui a pourtant, comme lui, passé la quarantaine, et n'ose pas fumer devant elle. Pourtant, il se sent en dette envers sa tante. Quand il était enfant, elle l'a souvent accueilli en été quand sa mère ne pouvait lui payer des vacances. Mais il a été content de se retrouver seul sur la tombe d'un saint pour lui échapper. Il la compare à sa femme. Sa tante a été très jolie, comme l'est sa femme. Toutes deux l'angoissent. Sa femme l'accuse, alors qu'il va mieux. C'est elle qui est malade. Il ajoute : « Je suis un fusible. »

Je dis : « Je pensais au préfet Bonnet. Lui aussi a instrumentalisé les autres et il a été instrumentalisé lui-même, comme le bonnet de l'homme de votre rêve. »

Il repense aux circonstances initiales de son conflit conjugal, et à la nature spécifique de son sentiment de culpabilité.

[J'ai peut-être été gagné par l'angoisse de castration d'Arnaud, et je me suis « dispersé » au moment où il évoquait l'image érotique du rêve en l'associant au fantasme d'instrumentalisation qu'il va développer ensuite. Le préfet Bonnet s'est laissé séduire par la violence et la corruption qu'il reprochait aux Corses. Finalement, il a fait ce qu'il leur reprochait. Sa défense consiste à dire qu'il a servi de « fusible » au gouvernement. La « culture », si on peut employer ce terme à propos d'un fait divers, me fournit une image de la situation transférentielle contre laquelle je lutte sans m'en rendre compte. Le fait même que j'aie refoulé préconsciemment le « bonnet » de son rêve, quand je me suis mis à penser au préfet Bonnet et à l'incendie des paillottes, m'incite à intervenir au moment où j'y repense. Là aussi des références théoriques sont présentes à l'horizon de mon intervention. D'une part, en ayant recours à une référence culturelle, je ne parle plus du point de vue de Dieu,

* Les « paillottes » étaient des huttes construites illégalement sur les plages de Corse, où on a installé des restaurants très fréquentés par les élus locaux. Le préfet Bonnet avait demandé la destruction de ces paillottes sans y parvenir. Elles ont brûlé mystérieusement.

mais je puise dans un matériel commun, aux valeurs duquel je suis soumis comme mon patient. Le défaut de cette technique, c'est qu'elle met en acte un fantasme contre-transférentiel de séduction : nous suivons ensemble l'actualité, de même qu'une référence à un film ou à un opéra supposés connus du patient implique le fantasme contre-transférentiel de sortir avec lui. C'est d'ailleurs pourquoi assez souvent, les interprétations qui utilisent un matériel culturel se heurtent à une allégation d'ignorance du patient, qui affirme n'avoir jamais entendu parler de l'œuvre à laquelle l'analyste se réfère. D'autre part, j'ai été frappé par la surcondensation des significations auxquelles renvoie le mot « bonnet ». L'emphase mise sur un signifiant, ici « bonnet », a été recommandée par Lacan pour éviter à l'analyste de donner son moi idéal comme idéal au moi du patient. J'aurais pu me contenter de répéter ce mot, mais il me semble que toute technique de ponctuation replace l'analyste dans la position omnipotente que je voudrais éviter. Freud cherchait plutôt à dire à son patient quelque chose qu'il pût comprendre. Mon intervention est placée sous toutes ces influences. Elle est entendue par Arnaud comme émanant d'un personnage surmoïque, peut-être le juge qui a incarcéré le préfet Bonnet, comme il aurait pu être accusé de son auto-érotisme.]

Le patient ne peut pas éviter de faire de son analyste un élément de son surmoi culturel, et l'analyste ne peut éviter d'être soumis au surmoi culturel général et au surmoi culturel analytique. Mais le surmoi culturel n'est pas forcément un obstacle invincible au processus analytique. Dans le cas d'Arnaud, il me semble que ses associations l'ont conduit vers des souvenirs et des sentiments que je n'aurais pas pu prévoir, et qui confirment en partie certaines des hypothèses que j'avais faites. De plus, la projection sur l'analyste de l'*imago* d'une mère à qui rien ne manque, et qui détient le pouvoir de donner un sens, le sien, à chaque mot, doit pouvoir être analysée chez tout patient.

L'incroyable complexité de toute séance d'analyse ne facilite pas la recherche sur l'investissement inconscient des exigences de la civilisation. Celles-ci sont multiples, tant chez le patient que chez l'analyste. Elles viennent à la fois de l'actualité et du passé. Elles proviennent des identifications secondaires aux objets perdus, et de l'identification au surmoi de ceux-ci.

IV – LES EXIGENCES DE LA CIVILISATION ET LA NAISSANCE DU SURMOI

La politesse orientale d'Arnaud ne devient analysable que lorsque j'arrive à la comprendre comme une forme d'organisation obsessionnelle. Comme l'écrivent Dominique Bourdin[1] et Pierre Chauvel[2], si le surmoi est « culturel » par définition, il n'y a rien de plus à en dire que ce qu'on en dit depuis toujours : le surmoi reste le surmoi, indépendamment des différences culturelles. Nous le savons au moins depuis Malinowski, et nous le constatons tous les jours quand nous avons en analyse des patients de culture différente. La question du surmoi culturel se ramène simplement à la façon dont sont investis les idéaux successifs qui sont proposés au sujet, et dont son surmoi le punit s'il s'en écarte. Comme on l'a vu, ces idéaux ont deux sources bien distinctes. Les uns proviennent du monde qui l'entoure présentement, et qu'il adopte par une succession d'identifications secondaires à des objets investis ou perdus. Les autres proviennent des idéaux des générations précédentes, qui lui sont transmis par voie transgénérationnelle, au début de sa vie. Comme le signale Élisabeth Bizouard[3], le problème pratique auquel nous nous trouvons souvent confrontés est de savoir si un individu peut intérioriser un surmoi postœdipien, et non un surmoi archaïque, quand les tragédies vécues par ses parents avant sa naissance ont laissé des traces traumatiques dans son inconscient primaire, alors qu'elles ne lui ont donné que peu d'occasions d'élaborer des identifications secondaires avec eux, et qu'il doit avant tout compter sur des objets extérieurs à sa famille. Ma longue fréquentation des enfants carencés au Centre Georges Amado - Le Coteau de Vitry-sur-Seine m'a conduit à donner une réponse nuancée à cette question :

Kevin a 2 ans 4 mois quand il est placé, en même temps que ses deux frères aînés dans une pouponnière de l'Aide Sociale à l'Enfance. Tous trois se présentent alors comme des « enfants sauvages », totalement inéduqués. Kevin sait marcher, mais ne parle pas, et n'est pas propre, de jour comme de nuit. Jusque-là, il a été élevé principalement par une grand-mère maniaco-dépressive et un oncle considéré comme faible d'esprit. Sa mère, qui a eu trois enfants entre 18 et 23 ans, vit au foyer, mais elle est absorbée par les graves accès maniaques et mélancoliques de sa mère, par les visites à faire au père en prison, et par la nécessité de gagner la vie de toute la famille en travaillant. Kevin a été conçu juste avant le décès du père de la mère, d'artérite des membres inférieurs. L'adolescence de la mère a été marquée par les amputations successives que son père a dû subir, avant de mourir, au moment de la fête de Noël, quand la mère était enceinte de Kevin. Le début de la maladie du grand-père a coïncidé avec les premiers épisodes maniaco-dépressifs de la grand-mère. Les parents de Kevin se sont rencontrés au lycée. Le père était un

1. D. Bourdin, p. 41 : « Le surmoi culturel, c'est le surmoi proprement dit. »
2. P. Chauvel, p. 52 : « Nous avons relativement peu à faire du surmoi culturel en tant qu'expression globale du collectif dans notre domaine qui doit rester celui de l'intime et du secret. »
3. Élisabeth Bizouard, p. 28.

voleur qui a été arrêté à plusieurs reprises pour des vols de plus en plus graves. Les enfants ont été conçus entre deux emprisonnements. La naissance de Kevin coïncide avec le début d'une longue peine d'incarcération pour son père.

L'intervention des services sociaux, indispensable dans cette situation catastrophique, se fait avec une brutalité extrême. Les trois enfants sont emmenés sans avertissement, et la mère ne les retrouve pas quand elle revient du travail. Il faut plus de deux ans pour que l'on trouve des familles d'accueil aux trois enfants. Kevin reste donc à la pouponnière jusqu'à 5 ans. C'est une institution bien organisée, où malgré son agitation et ses colères, il progresse. Il devient propre, apprend à parler, et est même scolarisé à temps partiel. Il a eu le temps de se lier à des puéricultrices qui le décrivent de leur côté comme un enfant attachant malgré sa violence.

L'entrée dans la famille d'accueil coïncide avec un changement d'école maternelle en cours d'année, puisque la famille n'habite pas dans la ville où se trouve le foyer. La perte de ce lien à la pouponnière et à l'école entraîne une recrudescence spectaculaire de sa violence. Kevin est si difficile qu'il est renvoyé de sa nouvelle école au bout de quelques semaines. Les vacances d'été arrivent, et l'assistante maternelle[1] l'emmène dans le club où sa famille va chaque année. Kevin l'y couvre de honte et oblige la famille à écourter son séjour. Il est redevenu énurétique et encoprétique, se griffe le visage et s'arrache les cheveux. Il a aussi une excitation sexuelle frénétique, avec masturbation génitale et anale compulsive, se souille d'excréments et en barbouille les murs. L'assistante maternelle est sur le point de renoncer.

À la rentrée scolaire, il est impossible de remettre Kevin à l'école. Il est admis à l'externat du Centre G.-Amado, qui est une sorte d'hôpital de jour, mais où tous les enfants sont scolarisés avec des enseignants spécialisés dans des classes à petit effectif.

À l'externat, Kevin est violent, cruel et sympathique. La moindre frustration le plonge dans des états de colère prolongés où il faut le contenir physiquement pour éviter qu'il ne fasse du mal aux autres et qu'il ne se blesse. Il ne pleure jamais, et semble insensible à la douleur. Dans les rares moments de calme, il se montre très intelligent, mais pendant longtemps, il est incapable du moindre apprentissage scolaire. Il met la patience de son éducatrice et de son maître à rude épreuve. Pendant plusieurs années, l'équipe fait des efforts importants pour rétablir, puis maintenir le lien de Kevin avec ses frères et sa mère. Mais celle-ci reste une femme fragile, débordée par les difficultés matérielles, et qui expose régulièrement l'enfant à de nouvelles déceptions, en ne

1. Ce terme a remplacé celui de « nourrice ».

venant pas le chercher, où en le ramenant précipitamment quand elle l'a pris en week-end. Quant à son père, il faudra beaucoup de temps pour que nous obtenions de sa mère l'autorisation de parler de lui aux enfants. Elle a rompu tout contact avec lui et nous ne pourrons jamais le rencontrer.

Comme dans le cas d'Arnaud, on pourrait résumer la situation en disant que Kevin a un moi idéal et pas de surmoi. Les idéaux auxquels Kevin doit satisfaire sont bien différents de ceux d'Arnaud : ce ne sont pas la générosité, la foi, le dévouement, mais au contraire la violence et la force physique. Mais le rôle du groupe des pairs est identique : Kevin est le plus petit d'un groupe d'enfants dont beaucoup ont le même idéal de violence que lui. Mais il cherche à se faire reconnaître par le groupe, comme l'enfant le plus fort, plus fort même que les adultes, et très souvent il y parvient. Il n'a évidemment aucune compassion pour autrui, et est incapable de se protéger lui-même. Là encore, il me semble difficile de parler de « moi idéal », sans décrire l'idéal que Kevin a donné à son moi, et que sa mère lui a désigné, non pas en idéalisant son père mais en évitant de lui en parler. Comme beaucoup d'enfants carencés, Kevin s'est donné un idéal grandiose reposant uniquement sur la force physique. Tenter de s'approcher de cet idéal a d'abord pour lui la signification d'un déni des expériences de séparations traumatiques qu'il a vécues : malgré tout cela, il ne souffre de rien et ne manque de rien. Mais en même temps, dans le regard de sa mère, bien qu'elle ne supporte pas sa violence, et souvent le rejette à cause d'elle, il réalise un idéal de complétude narcissique qui dénie la réalité de traumatismes encore plus graves, qu'il n'a pas vécus, et dont il est censé ne rien savoir : la mort du père de la mère pendant la période de Noël qui a précédé sa naissance, l'incarcération de son père, les amputations successives, et la folie de la mère de la mère. Pour la même raison que dans le cas d'Arnaud, il me semble nécessaire d'admettre que même si le surmoi de Kevin ne donne aucun signe d'activité, il n'en existe pas moins puisqu'il exige que le moi s'identifie à son idéal.

Quand je le vois pour la première fois, c'est un enfant qui a un contact familier, et qui se met aussitôt à jouer avec de petits animaux, en mettant en scène des batailles d'animaux sauvages. J'interviens au bout d'un certain temps en dessinant sur une feuille de papier un cercle, censé être une mare à crocodiles. Il me donne le gros crocodile, prend le petit, et me demande de lui apprendre à nager. Malgré quelques incidents, il peut rester dans le cadre du jeu, et plus précisément de la mare que j'ai dessinée pour lui. Assez rapidement, sa mégalomanie l'incite à inverser les rôles, il devient le père, et je suis l'enfant. Nous dévorons de bon appétit divers animaux, dont des vaches. Il peut mettre fin sans trop de difficulté au jeu et à l'entretien quand je le lui demande.

Dans l'entretien suivant, un mois plus tard (il s'agit de consultations thérapeutiques et non d'une psychothérapie), Kevin reproduit le même jeu. Il a établi une continuité psychique par rapport à moi. La seule modification est que, dans le jeu, il me porte sur son dos. Mais la fois suivante, il introduit une modification plus importante. Comme d'habitude, nous avons dévoré des vaches en les découpant en morceaux, mais cette fois, il décide de leur ouvrir le ventre et de manger les intestins. Et tout à coup, le crocodile qui le représente devient végétarien. Il décide de manger des plantes. Kevin surmonte aisément cette barrière de dégoût momentanée contre la coprophagie, en s'appuyant sur ma suggestion de nettoyer les tripes des animaux.

Par la suite, le même phénomène va se reproduire sur un matériel différent. Le crocodile Kevin entreprend de manger divers personnages humains, avec ma participation, jusqu'au moment où il a l'idée de s'attaquer à un personnage dont il dit qu'il représente une infirmière à laquelle il s'est attaché. Il y renonce brusquement, et pour la première fois fait une allusion à son père, dont il n'est pas censé savoir qu'il est en prison, avec un affect de tristesse évident.

Dans la même période, il est devenu supportable dans la famille d'accueil, tout en restant d'une extrême violence à l'externat. Mais il commence à développer une tendance à se faire mal. Il se tape la tête, se fouette avec des branches de rosier, demande à être puni quand il a fait des bêtises, et sollicite des fessées, que les éducateurs s'efforcent de lui refuser. Un matin, il frappe par inadvertance une jeune institutrice à laquelle il s'est attaché. Le contexte montre clairement qu'il n'avait aucune intention de lui faire mal. Avant que quiconque puisse réagir, Kevin engage sa main dans la charnière d'une porte ouverte – et ferme !

Ces premières manifestations du surmoi chez Kevin ressemblent plus à celles décrites par Melanie Klein chez les très jeunes enfants, qu'à la mise en place du surmoi au moment du déclin du complexe d'Œdipe. Comme Melanie Klein le décrit[1], le surmoi de Kevin se forme par utilisation par le moi d'une partie des pulsions destructrices, contre une autre partie de ces pulsions. Melanie Klein pense que le simple conflit ambivalenciel sur un seul objet intériorisé lui suffit pour parler de « surmoi »[2]. Dès qu'un objet investi de façon ambivalente est intériorisé, il peut être nommé « surmoi »[3]. C'est une concep-

1. Melanie Klein, 1932, p. 141.

2. *Ibid.*, p. 149 : « ... ce sont surtout les pulsions hostiles qui provoquent le conflit œdipien et la formation du surmoi » (et même pas les pulsions hostiles contre le père, mais celles mêmes dirigées contre la mère). Mais p. 150 : « Ce sont les premiers investissements objectaux et les premières identifications qui constituent le surmoi primitif » ; p.153 : « Je qualifierais de "premiers stades du surmoi" les premières identifications de l'enfant. »

3. *Ibid.*, p. 6 et 19, n. 1 : « À mon avis les premières identifications de l'enfant doivent déja être nommées "surmoi". »

tion énormément simplifiée par rapport à celle de Freud. On est loin du jeu des deux identifications et des deux relations objectales qu'avait décrit Freud dans « Le Moi et le Ça ». Ce simplisme a été reproché à Klein par Glover[1] qui l'accuse de ne pas distinguer le surmoi d'un objet interne, ni d'une identification primaire. La clinique semble donner raison à Melanie Klein, mais la question est de savoir si ce surmoi précoce peut s'étoffer et perdre de sa cruauté.

Dans les trois années qui vont suivre, Kevin va accepter peu à peu d'être triste, d'avoir mal, et aussi d'être aidé. La meilleure tolérance à la dépression va de pair avec une levée progressive de l'inhibition intellectuelle. Il apprend à lire. Sa violence se transforme peu à peu en prouesses motrices. Il fait un stage dans une école de cirque, où on reconnaît ses dons. Il pose des questions sur la mort ; sur la décomposition du corps humain ; et sur son père.

Ces progrès restent étroitement dépendants de l'environnement, et plus précisément de la présence des personnes auxquelles il est attaché : sa nourrice, son éducatrice. Mais quand, un peu plus tard, l'institution traverse une crise gravissime, Kevin est l'un des enfants qui ne régresse pas malgré la disparition d'une bonne partie de ceux qui l'avaient suivi pendant plusieurs années.

Le surmoi de Kevin reste donc dépendant du groupe dans lequel il vit, comme celui de tout le monde, mais peut-être un peu moins maintenant que celui de beaucoup d'autres, car dans cette période dramatique, beaucoup d'enfants qui allaient mieux se sont terriblement aggravés.

L'observation de Kevin montre que la partie du surmoi culturel qui provient du monde extérieur, et qui chez un enfant comme Kevin, est très peu fourni par la famille, et beaucoup par l'école et les travailleurs sociaux, peut influencer la partie qui provient du ça, et contient les traces des traumatismes effacés par les générations précédentes.

V – ADOLESCENCE ET IDÉAUX INCONSCIENTS

La période de la vie où le monde extérieur exerce l'influence la plus décisive est sans doute l'adolescence. Après la puberté, la plupart des préadolescents parviennent pendant quelque temps à se représenter eux-mêmes, malgré les changements physiques, comme identiques à l'image idéale d'enfant merveilleux que leur proposaient leurs parents[2]. Quand le désir a acquis une telle force qu'il devient impossible de continuer à dénier les effets de la puberté, ce

1. Glover, 1943-1944.
2. Soulé, 1990.

moi idéal ne peut plus se maintenir. Les idéaux parentaux semblent devenus inaccessibles, et la dépression menace. Si l'adolescent parvient à trouver dans la culture, entendue au sens large, de nouveaux idéaux, il peut les partager avec des groupes de pairs, réels ou imaginaires, qui lui donnent l'assurance qu'il ressemble à son idéal du moi, et lui évitent ainsi des solutions plus désastreuses.

Oleg, âgé de 12 ans, consulte dans un centre de psychothérapie de Moscou parce que, voulant retourner dans son ancienne école, il a fugué du collège de bon niveau où on l'avait fait entrer. Ses parents sont séparés. Il vit avec sa mère, qui vient d'accueillir un nouveau beau-père à la maison. Il appartient à une famille d'artistes : son grand-père maternel est un célèbre illustrateur de livres ; sa mère est également graphiste, comme son beau-père. Son père est un musicien, que sa mère présente comme un raté. Sa psychothérapeute, qui demande que j'aie un entretien avec Oleg, voit bien qu'il refuse le nouveau collège comme il refuse le nouveau partenaire de sa mère.

L'entretien a lieu grâce à une traductrice, psychanalyste en formation.

Oleg me parle d'abord assez longuement de son intérêt pour les *tags**. Il m'explique qu'il fait partie d'un groupe de copains qui sortent le soir pour taguer les édifices publics. Les *tags* sont peu répandus en Russie, et il veut être celui qui va les introduire dans son pays[1]. Il connaît bien, par des revues spécialisées américaines, le codage des *tags,* et les symboles qui permettent d'identifier les bandes de jeunes qui les peignent. Puis il me parle de son collège : il est revenu dans l'ancien, et s'y sent beaucoup mieux. Dans le nouveau collège, les garçons étaient minoritaires, et les filles étaient beaucoup plus grandes que les garçons, qu'elles persécutaient. Évidemment, il y avait aussi certains garçons qui embêtaient les filles et les suivaient dans les toilettes pour les y faire tomber. On parle ensuite de sa nostalgie de son père, qu'il voit assez souvent, car son père a déménagé pour se rapprocher d'eux. Il le tient pour un grand musicien, et souffre de le voir méprisé par sa mère pour son alcoolisme.

Oleg est soumis à des pulsions contradictoires : un vif désir pour les grandes filles (attribué aux autres garçons), désir qui prend une forme régressive, sadique et anale : les poursuivre dans les toilettes, et les faire tomber dans le trou. Simultanément, il a une intense nostalgie de son père, renforcée par l'arrivée du nouvel ami de la mère. Cette nostalgie prend la forme d'un désir passif pour le père. Le surmoi le punit pour le sadisme de son désir envers les

* Graffitis.

1. Tout comme la traductrice a le projet d'introduire la psychanalyse en Russie.

filles en transformant ce désir en identification à elles : comme elles, il va tomber dans le trou. L'espace tout entier de l'école peut alors devenir dangereux.

Face à ses pulsions, il s'efforce de satisfaire à de nombreux idéaux, contradictoires eux aussi. L'idéologie dominante, en Russie, comme partout ailleurs dans le monde, pousse les adolescents à une compétition acharnée pour être dans les meilleures écoles. Oleg ne peut faire le choix opposé qu'en s'appuyant sur le groupe de ses pairs, ses copains qu'il ne veut pas quitter. Être dans une bonne école lui est égal, parce qu'il veut atteindre son idéal du moi, non pas en devenant fonctionnaire au Ministère de l'Intérieur (ce qui est le débouché ordinaire des élèves brillants en Russie), mais en étant celui qui aura introduit avec ses amis garçons les *tags* dans son pays. En taguant les murs de Moscou, Oleg nargue les autorités, et trouve avec son groupe de pairs un nouvel idéal du moi, venu d'Occident. Si on s'en tenait à cela, on pourrait dire que Oleg lutte contre les idéaux dominants à l'aide d'idéaux dont il est parfaitement conscient. Mais ces idéaux conscients en contiennent d'autres. Les uns sont préconscients : en choisissant d'être celui qui introduira les *tags* en Russie, Oleg retrouve la tradition d'artistes graphiques de sa famille maternelle, même si sa forme d'expression est en rupture radicale avec celles de sa mère et de son grand-père. De plus, en choisissant de rester dans son ancienne école de mauvais niveau, Oleg refuse inconsciemment le nouveau père que sa mère a introduit à la maison, et s'identifie à son père, dont, sans le savoir, il idéalise l'échec, gage de réussite future. De même que la qualité artistique des *tags,* ignorée pour l'instant en Russie, sera peut-être découverte un jour, comme elle l'est dans certains milieux en Occident, de même il peut se dire que son père, musicien raté aux dires de sa mère, est un artiste méconnu, dont la musique, trop marginale en Russie, n'a pas encore trouvé son public. Il n'y aurait sans doute pas beaucoup de résistances à vaincre pour aider Oleg à prendre conscience de cette idéalisation de l'échec, marque du grand artiste méconnu. Mais ces idéaux préconscients se doublent d'idéaux qui, eux, sont inconscients au sens topique. Oleg est prêt à admettre que ce qu'il a fui, c'est la présence massive des filles déjà pubères dans sa nouvelle école. Mais ce qui met en danger son idéal de complétude narcissique et le fait fuir, c'est son identification inconsciente à ces mêmes filles, et ce fantasme d'identification, lui, est beaucoup plus solidement refoulé. Il implique une idéalisation de la féminité qui est inconsciente au sens topique, systématique. Le moi d'Oleg se sert de l'idéalisation de l'ancienne école et des *tags,* donc des idéaux préconscients, pour contre-investir le refoulement de cet idéal inconscient. Sa psychothérapie l'a aidé à mesurer la part de masochisme moral qui entrait en compte dans son choix, et à discuter avec ses parents et ses professeurs de son orientation, plutôt que de rationaliser ce qui avait été un coup de tête impulsif, premier stade éventuel d'une phobie scolaire. Les idéaux inconscients sont strictement individuels et liés à des fantasmes personnels. Les idéaux culturels, eux, seraient donc toujours situés topiquement dans le préconscient.

Peut-on parler, en général d' « idéaux inconscients » ? La formulation du président Schreiber, « qu'il serait *beau* d'être une femme subissant l'accouplement » le donne à penser. Elle semble surgir directement de son inconscient, et s'opposer frontalement à son idéal du moi conscient. Beaucoup de conduites masochiques pourraient se décrire comme un conflit entre un idéal conscient conforme aux exigences culturelles, et un idéal inconscient diamétralement opposé, où ce serait le mal, la dégradation et la mort qui seraient des « idéaux ». Mais on atteint ici le même genre de difficulté conceptuelle que Freud décrit devant l'impossibilité logique de parler de « conscience de culpabilité inconsciente »[1] : un « idéal » doit être élevé, et pourtant nous pouvons d'autant moins nous passer d'une notion d'idéal inconscient qu'une partie des idéaux semble bien passer directement dans l'inconscient d'une génération à l'autre.

À quelques détails près, l'entretien que j'ai avec Oleg aurait pu se passer dans la banlieue parisienne. Quatre-vingts ans de communisme ne semblent avoir laissé aucune trace chez cet adolescent, qui avait deux ans au moment de la chute du mur de Berlin. Les comptes rendus d'analyses et de psychothérapies rapportés par nos collègues d'Europe de l'Est donnent souvent l'impression déconcertante que le communisme n'a jamais existé. Cependant, avec le temps, nos collègues, comme Michaël Sebek, en République tchèque[2], font la découverte désagréable que cette disparition n'est qu'apparente. Il faut de longues années d'analyse pour découvrir les investissements inconscients qui font perdurer l'attachement aux idéaux du passé les plus éloignés des idéaux présents. Qui plus est, ces investissements se transmettent de génération en génération, comme le montre l'histoire dramatique de l'ancien directeur de l'Institut de psychanalyse de Berlin entre 1941 et 1945[3], Kemper, trop rapidement considéré par Ernest Jones comme indemne de nazisme, et dont l'un des premiers analysants, vingt ans plus tard, se retrouva complice d'un de ses patients dans une affaire de torture au Brésil[4].

Comment la tradition transmet-elle les idéaux inconscients ?

1. Freud, 1907, p. 138 : « Conscience de culpabilité inconsciente... ainsi qu'on est obligé de s'exprimer en dépit de la répugnance qu'ont ces mots à aller ensemble. »

2. M. Sebek, 1992.

3. K. Brecht, V. Friedrich, L. M. Hermanns, I. J. Kaminer et D. K. Juelich (1985).

4. Vianna H. Besserman, *Politique de la psychanalyse face à la dictature et à la torture. N'en parlez à personne...*, Paris, L'Harmattan, 1997.

VI – L'IDÉAL TRANSMIS

Pour Freud, il ne fait aucun doute qu'il existe une « mémoire phylogénétique », c'est-à-dire une transmission phylogénétique des traces des événements perçus par les générations précédentes. Il oscille entre l'idée que toutes les traces du passé sont contenues dans l'inconscient[1], et celle qu'une grande partie du passé est irrémédiablement détruite[2]. Dans *Totem et tabou,* il soutient que l'inconscient primaire contient les traces mnésiques des faits fondateurs de la culture, à commencer par le meurtre du père de la horde primitive. Il maintient cette position à la fois contre la clinique (aucune analyse n'a découvert de représentation en rapports avec les traces d'un événement antérieur à deux ou trois générations précédentes) et contre les objections des autres sciences. Ce véritable « dogmatisme » de Freud sur la question du meurtre du père de la horde primitive est d'autant plus intéressant que d'ordinaire, il est au contraire sans cesse prêt à remettre en question ses idées devant des faits cliniques nouveaux, à expérimenter les suggestions les plus aberrantes de ses élèves, et à les assimiler si elles lui semblent résister à l'épreuve de l'expérience clinique. Une note de bas de page de *Moïse* semble d'ailleurs témoigner d'une certaine inquiétude face au risque de faire fausse route[3].

On peut faire toute sorte d'hypothèses sur les raisons personnelles qui ont conduit Freud à cette position inhabituelle, mais il me semble qu'elle est symptomatique d'un malaise dans la théorie[4]. Ce malaise serait à localiser, non pas dans les remaniements internes de la psychanalyse, mais dans son rapport à la représentation que la société dans laquelle elle est née s'est faite de son Histoire. Indépendamment de la réalité d'un progrès ou d'un déclin de la civilisation, les peuples ont une conception globale du sens de leur histoire. Les hommes de l'âge classique, malgré des progrès qui nous paraissent rétrospectivement comme extraordinaires (la découverte de l'Amérique, l'invention de l'imprimerie) se vivaient comme des décadents irrémédiables par rapport à l'Antiquité. Les « Temps modernes » se sont au contraire caractérisés, par une confiance, en dernière instance, en un progrès de la civilisation, même si la réalité (la Terreur, les massacres de la Commune, les guerres coloniales) infli-

1. Freud, 1929, *Malaise* : « ... rien dans la vie psychique ne peut se perdre, rien ne disparaît de ce qui s'est formé, tout est conservé d'une façon quelconque et peut reparaître dans certaines circonstances favorables, par exemple au cours d'une régression suffisante » (p. 13-14).
2. *Ibid.,* p. 16.
3. *Ibid.,* p. 205, n. 1.
4. Comme me l'a suggéré Daniel Diatkine.

geait répétitivement un démenti à cette croyance. La psychanalyse est née dans une période où la civilisation semblait avoir fait un pas en avant irréversible. Nous sommes émerveillés chaque fois qu'une grande exposition nous fait mesurer la créativité scientifique et artistique de l'Europe entre 1890 et 1914[1]. Il n'y a plus eu de guerre depuis longtemps. On circule sans visa. Les premiers analystes ne rencontrent aucun obstacle aux frontières quand ils viennent se former à Vienne auprès de Freud, qu'ils arrivent de Budapest, de Rostov-sur-le-Don ou de Toronto. La quasi-totalité de la planète est passée sous le contrôle des nations civilisées, qui lui apportent la culture et la technique. Bien sûr, c'est une idéalisation rétrospective qui nous fait croire à la « belle époque ». Les premières années du siècle sont marquées par de terribles pogromes en Russie. Celui de Kichinev en 1903 fait des dizaines de morts. Ceux qui accompagnent la Révolution de 1905, des centaines[2]. Des massacres d'Arméniens tout aussi graves ont lieu en Turquie. Les premières guerres Balkaniques commencent en 1912. Cette année-là, le Kosovo est cédé à la Serbie et le conflit entre Serbes et Albanais est déjà sanglant. Les guerres coloniales s'accomplissent avec une barbarie sans nom : en 1899, la mission Voulet-Chanoine conquiert le Niger et le Tchad pour la France, massacrant des milliers d'Africains sur son passage. On parle de centaines de milliers de morts dus à la colonisation allemande en Namibie[3]. Cette représentation progressiste du mouvement de la civilisation a commencé de se fissurer pendant la vie de Freud, et s'est achevée avec Auschwitz et Hiroshima.

Pour Freud la croyance au progrès de la civilisation va donc de soi. Avant la guerre de 1914, Freud, comme tous ses contemporains, se le représente comme inéluctable. Son originalité, c'est qu'il y voit la cause principale des névroses, ce qui peut à bon droit le faire considérer comme pessimiste. Le tableau alarmant dressé pour Fliess dans le *Manuscrit B* en 1893[4], sera publié dans « Morale sexuelle civilisée » en 1908. Rien ne semble pouvoir y remédier, si ce n'est une pratique politique délibérée qu'il appelle plusieurs fois de ses vœux[5].

La première guerre mondiale porte un coup sévère à cette confiance de Freud en un progrès de la civilisation. Dès les *Considérations actuelles* de 1914, Freud perd ses illusions sur la réalité du progrès de la civilisation.

1. Cassou, Langui et Pevsner, 1961 ; J. Clair, 1986.
2. Poliakov, 1977, p. 347.
3. Régis Guyotat, 1999, La colonne infernale de Voulet-Chanoine, *Le Monde*, 26-27 septembre 1999, p. 14.
4. « En l'absence de toute solution possible, la société semble condamnée à devenir victime de névroses incurables qui réduisent à son minimum la joie de vivre, détruisent les relations conjugales et entraînent, du fait de l'hérédité, la ruine de toute la génération à venir » (Freud, 1893, p. 66).
5. Freud, 1908, p. 38 ; 1910, p. 34.

Dans *Malaise,* le pessimisme de Freud s'élève si l'on peut dire, au carré : non seulement la civilisation fait courir un risque mortel à l'humanité en exigeant trop d'elle, mais encore elle est incapable de parvenir à ses fins en endiguant la violence. Si la correspondance de Freud avec Jones le montre étrangement tranquille devant la montée du nazisme, au moins jusqu'à la prise du pouvoir par Hitler en Allemagne, en 1933, ses lettres à Ferenczi le montrent davantage conscient de la montée du fascisme et de la catastrophe qui s'annonce[1]. Marilia Aisenstein a donc bien raison de souligner le pessimisme foncier de Freud[2], comme Pierre Bourdier[3] l'avait fait il y a quelques années.

Et pourtant, dans *Malaise* où il se montre par ailleurs si inquiet des dangers que la violence fait courir à la société, Freud témoigne parfois d'un étrange optimisme. Par exemple, il y parle des massacres de juifs comme si ils appartenaient à un passé révolu[4]. En réalité, il y a eu des pogromes tout près de Vienne moins de dix ans plus tôt. Même dans la troisième partie de *Moïse* rédigée à Londres en 1939 après l'*Anschluss,* Freud continue à croire à un « progrès dans la vie de l'esprit »[5]. Il en énumère les sept étapes[6], comme à différentes reprises il a décrit les stades du progrès de la civilisation et de la répression des pulsions. Certes, ces étapes ne sauraient se placer sur un axe parfaitement chronologique. Les trois premières sont des variantes de la subs-

1. Freud à Ferenczi, 16 juillet 1927 : « À vrai dire, cet été est catastrophique, comme s'il y avait une grosse comète dans le ciel. Nous venons d'entendre parler d'émeute à Vienne, nous sommes pratiquement coupés du monde et sans savoir ce qui s'y passe et ce que cela donnera. C'est une affaire pourrie. »

Freud est en vacances au Semmering. Il s'agit de l'émeute où le Palais de Justice a brûlé, et qui a tellement impressionné Elias Canetti, qu'elle l'a conduit à écrire *Masse et puissance* ainsi que le signale Élisabeth Bizouard dans sa comunication pré-publiée...

2. Marilia Aisenstein, p. 13.

3. Bourdier, 1969, voit dans le pessimisme attribué à Freud la marque du caractère scandaleux de sa pensée.

4. « Quelque horreur que nous inspirent certaines situations, celle par exemple du galérien antique, ou du paysan de la guerre de Trente ans, ou de la victime de la sainte Inquisition, ou du juif exposé au pogrom, il nous est tout de même impossible de nous mettre à la place de ces malheureux, de deviner les altérations que divers facteurs psychiques ont fait subir à leurs facultés de réceptivité à la joie et à la souffrance » (Freud, 1929, p. 19).

5. Freud, 1939. C'est le titre du chapitre c) de la troisième partie.

6. 1 / « ... retrait de la perception sensorielle au profit de la représentation, un triomphe de la vie de l'esprit sur la vie sensorielle..., un renoncement aux pulsions. »

2 / Remplacement de l'activité sensorielle par la magie des mots : « Nous faisons l'hypothèse que la “toute-puissance des pensées” fut l'expression de l'orgueil qu'inspira à l'humanité le développement de la langue, qui eut pour conséquence une si extraordinaire stimulation des activités intellectuelles » (p. 212).

3 / Remplacement du matriarcat par le patriarcat (p. 213).

4 / Invention de l'âme, et substitution de l'étude du texte à la violence (p. 214).

5 / Renoncement aux pulsions (p. 215 et 219).

6 / Substitution de la foi à la vie de l'esprit (p. 218).

7 / Substitution du monothéisme à l'énothéisme (p. 233), « mais il est impossible de faire un tel cas de ce point ».

titution de la pensée à la perception. Freud est aussi bien conscient de la difficulté de dire ce qui est « supérieur » et marque un progrès[1]. Cette foi malgré tout dans le processus de civilisation ne lui appartient pas en propre. Elle est partagée par la quasi-totalité de ses contemporains, par exemple par Paul Valéry. *La crise de l'esprit* commence sur un mode apocalyptique (« Nous autres civilisations, nous savons maintenant que nous sommes mortelles »), mais se termine sur un acte de confiance en la mission civilisatrice de l'Europe[2].

Plutôt que d'un optimisme ou d'un pessimisme, il me semble que cet attachement de Freud à un progrès dans la vie de l'esprit témoigne de son inscription dans la modernité. Freud appartient aux Temps modernes. Il se représente l'Histoire comme orientée malgré tout vers le progrès. La thèse du meurtre du père de la horde primitive, dans sa complexité, s'insère dans la Modernité à ce point de vue. Elle place une origine au sens de l'histoire, et va de pair avec une direction et un but positifs. Après Auschwitz et Hiroshima, nous devons remplacer ce vecteur de l'Histoire par une houle de vagues s'entrechoquant dans des directions et des sens contradictoires. Comme le pronostiquait *L'avenir d'une illusion,* il y a bien eu un déclin du religieux, et il a laissé des marques profondes dans le surmoi culturel. Mais il a été suivi de nouvelles vagues de religiosité. Elles vont d'ailleurs dans des directions divergentes, allant du monothéisme le plus fanatique à des formes larvées de polythéisme, et à des superstitions parfaitement animistes. Les espoirs de paix perpétuelle exprimés par Freud dans *Pourquoi la Guerre ?* ont été eux aussi déçus. Là encore, nous constatons des orientations multiples et divergentes. La deuxième guerre mondiale a démenti le pronostic de Freud, mais la troisième guerre mondiale n'a pas eu lieu jusqu'à maintenant, ce qu'on peut mettre au crédit des tendances pacifistes de la civilisation. À sa place, des guerres non déclarées, échappant à toutes règles, se sont multipliées sur toute la planète. Les évolutions successives du surmoi culturel en matière de sexualité ont été tout aussi déconcertantes. Certes, la répression est moins intense aujourd'hui que du temps de Freud. Mais la révolution sexuelle a substitué à l'idéal de chasteté un idéal sexuel non moins exigeant. Ne pas avoir d'enfant, ne pas connaître l'orgasme, être encore vierge sont des hontes presque aussi grandes aujourd'hui qu'être « fille mère » il y a cinquante ans. L'épidémie de sida, puis la prise de conscience de la réalité de l'inceste et de la pédophilie ont provo-

1. *Ibid.* : « Dans maints progrès de la vie de l'esprit, par exemple s'agissant de la victoire du patriarcat, il n'est pas possible de désigner l'autorité qui donne l'étalon de mesure de ce qui doit être considéré comme supérieur » (p. 218). « Peut-être l'homme déclare-t-il simplement supérieur ce qui est difficile pour lui... » (p. 219).

2. Valery, 1919, p. 11.

qué de nouvelles vagues de répression sexuelle. La morale d'avant 1968 est encore active chez des patients par ailleurs « libérés ». On voit donc couramment coexister chez un même sujet plusieurs époques successives du surmoi culturel, avec des idéaux sexuels contradictoires. Pour la psychanalyse, c'est plutôt un gain. Les analystes du temps de Freud couraient le risque d'avoir la même conception du processus analytique et de l'Histoire : tous deux marchaient dans une direction prévisible à l'avance, et étaient supposés passer par des étapes prévisibles.

Si on ne croit pas à la transmission héréditaire des caractères acquis, on doit, comme le demande André Green[1], trouver des modèles de rechange pour comprendre comment se transmettent les idéaux d'une génération à l'autre. Winnicott, Bion, Lebovici nous proposent de tels modèles. Celui proposé par Denise Braunschweig et Michel Fain a l'intérêt de lier étroitement ce passage à la vie pulsionnelle. Certes, ces auteurs ont insisté avec force sur le caractère antipsychique de la vie collective[2]. Mais il me semble néanmoins qu'ils nous fournissent actuellement le meilleur modèle théorique pour décrire la transmission de l'idéal. Selon eux, le refoulé primaire n'aurait pas d'autre contenu que l'absence de représentation, mais cette absence de représentation exercerait un très fort pouvoir d'attraction sur les représentations refoulées secondairement[3]. Parmi ces représentations figurent tout ce qui est véhiculé par les mots et les gestes que la mère articule pour exprimer son inquiétude pour l'enfant (le « message de castration »), et les mesures qu'elle prend pour le protéger, conformément à ce que lui a transmis sa propre éducation. Cette inquiétude de la mère concernant le corps érotique du nourrisson est mobilisée dès le début de la vie de celui-ci par la réapparition de son désir pour le père[4], et par la projection sur le « corps érotique » de l'enfant de l'angoisse de castration de la mère, réveillée par ce désir, qui est l'objet d'un refoulement. L'inconscient primaire de l'enfant se constitue par identification hystérique[5] à ce refoulement du désir de la mère pour le père. C'est pourquoi Fain et Braunschweig écrivent que l'inconscient primaire de l'enfant est constitué par le « refoulement primaire du vagin ». Les premiers rudiments de la « culture »

1. Green, 2000, p. 56.
2. Comme me l'ont signalé Michel Ody et Michel Vincent.
3. Braunschweig et Fain, 1975, p. 175.
4. Braunschweig, 1971, : « Ainsi une ligne continue sans rupture aboutira à l'autonomisation d'un système pare-excitation personnel, par l'adjonction, à la part d'investissement maternel retenue au niveau narcissique primaire, d'une censure (la censure de l'amante) dont l'origine est dans le désir de faire dormir l'enfant, non plus pour rétablir l'union prénatale avec lui, mais pour connaître la satisfaction sexuelle avec le père » (p. 710-711).
5. Braunschweig et Fain, 1975, p. 149-150.

transmise par la mère à l'enfant prennent donc la forme de la « puériculture », sous l'influence du surmoi culturel[1], et en étroite harmonie[2] avec le babil enfantin[3, 4].

Le message manifeste de la mère (ou de la personne qui prend soin de l'enfant, qui peut dans la réalité être le père) peut prendre la forme d'un avertissement explicite commentant le bercement ou le soin. Plus souvent il est fait d'une mélopée ou d'un rythme accompagné de paroles apparemment dépourvues de sens pour un observateur extérieur, mais parfois riches de signification si on parvient à se les faire expliquer.

Le contenu latent du message est complexe. Il comporte toujours :

1 / La représentation du danger qui menace le corps de l'enfant s'il se découvre, s'il ne dort pas, et d'une manière générale si les prescriptions de sa puériculture particulière ne sont pas respectées.

2 / Des prescriptions qui désignent autant d'idéaux qui doivent tous être respectés pour que le malheur n'arrive pas, mais qui sont nécessairement contradictoires. Dans le cas de la mère de Kevin, coexistent par exemple la nécessité de fêter Noël, fête des enfants, et fêtes des parents pour qui la naissance d'un enfant a été un cadeau, et le rappel du deuil qui l'a frappée, le père de la mère étant mort le jour de Noël alors qu'elle était enceinte de Kevin. Ou l'obligation d'être fort et invulnérable comme le père de Kevin, et la crainte qu'il ne devienne un délinquant comme lui.

1. *Ibid. :* « C'est l'inscription (2e), au niveau du préconscient de la mère, des premières expériences vécues au contact physique du corps érotique de son enfant, qui la contraint à aménager le maternage en fonction de principes qui relèvent – plus ou moins – de la puéri*culture* [italiques des auteurs]. Il s'agit là d'un autre langage encore, un langage culturel, qui sous la domination du Surmoi du même nom, contre-investit la valeur érotique des deux premiers [langages] » (p. 154).

2. Daniel Stern (1985) décrit avec précision cette harmonie comme un « accordage affectif ».

3. Braunschweig et Fain, 1975, p. 154.

4. Braunschweig et Fain (1975), *La nuit, le jour,* p. 149-150 : « ... l'identification hystérique qui se produit à ce moment [quand "les contacts que la mère a avec le corps érotique de l'enfant" se lient "à son désir pour le pénis de l'homme"] chez l'enfant devient le prototype de l'inscription d'une trace mnésique inconsciente qui comporte les mots constitutifs du discours très particulier adressé par une mère à son bébé... Chez la mère en tout cas la perception confuse de ces faits psychiques va éveiller la crainte pour la conservation du bébé et lui imposer la nécessité d'endormir l'enfant ; le même conflit l'amènera à fournir à ce dernier une censure visant à le mettre à l'abri du désir du père » ; p. 154 : « ... quand la mère peut nommer en termes secondaires les émois érotiques éprouvés au contact du corps de l'enfant, termes qui s'imposent quand elle répond au désir de l'homme et qui se superposent au babil qu'elle a tenu au contact du bébé tout en éprouvant ces émois. Ce babil est la première langue, celle du traçage chez l'enfant des premières inscriptions... c'est l'inscription (2e), au niveau du préconscient de la mère, des premières expériences vécues au contact physique du corps érotique de son enfant, qui la contraint à aménager le maternage en fonction de principes qui relèvent – plus ou moins – de la puéri*culture* [ce sont B et F qui soulignent]. Il s'agit là d'un autre langage encore, un langage culturel, qui sous la domination du Surmoi du même nom, contre-investit la valeur érotique des deux premiers [langages ?]. »

3 / Une figure idéale qui intègre tous ces idéaux comme si leurs contradictions n'existaient pas, et qui est désignée par la mère à l'enfant comme « le père de sa préhistoire primitive ». L'enfant doit donner cet idéal à son moi s'il veut avoir un sentiment de continuité, de cohérence et d'identité.

4 / Un agent responsable du malheur potentiel, qui est habituellement figuré par le personnage du partenaire sexuel de la mère, mais qui condense de nombreuses figures du passé et du présent.

5 / Le souvenir des événements traumatiques qui ont marqué la vie des parents avant la naissance de l'enfant.

6 / Un lien entre le message maternel et son contenu latent, qui est lui-même complexe. Certaines des représentations de choses de ce contenu latent sont liées à des représentations de mots et refoulées préconsciemment chez la mère. Elles peuvent lui venir facilement à l'esprit dans des consultations thérapeutiques. D'autres sont l'objet d'un véritable refoulement inconscient, et ne pourraient être découvertes qu'à l'occasion d'un traitement psychanalytique. Enfin, une grande partie de ces événements traumatiques du passé sont traités comme si la réalité psychique de leur signification n'existait pas, c'est-à-dire déniés.

Qu'est-ce qui se transmet à l'enfant de cet ensemble ?

Il semble que les mécanismes de défense employés par les parents pour élaborer ou refuser la réalité psychique des traumatismes du passé se transmettent intégralement. Le refoulement permet un retour du refoulé et un jeu psychique, tandis que le déni de réalité peut être responsable d'un « interdit de pensée »[1], dommageable pour le développement intellectuel du sujet. L'identification au « père de la préhistoire personnelle », c'est-à-dire l'idéal du moi, est probablement elle aussi une formation de l'inconscient secondaire du sujet. Il en est de même des représentations de la castration, et des *imagos,* c'est-à-dire des représentations des parents enrichies des projections sur elles opérées par le sujet.

En revanche, rien ne permet de dire que les événements personnels et historiques qui ont donné un sens pour les parents à leurs idéaux culturels laissent eux-mêmes directement des traces dans l'inconscient. Freud a écrit qu'il est plus facile de commettre un crime que d'en effacer les traces[2] ; on peut ajouter que les traces de l'effacement d'une tragédie sont aussi plus faciles à transmettre que les circonstances de cette tragédie elle-même.

Si les parents ne nourrissent pas de leur culture les traces mnésiques des représentations qu'ils transmettent inconsciemment à leurs enfants, ces traces

1. Freud, 1908, p. 42.

2. Freud, 1938 : « Il en va de la déformation d'un texte comme d'un meurtre. Le difficile n'est pas d'exécuter l'acte, mais d'en éliminer les traces » (p. 115).

ne sont pas capables par elles-mêmes de transmettre les représentations des événements qu'elles symbolisent. Les habitants de certains villages d'Espagne et du Portugal ont l'habitude curieuse, pour des catholiques, de louer le Seigneur le samedi. Ce n'est qu'un travail de mémoire récent qui a rendu à ces marranes persécutés il y a cinq siècles la connaissance du « siècle d'or », et le rattachement de leur coutume extraordinaire au respect du *sabbath.* Si les traces mnésiques des traumatismes qui donnent un sens aux idéaux du passé se transmettaient phylogénétiquement, l'inquisition aurait été justifiée de voir dans les maranes des juifs ternissant la *limpieza* du sang Castillan, et la psychanalyse apporterait une contribution mal venue aux tenants de l'existence des races humaines.

VII – SURMOI CULTUREL, IDÉAL DU MOI ET MOI IDÉAL

Pour essayer d'expliquer l'action de la culture sur le surmoi, il me faut proposer une révision des idées que nous acceptons généralement sur le moi idéal, l'idéal du moi et le surmoi.

Critique de l'opposition surmoi / moi idéal

L'opposition surmoi / moi idéal, admise par beaucoup de psychanalystes de langue française, rend d'importants services en clinique, où elle explique de nombreux faits psychosomatiques, ainsi que beaucoup d'aspects de la psychopathologie narcissique : Arnaud et Kevin, chacun d'une façon différente, pouvaient être décrits comme ayant un moi idéal, et pas de surmoi. Néanmoins, elle me semble devoir être critiquée pour plusieurs raisons :

1 / Tout d'abord, au-delà de la quasi-unanimité des auteurs français sur les grandes lignes, il existe d'innombrables divergences de détail d'un auteur à l'autre. Nombreux sont les auteurs qui ont enrichi les deux notions de nuances personnelles. La confusion terminologique est si grande que beaucoup d'analystes de langue anglaise s'en tiennent au concept de *superego,* sans se perdre dans des discussions aussi byzantines. Le *consensus* qui règne à peu près entre nous dissimule beaucoup de désaccords non discutés.

2 / Ces divergences sont liées à l'histoire complexe du couple moi idéal / idéal du moi. Notre accord de surface résulte d'un compromis reprenant une partie seulement de plusieurs propositions cohérentes prises une par une, mais incompatibles entre elles. L'usage que nous faisons aujourd'hui de

la notion de « moi idéal » a une longue histoire. Freud, contrairement à ce qu'affirme Lacan[1], et comme Janine Chasseguet-Smirgel le démontre irréfutablement, emploie indifféremment les deux termes[2]. C'est Nunberg[3] qui a pris le parti d'attribuer les aspects protecteurs et aimants du surmoi à l'Idéal du Moi, et ses aspects sadiques et persécuteurs au Moi Idéal, conçu comme « modalité archaïque des retrouvailles du Moi et de l'Idéal »[4]. Cette opposition a été précisée par Lagache, pour qui le moi idéal « correspond à un stade préliminaire du surmoi »[5]. Lagache oppose le moi idéal de toute-puissance narcissique au couple surmoi / idéal du moi. Il envisage trois possibilités : 1 / Le moi idéal peut être intégré au système Surmoi-Idéal du Moi. 2 / Il peut se substituer à lui ou le rendre inopérant. 3 / Il peut alterner avec lui[6]. Lacan a vivement critiqué cette conception, à qui il reproche de personnifier les diverses instances psychiques, en méconnaissant la division du sujet du fait même de l'existence de l'inconscient. Il propose une nouvelle topique complexe, dans laquelle l'Idéal du Moi devient le Phallus du père, tel qu'il est pris en considération par la mère, tandis que le moi idéal occupe une position aliénante par rapport au désir du sujet[7].

Dans son rapport de 1973, Janine Chasseguet-Smirgel écarte comme spécieuse la distinction entre moi idéal et idéal du moi. Elle s'est proposé de rendre compte de l'ensemble de cette problématique à l'aide de la seule notion d'Idéal du moi. Dans sa conception, l'Idéal du moi est une instance, et une instance qui pousse le moi vers le progrès, sous l'impulsion d'un programme génétique inné[8]. Ce programme maturatif donne à l'Idéal du Moi œdipien génital le pouvoir d'intégrer des idéaux hétérogènes, prégénitaux[9]. Cette intégration assure les retrouvailles du sujet avec le narcissisme primaire, vécu réellement par le sujet comme un état de félicité a-conflictuelle[10]. Puisque le programme maturatif prévoit une évolution naturelle vers la génitalité, l'Idéal du Moi va exiger en même temps que l'abandon de la prégénitalité, celui du faux,

1. Lacan, 1957-1958, p. 288.
2. Chasseguet-Smirgel, 1973, p. 762.
3. Nunberg, 1932.
4. Chasseguet-Smirgel, 1973, p. 761-762.
5. Lagache, 1962, p. 303.
6. Lagache, 1961, p. 224-225.
7. Lacan, 1960.
8. « On peut imaginer l'existence d'un programme inné du développement psychosexuel (du Moi et des pulsions) comme il existe une nécessité biologique absolue pour l'embryon de se développer selon des incitations spécifiques provenant des organisateurs... » (Chasseguet-Smirgel, 1973, p. 789).
9. Chasseguet-Smirgel, 1973, p. 786.
10. « Or, si l'on admet que la génitalité implique l'intégration des organisations prégénitales avec une “correspondance entre le développement du Moi et de la libido”, on peut comprendre que *l'Idéal du Moi projeté sur la génitalité comporte l'exigence de cette intégration, c'est-à-dire d'une évolution dont toutes les étapes ont été intégrées* » (Chasseguet-Smirgel, 1973, p. 790).

qui, pour Janine Chasseguet-Smirgel, résulte de l'idéalisation de l'analité. L'Idéal du moi, côte à côte avec le Surmoi, et, comme lui, infaillible, se spécialise dans l'interdiction du faux-semblant d'origine prégénitale : « Tout comme aucun désir ne peut être caché au Surmoi, aucun faux-semblant ne peut tromper l'Idéal du Moi. »[1]

Janine Chasseguet-Smirgel oppose donc clairement d'une part, la souffrance narcissique, liée à une régression prégénitale, due à l'Idéal du Moi, et d'autre part, la culpabilité, liée à l'ambivalence œdipienne du sujet, due au Surmoi. On pourrait lui objecter que les désirs génitaux causent bien des souffrances narcissiques, et que les pulsions prégénitales causent des culpabilités terrifiantes.

Dans la passionnante discussion qui a suivi au cours du Congrès de 1973, Denise Braunschweig[2] a contesté l'idée que l'Idéal du moi suive un programme maturatif, orienté vers le désir de grandir. Michel de M'Uzan[3] se demande « si la notion d'un Idéal du Moi "maturant" n'est pas une illusion, la création de l'analyste affecté par la marche régrédiente du travail analytique ». Et en effet, si l'Idéal du moi est si clairvoyant, comment comprendre qu'Arnaud ait pu se persuader à lui-même qu'il était bien l'image de son père idéalisé, et que Jephté se soit cru le fils légitime de Galaad ? Janine Chasseguet-Smirgel admet, dans le cas des pervers, que le sujet projette son Idéal du Moi sur les pulsions prégénitales[4], en sorte que « de profondes anomalies de développement » peuvent mettre l'Idéal du Moi hors de combat, malgré son caractère « naturellement maturatif », ou lui donner des caractères archaïques[5].

Les anomalies de développement ne manquent ni chez Arnaud, ni chez Kevin, ni chez Jephté. On peut considérer comme d'essence « perverse » la jouissance inconsciente qu'Arnaud tire de la profanation, et Kevin de la violence, et dire que Jephté est un leader « pervers ». Cela fait beaucoup de « pervers ». Comme le fait remarquer Michel de M'Uzan à Janine Chasseguet-Smirgel « la caractéristique même de la sexualité humaine est d'être perverse »[6]. Au cours du Congrès de 1973, Didier Anzieu n'a pas eu de difficulté à montrer que « l'Idéal du Moi archaïque qui vise la fusion primaire » de Janine Chasse-

1. Chasseguet-Smirgel, 1973, p. 788.
2. D. Braunschweig, 1973, p. 957.
3. M. de M'Uzan, 1973, p. 1016.
4. Chasseguet-Smirgel, 1973, p. 839-840.
5. « Je suggère donc que *l'Idéal du Moi a un caractère naturellement maturatif*, caractère que de profondes altérations du développement, telles que j'ai essayé de les décrire chez le pervers, parviennent à rendre quasiment inopérant » (Chasseguet-Smirgel, 1973, p. 789).
6. « ... si, comme je le crois, la caractéristique même de la sexualité humaine est d'être perverse, il est heureux que, pour le pervers que chacun de nous se trouve être, il y ait une alternative à l'impasse féconde d'où procède et où reconduit l'Idéal du Moi » (M. de M'uzan, 1973, p. 1018). À quoi Janine Chaseguet-Smirgel répond que certains sont quand même plus pervers que d'autres...

guet-Smirgel est identique à ce que Lagache appelle « Moi idéal »[1]. Par la suite, nous avons pour la plupart retenu du rapport de Janine Chasseguet-Smirgel la notion que l'Idéal du Moi est un élément évolué, lié au progrès et à la croissance. En revanche, rares sont ceux qui tiennent l'idéal du moi pour une « instance ». En outre, nous avons, contre son opinion, et suivant celle de Lagache, retenu la notion d'un moi idéal de toute-puissance narcissique, dont nous avons fait une formation archaïque, exclusive du couple Idéal du Moi / Surmoi.

La conception que nous adoptons le plus souvent combine donc une partie de la théorie de Janine Chasseguet-Smirgel avec une partie de celle de Lagache.

3 / Comme le pensait Lagache, nous devons cesser de considérer le Moi Idéal et l'Idéal du Moi comme des formations exclusives l'une de l'autre. En réalité, nous sommes obligés de les penser ensemble. Comme l'a bien montré Green, le paradoxe du Moi Idéal, c'est qu'il dénie l'altérité, mais qu'il ne peut subsister que s'il a en face de lui un objet qui le prend pour idéal. Réciproquement, il idéalise cet objet, dont il fait son Idéal du Moi. *His majesty the baby* ne tire son omnipotence que des parents, qui ont besoin de lui pour restaurer eux-mêmes leur narcissisme primaire[2]. L'état amoureux, l'illusion groupale, qui sont des occasions de réaliser un moi idéal, restituent aussi au sujet ses parents idéalisés. Kohut a tiré des conséquences importantes de la présence simultanée du « self-objet idéalisé » et du « self-objet en miroir »[3]. Rosolato[4] dit lui aussi que l'idéal du moi fonctionne à tout âge. Certes, les deux formations narcissiques connaissent des évolutions divergentes. L'idéal du moi s'enrichit d'idéaux de plus en plus universels et devient de plus en plus impersonnel. De son côté, dans les bons cas, le moi idéal tend à s'effacer. Peut-être peut-il le faire spontanément en reconnaissant la réalité de la mère, comme le décrit Pasche[5], si toutefois il cesse de favoriser le déni de la perception des réalités qui pourraient le blesser. Green, reprenant une indication de Freud[6], remarque que le moi idéal peut s'effacer aussi parce que le moi peut trouver plus de plaisir au renoncement qu'à la satisfaction[7]. L'idéal du moi peut persister après effacement du moi idéal, mais le moi idéal ne peut pas se construire sans idéal du moi. Même dans certaines anorexies ou dans certaines formes d'ascétisme, où le moi idéal paraît réalisé sur le modèle du « moi-plaisir-

1. D. Anzieu, 1973, intervention, p. 1025.
2. Green, 1983, p. 281.
3. Kohut, 1971, 1984.
4. Rosolato, 1976, p. 15.
5. Pasche, 1993, p. 9.
6. Freud, 1939, p. 216.
7. Green, 1983, p. 286-287.

purifié »[1], il faut bien qu'un idéal du moi établisse ce qui est « bon », à ingérer, et ce qui est « mauvais », à rejeter, et qu'un surmoi effectue la comparaison.

Tout le monde a un moi idéal

Le plus souvent, le moi idéal n'est qu'un dispositif destiné à dénier la réalité des conflits internes, en trompant le surmoi, et en lui faisant croire que le moi est identique à son idéal. Dans « Le Moi et le Ça », Freud montre comment le moi peut duper les pulsions en mimant l'objet perdu[2]. De même, le moi peut duper le surmoi en se présentant à lui comme identique à son idéal. Le dispositif employé est bien illustré par l'étude des psychopathes et des imposteurs, à laquelle Janine Chasseguet-Smirgel consacre de passionnants passages de son rapport[3]. Pour qu'un imposteur réalise son moi idéal, il lui suffit, mais il y faut parfois des trésors d'invention, de faire croire au public qu'il ressemble à s'y méprendre à son idéal. Pendant la première guerre mondiale le « chevalier d'industrie » de Karl Abraham[4] traverse toutes les armées des empires centraux en se faisant passer pour un officier supérieur et en se faisant recevoir avec les plus grands honneurs. Quand il est enfin arrêté, Abraham, qui l'a examiné en tant qu'expert psychiatre, avertit les gardiens de prison de se méfier. Quand il revient une heure plus tard, il trouve son patient en liberté, en train de faire le portrait du gardien-chef sous l'œil admiratif des autres gardiens, persuadés qu'ils ont affaire à un peintre célèbre. L'imposteur se voit dans le public comme dans un miroir, qui lui renvoie son image idéalisée.

Je crois que ce miroir lui renvoie en outre l'image d'une mère qui verrait en lui cette image idéalisée : celle du père de sa préhistoire personnelle. Les psychopathes ordinaires parviennent à ce résultat par le moyen plus grossier de la terreur. Des enfants très jeunes, comme Kevin, se persuadent, et persuadent la majorité d'un groupe, qu'ils sont d'une force physique herculéenne, parfois en manipulant habilement quelques costauds qui leur servent d'hommes de main. Le groupe terrifié voit en eux « l'homme le plus fort du monde » que leur mère voyait dans le père brutal qui l'a abandonnée avec l'enfant[5]. Dans les désordres narcissiques sévères, de tels dispositifs sont absolument obligatoires, et terrassent le fonctionnement du surmoi.

1. Freud, 1915 *b,* p. 39.
2. Freud, 1923, p. 242.
3. Chasseguet-Smirgel, 1973, p. 842-868.
4. Abraham, 1925.
5. G. Diatkine, 1983.

Janine Chasseguet-Smirgel trace une ligne de démarcation nette entre le véritable artiste et l'imposteur, entre l'Idéal du Moi et l'idéalisation de la prégénitalité. Il me semble au contraire que l'étude des psychopathes et des imposteurs montre sous un fort grossissement un mode de formation du moi idéal qui existe, plus discrètement, chez tout le monde. Parfois un véritable miroir joue chez un sujet ordinaire le rôle que le groupe joue chez le psychopathe. Son usage peut devenir tout aussi compulsif que le besoin de tromper chez l'imposteur. L'évêque d'Agde, dans *Le Rouge et le Noir,* ne se déplace jamais sans un « magnifique miroir mobile en acajou », qu'il fait installer dans la salle où il s'entraîne à donner des bénédictions[1]. Dans le miroir, l'évêque ne voit pas que lui-même, il voit aussi la foule des croyants qui le voient bénissant au nom de Dieu, et dont il est le serviteur. Il ne voit pas que Julien Sorel, qui le regarde, voit en lui un brillant imposteur. Si l'évêque d'Agde lisait dans le regard de Julien Sorel, il pourrait sentir son identification imaginaire à Dieu attaquée, et il pourrait se défendre en le chassant, ou en brisant le miroir. Parfois, le miroir redevient un objet érotique. Certaines personnes narcissiques ont avec leur glace des relations aussi volcaniques que la Reine de *Blanche Neige.*

Quand nous ne sommes pas déprimés, nous disposons tous à des degrés divers de petits dispositifs qui nous donnent l'illusion que nous sommes identifiés à notre idéal du moi. Face à la glace, nous nous redressons, nous nous recoiffons, et nous nous efforçons de ressembler autant que possible à notre idéal. Nous nous voyons alors dans la glace comme *His Majesty the baby,* le charmant petit enfant que nous étions pour notre mère. Nous voyons donc dans le miroir non seulement notre double narcissique, mais aussi la mère de notre enfance, qui nous regardait en se réjouissant de voir que nous ressemblions bien au père de notre préhistoire personnelle, dont elle faisait notre idéal du moi. Le moi idéal pourrait alors se définir comme un fantasme dans lequel nous utilisons notre double narcissique pour nous identifier à notre idéal du moi et retrouver notre mère primitive, en déniant la réalité des conflits internes qui font que le moi n'est pas un moi-plaisir-purifié.

Moi idéal, dépersonnalisation et angoisse de morcellement

Parfois, le miroir nous prend par surprise et nous montre à nous-mêmes tels que les autres nous voient vraiment, comme Freud en rapporte un célèbre exemple : « J'étais assis tout seul dans un compartiment de wagon-lit, lorsque

1. Stendhal, 1830, p. 104.

sous l'effet d'un cahot un peu plus rude que les autres, la porte qui menait aux toilettes attenantes s'ouvrit, et un monsieur d'un certain âge, en robe de chambre, le bonnet de voyage sur la tête, entra chez moi. Je supposai qu'il s'était trompé de direction en quittant le cabinet qui se trouvait entre deux compartiments et qu'il était entré dans mon compartiment par erreur ; je me levai précipitamment pour le détromper, mais m'aperçus bientôt, abasourdi, que l'intrus était ma propre image renvoyée par le miroir de la porte intermédiaire. »[1]

Ce que Freud éprouve alors, ce n'est pas une simple humiliation liée à sa tenue négligée, c'est un sentiment d'inquiétante étrangeté, c'est-à-dire une dépersonnalisation *a minima.* Il n'y a pas lieu de s'en étonner, si le moi idéal est l'héritier du moi-plaisir-purifié. En séparant le « bon », à ingérer, du « mauvais », à recracher, le dispositif moi idéal / idéal du moi assure la cohésion de ce que Federn appelait les limites du moi[2]. Quand le dispositif moi idéal / idéal du moi est atteint, la distinction du dedans et du dehors s'efface.

Cette perte des limites du moi a deux conséquences importantes :

D'une part, le surmoi ne peut plus comparer le moi et son idéal. Réciproquement, le fonctionnement normal du surmoi nécessite que les limites du moi retrouvent leur intégrité, et que le système moi idéal / surmoi se reconstitue. Le moi idéal, non seulement n'est pas incompatible avec la présence du surmoi, mais il est nécessaire à son fonctionnement.

D'autre part, un sentiment conscient de désintégration est perceptible. C'est ce qu'Arnaud éprouve quand il se sent « dispersé » par mon interprétation de mon « manque de salle d'attente », ou quand Kevin, dans ses accès de violence, se débat contre des adversaires multiples et invisibles. Il frappe dans toutes les directions à la fois, et ne parvient à se reconstituer que si il est contenu par un adulte qui l'aide à se rassembler[3]. De même encore, dans le massacre des Éphraïmites, le chiffre de 42 000 victimes donné par le *Livre des Juges* paraît suspect, dans sa précision même. Il suggère l'extermination, à l'arme blanche, d'une quantité innombrable d'ennemis, que l'on ne pouvait pas, dans l'obscurité et la confusion, distinguer des amis. Beaucoup de récits d'actes de violence concernent aussi le massacre d'une quantité infinie d'ennemis à la limite de la visibilité. Un *Schibboleth* trace une ligne de démarcation nette entre soi et ce grouillement menaçant. Le *Schibboleth,* c'est ce qui reconstitue pour les Galaadites, leur moi idéal, c'est-à-dire leur identification à leur idéal du moi, Jephté. Tout se passe comme si la perte du système moi idéal / idéal du moi entraînait, avec la perte des limites du moi, une fragmen-

1. Freud, 1919, p. 257, n. 1. Madjid Sali et S. et C. Botella pensent que le vieillard que Freud voit dans le miroir n'est autre que son père.
2. Federn, 1952.
3. G. Diatkine, *in* Lacroix et Montmayrand, 1999.

tation et du moi, et de son idéal, et l'envahissement de l'espace par une multitude d'objets persécuteurs invisibles.

Si on admet que le sentiment d'intégration passe par la constitution d'un moi idéal, il me semble plus facile de comprendre pourquoi des états de dépersonnalisation peuvent être transitoires. Dans l'idéal du moi de Freud, l'apparence physique comptait probablement moins que l'esprit scientifique ou l'humour. Son moment de dépersonnalisation ne dure pas, parce qu'il est aussitôt amusé par l'incident, et intrigué par sa survenue. Dès qu'il se met à y penser, il s'identifie à nouveau à son idéal du moi, c'est-à-dire qu'il reconstitue un moi idéal qui le protège de la dépression sans entraver son jeu psychique. Une telle souplesse est impossible quand le moi idéal est construit pour maintenir de façon impérative un clivage du moi.

Le narcissisme des petites différences tirerait son pouvoir explosif de ce qu'il met en question la ressemblance du moi à son double narcissique, garant de son identification à l'idéal du moi. L'altération du dispositif moi idéal / idéal du moi entraîne une perte des limites du moi, et la multiplication dans l'espace externe qui est devenu confondu avec l'espace interne d'un grouillement d'animaux monstrueux qu'il faut exterminer pour reconstituer l'identification au père de la préhistoire primitive. Un leader psychopathe peut utiliser le narcissisme des petites différences pour assurer son pouvoir, et parfois pour reconstituer, comme Jephté, son propre moi idéal.

Parce que le système moi idéal / idéal du moi est nécessaire au fonctionnement du surmoi, l'indépendance de ce dernier n'est jamais acquise une fois pour toutes. Même les Justes qui font notre admiration pour leur lucidité et leur courage, en se dressant seuls contre une majorité dominée par un idéal du moi abject, font référence, au moins intérieurement, à un groupe imaginaire dont ils font partie, parfois à l'insu de tous. Il en a été ainsi de Romain Rolland, qui s'est élevé « au-dessus de la mêlée » belliciste dès le début de la première guerre mondiale. Malgré sa solitude, il faisait mentalement partie d'une élite de grands hommes à l'idéal desquels il s'identifiait[1].

L'identification primaire au père

L'idéal du moi naît de « l'identification au père de la préhistoire personnelle »[2]. Freud choque quand il écrit dans *Le Moi et le Ça* que l'identification primaire est une identification au père, et que la mère est, elle, d'emblée l'objet d'un

1. H. Vermorel, 1999 : communication personnelle.
2. Freud, 1923 *a*, p. 243.

choix sexuel « par étayage »[1]. N'est-ce pas avec la mère que les premières relations s'établissent ? Et combien d'enfants ne sont-ils pas élevés sans père ? Beaucoup d'analystes, comme Marty[2] et Misès[3], pensent que l'identification primaire se fait à la mère, et qu'elle produit non pas l'idéal du moi, mais un moi idéal archaïque. Une autre solution serait de s'en tenir à la note de Freud de bas de page, qui propose avec moins de précision : « Ou plutôt une identification aux parents ? »[4] On pourrait alors se représenter l'identification primaire comme se faisant d'abord à la mère, puis ensuite au père – s'il y en a un, comme le proposait Lagache[5]. Mais comme l'écrit Green, cette note ne veut pas dire que « cette expérience sera vécue deux fois, la première avec la mère, la seconde avec le père, mais que le moteur de cette identification inaugurale est un *principe de parenté,* la condition de géniteur à laquelle l'enfant sera appelé »[6]. Green pense en outre que la relation au père est « surestimée », dans les deux sexes, parce qu'elle est affranchie de la dépendance aux soins maternels.

Il me semble aussi que l'on peut suivre Lacan quand celui-ci laisse entendre que l'identification primaire est une identification au père parce que c'est la mère qui indique à l'enfant l'image du père de sa préhistoire personnelle[7]. La mère peut administrer la preuve que le père a vraiment le phallus en montrant à l'enfant que « la parole du père fait loi pour la mère »[8]. C'est l'identification au père qui a ce phallus-ci qui constitue l'Idéal du moi. Cette identification est « imaginaire » aux deux sens du terme. Elle se fait à une image, et elle est illusoire. Pour Lacan, ce phallus imaginaire doit être distingué d'un autre phallus, qui est ce qui manque à la mère et qui est l'objet de son désir[9]. Ce phallus-là, ni le père ni la mère ne l'ont : il est ce qui manque toujours et qui relance toujours le désir. Le phallus imaginaire qui va constituer l'Idéal du moi n'est pas « dans le sujet », bien que dans son style équivoque, Lacan semble d'abord dire le contraire : « Ce qui est acquis comme Idéal du moi est bien dans le sujet, comme la patrie que l'exilé emporterait à la semelle de ses souliers. »[10]

Mais justement, « on n'emporte pas sa patrie à la semelle de ses souliers ». Danton, incarnation de la patrie pour les masses, gravement menacé par ses adversaires, est encouragé par ses amis à fuir. Mais il n'est identifié à son idéal révolutionnaire que si les foules continuent à le voir comme

1. Freud, 1911, p. 389 ; 1921, p. 167 ; 1933, p. 89.
2. Marty, 1980, p. 26.
3. Misès, 1990, p. 25.
4. Freud, 1923, p. 243.
5. D. Lagache, 1961, p. 226.
6. Green, 1966-1967, p. 106.
7. Lacan, 1958, p. 678-679.
8. Lacan, 1957-1958, p. 192.
9. Lacan, 1957-1958, p. 199.
10. Lacan, 1957-1958, p. 289.

l'incarnation de la Révolution. Exilé, il ne serait plus identifié à cet idéal du moi. Il préfère encore rester et être guillotiné. La relation du moi à l'idéal du moi est toujours dépendante d'une « mère » qui désigne le sujet comme identifié à son idéal (ici la foule qui voit Danton comme l'incarnation de la patrie).

Même si le père n'est pas physiquement présent, la mère le désigne à l'enfant en lui indiquant les manières idéales de parler et de se comporter qui font de l'enfant, s'il s'y conforme, un membre de la famille, identique au supposé ancêtre unique fondateur de la lignée. Cette image, située à l'horizon du regard de l'enfant, intègre tous les « pères » qui ont contribué à donner naissance à l'enfant dans l'inconscient de la mère : le père biologique, mais aussi le père de la mère, d'autres hommes qui ont compté dans sa vie et qui ne lui ont pas donné d'enfants, et aussi la mère de la mère, et bien d'autres femmes dont la mère a pu attendre en vain un enfant, des personnages de romans et de *sitcom,* qui fourniront le prénom, et divers objets partiels. C'est pourquoi, même si un sujet n'a pas eu de relation directe avec son père, il n'en a pas moins constitué une identification primaire au père, et un idéal du moi.

Les représentations classiques de l'Annonciation donnent une bonne figuration de cette image du père de la préhistoire personnelle. L'ange Gabriel se tient face à la Vierge. Elle a sur les genoux le Livre Saint qui contre-investit ses rêveries, et en face d'elle un vase contenant une fleur de lys. Joseph vaque à ses occupations dans un coin éloigné du tableau. Un rayon lumineux traverse la toile en diagonale, parcouru par la colombe du Saint-Esprit. Il part de l'angle supérieur gauche, où le père éternel intègre tous ces éléments.

Si on admet que le père de la préhistoire primitive est un objet interne (c'est-à-dire un complexe dynamique de représentations inconscientes)[1] de la mère, désigné par elle à l'enfant comme l'idéal qu'il doit atteindre, il me semble possible de conserver l'idée première de Freud, tout en tenant compte des objections de ceux qui lui reprochent son manque de réalisme. Mais alors, le sentiment d'identité du sujet, dans la mesure où il repose sur cette identification primaire, n'est qu'une illusion, puisque l'image du père est une formation composite intégrant un grand nombre d'idéaux contradictoires.

L'identité est un fantasme

Sans le *Schibboleth,* dans la confusion de la bataille et l'obscurité de la nuit, les soldats de Jephté auraient bien risqué de ne plus savoir qui ils étaient. La prononciation correcte du « S » leur assure qu'ils sont bien des Galaadites,

1. R. Diatkine, 1992.

qu'ils sont tous identifiés à Jephté, et à travers lui à Galaad. L'identification d'Arnaud à son père idéalisé assure de même son sentiment d'identité. Mais dans tous ces cas, le sentiment d'identité et de permanence du moi peut vaciller. L'hétérogénéité des idéaux dont se compose l'idéal du moi est d'ailleurs un point sur lequel s'accordent de nombreux auteurs : Roger Misès[1], Joseph et Anne-Marie Sandler[2], et surtout, Janine Chasseguet-Smirgel[3]. L'identification procurée par le *Schibboleth* n'est jamais acquise une fois pour toutes.

Mais cet aspect de l'identité n'est que celui qui peut résulter d'une identification imaginaire aux idéaux d'un groupe. Le vrai *Self,* celui sur lequel repose vraiment le sentiment de continuité de soi, est fait d'une constellation œdipienne spécifique, responsable d'une manière unique de désirer et de souffrir : « Là où ça fait mal, dit Mars, le héros de Fritz Zorn, c'est moi. »

EN RÉSUMÉ

À l'origine, le surmoi culturel est limité à la « puériculture » (Fain et Braunschweig). La mère, ou les personnes qui en tiennent lieu, indiquent à l'enfant les « bonnes » façons de parler, les « bonnes » conduites du corps (Mauss), c'est-à-dire les idéaux auxquels l'enfant doit se conformer s'il veut s'identifier au père de sa préhistoire personnelle, et devenir ainsi un membre de sa famille, de son ethnie, de sa nation et finalement de l'humanité tout entière. La prise en considération de ces idéaux repose sur l'acceptation de la réalité du « message de castration » (Fain et Braunschweig) émis par la mère. L'identification primaire au père de la préhistoire personnelle est à l'origine de l'idéal du moi. L'idéal du moi n'est jamais atteint, mais le sujet peut éviter la dépression s'il se donne l'illusion d'être identique à son idéal du moi. Cette illusion repose sur deux identifications narcissiques combinées : 1 / Une identification en miroir, qui peut être fournie par un fantasme de double, un véritable miroir, une relation à un *alter ego,* ou par le visage de la mère (ou de toute personne en tenant lieu). 2 / Une identification à l'image idéale du père que le sujet voit dans les yeux de la mère quand elle le regarde (ou dans le miroir, s'il a de l'imagination, ou dans le public, s'il peut le fasciner). La combinaison de ces deux identifications narcissiques donne au sujet l'illusion que son moi est identique à son idéal, c'est-à-dire qu'il a un moi idéal. Cette illu-

1. R. Misès, 1990.
2. J. Sandler et A.-M. Sandler, 1973, p. 934 (même idée dans J. Sandler, A. Holder et D. Meers, 1963).
3. Chasseguet-Smirgel, 1973.

sion est nécessaire à la « trophicité » (Janin) de la topique interne, à la différenciation du dehors et du dedans, et par conséquent au bon fonctionnement du surmoi. Par la suite, le surmoi culturel va s'étendre à toutes les personnes auxquelles le sujet va s'identifier secondairement, enseignants, personnes aimées extérieures à la famille, meneurs des divers groupes auxquels il va participer, et dont les idéaux vont se condenser aux idéaux qui étaient déjà les siens. L'idéal du moi devient ainsi de plus en plus impersonnel.

Le surmoi culturel cesse d'être l'antagoniste du narcissisme des petites différences quand le système que le sujet avait construit pour s'assurer de l'illusion qu'il était identique à son idéal du moi est rompu, ce qui met en danger son identification à l'humanité tout entière. Les objets morcelés que semblait contenir ce système semblent alors s'en évader et menacer le sujet. La destruction sur ordre d'un leader astucieux de ces objets grouillants rétablit ensuite l'équilibre narcissique sur une base nouvelle, celle de l'identification à un leader tyrannique. Un leader psychopathe ou mélancolique peut ainsi exploiter le narcissisme des petites différences au profit de son équilibre narcissique personnel et de ses projets politiques, en créant une « pseudo-culture de mort » (P. Wilgowicz).

Gilbert Diatkine
48, boulevard Beaumarchais
75011 Paris

RÉFÉRENCES

Abraham K. (1925), Histoire d'un chevalier d'industrie à la lumière de la psychanalyse, trad. franç. I. Barande, in *Œuvres complètes,* t. II, Paris, Payot, 1966.

Adler A. (1909), La pulsion d'agression dans la vie et dans la névrose, *Rev. franç. psychanal.,* 2-3/1974, 417-426.

Aisenstein M. (2000), Entre le sur-moi culturel et « une pure culture d'instinct de mort », in *Revue française de psychanalyse,* n° 5, 1631-1633.

Arendt H. (1966), *Eichmann à Jérusalem. Rapport sur la banalité du mal,* Paris, Gallimard.

Athanassiou Cl. (1995), *Le surmoi,* Paris, PUF.

Besserman Vianna H., *Politique de la psychanalyse face à la dictature et à la torture. N'en parlez à personne...,* Paris, L'Harmattan, 1997.

Bizouard E. (2000), Surmoi culturel et puissance de masse, *L'idéal transmis. Communications prépubliées. Bulletin de la SPP,* n° 57, 35-44.

Bourdier P. (1969), Aspects du pessimisme freudien, *Rev. franç. psychanal.,* t. XXXIV, 2/1970.

Bourdin D. (2000), Heureux les cœurs purs ?, *L'idéal transmis. Communications prépubliées. Bulletin de la SPP,* n° 57, 35-44.

Braunschweig D. (1971), Psychanalyse et réalité, Rapport au XXXIe Congrès des psychanalystes de langues romanes, *Rev. franç. psychanal.,* 5-6/1971, 655-800.

Braunschweig D. (1973) Intervention sur le rapport de Janine Chasseguet-Smirgel, *Rev. franç. psychanal.,* 5-6/1973, 953-958.
Braunschweig D. et Fain M. (1975), *La nuit, le jour,* Paris, PUF.
Braunschweig D. et Fain M. (1976), Un aspect de la constitution de la source pulsionnelle, *Rev. franç. psychanal.,* 1/1981, 205-226.
Brecht K., Friedrich V., Hermanns L. M., Kaminer I. J. et Juelich D. K. (1985), *« Ici, la vie continue d'une manière fort surprenante... ». Contribution à l'Histoire de la Psychanalyse en Allemagne.*
Browning C. (1992), *Des hommes ordinaires,* trad. franç. E. Barnavi, Paris, Les Belles Lettres, 1994.
Canetti E. (1960), *Masse et puissance,* trad. franç. R. Rovini, Paris, Gallimard, 1966.
Cassou J., Langui E., Pevsner N. (1961), *Les sources du XXe siècle,* Paris, Éd. Des Deux-Mondes.
Chasseguet-Smirgel J. (1973), Essai sur l'Idéal du Moi. Contribution à l'étude psychanalytique de « la maladie d'idéalité », *Rev. franç. psychanal.,* 5-6, 735-930.
Chauvel P. (2000), La conscience des différences : identification de l'étranger, *L'idéal transmis. Communications prépubliées. Bulletin de la SPP,* n° 57, 51-56.
Clair J. (éd.), *Vienne 1880-1971,* Paris, Centre G.-Pompidou.
Cournut-Janin M. et Cournut J. (1993), La castration et le féminin dans les deux sexes, *Rev. franç. psychanal.,* 5/1993, 1353-1558.
Darwin Ch. (1871), *The descent of man,* trad. franç. coordonnée par M. Prunn, *La filiation de l'homme et la sélection liée au sexe,* Paris, Syllepse, 2000.
Denis P. (1997), *Emprise et satisfaction. Les deux formants de la pulsion,* Paris, PUF, 1997.
Diatkine G. (1983), *Les transformations de la psychopathie,* Paris, PUF, 192 p.
Diatkine G. (1993), La cravate Croate : narcissisme des petites différences et processus de civilisation, *Rev. franç. psychanal.,* 4/1993, 1057-1072.
Diatkine G. (1999), Violence ordinaire et idéal du moi, *Psychanalyse en Europe,* 52, printemps 1999, 49-58.
Diatkine G. (1997 *a*), *Lacan,* PUF.
Diatkine G. (1997 *b*), À propos du surmoi idéal, *Rev. franç. psychanal.,* 5/1997, 1653-1656.
Diatkine R. (1964), Agressivité et fantasmes d'agression, *Rev. franç. psychanal.,* XXX, 1966, numéro spécial, 15-93.
Diatkine R. (1992), Le concept d'objet et l'analyse du transfert, *Psychanalyse en Europe,* Bulletin 39, automne 1992, 57-69.
Diatkine R. (1993), Être psychanalyste en 1993. *Rev. franç. Psychanal.,* 4/1993, 1019-1027.
Donnet J.-L. (1995), *Surmoi I. Le concept freudien et la règle fondamentale,* Monographie de la *Revue française de psychanalyse,* Paris, PUF.
Donnet J.-L. (1998), Processus culturel et sublimation, *Rev. franç. psychanal.,* 4/1998, 1053-1067.
Duparc F. (1997), Le temps en psychanalyse, figurations et construction, *Rev. franç. psychanal.,* 5/1997, 1429-1588.
Fain M. (1982), *Le désir de l'interprète,* Paris, Aubier-Montaigne.
Ferenczi S. (1909), Transfert et introjection, trad. franç. J. Dupont et Ph. Garnier, in *Œuvres complètes,* t. I, Paris, Payot, 1968.

Ferenczi S. (1923), *Thalassa. Psychanalyse des origines de la vie sexuelle,* trad. franç. J. Dupont et S. Samama, Paris, Payot, 1962.

Freud S. et Ferenczi S., *Correspondance,* t. II, trad. franç. par le groupe du Coq-héron, Paris, Calmann-Lévy, 1996.

Freud S. et Ferenczi S., *Correspondance,* t. III : *Les années douloureuses,* trad. franç. par le groupe du Coq-héron, Paris, Calmann-Lévy, 2000.

Freud S. et Jones E., *Correspondance complète (1908-1939),* trad. franç. P.-E. Dauzat, Paris, PUF, 1998.

Freud S. et Jung C.-J., *Correspondance II 1910-1914,* éd. W. McGuire, trad. franç. R. Fivaz-Silbermann, Paris, Gallimard, 1975.

Freud S. (1893), *Manuscrit B,* in *La naissance de la psychanalyse. Lettres à Wilhelm Fliess. Notes et plans,* publiés par Marie Bonaparte, Anna Freud et Ernest Kris, trad. franç. A. Berman, Paris, PUF, 1956.

Freud S. (1907), Actions compulsionnelles et exercices religieux, trad. franç. D. Guérineau, in *Névrose, Psychose et Perversion,* Paris, PUF, 1973.

Freud S. (1908), La morale sexuelle civilisée et la maladie nerveuse des temps modernes, trad. franç. D. Berger, in *La vie sexuelle,* Paris, PUF, 1969.

Freud S. (1908 *b*), Le créateur littéraire et la fantaisie, trad. franç. B. Féron, in *L'inquiétante étrangeté et autres essais,* Paris, Gallimard, 1985.

Freud S. (1909), Analyse d'une phobie chez un garçon de cinq ans (Le petit Hans), trad. franç. M. Bonaparte et R. Loeenstein, in *Cinq psychanalyses,* Paris, Denoël & Steele, 1935.

Freud S. (1909), Remarques sur un cas de névrose obsessionnelle (L'homme aux rats), trad. franç. M. Bonaparte et R. Loeenstein, in *Cinq psychanalyses,* Paris, Denoël & Steele, 1935.

Freud S. (1910), Perspectives d'avenir de la thérapeutique analytique, trad. franç. A. Berman, in *De la technique psychanalytique,* Paris, PUF, 1953.

Freud (1911), Sur la psychanalyse, trad. de l'anglais par l'équipe de J. Laplanche, in *Œuvres complètes,* t. XI, Paris, PUF, 1998.

Freud S. (1911), Formulations sur les deux principes du cours des événements psychiques, trad. franç. J. Laplanche, in *Résultats, idées, problèmes,* I, Paris, PUF, 1984.

Freud S. (1912), Sur le plus général des rabaissements de la vie amoureuse, trad. franç. J. Laplanche, in *Contributions à la psychologie de la vie amoureuse,* in *La vie sexuelle,* Paris, PUF, 1969.

Freud S. (1912-1913), A) *Totem et tabou,* trad. franç. S. Jankélévitch, Paris, Payot, 1947.

— b) *Totem et tabou. Quelques concordances entre la vie psychique des sauvages et celle des névrosés,* trad. franç. Marielène Weber, Paris, Gallimard, 1993.

— c) *Totem et tabou. Quelques concordances dans la vie d'âme des sauvages et des névrosés,* trad. sous la direction de J. Laplanche, in *Œuvres complètes,* t. XI, Paris, PUF, 1998.

Freud S. (1914), Pour introduire le narcissisme, trad. franç. Denise Berger, in *La vie sexuelle,* Paris, PUF, 1969.

Freud S. (1915 *a*), Considérations actuelles sur la guerre et sur la mort, trad. franç. P. Cotet, A. Bourguignon et A. Cherki in *Essais de psychanalyse,* Paris, Payot, 1981.

Freud S. (1915 *b*), Pulsions et destins des pulsions, trad. franç. J. Laplanche et J.-B. Pontalis in *Métapsychologie,* Paris, Gallimard, 1968.

Freud S. (1915 *c*), L'inconscient.
— a) Trad. franç. J. Laplanche et J.-B. Pontalis, in *Métapsychologie,* Paris, Gallimard, 1968.
— b) Trad. franç. in *Œuvres complètes,* t. XIII, Paris, PUF, 1988.

Freud S. (1916), *Introduction à la psychanalyse,* trad. franç. S. Jankélévitch, Paris, Payot, 1947.

Freud S. (1918), Le tabou de la virginité, trad. franç. J. Laplanche, in *Contributions à la psychologie de la vie amoureuse,* in *La vie sexuelle,* Paris, PUF, 1969.

Freud S. (1919), L'inquiétante étrangeté, trad. franç. B. Féron, in *L'inquiétante étrangeté et autres essais,* Paris, Gallimard, 1985.

Freud S. (1920), Sur la psychogenèse d'un cas d'homosexualité féminine, trad. franç. D. Guérineau, in *Névrose, psychose et perversion,* Paris, PUF, 1973.

Freud S. (1921), Psychologie des foules et analyse du moi, trad. franç. P. Cotet, A. Bourguignon, J. Altounian, O. Bourguignon et A. Rauzy, in *Essais de psychanalyse,* Paris, Payot, 1981.

Freud S. (1923), Le Moi et le Ça.
— a) Trad. franç. J. Laplanche, in *Essais de Psychanalyse,* Paris, Payot, 1981.
— b) Trad. franç. C. Baliteau, A. Bloch et J.-M. Rondeau, in *Œuvres complètes,* t. XVI, Paris, PUF, 1991.

Freud S. (1923 *b*), La disparition du complexe d'Œdipe, trad. franç. D. Berger, in *La vie sexuelle,* Paris, PUF, 1969.

Freud S. (1924), Le problème économique du masochisme, trad. franç. J. Laplanche, in *Névrose, psychose et perversion,* Paris, PUF, 1973.

Freud S. (1925), La négation, trad. franç. J. Laplanche, in *Résultats, idées, problèmes II,* Paris, PUF, 1985.

Freud S. (1927), *L'avenir d'une illusion,* trad. franç. Marie Bonaparte, Paris, Denoël & Steele, 1932.

Freud S. (1929), *Malaise dans la civilisation.*
— a) Trad. franç. Ch. et I. Odier, *Rev. franç. psychanal.,* 1/1970, 9-80.
— b) Trad. franç. P. Cotet, R. Lainé et J. Stute-Cadiot, Le malaise dans la culture, in *Œuvres complètes,* t. XVIII, Paris, PUF, 1994.

Freud S. (1933), Pourquoi la guerre ?, trad. franç. J.-G. Delarbre et A. Rauzy, in *Résultats, idées problèmes II,* Paris, PUF, 1985.

Freud S. (1933 *b),* L'angoisse et la vie pulsionnelle, trad. franç. R. M. Zeitlin, in *Nouvelles conférences d'introduction à la psychanalyse,* Paris, Gallimard, 1984.

Freud S. (1933 *c*), La décomposition de la personnalité psychique, trad. franç. R. M. Zeitlin, in *Nouvelles conférences d'introduction à la psychanalyse,* Paris, Gallimard, 1984.

Freud S. (1937), Constructions dans l'analyse, trad. franç. E. R. Hawelka, U. Huber et J. Laplanche, in *Résultats, idées, problèmes II,* Paris, PUF, 1985.

Freud S. (1937 *b*), Si Moïse fut un Égyptien, in *L'homme Moïse et la religion monothéiste,* trad. franç. Cornelius Heim, Paris, Gallimard, 1986.

Freud S. (1938 *a*), *Moïse et le monothéisme,* trad. franç. A. Berman, *NRF,* Paris, 1948.

Freud S. (1938 *b*), *L'homme Moïse et la religion monothéiste,* trad. franç. Cornelius Heim, Paris, Gallimard, 1986.

Gibeault M. et Rabain J.-Fr. (1993), Argument du volume consacré aux *Différences Culturelles, Rev. franç. psychanal.,* 3/1993, 685-690.

Glover E. (1943-1944), Examination of the Klein System of Child Psychology, *Psychoanalytic Study of the Child,* vol. I, 1945, 75-118.

Goldhagen D. J. (1996), *Les bourreaux volontaires de Hitler,* trad. franç. P. Martin, Le Seuil, 1997.

Green (1966-1967), Le narcissisme primaire, structure ou état ?, in *Narcissisme de vie, narcissisme de mort,* Paris, Éd. de Minuit, 1983.

Green A. (1975), L'analyste, la symbolisation et l'absence, *Nouvelle Revue de psychanalyse,* X, automne 1974, 225-258.

Green A. (1983), L'idéal : mesure et démesure, in *La folie privée,* Paris, Gallimard, 1990.

Green A. (1993), *Le travail du négatif,* Paris, Éd. de Minuit.

Green A. (2000), *Le temps éclaté,* Paris, Éd. de Minuit.

Gribinski M. (1978), Le guéri, le sacré et l'impur, *Nouvelle Revue de psychanalyse. La croyance,* n° 18.

Groddeck G. (1977), *Ça et Moi. Lettres à Freud, Ferenczi et quelques autres,* trad. franç. R. Lewinter, Paris, Gallimard.

Grunberger B. (1973), Idéal du Moi et Surmoi précoce, *Rev. franç. psychanal.,* 5-6/1973, 959-968.

Grunberger B. et Dessuant P. (1997), *Narcissisme, christianisme et antisémitisme,* Arles, Actes Sud.

Guignard Fl. (1996), Éprouvé d'amour, déni d'amour, *Rev. franç. psychanal.,* 3/1996, 805-812.

Hanly Ch. (1984), Ego ideal and ideal ego, *IJP,* 65, 253-261.

Heilmann E. (1994), Die Bertillonage und die Stigmata des Entartung. *Kriminologisches Journal,* vol. 1, 34-46.

Imbeault J. (1999), L'Amérique de Pierre Perrault, *Le fait de l'analyse,* n° 6, *Sauvagerie,* Paris, Éd. Autrement.

Jakobson R. (1935), L'évolution phonique du langage enfantin et de l'aphasie comme problème linguistique, trad. franç. J.-P. Boons et R. Zygouris, in *Langage enfantin et aphasie,* Paris, Éd. de Minuit, 1969.

Janin Cl. (1985), Le chaud et le froid : les logiques du traumatisme et leur gestion dans la cure psychanalytique, *Rev. franç. psychanal.,* 49/2, 667-677.

Janin Cl. (1988), Les séductions de la réalité : éléments pour une topique du traumatisme, *Rev. franç. psychanal.,* 6/1988, 1451-1460.

Janin Cl. (1989), L'empiétement psychique : un problème de clinique et de technique psychanalytique, in *Psychanalyse : questions pour demain,* Monographie de la *Revue française de psychanalyse.*

Janin Cl. (1995), La réalité, entre traumatisme et histoire, *Rev. franç. psychanal.,* 1/1995, 115-172.

Klein M. (1932), *The psycho-analysis of children,* trad. angl. Alix Strachey, London, Hogarth Press, *La psychanalyse des enfants,* trad. franç. D. Boulanger, Paris, PUF, 1959.

Kohut H. (1971), *Le Soi,* PUF, 1995.

Kohut H. (1984), *Analyse et guérison,* trad. franç. Cl. Monod, Paris, PUF, 1991.

Lacan (1948), L'agressivité en psychanalyse, in *Écrits,* Paris, Éd. du Seuil, 1966.

Lacan J. (1949), Le stade du miroir comme formateur de la fonction du Je, in *Écrits,* Paris, Éd. du Seuil, 1966.

Lacan J. (1957-1958), *Le séminaire,* V : *Les formations de l'inconscient,* Paris, Éd. du Seuil, 1998.
Lacan J. (1960-1961), *Le séminaire,* VIII : *Le transfert,* Paris, Éd. du Seuil, 1991.
Lacan J. (1960), Remarque sur le rapport de Daniel Lagache : « Psychanalyse et structure de la personnalité », in *Écrits,* Paris, Éd. du Seuil, 1966.
Lacroix M.-Bl. et Monmayrand M. (1999), *Enfants terribles, enfants féroces, la violence du jeune enfant,* Toulouse, Érès.
Lagache D. (1961), La psychanalyse et la structure de la personnalité, in *Agressivité, structure de la personnalité et autres travaux. Œuvres,* IV, 1956-1962, Paris, PUF, 1982.
Lagache D. (1962), Pouvoir et personne, in *Agressivité, structure de la personnalité et autres travaux. Œuvres,* IV, 1956-1962, Paris, PUF, 1982.
Laval Guy (2000), Surmoi culturel ou souplesse démocratique. L'idéal transmis, communications prépubliées, *Bulletin de la Société psychanalytique de Paris,* n° 57, 125-132.
Le Guen Cl. (1992), *Toi,* Conférence à la Société psychanalytique de Paris, 19 octobre 1992.
Lévinas E. (1952), Éthique et esprit, in *Difficile liberté,* Paris, Le Livre de poche.
Lévi-Strauss Cl. (1952), *Race et histoire,* Paris, Denoël.
Loewenstein R. (1952), *Psychanalyse de l'antisémitisme,* Paris, PUF.
Lussier M. (2000), Deuil et surmoi culturel, in *Revue française de psychanalyse,* n° 5, 1621-1630.
McDougall J. (1996), *Éros aux mille et un visages,* Paris, Gallimard.
Marty P. (1980), *L'ordre psychosomatique,* Paris, Payot.
Marty P. (1990), *La psychosomatique de l'adulte,* Paris, PUF.
Mauss M. (1924), Rapports réels et pratiques de la psychologie et de la sociologie, in *Sociologie et anthropologie,* Paris, PUF, 1950.
Mauss M. (1936), Les techniques du corps, in *Sociologie et anthropologie,* Paris, PUF, 1950.
Misès R. (1990), *Les pathologies limites de l'enfance,* Paris, PUF.
Morel B.-A. (1857), *Traité des dégénérescences physiques, intellectuelles et morales de l'espèce humaine,* Paris.
M'Uzan de M. (1973), Notes sur l'évolution et la nature de l'Idéal du Moi, *Rev. franç. psychanal.,* 5-6, 1014-1018.
M'Uzan de M. (1976), Contre-transfert et système paradoxal, *Rev. franç. psychanal.,* 3-1976, 575-590.
M'Uzan de M. (1983), Interpréter : pour qui ; pourquoi ?, in *La bouche de l'inconscient,* Paris, Gallimard, 1994.
Nunberg H. (1932), *Principes de psychanalyse,* trad. franç. A.-M. Rocheblave, Paris, PUF, 1937.
Pasche F. (1993), Du Surmoi ambivalent au Surmoi impersonnel, *Bulletin du Groupe méditerranéen de la SPP,* n° 1, novembre 1993, 7-19.
Penot B. (1989), *Figures du déni,* Paris, Dunod.
Perelberg R. J. (1998) (éd.), *Psychoanalytic Understanding of Violence and Suicide,* Londres et New York, Routledge.
Poliakov L., *Histoire de l'antisémitisme,* t. I : 1) Du Christ aux juifs de cour, 1956, 2) De Mahomet aux Marranes, 1961 ; t. II : 1) De Voltaire à Wagner, 1961, 2) L'Europe suicidaire, 1977, Paris, Calmann-Lévy, « Points », 1981.

Prat R. (2000), Du mythe de la cigogne à celui de la petite graine, *L'idéal transmis. Communications prépubliées. Bulletin de la SPP,* n° 57, 157-162.
Proust M., *Le côté de Guermantes,* éd. Clarac et Ferré, NRF, « Bibliothèque de la Pléiade », 1954.
Rosenfeld H. (1965), *Psychotic states,* Londres, The Hogarth Press.
Rosenfeld H. (1987), *Impasse et interprétation,* trad. franç. dirigée par B. Ithier, Paris, PUF, 1990.
Rosolato G. (1976), Le narcissime, *Nouvelle Revue de psychanalyse,* n° 13.
Sandler J. (1960), On the Concept of Superego, *Psychoanalytic St. Child,* 15, p. 128-162.
Sandler J., Holder A. et Meers D. (1963), The ego ideal and the ideal self, *The Psychoanalytic Study of the Child,* 18, 139-158.
Sandler J. et Sandler A.-M. (1973), Un bref commentaire sur le moi et ses idéaux, *Rev. franç. psychanal.,* 5-6/1973, 931-936.
Sandler J. (6 avril 1977), *Le moi et ses idéaux,* Conférence à Paris.
Saussure F. de (1915), *Cours de linguistique générale,* Paris, Payot, 1960.
Sofski W. (1996), *Traktat über Gewalt,* trad. franç. B. Lortholary, *Traité de la violence,* Paris, Gallimard, 1998.
Soulé M. (1990) (éd.), *L'âge bête,* Paris, Éd. Sociales françaises.
Stendhal (1830), *Le Rouge et le Noir,* Paris, Garnier, 1950.
Stern D. N. (1985), *Le monde interpersonnel du nourrisson,* trad. franç. A. Lazartigues et D. Pérard, Paris, PUF, 1989.
Stoller R. J. (1985), *L'imagination érotique telle qu'on l'observe,* trad. franç. C. Chiland et Y. Noizet, Paris, PUF, 1989.
Stoller R. J. (1985), *Masculin ou féminin ?,* trad. franç. Y. Noizet et C. Chiland, Paris, PUF, 1989.
Valéry P. (1919), La crise de l'esprit, in *Variété,* Paris, Gallimard, 1924.
Winnicott D. W. (1971), Le rôle de miroir de la mère et de la famille dans le développement de l'enfant, trad. franç. Cl. Monod et J.-B. Pontalis, in *Jeu et réalité,* Paris, Gallimard, 1975.

Formation d'idéal et Surmoi culturel

Dominique Scarfone

Dans le peu de temps dont je dispose et compte tenu de l'étendue des enjeux théoriques et cliniques de ce thème, il m'est impossible de discuter convenablement de tous les aspects de l'intéressant rapport de Gilbert Diatkine. Il m'a fallu choisir quelques fils conducteurs qui me conduiront à des points que je crois importants pour le thème du présent congrès.

Nous avons, nous psychanalystes, des problèmes de terminologie qui ne seraient pas graves en eux-mêmes s'ils ne traduisaient en réalité des problèmes conceptuels. Ainsi, presque un siècle après « Pour introduire le narcissisme », Moi idéal, Idéal du moi et Surmoi sont encore des concepts insuffisamment dégagés de leur gangue commune. On discute encore de ce qui les distingue, de leur articulation entre eux, voire de la pertinence de certains d'entre eux. Mais peut-être l'erreur consiste-t-elle à vouloir justement en faire des entités distinctes ? Je me demande s'il ne faut pas au contraire penser *dans leur mouvement* les processus dont ils sont censés rendre compte, plutôt que de tenir à des entités solides et presque statiques. Mais je sais bien qu'il ne suffit pas de vouloir penser les choses en mouvement, puisque nous sommes tout naturellement portés à spatialiser le mouvement, et donc à considérer que les choses se meuvent entre des pôles ou des bornes. Or, penser « pôle », c'est encore penser quelque chose d'immobilisé. Il y a là une servitude de la pensée qui n'est sans doute pas étrangère à la conflictualité psychique. Après tout, même si elle n'en sait rien, « Psyché est étendue », comme le notait Freud à la toute fin de sa vie.

En amorçant cette discussion du rapport de Gilbert Diatkine, je partirai donc de ce qui m'apparaît chez Freud une tentative « limite » de régler « graphiquement » le problème d'une psyché à la fois étendue et mouvante. Cette tentative, c'est ce qu'on peut appeler la métaphore holographique de la ville de Rome, celle utilisée par Freud dans *Malaise dans la culture.* On connaît tous cette fameuse description d'une Rome où toutes les époques et toutes les constructions successives seraient présentes simultanément. Freud voulait par là donner une idée de l'hypercomplexité et de l'a-temporalité des structures psychiques qu'il essayait de représenter sur le mode visuel. Mais après avoir déployé cette métaphore audacieuse – en avance sur son temps et évoquant les plus récents logiciels de réalité virtuelle –, Freud se résigne à écrire : « Notre tentative semble être un jeu futile ; elle nous montre à quel point nous sommes loin de maîtriser par une représentation visuelle les particularités de la vie psychique. »[1]

Une telle remarque ne manque pas de nous frapper, surtout si nous venons de lire un autre de ces textes qu'on dit « anthropologiques » de Freud, soit : *L'homme Moïse et la religion monothéiste,* puisque là il est question de l'importance culturelle qu'a eue pour le peuple juif, non pas la *difficulté* de représentation visuelle, mais son *interdiction* par la loi mosaïque. Cette interdiction, estime Freud, a joué un rôle important dans le progrès de la vie de l'esprit. Interdiction qui signifiait « une mise en retrait de la perception sensorielle au profit d'une représentation qu'il convient de nommer abstraite, un triomphe de la vie de l'esprit sur la vie sensorielle, à strictement parler, un renoncement aux pulsions avec ses conséquences nécessaires sur le plan psychique »[2].

Comme c'est souvent, et peut-être toujours, le cas chez Freud, les conceptions qui se voudraient historiques au sens banal du terme sont en fait profondément solidaires des conceptions quant à la structure de la psyché. On sait que, pour Freud, c'est la mère qui est située du côté de la sensorialité et que la conception spirituelle est du côté du père. Il ne faut d'ailleurs pas confondre ces notations avec une quelconque distribution sexuée de l'esprit ou des sens, rien n'étant plus éloigné de ce que Freud veut dire ici. Mais réfléchissons un instant à la portée possible du rapprochement que nous sommes amenés à faire entre *l'interdit* de se fabriquer des images et la *difficulté* de nous faire une présentation visuelle de la vie psychique : nous retrouvons par là, il me semble, une solidarité entre *l'objet* dont il s'agit d'élaborer des concepts utiles et la *manière* elle-même d'en traiter. J'ai fait ce détour pour arriver à ceci : qu'arriverait-il si nous *renoncions* à une représentation figurée de l'appareil psychique et des instances idéales en particulier ? Peut-être obtiendrions-nous en échange une conception plus proche de la chose même, avec plus de fluidité, plus de mouvements et moins de contradictions et d'impasses théoriques ? N'est-ce pas d'ailleurs ce que nous faisons dans le cadre de la cure elle-

1. S. Freud, *Le malaise dans la culture,* Paris, PUF, coll. « Quadrige », p. 12.
2. S. Freud, *L'homme Moïse et la religion monothéiste,* Paris, Gallimard, p. 212.

même, quand, renonçant à la visibilité du face-à-face, nous nous faisons tout oreilles et agrandissons ce côté beaucoup plus « spirituel » de la rencontre. Ce qui ne fait d'ailleurs que mobiliser plus fortement les aspects sensoriels et même sensuels du « dit » en séance, de même que l'interdit de représentation a poussé vers un plus grand intérêt pour la pensée abstraite, tout en conflictualisant celle-ci du fait de la charge libidinale qui y était transportée : la religion, pour Freud, est comme une névrose obsessionnelle de l'humanité, la névrose obsessionnelle une religion privée.

J'ai abordé ainsi les choses parce qu'il me semble que le rapport de Gilbert Diatkine propose, à bas bruit, des formulations théoriques qu'il nous faut soumettre à discussion durant ces journées. Et je crois que pour les discuter convenablement il nous faut au moins nous entendre sur le sens de certains termes clés. Il s'agit, bien entendu, de termes comme « Surmoi culturel », « Idéal du moi », « Moi idéal », « Surmoi », « idéaux », tous des termes qui, vu leur rapport au narcissisme et aux identifications, renvoient inévitablement l'un à l'autre dans un jeu de miroirs parfois inextricable. On me permettra, par souci d'économie de temps, de ne faire que mentionner les auteurs qui ont historiquement contribué au débat quant à la distinction entre Idéal du moi et Moi idéal, Idéal du moi et Surmoi, Surmoi et Moi idéal, etc. (Nunberg, Lacan, Lagache, Laplanche et Pontalis, Green, de M'Uzan, Chasseguet-Smirgel, Lussier, etc.). Aspirant à la « fluidité » dont je parlais à l'instant, je préfère quant à moi m'en tenir, pour parler de cet ensemble de fonctions, à une expression heureuse de Freud dans « Pour introduire le narcissisme », quand il nomme tout simplement « la formation d'idéal »[1]. C'est l'événement, l'acte psychique de formation d'idéal qui semble décisif dans l'affaire ; les diverses cristallisations de cette formation d'idéal étant des réductions, des immobilisations, des « arrêts sur image » – parfois commodes, mais souvent problématiques – d'un processus mouvant parce que vivant. Nous verrons que si nous avons tendance à concevoir en des entités fixes les instances idéales, c'est qu'elles se présentent elles-mêmes en tant qu'immobilisation du mouvement de la pensée. Notre difficulté à les penser en mouvement relève donc bien de l'effet de ces instances elles-mêmes sur la mobilité de la pensée.

L'idéal une fois formé, libre à nous de considérer que, restant derrière comme nostalgie d'une perfection perdue, il constitue un *Moi idéal* (ou, comme le propose André Lussier, « un moi idéalisé »), tandis que projeté vers l'avant comme objectif à atteindre, cela devrait plutôt s'appeler *Idéal du moi.* L'important n'est pas là. Ce qui compte, c'est que l'entrée en action de la *formation d'idéal* marque moins la mise en place d'instances fixes que celle d'un

1. S. Freud, Pour introduire le narcissisme, in La *vie sexuelle,* Paris, PUF, p. 98.

circuit, d'un régime ou d'un champ narcissique. Ce champ est tendu entre deux pôles, dont un pôle d'ouverture au monde extérieur, voire d'imposition par l'extérieur d'un rapport à celui-ci (Idéal du moi), et un pôle de repli narcissique, de réponse immédiate et magique, de l'ordre de la toute-puissance, aux appels de la formation d'idéal (Moi idéal). Le Moi idéal, en effet, coupant court à tout travail psychique, se fixe en tant que prétention fantasmatique, voire délirante, que le problème posé de l'extérieur au sujet par la formation d'idéal est d'ores et déjà résolu. Le Moi idéal affirme avoir toujours déjà les qualités requises par l'appel auquel répond la formation d'idéal. Dans tous les cas, ce qui agit est cette « formation d'idéal », formation qui, comme tout le contexte théorique de ces journées l'atteste, a beaucoup à voir avec l'insertion de tout individu, de tout psychisme individuel, dans une trame culturelle. Or, cette trame culturelle va à l'encontre de la vie pulsionnelle, parce que posant à chaque être humain une tâche qui, littéralement, *le dépasse,* c'est-à-dire dépasse ses capacités réelles ainsi que ses intérêts et désirs individuels.

Le processus de civilisation se pose ainsi comme la chose à la fois la plus intime et la plus étrangère à l'individu. Ce n'est pas sans évoquer, mais sur un tout autre plan, la première opposition que Freud avait mise au fondement de la conflictualité humaine et qui passe entre les intérêts autoconservatifs de l'individu et les exigences de reproduction de l'espèce. Sauf qu'ici, par un retournement presque ironique, c'est l'individu qui, face au processus de civilisation, a des intérêts sexuels, et c'est la culture qui, se substituant à l'espèce et contrairement à celle-ci, présente des objectifs antisexuels. Tout se passe comme si l'individu était coincé entre deux grands ensembles : l'espèce biologique (et son exigence de perpétuation sexuée) et la culture (et son exigence de lien désexualisé). Tout se passe aussi comme si l'individu avait intériorisé doublement ces oppositions qui le nouent en une double conflictualité, puisque de quelque côté qu'il se tourne il doit affronter un ordre de causalité qui le dépasse largement. Ni ange, ni bête, l'humain est donc cet être pétri de contradictions et de conflits dont on aurait tort de penser que, parce qu'ils sont décrits en fonction de grands ensembles, ils deviennent par là abstraits et éloignés de la clinique. Bien au contraire, si la psychanalyse ne se réduit pas à quelque recette thérapeutique à la mode, c'est bien d'être constamment et intimement articulée à la condition humaine dans toute sa complexité, dans toutes ses dimensions. Le monde extérieur – ici la culture ou la civilisation – n'est pas une simple toile de fond devant laquelle chaque individu jouerait son drame personnel. Non, le processus de la culture *travaille* en chacun de nous, il *nous travaille,* parce qu'il nous impose des exigences demandant chaque jour une réponse renouvelée, la plupart du temps inconsciente. La nouvelle que Freud nous annonce, c'est qu'aux exigences de ce processus, il est impossible de satisfaire, tout comme il est impossible, et peut-être pour les mêmes raisons, de satisfaire complètement les pulsions.

Ces considérations faites, j'en viens maintenant à un aspect majeur du rapport de Gilbert Diatkine, soit son usage que je dirais « rapproché » du concept de Surmoi culturel. À plusieurs endroits dans son rapport, Diatkine utilise des expressions comme « le Surmoi culturel d'Arnaud » ou « Surmoi culturel analytique », etc. C'est donc dire que Diatkine fait du Surmoi culturel une structure que, faute d'un meilleur terme, je qualifierais de « particularisée » ou « personnalisée ». Le Surmoi culturel se présenterait alors comme une structure ou substructure supplémentaire dans l'ensemble qui constitue la seconde topique freudienne. Pour une part, cette façon d'utiliser la notion de Surmoi culturel m'apparaît contestable, du moins si l'on tient à conserver aux termes que nous utilisons un sens partageable, et donc si nous nous en tenons à ce que Freud a formulé à ce sujet dans *Malaise dans la culture* : « On est en droit d'affirmer, écrit Freud, que la communauté elle aussi produit un surmoi sous l'influence duquel s'effectue le développement de la culture. »[1] Si nous tenons à conserver une référence commune à propos de ce terme, le Surmoi culturel me semble donc devoir par définition être posé comme un héritage commun, et donc comme ne pouvant pas être « particularisé ». Le Surmoi culturel ne se qualifie pas différemment selon les individus ou même selon les sous-groupes à l'intérieur d'une civilisation donnée. Il est vrai, cependant, que le Surmoi culturel pose son exigence *à chacun individuellement*. Et c'est par là que, d'autre part, je peux comprendre l'objectif poursuivi par Diatkine quand il « personnalise » ou « particularise » le Surmoi culturel. Je le suis tout à fait dans son souci de montrer que la civilisation n'est pas une simple toile de fond, n'est pas un simple contexte, pas un simple décor pour l'action, mais une puissance active, exigeante, potentiellement torturante dans la mesure où le Surmoi individuel est, à des degrés variables selon les cas, *enchâssé* dans le Surmoi culturel.

Jean Imbeault, dans un texte qui est des plus pertinents pour notre discussion[2], souligne l'usage par Freud du verbe *verklebt* qui, parlant du rapport entre homme et civilisation, indique une imbrication surmoïque, une agglutination, comme l'adhésion d'un corps à un autre. Le Surmoi individuel est donc ainsi imbriqué dans le Surmoi de la culture. Dans la ligne de cette idée d'imbrication, il semble possible de poser une continuité entre le processus de civilisation, le Surmoi culturel et le Surmoi individuel. Mais au sein de cette continuité il y a des ruptures, ou des sauts. Alors que le processus

1. S. Freud, *Malaise dans la culture, op. cit.*, p. 84-85.
2. Jean Imbeault, Un surmoi hitlérien, *Che vuoi ?*, n° 3, 1995, p. 65-78.

de civilisation est un processus somme toute *inhumain* dont les finalités et les modalités ne répondent d'aucune logique saisissable dans le cadre des intérêts et désirs individuels, le Surmoi culturel – qui selon Freud est introduit dans une culture donnée par la figure du Grand homme – est une *figuration*, une représentation possible du processus de civilisation (nous revoici avec la question de la figuration). Le Grand homme – qu'on pense ici à Moïse ou à Jésus-Christ pour la tradition judéo-chrétienne – a pris sur lui, littéralement, de se faire le porte-parole du processus de civilisation, de l'incarner et de le traduire en une loi éthique. Position de démiurge, mais qui n'est quand même que celle d'un intermédiaire entre l'humanité et quelque chose qui apparaît plus grand. Intermédiaire, organisant aussi une sorte de « résistance » – au sens de ce qui permet un travail – entre la civilisation et l'individu. Résistance en deux directions opposées : l'interprétation faite par le grand homme du processus de civilisation résiste à celui-ci autant qu'il le traduit ; à son tour, l'énoncé d'une loi éthique du Surmoi culturel ne peut que susciter une résistance de la part des destinataires que la loi éthique travaille de l'intérieur, résistance à travers la « formation d'idéal » du Surmoi individuel.

Le Grand homme est, disais-je, un intermédiaire, mais c'est aussi celui qui a vu le « grand tableau », qui est une émanation de Dieu ou qui a parlé directement avec lui. Le petit Hans ne s'y est pas trompé quand, à propos de Freud qui vient de se présenter comme une sorte de prophète sachant « de tout temps » qu'un jour un petit garçon..., etc., s'est exclamé : « Le professeur parle-t-il avec le bon Dieu ? »[1] Comme Gilbert Diatkine le souligne, le meneur ne parle jamais qu'au nom de quelqu'un ou de quelque chose d'autre de plus grand, pour lequel il mobilise les énergies de la collectivité. À travers l'œuvre du Grand homme qui fonde le Surmoi culturel d'une époque historique donnée s'élaborent les idéaux partagés par une communauté. Chaque individu, pourtant, doit s'en faire une version privée, quoique imbriquée, enchâssée dans le Surmoi culturel. C'est sans doute ainsi qu'il convient de situer ce que Diatkine appelle « les états de dépendance du Surmoi ». Et c'est par là aussi que l'on saisit en quoi ce n'est pas par hasard ou par défaut d'élaboration conceptuelle que le Surmoi individuel fut longtemps nommé par Freud, indifféremment, Idéal du moi. C'est par la *formation d'idéal* que se constitue cette instance si intime et si étrangère à la fois, qui ordonne et interdit, qui instaure sur la scène psychique individuelle la conflictualité essentielle au sein de laquelle évolue l'être humain civilisé.

1. *In* Analyse d'une phobie chez un petit garçon de 5 ans. Le petit Hans, *Cinq psychanalyses*, Paris, PUF, 1972.

L'adhésion, l'imbrication du Surmoi individuel dans le Surmoi culturel peut être conçue comme résultant de l'irruption du processus de la culture au sein de la dyade mère-enfant, brisant l'apparente autosuffisance narcissique de ce couple. On pense ici au rôle assigné par Piera Aulagnier à la mère comme porte-parole, comme représentante du discours de l'ensemble[1]. Rôle lui-même contradictoire puisque le « discours de l'ensemble » – du fait de la demande impossible à satisfaire que pose le Surmoi culturel, telle : *Aime ton prochain comme toi-même* – n'entre pas seulement en contradiction avec la vie pulsionnelle, mais est lui-même traversé par le conflit entre le Surmoi culturel et les idéaux individuels qui viennent tour à tour occuper le créneau érigé lors de la « formation d'idéal ». La mère est elle aussi, ne l'oublions pas, traversée par cette contradiction possible entre des idéaux particuliers et la loi éthique de l'ensemble, quand elle désire pour son « enfant merveilleux » un devenir exceptionnel, quand elle souhaite, à la limite, voir son enfant devenir un Grand homme démiurgique. Le Grand homme n'est-il pas toujours enfanté par une mère très spéciale (fille de Pharaon ou Vierge immaculée) ? De sorte qu'il est somme toute assez secondaire de savoir si l'identification primaire se fait au père, à la mère ou aux deux parents. Il revient à la fonction maternelle (qu'elle soit portée par une mère, par un père ou par qui l'on voudra) d'être l'identifiante ; la fonction paternelle, quant à elle, fournit, si l'on peut dire, le substrat de l'identification. Mais la fonction paternelle a ceci de particulier d'être d'emblée du côté de l'esprit, de la pensée abstraite, et c'est d'ailleurs par ce côté qu'il est toujours déjà objet de meurtre.

À propos du Grand homme, Freud souligne dans le *Moïse* qu'il aurait dû se fier aux mots eux-mêmes, et penser qu'il s'agit au fond de cet homme qui, dans notre enfance, nous a paru grand physiquement. Mais ce serait là, à mon avis, trop simplifier les choses et les ramener du côté de la psychogenèse individuelle, alors que tout indique que Freud pense des deux côtés à la fois, c'est-à-dire du côté du devenir individuel comme de celui des processus qui se déroulent au-dessus de l'humanité. Reste que ce Grand homme a indiscutablement des traits paternels : le père de l'expérience individuelle se trouve à représenter pour l'enfant de notre culture le Grand homme de la culture elle-même. Il y a ici comme une reprise en abyme qui a d'ailleurs toutes les apparences d'une circularité quand Freud semble tenir à la version « historique » du meurtre du père de la horde primitive[2]. Gilbert Diatkine se demande pourquoi Freud tient à cette hypothèse jusqu'à la fin de sa vie. Il me semble quant

1. P. Aulagnier, *La violence de l'interprétation,* Paris, PUF, « Le fil rouge ».
2. Pour une discussion de cette question, voir J. André, *La révolution fratricide,* Paris, PUF, « Bibliothèque de psychanalyse ».

à moi qu'il y tient, oui, mais en transformant progressivement la chose, en la virtualisant malgré lui. Ce processus avait d'ailleurs commencé dès « Psychologie des masses et analyse du moi », à travers la fonction du héros qui est célébré par le poète épique pour avoir tué le père, mais héros qui se révèle être nul autre que le poète lui-même, et le meurtre... sa fiction poétique[1].

À relire *L'homme Moïse,* il me semble qu'on peut concevoir que le meurtre du père est désormais inclus *dans l'acte même de penser,* de penser tant le père que les injonctions de la culture ; c'est-à-dire de les penser sous une forme qui permet la substitution, le déplacement, la condensation et donc la création de nouvelles pensées, voire de doubles pensées (j'évoque ici le *crime* de double-pensée décrit par Orwell dans *1984*). La substitution que comporte l'acte de penser, cela donne la possibilité de se mettre à la place du père, ne serait-ce qu'en pensée, et de là découle aussitôt l'idée du meurtre, qui n'a donc nullement besoin d'être consommé dans la réalité. Le meurtre du père peut rester tout aussi spirituel que le père lui-même. L'interdit de figuration imposé par Moïse vient d'ailleurs redoubler le pouvoir de la pensée. Extrayant plus avant celle-ci de la matrice sensorielle et motrice dont elle est issue, l'interdit de figuration pousse d'une part – comme je l'évoquais, à partir de Freud, au début de ce commentaire – à plus de vie de l'esprit, mais l'interdit déplace sur l'esprit lui-même les quantités libidinales qui appartenaient à la vie des sens et de la motricité. Ces quantités libidinales, à travers la transformation qui leur est ainsi imposée au cours de ce déplacement – qui est aussi une sublimation –, contribuent à ce qui est vécu subjectivement comme *toute-puissance de la pensée.* Est-il besoin de rappeler le rapport de la toute-puissance de la pensée avec le religieux et avec l'obsessionnalité, et donc avec le Surmoi ? Toute-puissante, la pensée peut « tuer » sans qu'il soit nécessaire de passer à l'acte, tout comme elle tente d'annuler, en pensée, et l'acte et la pensée de cet acte. Cette virtualisation du père autant que de son meurtre n'empêche toutefois pas le Surmoi d'y reconnaître l'intention meurtrière littérale, la volonté de substitution.

Le Surmoi peut en définitive être vu comme cette fonction de la psyché qui *pense littéralement,* qui prend tout – et qui exige d'être elle-même prise – *à la lettre,* qui résiste donc à la remémoration si on entend par celle-ci, suivant Freud, un déplacement vers la scène psychique[2]. Le Surmoi (individuel) constitue ainsi une enclave irréductible au sein de la psyché ; c'est un représentant *actuel* (hors chronologie) des exigences du processus de civilisation et du Grand homme figurant le Surmoi culturel. *Actuel* dont il faut souligner autant sa dimension achro-

1. Voir un développement sur ce point dans D. Scarfone, *Oublier Freud ?,* Montréal, Boréal, 1999.

2. S. Freud, Remémoration, répétition, perlaboration, in *La technique psychanalytique,* Paris, PUF.

nique que sa dimension d'*acte*. Le Surmoi est cette façon de considérer la pensée comme *acte concret,* littéralement, bêtement ; ce qui, d'ailleurs, est un autre de ses paradoxes, d'être une pensée concrète à propos de la pensée. C'est une enclave psychique à la limite psychotisante[1], tant elle est paradoxale, exigeant d'un côté ce qu'elle interdit de l'autre : sois comme le père, ne sois pas comme le père ; soumets-toi à la culture, fais avancer celle-ci, qui en avançant ne fera qu'aggraver son exigence de soumission et d'avancement. En tout cas, c'est encore une fois une forme d'immobilité de la psyché.

Quand, à la fin de « La décomposition de la personnalité psychique »[2], Freud pose l'affranchissement relatif par rapport au Surmoi comme but de l'analyse et décrit cette indépendance comme allant de pair avec la conquête de nouveaux morceaux du Ça, il appelle cela un « travail de civilisation ». Ce qui ne va pas sans nous donner nouvelle matière à réflexion. En effet, faire œuvre de civilisation en conquérant des parties du Ça, n'est-ce pas pour l'individu, selon toute apparence, prendre à l'un pour donner à l'autre, changer simplement de maître ? À moins que le travail qui « fait advenir du moi là où était le ça » n'ait d'autre prétention que de contribuer à une prise de position nouvelle, à l'établissement d'un état instable, en mouvement, *critique,* dans tous les sens du terme. *Critique,* c'est-à-dire à la fois en danger de crise et en position de critiquer, à distance tant de la littéralité du Surmoi que de la contrainte de répétition du Ça. Cette position critique renvoie aussitôt au poète épique, à qui ont succédé l'écrivain et l'intellectuel modernes, ce qui nous conduit à l'étude fort intéressante que fait Diatkine de l'antisémitisme d'Edmond de Goncourt. Le passage, chez ce dernier, de l'antisémitisme « ordinaire » – si on peut dire – à l'éliminationnisme, Diatkine le décrit comme exprimant un état de dépendance du Surmoi ; étant donné ce que j'ai avancé ici sur les rapports entre Surmoi individuel et Surmoi de la culture, j'ai de la difficulté à le penser en ces termes. Par ailleurs j'ai l'impression que nous disposons d'outils éprouvés pour comprendre le même phénomène. Il me semble en effet que l'on peut concevoir ce moment dans la vie de Goncourt, cette perte de la pensée critique, comme un passage de la vie de l'esprit vers la littéralité, de la métaphore vers la concrétude, vers l'antimétaphore de l'incorporation mélancolique[3]. L'entrée en scène du « meneur » Drumont épargne peut-être à Goncourt la voie de la mélancolie pure et simple. Ce genre de crise est une catastrophe pour tout le monde, mais elle est d'autant

1. Voir là-dessus J. Laplanche, Implantation et intromission, in *Le primat de l'autre en psychanalyse,* Paris, Flammarion, coll. « Champs ».

2. S. Freud, La décomposition de la personnalité psychique, in *Nouvelles conférences d'introduction à la psychanalyse,* Paris, Gallimard.

3. M. Torok et N. Abraham, Introjecter, incorporer, in *L'écorce et le noyau,* Paris, Aubier.

plus significative dans le cas d'un écrivain dont le rôle est justement de savoir se maintenir dans une position qui, pour fragile et instable qu'elle soit, est essentielle du fait même de sa fragilité, puisqu'elle marque la capacité de remettre en question tout dogme et toute rigidité intellectuelle. À Goncourt est donc épargnée la mélancolie, mais au prix d'une littéralité surmoïque renforcée par la dépendance non au Surmoi culturel, mais au meneur[1] « antidépressif ». Où l'on voit encore que la cloison est mince entre Idéal du moi et Surmoi : le meneur est, selon Freud, l'objet mis en position d'Idéal du moi, mais on le voit ici contribuer à la littéralité surmoïque, paralysie de l'esprit.

La vie de l'esprit, cela suppose la possibilité de pouvoir se tenir à distance autant de la foule-horde-avec-meneur que des voies les plus courtes vers la satisfaction pulsionnelle. Cette position fort inconfortable, c'est celle du questionneur, de Socrate par exemple, dont il me semble que nous aurions avantage à le faire contraster avec Moïse ou Jésus. Socrate est l'exemple de ce que j'appellerais ici le *Petit homme,* dans la mesure où, bien que lui-même mis à mort, à l'instar de Moïse (selon Freud, du moins) ou de Jésus, il n'a pas prêté son nom et sa figure au Surmoi culturel, mais a inauguré une longue tradition d'incessante interrogation face à ce qui prétend être l'évidence même. Socrate n'a pas fondé de religion, et il me semble que Freud, dans son refus d'élaborer une quelconque « conception du monde », est dans une position beaucoup plus semblable à celle de Socrate qu'à celle de Moïse, malgré les rapprochements qu'on fait souvent entre Freud et le personnage qui fut l'objet final de sa quête intellectuelle. À nous de savoir préserver cette démarche, c'est-à-dire de ne pas faire du legs de Freud matière à culte du père, comme c'est le cas dans certains quartiers dits freudiens. Le Socrate questionneur nous donne certes plus de travail. Il représente certes lui aussi une sorte d'idéal. Mais il faut souligner qu'entre le processus de civilisation qui se déroule sans dire pourquoi ni vers où et la poussée pulsionnelle en chacun qui ne livre pas plus ses motifs ultimes, le Petit homme socratique dit savoir avant tout qu'il ne sait rien. Fragile et questionneur, il m'apparaît représenter une troisième voie, peut-être la seule possible face aux deux puissances implacables qui nous font face.

Dominique Scarfone
2983, avenue de Soissons
Montréal (Québec)
Canada H3S.IWI
Dominique.Scarfone@umontreal.ca

1. Certes, tout meneur aspire à devenir un Grand homme de la civilisation, prêtant sa figure au Surmoi culturel d'une époque, mais il semble que cela ne réussisse qu'à tous les quelques millénaires et encore, faudrait-il préciser ce qui, sous un nom comme Moïse ou Jésus, est véritablement désigné en plus des grands mouvements sociaux, politiques et économiques sous-jacents, je pense au rôle d'individus autres que celui qui laisse son nom à l'époque, comme Paul de Tarse pour le christianisme.

Idéal et objets culturels

Paul Denis

« La vérité n'est point une. Elle est l'ensemble des regards qui cernent un objet. Ne prendre qu'un regard, c'est oublier qu'il n'est rien sans tous les autres. »

Jacques Rivière,
Correspondance avec Alain Fournier.

Le rapport de Gilbert Diatkine qui pose la question, fondamentale, des rapports entre l'individuel et le collectif a, simultanément, le mérite de nous faire nous poser la question suivante : la notion de « Surmoi culturel » constitue-t-elle un concept métapsychologique[1] ?

Si nous voulons arriver à articuler les registres individuel et collectif il faut rechercher d'abord ce qui *en nous* permet et anime cette articulation, et en particulier quel rôle joue notre Surmoi – individuel – dans ce jeu permanent. Peut-on le concevoir comme l'instance culturelle civilisatrice ? D'autres modalités de fonctionnement sont-ils en jeu dans l'élaboration des relations sociales ? Si notre Surmoi joue un rôle dans le processus civilisateur, suffit-il de considérer une dimension « culturelle » ou « sociale » de notre Surmoi ou faut-il donner une place prépondérante à la notion d'un « Surmoi culturel » à laquelle serait attribuée une véritable consistance métapsychologique ?

Il est très frappant, à la lecture du travail de Gilbert Diatkine, de constater à la fois qu'il paraît considérer comme acquise l'existence d'un « surmoi culturel » et que, cependant, il parle essentiellement en termes d'idéal lorsqu'il cherche à situer ce concept dans le registre métapsychologique. Pourtant, il suit Freud dans son article de 1914 lorsque celui-ci y décrit – déjà – une instance qui mesure l'écart entre le moi actuel et l'idéal du moi, instance qui sera ensuite dénommée Surmoi mais dont le rôle et la place sont tout à fait distincts de celui de l'idéal. Et l'idéal du moi apparaît comme l'instance spécifiquement en jeu dans l'articulation au collectif dans « Psychologie des foules... ».

1. Un article de René Diatkine et Serge Lebovici interrogeait : « L'agressivité est-elle un concept métapsychologique ? »

Un mécanisme individuel fondateur des relations sociales

Faut-il considérer des instances collectives pour rendre compte du fonctionnement des groupes sociaux et de la formation de la civilisation ? Et, plus spécifiquement, une instance surmoïque « culturelle » interdictrice doit-elle être placée au centre des mécanismes fondateurs de la civilisation ?

La notion d'instances « culturelles » est en elle-même discutable, comme toute extension analogique du fonctionnement individuel à celui des groupes : sur quoi donc fonder le développement de la culture si le principe régulateur ne peut être une instance collective tel le « surmoi culturel » ?

« Aussi égoïste que l'homme puisse être supposé, il y a évidemment certains principes dans sa nature qui le conduisent à s'intéresser à la fortune des autres et qui lui rendent nécessaire leur bonheur, quoi qu'il n'en retire rien d'autre que le plaisir de les voir heureux. » Ainsi commence la *Théorie des sentiments moraux* d'Adam Smith[1], fondée sur l'approfondissement des mécanismes de la compassion, de la « sympathie », au sens étymologique du terme, notion qui correspond tout à fait à celle d'empathie *(Einfühlung)* employée par Freud et proche du *concern* de Winnicott. Adam Smith en fait le principe même de la régulation des relations sociales et décrit admirablement les mécanismes d'identification à autrui qui lui correspondent.

D'une certaine manière, Adam Smith nous fournit une théorie, fidèle par anticipation au modèle freudien, et qui pourrait nous permettre de faire l'économie de la notion, trop globale, d'identification projective. Dans cette théorie la notion de « sympathie » implique non seulement le constat que « ... la compassion, c'est-à-dire l'émotion que nous ressentons pour la misère des autres » est un phénomène général et que même « le brigand le plus brutal et le plus endurci (...) n'en est pas totalement dépourvu », mais elle implique la compréhension du mécanisme de la communication des passions d'un individu à l'autre. « Parce que nous n'avons pas une expérience immédiate de ce que les autres hommes sentent, nous ne pouvons former une idée de la manière dont ils sont affectés qu'en concevant ce que nous devrions nous-mêmes sentir dans la même situation. (...) [Nos sens] n'ont jamais pu et ne peuvent jamais nous transporter au-delà de notre personne. » Par rapport à autrui donc, « ce n'est que par l'imagination que nous pouvons former une conception de ce que sont ses sensations ». Adam Smith souligne le travail psychique – de création, dirions-nous aujourd'hui avec Winnicott – néces-

1. Adam Smith, *Théorie des sentiments moraux,* trad. de l'anglais par M. Biziou, C. Gautier, J.-F. Pradeau, Paris, PUF, 1999. Différentes éditions du vivant d'Adam Smith, 1759-1789.

saire pour accéder, à partir de notre propre expérience, à ce que l'autre ressent : « Ce sont les impressions de nos sens [et non celles d'autrui] que nos imaginations copient. Par l'imagination nous nous plaçons dans sa situation, nous nous concevons comme endurant les mêmes tourments (...) Et par là nous formons quelque idée de ses sensations et même nous ressentons quelque chose qui, quoique plus faible en degré, n'est pas entièrement différent d'elles. Ses souffrances, quand elles sont ainsi ramenées en nous, quand nous les avons ainsi adoptées et faites nôtres, commencent enfin à nous affecter. (...) ... telle est bien la source de notre affinité avec la misère des autres ; (...) c'est en prenant la place, par la fantaisie, de celui qui souffre que nous en arrivons à concevoir ou à être affecté par ce qu'il sent. »

Adam Smith insiste sur le rôle de ce qui est aujourd'hui pour nous les « représentations » – sur la mise en jeu de nos représentations – dans ce travail de la sympathie qui permet la communication des affects. Si nous ne pouvons évoquer de représentations personnelles devant l'expression des passions d'autrui nous ne pouvons les partager : « ... la sympathie ne naît pas tant de la vue de la passion que de celle de la situation qui l'excite. Parfois nous sentons pour autrui une passion qu'il semble entièrement incapable de sentir lui-même ; car lorsque nous nous mettons à sa place, l'imagination fait naître cette passion dans notre cœur alors que la réalité ne la fait pas naître dans le sien. »[1]

Ce mode de communication des passions, des émotions, occupe une place centrale, selon Adam Smith, dans les échanges sociaux : « Mais si vous n'avez aucune affinité avec la douleur des infortunes qui m'accablent, ou si votre douleur n'a pas de proportion avec la peine qui m'afflige, si vous n'avez aucune indignation pour le préjudice dont j'ai souffert, ou si votre indignation n'est pas proportionnée au ressentiment qui me transporte, alors nous ne pouvons pas converser plus longtemps sur ces matières. Nous devenons l'un pour l'autre intolérables. Je ne peux plus supporter plus longtemps votre compagnie, ni vous la mienne. »

La « sympathie » est ainsi d'une absolue nécessité dans les échanges sociaux, elle est même dans cette perspective ce qui fonde la nature sociale des

1. « Quelle est l'angoisse d'une mère qui entend les gémissements de son nourrisson qui souffre le tourment de la maladie sans pouvoir exprimer ce qu'il sent ! Dans l'idée de ce qu'il souffre, elle joint à la réelle détresse de son enfant sa propre conscience de cette détresse ainsi que ses propres terreurs devant les conséquences inconnues de la maladie. Et de tout cela, pour son propre tourment, elle forme l'image la plus complète et de la misère et de l'affliction. Le nourrisson, toutefois, ne sent que le malaise du moment présent, qui ne peut jamais être important. Il ne craint pas le futur et, dans son inconscience et dans son imprévoyance, il est pourvu d'un antidote contre la peur et l'angoisse, ces grands bourreaux de l'âme humaine contre qui la raison et la philosophie chercheront en vain, quand il sera devenu homme, à le défendre » (Adam Smith, *op. cit.*).

échanges. À la passion de l'un correspondent les affects, éprouvés par sympathie, de l'autre ; inversement, celui qui souffre mort et passion peut, par sympathie réciproque, éprouver ce que ressent le spectateur devant son propre tourment ; ce mouvement peut le conduire à ajuster l'expression de ses émois à ce que l'autre est en mesure de ressentir ou de supporter.

Ce jeu de la sympathie réciproque, et l'écart d'intensité entre ce qui est directement éprouvé et ce qui ne l'est que par sympathie, fonde un système de régulation sociale. Ce qui est éprouvé par sympathie n'approche pas le même degré de violence que celui de la passion d'autrui ; celui qui souffre ne peut espérer obtenir la consolation de voir les émotions du spectateur battre à l'unisson des siennes « qu'en affaiblissant sa passion jusqu'à cette hauteur à partir de laquelle les spectateurs deviennent capables de l'accompagner. Elle doit assourdir (...) la stridence de son ton naturel, pour réduire sa passion jusqu'à l'harmoniser et à l'accorder avec les émotions de ceux qui l'entourent ». L'écart d'intensité joue un rôle prépondérant : « ... ce que sentent les spectateurs restera toujours, en quelque manière, différent de ce que sent la personne qui souffre, et la compassion ne peut jamais être exactement l'analogue du chagrin original. Car la conscience secrète que le changement de situation duquel naît le sentiment sympathique n'est qu'imaginaire, n'affaiblit pas seulement le sentiment en degré mais, dans une certaine mesure, le fait varier en son genre et lui donne une tout autre modalité. » Variation de degré et de genre qui est donc un des aspects de l'élaboration psychique de l'effet éventuellement traumatique des passions d'autrui, qu'elles soient de douleur ou de triomphe, mais surtout qui permet que soit renvoyée à celui qui est habité par sa passion une image modifiée de celle-ci. Devient ainsi possible le mouvement régulateur suivant : « De même que les spectateurs se placent continuellement dans sa situation et, pour cette raison conçoivent des émotions similaires aux siennes ; de même cette personne, se mettant constamment à la place des spectateurs, finit par éprouver quelque degré du détachement avec lequel elle sait qu'ils considèrent son sort. (...) sa sympathie la pousse à regarder sa situation dans une certaine mesure avec les yeux des spectateurs (...) Et comme la passion réfléchie que cette personne conçoit de cette manière est bien plus faible que la passion originale, cela réduit nécessairement la violence de ce qu'elle sentait avant de se trouver en leur présence... »[1]

Ces mouvements régulateurs jouent incontestablement dans le processus analytique mais les formulations d'Adam Smith permettent aussi de spécifier l'action de la psychanalyse : là où, dans la relation sociale,

1. Bion et Winnicott avaient-ils lu Adam Smith ? Le *concern* pour l'un et la transformation des éléments β en éléments α pour l'autre semblent en procéder directement.

l'interlocuteur exprime l'émotion éprouvée par « sympathie », le psychanalyste interprète[1].

La constitution des liens sociaux, chez Freud, implique de tels mouvements de « sympathie », d'empathie – *Einfühlung* –, la capacité de s'identifier à l'autre au sens de se mettre à sa place. « L'autre genre de lien affectif est celui qui passe par l'identification. Tout ce qui établit entre les hommes des points communs significatifs fait surgir de tels sentiments communautaires, de telles identifications. C'est sur eux que repose pour une bonne part l'édifice de la société humaine. »[2]

L'objectal, l'idéal et le culturel

Dans ces mécanismes que nous avons décrits, quelle pourrait être la part du Surmoi et pourrait-on les rattacher à un éventuel « Surmoi culturel » ou « Surmoi collectif » ?

La place de l'investissement d'autrui, comme objet libidinal avec lequel il y a plaisir à s'accorder, est considérable dans ces mécanismes de sympathie qui sont du reste en jeu, quelles que soient la nature et l'intensité de la relation entre les personnes considérées. Mais l'un des aspects de ces mouvements de « sympathie » tels qu'ils sont décrits par Adam Smith, est qu'ils ne peuvent se dérouler sans un fonctionnement narcissique suffisamment développé puisque c'est à partir de l'investissement de ses propres sensations, de ses propres affects liés à ses propres représentations, que chacun peut appréhender les sensations d'autrui. Modalités narcissiques de fonctionnement qui vont de pair avec la dimension homosexuelle si présente dans les relations sociales et leurs vicissitudes : l'inhibition de l'homosexualité « quant au but » est constitutive de liens sociaux. La part relationnelle, même s'il s'agit de modalités narcissiques de relation à l'objet, est donc considérable et toute relation sociale renvoie à l'investissement d' « objets sociaux » communs.

La dimension idéale n'est pas moins apparente, allant également de pair avec la dimension narcissique. Elle est soulignée par Freud dans le passage suivant : « De l'idéal du moi une voie importante conduit à la compréhension de la psychologie collective. Outre son côté individuel, cet idéal a un côté social, c'est également l'idéal commun d'une famille, d'une classe, d'une nation. Outre la libido narcissique, il a lié une grande part de la libido homosexuelle d'une personne, libido qui, par cette voie est retournée dans le moi. L'insatisfaction qui

1. De ce point de vue les partisans de la *self disclosure* se comportent essentiellement en partenaires sociaux « sympathiques ».
2. « Pourquoi la guerre ? »

résulte du non-accomplissement de cet idéal, libère de la libido homosexuelle, qui se transforme en conscience de culpabilité (angoisse sociale). La conscience de culpabilité était originellement l'angoisse d'être châtié par les parents, ou, plus exactement de perdre leur amour ; aux parents est venue plus tard se substituer la foule indéterminée de nos compagnons. »[1] C'est ici, pour Freud, l'idéal qui se partage : famille, classe, nation peuvent avoir un idéal commun, c'est-à-dire un objet commun ; le sentiment de culpabilité, individuel, dont Freud relie, ailleurs dans le même texte, le déclenchement à une instance particulière chargée de surveiller l'écart entre l'idéal du moi et le moi, procède de la relation antécédente aux parents ; il s'agit d'une instance personnelle qui prendra le nom de Surmoi. On peut, d'ailleurs, se demander si « l'angoisse sociale » évoquée par Freud, plus qu'à la culpabilité, ne renverrait pas davantage à la honte et ne relèverait pas d'un risque de rejet de la part du groupe social, variante de l'angoisse de séparation. Mais Freud évoque donc dans son texte « la foule indéterminée de nos compagnons » venue se substituer aux parents. S'agit-il pour chacun de la peur directe de perdre l'amour de ses compagnons, c'est-à-dire d'être exclu du groupe social, comme autrefois il avait peur de perdre l'amour de ses parents ? Ou s'agit-il d'une adjonction plus tardive à l'édification du Surmoi ? La première hypothèse ferait disparaître l'idée d'un « Surmoi culturel » dans la mesure où la crainte dériverait non pas d'une formation intrapsychique mais d'une menace toujours actuelle dans la relation du sujet au *socius*.

Mais on ne peut écarter aussi aisément la seconde hypothèse, celle d'une adjonction au Surmoi personnel héritier du complexe d'Œdipe, dérivée de la relation à « nos compagnons ». Cette adjonction pourrait dériver de la relation fraternelle, de la relation aux pairs. L'idéal commun d'un groupe d'enfants peut être figuré par la mise à mort d'un objet susceptible de figurer le père de chacun. Que l'on se réfère ou non au mythe de la horde primitive, se libérer de la tutelle paternelle fait partie de l'idéal commun ; les revendications de justice et d'égalité sont très présentes dans le groupe des pairs : liberté, égalité, fraternité. La solidarité dans la transgression, l'interdiction à la délation – on ne « cafte » pas – font partie des règles sociales des groupes d'enfants et peuvent se maintenir ultérieurement dans les bandes d'adolescents ou de délinquants. Cependant la relation aux frères et sœurs est beaucoup moins refoulée que la relation aux parents, la rivalité entre les enfants d'une même famille ou d'une même tranche d'âge persiste et leurs images psychiques restent très excitantes et n'ont pas la même valeur interdictrice et protectrice que celle des parents. Le narcissisme des petites différences invoqué par Gilbert Diatkine joue à plein dans les relations fraternelles dont la mise en forme

1. « Pour introduire le narcissisme », 1914.

n'est soutenue que par la différence des sexes – « petite différence » du fait de l'immaturité sexuelle – et des écarts d'âge faibles qui n'ont jamais la valeur organisatrice de la différence des générations.

Mais si certains aspects du Surmoi individuel peuvent se rattacher aux relations fraternelles, même par ce biais, il reste difficile de donner une définition métapsychologique conséquente à un Surmoi qui serait « social » ou « culturel ». Les échanges sociaux peuvent se dérouler sous l'influence régulatrice des mécanismes de la « sympathie » – au sens d'Adam Smith – à la condition que les membres du groupe fonctionnent chacun sous l'égide d'un Surmoi individuel héritier du complexe d'Œdipe. C'est l'identification aux parents qui permet le développement de la relation d'identification au semblable, au pair. Malgré cela les injonctions « culturelles » restent davantage du registre de l'idéal que de celui du Surmoi et comme telles sont plus labiles, facilement contaminées par les idéaux collectifs et à la merci de leur substitution par le leader de quelque foule.

Si l'on envisage la question du Surmoi culturel à partir des phénomènes de mode et de coutume, on remarque que ces deux ordres de phénomènes relèvent d'investissements objectaux et idéaux. Écoutons ici encore Adam Smith qui évoque la mode : « Les manières gracieuses, aisées et impérieuses des grands, jointes à la richesse et à la magnificence habituelles de leurs vêtements, donnent grâce à la forme même qu'ils confèrent à ceux-ci. Aussi longtemps qu'ils continuent d'user de cette forme, elle est associée dans notre imagination à quelque chose de distingué et de magnifique. »[1] La mode constitue ainsi une forme d'imitation de personnages sociaux idéalisés, et manifeste la recherche d'un lien social. Il est difficile de lui trouver des caractères surmoïques. Les modes morales et les coutumes sociales à différentes époques obéissent aux mêmes mécanismes de valorisation de conduites qui sont celles des grands. « Sous le règne de Charles II un certain degré de licence était l'indispensable marque d'une éducation libérale. »[2] La mode et la coutume viennent ou non soutenir le jeu du surmoi individuel de chacun mais leur influence est celle de prescriptions venant d'objets sociaux. La *political correctness* tend à rétablir les délits d'opinion et d'intention et c'est du *socius* lui-même, en tant qu'objet, que vient sa dictature.

Anteros et l'indépendance du surmoi

Les rapports du groupe et de l'individu ont été envisagés par Denise Braunschweig et Michel Fain dans le cadre de l'opposition entre Éros et Anteros. Éros désigne ici l'amour dans sa dimension individuelle, égoïste, constitu-

1. Adam Smith, *op. cit.*, p. 272.
2. Adam Smith, *op. cit.*, p. 280.

tive du couple, et Anteros, son jumeau mythique mais opposé, se réfère à l'investissement libidinal du groupe ; il s'agit de deux types d'investissements concurrents et non d'un conflit d'instances. Le couple des amoureux, pour se retrouver, doit pouvoir quitter le groupe dont le pouvoir d'attraction reste considérable. Le pouvoir du groupe social passe ici par des modalités *actuelles* d'investissement. Le groupe est investi comme objet, à l'instar des frères de la famille, ou de la horde, et non comme une instance surmoïque « culturelle ». Le surmoi individuel est ce qui permet à l'individu d'être seul, seul pour penser, seul en présence de quelqu'un ou, dans l'exemple du couple, seul avec quelqu'un[1]. C'est une fonction de notre Surmoi que de nous affranchir du groupe, de nous permettre de le désinvestir, ne serait-ce que momentanément, de nous affranchir de ses prescriptions et de sa tutelle pour aimer : les amoureux sont seuls au monde... Il faut un Surmoi pour aimer. Le Surmoi issu du renoncement au projet œdipien permet la séparation d'avec l'objet ; l'idéal du Moi ne renonce jamais ; il reste porteur d'un lien aux objets primitifs et comme tel conserve un potentiel incestueux que le Surmoi proscrit. Le Surmoi œdipien favorise la relation à autrui dans sa spécificité individuelle alors que l'idéal déspécifie l'interlocuteur.

La morale et le groupe

Ce qui est évoqué comme relevant du « Surmoi culturel » nous apparaît donc de plus en plus constitué par des investissements objectaux et idéaux particuliers.

Si l'on veut employer un style aphoristique on peut dire que les objets et les idéaux se partagent mais que le Surmoi ne se partage pas, il est individuel par nature car héritier du complexe d'Œdipe, du complexe d'Œdipe de chacun, dans toute sa singularité. De ce point de vue les notions de morale (au sens collectif) ou d'éthique se situent davantage dans le registre objectal, dans le domaine des investissements objectaux communs que dans celui du Surmoi. On pourrait considérer à bon droit que les règles éthiques et morales sont édictées en fonction de la perception des limites du Surmoi de chaque individu afin de pallier celles-ci par un investissement objectal collectif. « La notion de morale implique un sentiment commun à toute l'humanité, qui recommande un même objet à l'approbation de tous et fait s'accorder tous les hommes, ou la plupart des hommes, sur la même opinion ou sur la même décision à son sujet » (Hume). La morale comme la loi restent extérieures à l'individu. Les

1. Nous rejoignons ici les points de vue avancés par Dominique Scarfone.

changements dans la vie sociale et les règles morales indiqués par Marcel Mauss chez les Eskimos[1] selon qu'ils vivent l'hiver à plusieurs familles dans le même igloo ou l'été, chaque famille ayant sa vie séparée dans l'habitat d'été, indiquent bien la dépendance de la morale à un système relationnel : le Surmoi de chacun ne change pas entre l'été et l'hiver mais le rapport aux objets a changé et avec lui les règles éthiques. « Chez eux [les Eskimos] en effet, au moment précis où la forme du groupement change, on voit la religion, le droit, la morale se transformer du même coup » (Marcel Mauss).

Il n'est pas douteux que la civilisation, l'organisation sociale, fait peser sur chaque individu une pression considérable, mais dans la mesure où celle-ci reste extérieure au psychisme du sujet le terme de « Surmoi culturel » me paraît abusif, d'autant plus que chacun peut chercher à se soustraire à cette pression parfois violente. Ici encore référons-nous à Marcel Mauss et à ces variations des règles qu'il a mises en évidence chez les Eskimos : « Tout fait donc supposer que nous sommes en présence d'une loi qui est probablement d'une très grande généralité. La vie sociale ne se maintient pas au même niveau aux différents moments de l'année ; mais elle passe par des phases successives et régulières d'intensité croissante et décroissante, de repos et d'activité, de dépense et de réparation. *On dirait vraiment qu'elle fait aux organismes et aux consciences des individus une violence qu'ils ne peuvent supporter que pendant un temps, et qu'un moment vient où ils sont obligés de la ralentir et de s'y soustraire en partie.* »[2]

Les différents agents de l'autorité, qu'il s'agisse du policier ou du magistrat, sont d'abord des objets actuels que nous investissons, des partenaires de notre sadomasochisme, éventuellement des persécuteurs trop tangibles, et n'émanent pas d'une instance particulière collective ; ils ne sont pas l'incarnation d'un « Surmoi collectif » ou « culturel » : ils sont des représentants de l'objet-société.

Une question de localisation psychique

À l'inverse du Surmoi, objets culturels et idéaux occupent une position d'extra-territorialité par rapport au cœur même du psychisme.

Rappelons-nous la « localisation » que Winnicott assigne à « l'expérience culturelle ». Elle se situe pour lui dans le prolongement de l'espace transitionnel, dans un espace psychique qui reste celui de l'illusion, de la création, de la

1. On n'utilisait pas encore l'appellation « inuits » à l'époque de Marcel Mauss.
2. C'est nous qui soulignons.

religion, des croyances... Il s'agit d'un espace qui maintient une correspondance particulière avec le monde extérieur, espace « de transition » entre le monde interne et le monde externe, espace de l'auto-érotisme appliqué, déplacé sur les objets inertes qui prennent leur signification de ce déplacement même. Espace où le moi s'engage pour s'y bâtir. La construction des rapports sociaux implique la mise en commun de cet espace transitionnel devenu « culturel » où s'articulent les espaces individuels et collectifs. Cet espace est aussi celui des idéaux du moi. À l'opposé, nous avons cherché à définir un espace imagoïque, antitransitionnel[1], qui serait celui du Surmoi archaïque, persécuteur, celui du Moi idéal et d'imagos conservant un potentiel d'excitation peu élaborée nécessitant le recours aux mécanismes de la répression, ceux du refoulement névrotique se trouvant débordés. Les éléments en jeu dans cet espace, objets persécuteurs, imagos toutes-puissantes jouent un rôle désorganisateurs pour les relations sociales fondées sur la « sympathie ». Expérience culturelle, objets et phénomènes transitionnels, de même que les objets persécuteurs et les imagos gardent, respectivement, une situation dans le psychisme très différente de la situation centrale du Surmoi et des deux instances qui lui sont associées : le Moi et le Ça. Tous les objets idéaux ne se valent pas et leur influence sur le fonctionnement du psychisme varie donc de façon considérable.

L'idéal collectif est ainsi transmis non par un « Surmoi culturel » mais par la culture, par des objets culturels ; « l'idéal transmis » est le fait de groupes de civilisation, de groupes sociaux, partageant des illusions et des objets communs. Qu'en serait-il alors d'un hypothétique « Surmoi culturel psychanalytique » ? Il serait pour nous essentiellement de l'ordre de l'idéal et comme tel d'une stabilité précaire, à la merci de phénomènes de modes, d'idéologies ou de l'influence de figures charismatiques. Il faut espérer que chaque psychanalyste aura élaboré pour lui-même un Surmoi psychanalytique héritier de sa propre cure, lui permettant de penser seul – et de penser avec son patient – sans cela l'héritage de Freud risque de disparaître, victime d'une maladie d'idéalité grégairement transmissible.

Paul Denis
7, rue de Villersexel
75007 Paris

1. P. Denis, D'imagos en instances, un aspect de la morphologie du changement, *RFP*, 4, 1996.

Quelques considérations sur l'idéal transmis et le Surmoi culturel

Lucio Sarno

INTRODUCTION

Pour commencer je voudrais souligner le fait que dans le travail de Gilbert Diatkine, le thème du Congrès « L'idéal transmis » est traduit (ou interprété ?) comme « le Surmoi culturel ».

Cela nous aide à remarquer que « l'idéal » auquel nous entendons nous référer (avec lui) n'est pas constitué par l'agglomération des idéaux conscients, déconflictualisés, ou produit par une bonne activité de sublimation des pulsions sexuelles, mais plutôt par ce qui est inconscient et refoulé et en même temps caché mais présent à l'intérieur des normes, valeurs, idéaux, croyances cultivés ou bien agis par les groupes dans lesquels se déroule la vie du sujet. Donc il s'agit toujours d'une élaboration défensive partagée qui a pris la place d'un refoulement, ou bien d'un interdit agi et dénié.

LE SURMOI ARCHAÏQUE ET LA « SOCIALITÉ »

Dans *Malaise*, Freud précise que « le surmoi se construit par identification non pas aux parents, comme il l'avait d'abord écrit dans *Le Moi et le Ça,* mais au surmoi de ceux-ci. Il est donc porteur de tout l'héritage phylogénétique, et donc de toute la culture du passé » (G. Diatkine, 1999, p. 88). Le surmoi a donc une « dimension concrètement sociale » (J.-L. Donnet, 1995, p. 40) ; raison pour laquelle nous l'appelons, en première approximation, « surmoi culturel ».

L'origine d'un tel Surmoi est donc archaïque et préœdipienne et précède la formation du Surmoi individuel (intrapsychique), et il se manifeste, comme nous essaierons de le démontrer, dans la relation primaire mère-enfant, tandis que « le Surmoi, héritier du complexe d'Œdipe, ne s'installe dans le moi qu'au terme d'un long développement qui exige des conditions rarement réunies.

Idéalement, il faudrait avoir vécu toute son enfance avec ses deux parents. Il faudrait avoir déployé auprès de chacun d'eux l'ensemble des relations d'objet et des identifications qui constituent le complexe d'Œdipe sous sa forme complète, directe et inversée. Le surmoi est intériorisé quand les conflits entre les investissements érotiques et hostiles des deux parents ont abouti à une identification secondaire à chacun d'eux. La simple identification au rival du même sexe ne suffit pas » (S. Freud, *in* 1923, G. Diatkine, *op. cit.*).

Donc, pour forcer la question, on peut dire que si l'on veut utiliser encore les termes freudiens « idéal du moi » et « moi idéal »[1], il faut sous-entendre que par « idéal du moi » il faut se référer aux processus toujours défensifs marqués par l'idéalisation du social[2] (explicite ou implicite, concret ou abstrait). Tandis que par « moi idéal » il faut se référer au contraire, à mon avis, non pas à un état de conformisme, dont parle Diatkine[3], mais plutôt aux processus spéculaires par lesquels le sujet vise défensivement à s'affirmer narcissiquement par rapport ou contre les croyances, les valeurs, les règles, etc., du groupe / des groupes auxquels il appartient sans éprouver un sentiment de culpabilité. Ma position dans la circonstance s'accorde avec celles de Lagache et de Green citées par Diatkine. Selon Lagache « l'attribution essentielle du moi idéal, [...] est la toute-puissance magique, source durable d'exigences exorbitantes [...] envers soi-même » (Lagache, *in* G. Diatkine, 1960). Pour le moi idéal, écrit Diatkine, l'autre n'existe pas, et par conséquent tout se passe comme si le Surmoi n'existait pas. Par contre, Green affirme, et je suis de son avis, que « le paradoxe du moi idéal, c'est qu'il dénie l'altérité mais qu'il ne peut subsister que s'il a en face de lui un objet qui le prend pour idéal ». Il définit encore le moi idéal comme un « moi qui tient le plaisir et la satisfaction pour valeurs absolues » (Green, 1983, p. 281).

1. Pour lesquels je renvoie au livre de J. Chasseguet-Smirgel, *L'idéal du moi*, 1975.

2. L'identification au social marque au contraire le Surmoi culturel : « Le Surmoi se construit par identification au Surmoi des parents, puis à celui des divers meneurs des groupes que rencontre le sujet. *L'idéal du moi est constitué de l'agglomération des idéaux de tous ces objets.* L'idéal du moi est donc composé d'idéaux multiples » (G. Diatkine, *op. cit.*, p. 89).

3. « "Moi idéal" : un état de conformisme, dans lequel le sujet se soumet à ce que son entreprise, ou son Église exige de lui, sans éprouver ni ambivalence, ni culpabilité par rapport à autrui » (G. Diatkine, 1999, p. 90-91).

Mais à notre avis ce n'est pas « un "moi-plaisir purifié" dont Freud, dans le "Deux principes", postule l'existence au début de la vie » (G. Diatkine) ; il représente plutôt le détour narcissique des premières faillites dans la relation mère-enfant.

Pour éclaircir la question et comprendre l'influence de « l'idéal du moi » et du « surmoi culturel » dans la formation de l'identité du sujet et de ses pathologies, il faut retourner sur les pas tracés par Freud dans ses travaux de « psychologie sociale ».

En particulier, je me réfère à l'ouverture de *Psychologie des masses et analyse du moi* où il affirme que la psychologie individuelle est une abstraction parce qu'il n'est pas possible de séparer l'individu de ses relations avec autrui : « L'opposition entre psychologie individuelle et psychologie sociale, [...], qui peut bien à première vue nous apparaître comme très significative, perd beaucoup de son tranchant si on la considère de façon approfondie. Certes, la psychologie individuelle est réglée sur l'homme pris isolément [...] mais [...] elle ne se trouve que rarement en mesure [...] de pouvoir faire abstraction des relations de cet individu avec d'autres individus. Dans la vie d'âme de l'individu, l'autre entre en ligne de compte très régulièrement comme modèle, comme objet, comme aide, et comme adversaire, et de ce fait la psychologie individuelle est aussi, d'emblée, simultanément, psychologie sociale [...] » (Freud, 1921, p. 5).

Donc l'identité individuelle contient à l'origine les relations sociales et elle est quand même très réduite[1] ; l'individu isolé n'existe pas, sinon par contre-apposition au groupe et, dans un tel cas, on doit se référer à des conditions « narcissiques », ou bien avec Bleuler « autistiques »[2].

Mais à quelle sorte de relations se réfère-t-il ?, ou bien à quelle sorte de relations entendons-nous nous référer ? Le social pour nous rencontre ses origines dans les relations primaires : celles entre le bébé et sa mère. En effet, toujours dans le même travail, Freud affirme que « l'identification est connue de la psychanalyse comme la manifestation la plus précoce (et la plus originelle, dira-t-il plus avant) d'une liaison de sentiment à une autre personne... » (S. Freud, 1921, p. 42).

1. « Chaque individu pris isolément participe donc de plusieurs âmes des foules, âme de sa race, de sa classe, de sa communauté de foi, de son État, etc. ; et peut, par surcroît, accéder à une parcelle d'autonomie et d'originalité » (S. Freud, 1921 ; cf. G. Diatkine, *op. cit.*, p. 88).

2. « Les rapports de l'individu à ses parents, et à ses frères et sœurs, à son objet d'amour [...] sont devenus préférentiellement objet de l'investigation psychanalytique (et) peuvent revendiquer d'être appréciés comme phénomènes sociaux. (Tels processus) se mettent en opposition avec certains autres processus par nous nommés narcissiques [...]. L'opposition entre actes animiques sociaux et narcissiques – Bleuler dirait peut-être autistiques – se situe donc entièrement à l'intérieur du domaine de la psychologie individuelle et n'est pas propre à séparer celle-ci d'une psychologie sociale... » (S. Freud, 1921, p. 5).

On doit donc penser forcément à la relation entre l'enfant et sa mère. L'importance de la mère et de sa fonction, par rapport à la formation de l'identité et à la survivance du bébé, est encore affirmée par lui dans *Le malaise dans la culture* où il explique l'origine du « surmoi précoce » en soulignant que la première peur ou, en forçant les termes, la première angoisse d'un enfant est celle de perdre l'amour de sa mère, auprès de laquelle il trouve soutien pour sa survivance physique et psychique[1].

Quand on parle de la formation de « l'idéal du moi » et du « surmoi culturel » (archaïque) on est donc en présence de processus qui sont :

a) inconscients ;
b) précoces, primitifs ou bien archaïques ;
c) présentant cependant une dimension sociale ;
d) et dérivant cette socialité primitive de la relation primaire mère-enfant (premiers échanges et premières identifications).

Quant au « surmoi archaïque », à l'origine « notre conscience morale n'est pas le juge inflexible pour lequel la font passer les moralistes, elle est à son origine "angoisse sociale" et rien d'autre » (S. Freud, 1915, p. 15).

Donc il n'y a pas de culpabilité avant l'Œdipe ; et on peut affirmer que la peur de la perte de l'amour et les liens sociaux, ou bien le surmoi archaïque et les pulsions d'autoconservation (pulsions du moi) se rencontrent dans l'adhésion du sujet aux règles du groupe (dont la mère est la première représentante), ou bien dans la formation de l' « âme sociale » de l'individu.

C'est toujours l'amour qui anime les mouvements pulsionnels, mais dans les pulsions d'autoconservation il est marqué par le besoin et par l'angoisse de la perte, et dans les pulsions sexuelles par le désir.

LE NARCISSISME DES PETITES DIFFÉRENCES

Les écrits de « psychologie sociale » représentent, à mon avis, la tentative ambitieuse, de la part de Freud, de décrire le fonctionnement mental dans une optique relationnelle (ou sociale) et d'accéder de ce côté à la compréhension des pathologies dites « non névrotiques ».

1. « ... il faut qu'il ait un motif pour se soumettre à cette influence étrangère ; ce motif est facile à découvrir dans son désaide et sa dépendance par rapport aux autres et on ne saurait mieux le désigner que comme il est dépendant, il vient aussi à manquer de la protection contre toutes sortes de dangers » (S. Freud, 1929, p. 311).

Freud arrive à décrire les phénomènes d'une manière éclairante, mais il ne peut pas expliquer les processus impliqués parce qu'il lui aurait fallu un laboratoire clinique et une théorie adéquates au cas. Le laboratoire clinique auquel je me réfère est celui qui concerne la psychothérapie des patients graves et en plus dans le cas spécifique (je me réfère au « narcissisme des petites différences »), le « laboratoire psychanalytique de groupe ».

Le texte de Freud cherche à expliquer la présence de l'agressivité dans des groupes proches[1] mais à la suite de la pensée de Bion sur les groupes et de sa théorie des « présupposés de base » (cf. 1961) nous pouvons affirmer que le « narcissisme des petites différences » est une manifestation du présupposé de base dit d' « attaque-fuite », et qu'il est la forme agie d'une défense primitive du groupe qui combat toutes les différences, même les plus petites, ressenties comme une menace à sa fragile identité. Donc son objectif est de combattre les différences pour protéger et pour garder l'identité fragile du groupe. Mais l'extension au groupe de la pulsion d'autoconservation pose de nouvelles questions concernant les rapports entre les pulsions engagées dans le problème de la survivance et le principe de plaisir, et également les rapports entre le « narcissisme », d'habitude considéré comme individuel, par rapport à la « socialité » d'habitude liée à la vie groupale.

NARCISS-ISME, SOCIAL-ISME, SURMOI CULTUREL ET « SENS COMMUN »

Pour introduire le « narciss-isme » et le « social-isme »

Je voudrais maintenant reconsidérer la question du surmoi culturel à travers une grille de lecture composée par les notions bioniennes de « narciss-isme », « social-isme » et « sens commun ».

Les termes de « narciss-isme » et de « social-isme », sont utilisés par Bion pour décrire deux tendances, l'une égo-centrique et l'autre socio-centrique. Également présentes dans la personnalité individuelle, ces tendances sont de la même intensité mais de valeur contraire (cf. W. Bion, 1992).

Ces notions, sous différentes dictions, on les retrouve déjà dans les œuvres sociales de Freud. Dans *Psychologie des masses,* par exemple, Freud souligne que dans les masses on peut observer « des manifestations d'une pul-

1. « Je me suis une fois occupé du phénomène selon lequel... des communautés voisines, et proches aussi les unes des autres par ailleurs, se combattent et se raillent réciproquement... Maintenant, on reconnaît là une satisfaction commode et relativement anodine du penchant à l'agression par lequel la cohésion de la communauté est plus facilement assurée à ses membres » (S. Freud, 1929, p. 300-301).

sion particulière, impossible à ramener à autre chose, *la pulsion sociale* » (S. Freud, 1921, p. 6). Et dans *Le malaise dans la culture,* il dit que le développement individuel nous semble le produit de l'interférence entre deux tendances, dont l'une, que communément nous appelons « égoïstique » aspire au bonheur, et l'autre, que nous appelons « altruiste », aspire à l'union avec les membres de la communauté ; « les deux tendances, celle au bonheur individuel et celle au rattachement à l'humanité, ont-elles aussi à combattre l'une contre l'autre en chaque individu ; ainsi les deux procès du développement individuel et du développement culturel doivent-ils nécessairement s'affronter avec hostilité et se disputer l'un et l'autre le terrain. Mais ce combat entre l'individu et la société n'est pas un rejeton de l'opposition, vraisemblablement inconciliable, des pulsions originaires, Éros et mort, *il signifie une discorde dans l'économie de la libido comparable à la dispute pour le partage de la libido entre le moi et les objets* » (S. Freud, 1929, p. 327-328).

En formulant les notions de narciss-isme et de social-isme Bion, en ligne avec la pensée de Freud, essaie, à mon avis, de résoudre l'opposition dychotomique entre pulsions sexuelles et pulsions du moi, entre pulsions égoïstiques (individuelles) et pulsions altruistes (sociales), entre pulsions d'amour (ou de vie) et pulsions de haine (ou de mort).

En effet, le narciss-isme et le social-isme représentent deux polarités pulsionnelles par rapport à l'objet et à la direction de l'activité (soi-même ou les autres), ainsi une bipolarité (ou une ambivalence) affective est contenue dans chaque mouvement pulsionnel par rapport à la pluralité des objets en même temps présents dans l'expérience du sujet. Par exemple, si l'on considère le « narcissisme des petites différences », on observe une activité qui est en même temps dirigée vers la destruction de l'autre, mais en fonction de l'amour pour le groupe auquel on appartient.

Je reviendrai plus tard sur les rapports entre narciss-isme, social-isme et surmoi culturel, et sur l'utilité de ces notions pour la compréhension des cas limites, mais pour le moment il me faut retourner sur le concept de « sens commun ».

Le sens commun

La notion de « sens commun » dérive aussi sa théorisation de W. Bion. Le sens commun découle pour Bion des premières expériences du bébé au sein de sa mère. Le sens commun dérive de la syntonie, si on peut le dire, entre les différentes manifestations sensorielles de contact. Si la cohérence affective entre les différents sens (ouïe, vue, toucher, etc.) est possible, l'enfant réalise une expérience qui en même temps a le goût du plaisir et du signifié sans conflictualité : relation, affect et activité de la pensée sont toujours liés (cf. W. Bion, 1962).

Mais le sens commun concerne également les relations sociales. Dans ses *Cogitations* Bion se demande : « Qu'est-ce que c'est le sens commun ?... le sens commun est le terme normalement utilisé pour indiquer les expériences par lesquelles l'interlocuteur sent que ses contemporains, les individus qu'il connaît, pourraient maintenir sans aucune hésitation le point de vue qu'il a exprimé et mis en commun avec autrui. Le sens commun, le facteur commun de sens plus élevé, pour ainsi dire, serait un appui à son opinion sur ce que les sens véhiculent. De cette façon, en outre, il a un sentiment de certitude et de confiance, associé à la conviction que tous ses sens sont en harmonie entre eux et qu'ils s'appuient l'un l'autre, chacun sur la base de l'évidence donnée par les autres. Aussi dans cette occasion, qui est privée pour le même individu, le terme sens commun est vécu comme une description adéquate pour une expérience qui est ressentie comme si elle était soutenue par tous les sens sans aucune dissonance »[1] (W. Bion, 1992, p. 33-34, éd. citée).

La mère, avec sa qualité de contact, introduit le bébé à l'expérience du sens commun, mais elle introduit aussi dans le monde intérieur de son enfant tous les conflits inélaborés qui lui appartiennent. Les conflits, les angoisses et les défenses se rapportent aussi à son appartenance multiple aux groupes actuels et passés qui ont marqué sa vie.

La présence et l'intensité de ces conflits font obstacle à l'expérience du sens commun ; c'est-à-dire que la violence de l'interdit contenue dans le conflit originaire détermine l'impraticabilité plus ou moins intense et étendue du sens commun chez le bébé et dans sa relation avec la mère.

De l'autre côté, celui du bébé, les premiers liens avec la mère sont marqués par l'identification et par l'angoisse de la perte de l'amour. Ainsi se pose-t-on la question du rapport entre l' « accordage affectif » (auquel se réfère G. Diatkine) et le problème du « narcissisme des petites différences », qui peut animer la relation inconsciente entre les deux. L'accordage ne concerne pas seulement l'acquisition du langage comme instrument de communication, mais le langage est aussi signe d'appartenance au groupe (*Shibboleth/Sibboleth,* cf. G. Diatkine). Et encore l'accordage est surtout une question affective : « Les mots et gestes de la mère sont arbitraires ; mais ils sont fortement chargés affectivement : ils expriment l'amour pour l'enfant » mais « classent les choses qui composent le monde en "bonnes" et "mauvaises" » (G. Diatkine).

1. C'est moi qui traduis, car, à ma connaissance, jusqu'à présent il n'y a pas de traduction française.

Le jugement de réalité est fortement conditionné par le « jugement d'attribution » (cf. Freud, 1925) qui le précède et l'accompagne ; et si les deux types de jugement ne sont pas en syntonie, surviennent de graves conditions de conflits qui attaquent la possibilité d'acquérir un bon sens commun dans le petit enfant.

C'est là qu'on va rencontrer les problèmes psychopathologiques qui concernent l'identité même du sujet. C'est ce que Winnicott souligne quand, après avoir affirmé qu'il « n'existe pas de bébé (sans mère) » (cf. Winnicott, 1961), souligne l'aspect « faux-self » (cf. Winnicott, 1960) qui concerne les pathologies qui présentent un excès d'adaptation à l'ambiance maternelle par rapport à l'impossibilité pour le bébé de soutenir le « heurt » de l'environnement.

À l'autre bout on trouve l'omnipotence narcissique à laquelle se réfère Bion pour décrire les traits principaux de défenses non névrotiques qui, par rapport à l'excès de frustration non élaborable, se traduit en une modification de la réalité (cf. W. Bion, 1962).

Dans ce cas aussi le jugement de réalité est remplacé par le jugement d'attribution. Le remplacement des catégories de vrai-faux par les catégories de bon-mauvais entraîne que la morale prend la place de la connaissance et que l'on justifie par cela (voir les groupes fondamentalistes) toutes les formes d'éliminationisme ethnique ou religieux.

NARCISS-ISME, SOCIAL-ISME ET SURMOI CULTUREL

Si l'on considère avec Bion le narciss-isme et le social-isme comme deux tendances ou bien deux polarités toujours présentes et actives dans l'individu comme dans le groupe, on peut affirmer que le processus évolutif est le résultat d'un jeu de forces dans lequel, à certaines conditions, le narciss-isme favorise les procès d'individuation et le social-isme l'établissement et la conservation entre l'individu et les groupes.

Tout cela est possible si les rapports et les conflits entre les deux instances ne sont pas trop intenses, si la dialectique toutefois conflictuelle est praticable. Mais si le surmoi culturel du groupe auquel le sujet appartient est trop rigide, les conflits entre l'individu et le groupe deviennent insoutenables. Si le groupe, par exemple la famille, partage un surmoi culturel très défensif (voir la famille psychotique) il ne peut pas accepter des différences vécues comme des divergences insoutenables qui menacent l'identité (le sens commun du groupe) et la survivance même du groupe.

C'est encore un cas particulier de « narcissisme des petites différences » ; le conflit dans ce cas peut concerner le rapport entre le groupe et un membre du même, ou bien le groupe familial par rapport à d'autres groupes.

En ce qui concerne l'individu par rapport au groupe familial, on peut dire qu'il vit un double conflit qui intéresse le rapport entre son sens commun (sens commun privé) et le sens commun de son groupe familial, et encore les conflits entre le sens commun privé, le sens commun du groupe familial et celui du groupe social élargi.

En ce qui concerne les relations entre le groupe familial et d'autres groupes, c'est Freud qui nous aide quand il affirme que : « L'une des tendances principales de la culture est d'agglomérer les hommes en de grandes unités. Mais la famille ne veut pas donner sa liberté à l'individu. Plus la cohésion des membres de la famille est étroite, plus ceux-ci inclinent souvent à se couper des autres, plus il leur deviendra difficile d'entrer dans cette sphère de vie plus large » (Freud, 1929, p. 290).

C'est toujours un problème d'individuation et de séparation, c'est toujours un problème de sens commun plus étroit ou plus étendu.

Le même problème peut intéresser le rapport entre l'individu créateur et le groupe (culturel-scientifique) auquel il appartient. C'est ce que Freud affirme dans *Psychologie des masses,* quand, parlant de la solitude créatrice, il dit que les grandes décisions du travail de l'esprit, les découvertes et les solutions des problèmes gros de conséquences ne sont permises qu'à un individu qui travaille en solitude. Mais il ajoute qu'il faut vérifier jusqu'à quel point chaque penseur ou poète est redevable aux suggestions des masses où il vit, ou bien s'il ne s'est pas borné à aboutir un travail mental auquel le autres aussi ont donné une contribution (cf. Freud, 1921).

C'est ce que Bion définit comme le rapport entre « le mystique et le groupe » (cf. W. Bion, 1970). Si le sens commun du groupe est capable d'accueillir une nouvelle idée, la relation entre l'individu créateur et le groupe sera mutuellement féconde ; si le surmoi culturel (scientifique) est trop rigide et le groupe n'est pas préparé à accepter des nouveautés (de nouvelles idées) bouleversantes ou « catastrophiques » (cf. 1970), à la manière de Bion, le génie peut souffrir d'un sentiment de rejet et d'isolement. Le problème du sens commun dans la circonstance concerne le rapport entre les individus qui forment le groupe, « la vérité partagée (le sens commun scientifique) » et la nouvelle vérité qui met en crise le sens commun du groupe et de ses membres.

CONCLUSION

On peut considérer le travail analytique comme une expérience dans laquelle le patient exprime quelque chose qui se réfère à son sens commun privé et que l'analyste, au moyen de l'interprétation, cherche à rendre un sens commun plus étendu et condivisible dans le couple et dans les groupes. Le sens commun de l'analyste découle du sens commun expérimenté avec le patient, mais « même si l'analyste ne doit jamais cesser d'être un membre de son propre groupe et doit être adéquatement sensible aux impératifs du groupe et aux risques qu'il court s'il les ignore, il ne doit pourtant pas permettre au social-isme de son orientation d'offusquer la réalité vive et immédiate qu'il rencontre dans son cabinet d'analyse [...] Que l'analyste soutienne le narciss-isme du patient contre son propre social-isme avec son comportement de dévouement exclusif au patient. L'analyste (pour partager avec le patient un sens commun thérapeutique) est donc obligé d'expérimenter la scission dont le patient même souffre entre son propre narsiss-isme et son social-isme » (W. Bion, 1992, p. 115-116).

Lucio Sarno
Corso Vittorio Emmanuele 492
90134 Palerme
(Sicile)

RÉFÉRENCES BIBLIOGRAPHIQUES

Bion W. R. (1961), *Recherches sur les petits groupes*, Paris, PUF, 1965.
Bion W. R. (1962), *Aux sources de l'expérience*, Paris, PUF, 1979.
Bion W. R. (1970), *L'attention et l'interprétation*, Paris, Payot, 1974.
Bion W. R. (1992), *Cogitations*, Estate of Wilfred R. Bion, London.
Chasseguet-Smirgel J. (1975), *L'idéal du moi*, Claude Tchou, Paris.
Diatkine G., Surmoi culturel, in *Revue française de psychanalyse*, n° 5, 2000, 1389-1460.
Donnet J.-L. (1995), *Surmoi I. Le concept freudien et la règle fondamentale*. Coll. des Monographies de la *Revue française de psychanalyse*, Paris, PUF.
Freud S. (1911), Formulations sur les deux principes du cours des événements psychiques, *Résultats, idées, problèmes*, Paris, PUF, 1984.
Freud S. (1915), Actuelles sur la guerre et la mort, 2e éd. corrigée, Paris, PUF, 1994, *OCF-P*, t. XIII.
Freud S. (1921), Psychologie des masses et analyse du moi, Paris, PUF, 1991, *OCF-P*, t. XIV.
Freud S. (1923), Le Moi et le Ça, Paris, PUF, 1991, *OCF-P*, t. XVI.
Freud S. (1925), La négation, Paris, PUF, 1992, *OCF-P*, t. XVII.
Freud S. (1929), *Le malaise de la culture*, Paris, PUF, 1994, *OCF-P*, t. XVIII.

Green A. (1983), L'idéal : mesure et démesure, in *La folie privée,* Paris, Gallimard, 1990.

Lagache D. (1960), Agressivité, structure de la personnalité et autres travaux, *Œuvres,* IV, Paris, PUF, 1982.

Winnicott D. (1960), Distorsion du moi en fonction du vrai et du faux self, in *Le processus de maturation chez l'enfant,* Paris, Payot, 1970.

Winnicott D. (1961), La théorie de la relation parents-nourrissons, in *De la pédiatrie à la psychanalyse,* Paris, Payot, 1969.

Deuil et surmoi culturel

Martine LUSSIER

Alors que la mort, la perte par excellence, a été l'occasion de rites de passage les plus importants pendant des millénaires, elle n'en connaît presque plus dans nos sociétés occidentales ; le stimulant rapport de G. Diatkine a été l'occasion de réfléchir au rôle du *socius*, à la fonction du surmoi culturel dans le travail de deuil. Quels rapports entretiennent l'histoire collective, qui s'exprime dans les rites de funérailles (leurs prescriptions et leurs interdits), et le surmoi individuel au moment d'un deuil ? Qu'advient-il quand ces rites ont disparu et que nos patients « savent » qu'ils doivent faire un « travail de deuil », puisque ce terme technique a largement pénétré la société, tout en ne « sachant » pas ce que c'est ? Serait-ce une forme de l'emprise du collectif sur le surmoi individuel, n'est-ce pas l'état de dépendance contraignante qui en résulte, évoqués par Diatkine ?

L'historien P. Ariès nous avait aussi invité à réfléchir au modèle psychanalytique du deuil, qui est, selon lui, un modèle historiquement daté, remontant au XVIIIe siècle et non un modèle universel :

> « Sans le vouloir, les psychologues ont fait de leurs analyses du deuil un document d'histoire, une preuve de relativité historique. Leur thèse est que la mort d'un être cher est une déchirure profonde, mais qui guérit naturellement, à condition qu'on ne fasse rien pour retarder la cicatrisation. L'endeuillé doit s'habituer à l'absence de l'autre, annuler la libido, encore obstinément fixée sur le vivant, "intérioriser" le défunt. [...] Peu importent ici ces mécanismes. Ce qui nous intéresse est que nos psychologues les décrivent comme faisant partie, de toute éternité, de la nature humaine ; comme un fait naturel, la mort provoquerait toujours chez les plus proches un traumatisme tel que, seule une série d'étapes permettrait de guérir. [...] Mais ce modèle qui paraît naturel aux psychologues ne remonte pas plus haut que le XVIIIe siècle »[1] (P. Ariès, 1977).

1. Paris, Le Seuil, 1985, coll. « Points », t. 2, p. 290-291.

Cette réflexion d'Ariès est certes simplificatrice quant à la théorie psychanalytique et l'auteur s'attache davantage au manifeste, au phénoménologique du deuil, mais elle a le mérite de nous obliger à renouveler notre regard. Pour réfléchir à cette évolution historique et en apprécier les effets sur la vie psychique, pour articuler le rapport entre collectif et individuel, les théories de N. Elias sur le processus de civilisation m'ont paru utiles ; je vais en faire une brève présentation avant de proposer une esquisse psychanalytique du travail de deuil en trois périodes historiques qui montrera l'intériorisation progressive de ce travail. L'accent porte donc sur un *processus* général, non sur le *contenu* précis du travail de deuil ; en outre, le seul objet de cet article est le travail de deuil suscité par la mort, travail psychique long et complexe qui ne se limite pas au renoncement ; le renoncement est un mécanisme psychique général, souvent cité par Freud mais pour ainsi dire pas conceptualisé ; lorsqu'on emploie l'expression « faire le deuil » au sens de renoncer, on ne parle donc pas de l'ensemble et de la spécificité du travail de deuil.

De formation médicale et philosophique, Norbert Elias (1897-1990) s'est engagé ensuite dans la voie de la sociologie. Ses origines juives allemandes l'obligèrent à émigrer en France puis en Grande-Bretagne ; sa vie resta marquée par son expérience de la Première Guerre mondiale et par la mort de sa mère dans un camp de concentration. Il fit une psychanalyse personnelle de plusieurs années en Grande-Bretagne après la Deuxième Guerre mondiale, mais sa cure fut interrompue par la mort de sa psychanalyste, dont il dit qu'elle était « une excellente analyste, freudienne orthodoxe, qui se situait plutôt dans la mouvance d'Anna Freud » (N. Elias, 1991). Il collabora de manière durable et significative avec le psychanalyste S. H. Foulkes, qu'il avait connu à Francfort, pour ses travaux et recherches sur la psychanalyse de groupe.

Elias a produit une pensée novatrice et puissante car il intrique sciences naturelles, psychologie, histoire et sociologie, avec la préoccupation dominante de penser les processus, les interactions et leurs effets (en particulier, les effets d'après-coup) ainsi que d'articuler les niveaux micro et macro, ce qui donne naissance à une construction complexe et féconde. Il réfléchit constamment en termes de dynamique, de conflictualité et dans un mouvement d'aller et retour entre l'individuel et le collectif. Il montre aussi que les évolutions de très longue durée qui modifient l'organisation de l'homme occidental sont irrégulières, marquées par des décalages et des régressions. La présente évocation de sa théorie est donc inéluctablement simplificatrice.

Elias articule la sociogenèse de l'État et des systèmes de pouvoir avec la psychogenèse de l'individu et il aborde l'individu non comme une instance surplombant la société mais comme une production sociale[1]. Il y a la même préoccupation de briser les dichotomies non pertinentes chez Elias et chez Freud ; pour Elias, on ne peut se contenter des abords de l'histoire et de la rationalité consciente : « Toute recherche qui ne vise que la conscience des hommes, leur *ratio* ou leurs "idées", sans tenir compte aussi des structures pulsionnelles, de l'orientation et de la morphologie des émotions et des passions, s'enferme d'emblée dans un champ d'une fécondité médiocre. Un grand nombre des éléments indispensables à la compréhension de l'homme leur échappe »[2] (N. Elias, 1975). Freud, lui, brise une autre dichotomie, celle entre psychologie individuelle et psychologie des masses, en insistant sur l'importance de la relation, de la compréhension du lien et en dénonçant la perception de l'âme collective comme une hypostase ; pour Freud, la psychologie des masses est première, la psychologie individuelle seconde : « La psychologie de la masse est la plus ancienne psychologie humaine ; ce que nous avons isolé en tant que psychologie individuelle [...] ne s'est dégagé que plus tard, progressivement, et pour ainsi dire d'une manière qui n'a jamais été que partielle, de l'ancienne psychologie des masses »[3] (S. Freud, 1921 *c*).

Elias distingue quatre fonctions élémentaires présentes dans toute société humaine : la fonction économique, la fonction de contrôle de la violence, la fonction d'obtention du savoir scientifique ou magico-mythique, la fonction d'acquisition de l'autocontrôle. C'est cette dernière fonction qui nous intéresse particulièrement. Voici une présentation synthétique de la théorie d'Elias sur ce point :

> « En Occident, entre les XIIe et XVIIIe siècles, les sensibilités et les comportements sont modifiés par deux faits fondamentaux : la monopolisation étatique de la violence qui oblige à la maîtrise des pulsions et pacifie ainsi l'espace social ; le resserrement des relations interindividuelles qui implique nécessairement un contrôle plus sévère des émotions et des affects. La progressive différenciation des fonctions sociales, condition même de la formation de l'État absolutiste, multiplie les interdépendances et donc suscite les mécanismes d'autocontrôle individuel qui caractérisent l'homme occidental de l'âge moderne. Elias énonce ainsi ce qui est sans doute la thèse essentielle de toute son œuvre : "À mesure que se différencie le tissu social, le mécanisme sociogénétique de l'autocontrôle psychique *[Selbstkontrollapparatur]* évolue vers une différenciation, une universalité et une stabilité plus grandes [...] La stabilité particulière des mécanismes d'autocontrainte psychique *[Selbstzwangapparatur]* qui constitue le trait typique de l'habitus de l'homme 'civilisé' est étroitement liée à la monopolisation de la contrainte physique et à la solidité croissante des organes sociaux centraux." [...] Le procès de civilisation consiste donc, avant tout, dans l'intériorisation individuelle des

1. Dans son ouvrage paru en 1939 sous le titre *Über den Prozess der Zivilisation*, rééd. en 1969 et traduit en français en 2 vol. distincts : *La civilisation des mœurs* (1973) et *La dynamique de l'Occident* (1975).
2. P. 254.
3. In *OCF-P,* t. XVI, p. 62.

prohibitions qui, auparavant, étant imposées de l'extérieur, dans une transformation de l'économie psychique qui fortifie les mécanismes de l'autocontrôle exercé sur les pulsions et les émotions et fait passer de la contrainte sociale à l'autocontrainte. »[1]

L'autocontrôle, ce passage de l'extériorité à l'intériorité, est un des axes fondamentaux de la pensée d'Elias : l'intériorisation des affects, des contraintes est au cœur du processus de civilisation et il s'opère sous l'effet de la crainte, selon Elias ; cette crainte fait elle-même l'objet d'un processus d'intériorisation, en se fixant sur des menaces de moins en moins extérieures (phénomènes naturels, divinités) et de plus en plus ancrées dans le for intérieur (risques de péché, indignité – nous pourrions ajouter : perte d'amour, ce que montre d'ailleurs Elias dans sa description du système de la Cour). Pour Elias, les termes d'autocontrainte et de surmoi sont équivalents.

Ces propositions sont compatibles avec le concept de surmoi et l'épopée du renoncement qu'est *Malaise dans la civilisation*, où Freud montre que la civilisation est un processus nécessairement répressif en imposant une restriction des satisfactions pulsionnelles ; Freud avait déjà écrit en 1915 : « On peut finalement admettre que toute contrainte interne, qui s'affirme au cours du développement de l'homme, n'était à l'origine, c'est-à-dire au cours de l'*histoire de l'humanité*, que contrainte externe »[2] (S. Freud, 1915 *b*). État qui conduit certains individus à vivre au-dessus de leurs moyens psychiques, ajoute-t-il dans le même texte, idée reprise dans *Malaise dans la civilisation* : « [Le surmoi] ne se soucie pas non plus suffisamment des données de la constitution psychique de l'être humain, il édicte un commandement et ne demande pas s'il est possible à l'être humain de l'observer. Bien plus, il présume qu'au moi de l'être humain est psychologiquement possible tout ce dont on le charge, qu'au moi il incombe de régner sans restriction sur son ça »[3] (S. Freud, 1930 *a*).

Elias est en accord avec Freud quant à l'ambivalence de la construction civilisatrice qui introduit de l'ordre et de la rationalité mais par des opérations de rupture, de séparation et de refoulement puisqu'il s'agit d'un renoncement à la satisfaction pulsionnelle : « Dans un certain sens, le champ de bataille a été transposé dans le for intérieur de l'homme. C'est là qu'il doit se colleter avec une partie des tensions et passions qui s'extériorisaient naguère dans les corps-à-corps où les hommes s'affrontaient directement. Les contraintes pacifiques que ses rapports avec les autres exercent sur lui trouvent leur reflet dans son psychisme. Il développe un mécanisme spécifique de l'habitude, un

1. Présentation de R. Chartier, fin connaisseur de la pensée d'Elias, *in* Préface à *La société de cour*, Paris, Flammarion, 1985, coll. « Champs », p. XIX.
2. *In* Actuelles sur la guerre et la mort, Paris, PUF, 1994, *OCF-P,* t. XIII, p. 137.
3. Paris, PUF, 1994, *OCF-P,* t. XVIII, p. 330.

Surmoi qui s'applique à contrôler, à transformer ou à refouler ses émotions »[1] (N. Elias, 1975).

Mais Elias a des divergences avec Freud car il critique chez ce dernier le peu de place accordée à la dimension historique et collective de l'expérience individuelle ; Freud conceptualise un *homo clausus*, dit Elias (reproche fondé en partie seulement, me semble-t-il) : « Cette recherche [psychanalytique] tend en effet à isoler, quand elle se penche sur l'être humain, un "inconscient", un "ça" conçu comme une entité sans histoire, pour en faire l'élément le plus significatif de la structure psychique [...] Ce qui détermine l'homme tel qu'il nous apparaît concrètement, ce n'est pas le "ça", le Moi ou le Surmoi, mais *toujours* et *fondamentalement* l'ensemble des rapports qui s'établissent entre les *couches fonctionnelles de l'autocontrôle psychique*, couches dont quelques-unes *se combattent réciproquement*, tandis que d'autres *conjuguent* leurs efforts. Or, *ces rapports à l'intérieur de chaque être humain* et avec eux la structure de son contrôle pulsionnel, de son Moi et de son Surmoi, évoluent conjointement au cours du processus de civilisation par suite de *la transformation spécifique des interrelations humaines*, des relations sociales »[2] (N. Elias, 1975) ; il n'y a donc pas, pour Elias, de catégorie universelle du psychisme.

À la lumière de la théorie du processus de civilisation soutenue par Elias, notamment l'intériorisation croissante des affects et des contraintes, je voudrais proposer maintenant une *esquisse* de l'évolution du travail de deuil en essayant d'apprécier le rôle des rites de funérailles[3]. En faisant une description strictement intrapsychique et intemporelle du deuil, Freud le désocialise, sous-estime la dimension historique et se prive des riches données anthropologiques ; il y a d'ailleurs une certaine contradiction entre sa position théorique et ses conduites sociales, car Freud écrivait avec ponctualité des nécrologies et assistait aux *Trauersitzungen* (séances à la mémoire d'un mort) du B'nai B'rith.

Il me semble que nous pouvons repérer, comme *hypothèse de travail*, trois étapes du processus de l'extériorisation du deuil à son intériorisation, dans la société occidentale. Le premier temps est celui du deuil des « sauvages », que Freud décrit abondamment dans *Totem et tabou*, ou des sociétés anciennes ; de nombreuses règles relatives aux différents temps du deuil existent ; l'expression de la douleur, les interdits et les prescriptions quant aux conduites, la durée de deuil font l'objet de règles externes, d'usages sociaux, parfois de lois : l'histoire attribue à Solon la paternité d'une loi qui interdit aux hom-

1. In *La dynamique de l'Occident*, p. 197.
2. *Op. cit.*, p. 254-255 ; italiques de l'auteur.
3. M. Hanus (1994) et G. Rubin (1998) livrent des éléments d'explication dans leurs livres respectifs.

mes de dire du mal des morts ; au temps de la Rome impériale, des lois dites somptuaires limitaient les dépenses en matière de funérailles ; toutes ces règles varient avec la qualité du défunt. Cet encadrement strict implique un certain formalisme conventionnel et convenu, qui laisse peu de place à l'initiative individuelle. Freud a montré les significations psychiques (surtout la maîtrise de l'ambivalence) de certaines de ces prescriptions ; d'ailleurs, les lois d'interdiction citées ici montrent bien la vivacité et de l'agressivité et de la culpabilité qu'il faut combattre.

En complément, l'étude des prescriptions religieuses est aussi éclairante. La religion juive, par exemple, prohibe toute disposition visant à maintenir l'illusion de la vie (embaumement) ou à différer la séparation ; le *Qaddich* n'est pas une prière pour les morts, leur salut (à la différence des prières de la religion catholique) mais une prière où la foi en Dieu est affirmée. La tradition rabbinique distingue quatre périodes bien délimitées : les trois premiers jours, les endeuillés peuvent pleurer, exprimer intensément leur douleur qu'on ne doit pas tenter d'apaiser, se détourner entièrement du monde ; pendant les quatre jours suivants, l'endeuillé peut recevoir les proches, les amis qui apportent par leur présence silencieuse un soutien moral (c'est le sens originel du mot « condoléances ») ; pendant les sept premiers jours, tout ce qui a trait au plaisir est interdit (relations sexuelles, toilette, lecture de la Torah) ainsi que le travail ; suit une période de trente jours où l'endeuillé renoue avec la vie sociale, reprend le travail mais doit continuer de s'abstenir de soins du corps, ne peut pas participer à des fêtes, voyager ; le reste de l'année comporte des restrictions de même nature mais moins strictes ; les endeuillés ont l'obligation de réciter régulièrement le *Qaddich*. D'un point de vue psychanalytique, nous voyons le rôle facilitateur que peuvent avoir ces contraintes sociales et religieuses : épreuve de réalité favorisée, pas de restriction dans l'expression temporaire des affects ; l'extrême ritualisation, le respect de nombreuses prohibitions peut « absorber » l'ambivalence ; la codification temporelle permet l'expression des différents mouvements pulsionnels ; les religions juive et catholique condamnent les manifestations excessives du deuil au motif qu'on ne saurait montrer un amour pour un être humain plus grand qu'un amour pour Dieu ; cette prescription religieuse, de même que les rites de levée du deuil ou les doubles funérailles, peut permettre de soulager la culpabilité liée au déplacement, au désinvestissement libidinal. D'une manière générale, les règles et les rites collectifs qui sont à l'origine du surmoi culturel allègent le fardeau du surmoi individuel en atténuant la conflictualité intrapsychique par leur caractère externe et facilitent le travail du moi.

Mais il est une règle difficile à accepter par notre sensibilité actuelle : dans la religion juive, on ne prend pas le deuil pour un enfant mort dans les

30 jours suivant sa naissance, disposition que l'on trouvait autrefois dans la religion catholique et qui doit nous donner à réfléchir sur la variabilité historique du deuil ; le sens de cette disposition est que le nouveau-né n'a pas encore le statut d'être humain à part entière, appartenant à une communauté de croyants ; on voit donc ici un renversement complet des valeurs de l'Église catholique qui considère à présent le fœtus comme une personne. Elle existait aussi chez les Dayak dont Freud aimait à citer les coutumes. L'investissement affectif considérable dont le bébé fait l'objet de nos jours rend cette règle difficile à comprendre.

Je propose de considérer que l'étape intermédiaire, le passage de l'extériorisation à l'intériorisation, s'incarne dans la doctrine du Purgatoire ; le Purgatoire crée un lieu et un temps où le travail de deuil peut se représenter, *se figurer*, se symboliser – osons la comparaison avec l'espace transitionnel comme aire intermédiaire d'expérience, entre ce qui est objectivement perçu et ce qui est subjectivement conçu, qui soulage la tension entre la réalité du dedans et la réalité du dehors, ce qui facilite à terme l'épreuve de réalité. Freud écrit dans les *Actuelles* : « Le souvenir persistant de la personne décédée devint le fondement de l'hypothèse d'autres formes d'existence, lui [l'homme] donna l'idée d'une vie se poursuivant après la mort apparente »[1] (1915 *b*). Dans son ouvrage, *La naissance du Purgatoire*, J. Le Goff indique que la croyance au Purgatoire est un phénomène de grande importance dans l'histoire des mentalités, car il indique un processus de spatialisation de la pensée ; le Purgatoire est pensé comme un lieu intermédiaire entre l'espace de l'au-delà et en rapport avec l'espace de l'ici-bas ; mais pour la théologie le Purgatoire n'est pas un lieu mais un *état*. Selon J. Le Goff, le XIIe siècle est le siècle où s'affirme la notion de Purgatoire et correspond à celui qu'Elias retient pour inaugurer le processus de civilisation tel qu'il l'entend ; la mort est de moins en moins une frontière, le Purgatoire devient une annexe de la terre, prolonge le temps de la vie et de la mémoire, brise l'alternative damnation éternelle / salut éternel et fait disparaître les fantômes errants qui trouvent là un lieu d'accueil ; voici donc un temps et un lieu virtuels, censément « réservés » aux morts mais qui facilitent aussi le travail de deuil, l'élaboration de l'angoisse et de la culpabilité des endeuillés. La variété des affects peut se lire dans les caractéristiques de la peine de purgatoire : âpreté, durée, stérilité, nocivité, diversité des tourments ; cette peine concerne le mort mais peut se lire comme une projection des endeuillés. Le Purgatoire crée des liens entre les vivants et les morts car on en voit apparaître deux caractères fondamentaux : la possibilité d'un rachat des péchés après la mort, l'efficacité des prières des

1. *Op. cit.*, p. 148 ; trad. modifiée.

vivants pour les morts rachetables ; Le Goff rappelle le constat de S. Reinach : « Les païens priaient les morts [qu'ils prenaient pour des dieux], tandis que les Chrétiens prient pour les morts [le mort tremblant] » ; les vivants disposent de nombreux moyens pour aider le mort à quitter ce lieu intermédiaire : messe, offrande pieuse, prière, aumône, pénitence, pèlerinage, croisade, legs pieux, restitution de biens, intercession des saints, suffrages de la communion des saints, qui sont autant de moyens de gagner des indulgences pour le mort mais aussi autant de manières de défaire les liens, de détacher les investissements en payant de son argent, de son temps et/ou de sa personne. Au XIVe siècle apparaît la réversibilité des mérites[1], système de solidarité entre les vivants et les morts à travers le Purgatoire, qui devient une chaîne circulaire sans fin, instaure une réciprocité parfaite ; ce nouveau dogme sollicite davantage la notion de transmission, d'héritage et les identifications (autrement que sur le mode cannibalique). Le séjour au Purgatoire peut être de quelques jours à quelques mois ou plus, dans les cas de péchés graves. Le Purgatoire est comme une projection, non délirante parce que instituée.

La troisième étape est celle que nous connaissons, qui résulte pour l'essentiel du déclin des croyances religieuses, particulièrement de la déchristianisation, d'une désocialisation de la mort privée, de la montée de l'individualisme ; l'expression sociale du deuil est très limitée et il ne peut se vivre que dans l'intrapsychique : « Le rite s'est *raccourci dans la durée*, *simplifié dans son organisation* (la levée du deuil ne donne lieu à aucune liturgie), *appauvri dans ses fonctions* (seule subsiste l'intention de faciliter le travail du deuil, et encore avec bien des restrictions) et *limité dans son expression* : ainsi la formule connue des teinturiers d'hier "Deuil en 24 heures" est définitivement enterrée ! *Privatisation* et *désocialisation* résument fort bien les nouvelles tendances »[2], écrit L.-V. Thomas (1986). Freud formalise le travail de deuil au tournant de 1914, qui est la date d'entrée dans le XXe siècle pour les historiens, un autre tournant du processus de civilisation. Freud inaugure dans le discours savant cette privatisation par une conceptualisation du deuil qui se limite à l'intrapsychique ; contrairement à sa méthode habituelle (observation du normal, du pathologique et des données de la civilisation), il ne fait aucune place aux rites de deuil, au collectif ; d'ailleurs, il écrit à Rosa von Freund, le 17 décembre 1926 : « Pour l'endeuillé, tout ce qu'on peut lui dire ne sera qu'un vain bruit. Son "travail de deuil" est un processus intime qui ne souffre pas d'ingérence. » À présent, l'endeuillé reçoit pratiquement l'injonction de

1. Privilège de pouvoir reverser la valeur méritoire et satisfactoire des actions et souffrances de certains de membres au profit d'autres membres.

2. Italiques de l'auteur.

faire son travail de deuil ; la prescription reste surmoïque, mais elle s'est déplacée du devoir envers le mort à une manière de devoir d'hygiène mentale personnelle. Or, le développement de l'individualisme moderne invite à préférer l'authenticité des réactions supposées spontanées, c'est-à-dire non codifiées, au formalisme des convenances ; il implique le rejet, en tout cas dans le discours conscient, du conventionnel, du ritualisé qui, au demeurant, n'existe presque plus. Cette exigence de spontanéité – formulation paradoxale – peut laisser démuni, inhibé voire en grande souffrance pour accomplir ce travail de deuil dont Freud lui-même avait reconnu qu'il était « une tâche psychique d'une difficulté particulière »[1] et exiger de l'endeuillé qu'il vive psychiquement au-dessus de ses moyens, comme le dit Freud dans les *Actuelles* ; ainsi, celui dont les moyens psychiques ne lui permettent pas de s'engager dans cette tâche psychique difficile, pourrait trouver du secours dans l'action rituelle, qui est de l'ordre du *faire*. Nous pouvons prendre la mesure de cette carence sociale, *a contrario*, dans l'ampleur des réactions individuelles à l'occasion de deuils publics (décès de la princesse de Galles ou du roi du Maroc, par exemple) où l'expression publique du chagrin est alors tolérée et où se mettent en place une fois encore les pompes funèbres ; encore que l'expression intense de la douleur qu'on observe dans les sociétés méditerranéennes soit souvent qualifiée d'hystérique alors qu'elle était normale, même attendue à l'époque de Charlemagne, par exemple. En outre, l'état de deuil est facilement considéré comme un état morbide, à la différence de ce que pensait Freud ; les manifestations publiques du chagrin, autrefois tolérées[2], ne le sont plus ; s'avouer triste, s'habiller de noir ou pleurer en public quelques semaines après la mort d'une personne chère, c'est encourir l'étiquette de « dépression » ; le deuil devient un trouble, une « maladie » que des professionnels prendront en charge. Le discours « psy », qui emploie sans retenue l'expression « travail de deuil », peut se substituer au discours religieux et aux usages sociaux et prend alors la place d'un surmoi culturel contraignant.

Martine Lussier
2, rue Rubens
75013 Paris

1. In *Inhibiton, symptôme et angoisse*, Paris, PUF, 1992, *OCF-P*, t. XVII, p. 208.
2. Qu'on se rappelle le récit plein de verve de Freud (in *Études sur l'hystérie*) décrivant une veuve qui abréagit chaque année la mort de ses différents époux par des pleurs, même dans la rue, ce dont ne s'offusque pas Freud.

BIBLIOGRAPHIE

P. Ariès, *L'homme devant la mort*, Paris, Le Seuil, 1977, 2 vol.

N. Elias (1969), *Über den Prozess der Zivilisation : soziogenetische und psychogenetische Untersuchungen*, 2. Aufl., trad. franç. par P. Kamnitzer, *La civilisation des mœurs* (1973) et *La dynamique de l'Occident* (1975), Paris, Pocket, 342 p. et 320 p.

N. Elias (1990), *Norbert Elias über sich selbst*, Frankfurt a. Main, Suhrkamp, trad. franç. par J.-C. Capèle, *Norbert Elias par lui-même*, Paris, Fayard, 1991, 184 p.

S. Freud (1915 *b*), *Zeitgemässes über Krieg und Tod*, trad. franç. *Actuelles sur la guerre et la mort*, 2e éd. corrigée, Paris, PUF, 1994, *OCF-P*, t. XIII.

S. Freud (1921 *c*), *Massenpsychologie und Ich-Analyse*, trad. franç. *Psychologie des masses et analyse du moi*, Paris, PUF, 1991, *OCF-P*, t. XVI.

S. Freud (1926 *d*) *Hemmung, Symptom und Angst*, trad. franç. *Inhibition, symptôme et angoisse*, Paris, PUF, 1992, *OCF-P*, t. XVII.

S. Freud (1930 *a*), *Das Unbehagen in der Kultur*, trad. franç. *Le malaise dans la culture*, Paris, PUF, 1994, *OCF-P*, t. XVIII.

J. Le Goff, *La naissance du Purgatoire*, Paris, Gallimard, 1981.

L.-V. Thomas (1986), Le deuil : sens, évolution, in *Bulletin de la Société de thanatologie*, 68/69, p. 72-77.

Entre le surmoi culturel et « une pure culture d'instinct de mort »

Marilia AISENSTEIN

Dans les dernières pages d'un rapport original et riche sur la notion controversée de « surmoi culturel », Gilbert Diatkine oppose ce qui est communément nommé « le pessimisme freudien » à ce que lui désigne comme « un étrange optimisme ».

Le pessimisme de Freud marque nombre de ses écrits et plus encore ceux conçus après le texte bouleversant intitulé « Considérations actuelles sur la guerre et la mort » où se décèle à mon sens un double vacillement : vacillement éthique, ontologique devant le carnage de la première guerre mondiale, mais vacillement théorique aussi, métapsychologique, qui dès lors le conduira inexorablement à repenser sa première opposition pulsionnelle. Pulsions sexuelles et de conservation se fondent en une pulsion de vie : la libido intriquée mais séparée – dans la deuxième théorie des pulsions – d'une pulsion de mort, motion de déliaison. C'est cet édifice théorique qui instaure la vision en termes de deuxième topique et la description d'un sur-moi « héritier du complexe d'Œdipe » construit – écrira Freud dix ans plus tard – par identification non aux parents mais aux sur-moi parentaux.

Cette instance est donc porteuse d'histoire, de phylogenèse et irrémédiablement de « culturel ». Face à la notion de culture, parfois condensée avec celle de civilisation, Freud a des positions complexes. Malgré une relecture attentive de tous les textes cités par Gilbert Diatkine, si je le suis volontiers du côté du pessimisme freudien je ne trouve pas trace d'un optimisme de Freud.

Que ce dernier ait cru et misé sur les progrès de la culture comme avancée de la science, extension du savoir et de la connaissance, est incontestable. Rien n'indique pourtant à mes yeux qu'il ait jamais imaginé que la participation de la culture dans la construction du sur-moi postœdipien protégerait les sociétés de l'insondable destructivité interne à l'humain. Le terme de « pure culture d'instinct de mort » me semble le confirmer.

À cet aspect paradoxal du pessimisme de Freud, je confronterais son ambivalence face à la morale émanation du surmoi « culturel », « l'éthique m'est étrangère », écrit-il au pasteur Pfister, et peut-être une certaine déception devant l'énigme de la régression du surmoi dans les foules à un idéal, auquel comme D. Braunschweig et M. de M'Uzan, je conteste toute visée maturante.

Dans *Le désir d'éthique*[1] P. Guyomard dégage avec subtilité l'extrême complexité des idées de Freud face à l'éthique et par conséquent à la notion de civilisation comme impliquant le social, la communauté. L'éthique est sans cesse présente dans son œuvre mais elle n'est jamais définie comme émanant de la découverte psychanalytique.

La position freudienne reste donc parfaitement cohérente : il existe une éthique dans la psychanalyse mais elle n'est pas une éthique psychanalytique.

Une autre façon de poser la question, plutôt dans le sillage de Lacan, consiste à interroger « L'éthique du psychanalyste ». Au regard de la loi commune, cette éthique n'est nullement spécifique, mais humaine. Il est en revanche un champ particulier qui est celui de la relation du psychanalyste à sa pratique et à la psychanalyse. Ici vient à mon sens s'articuler le questionnement éthique spécifique à l'institution psychanalytique, quelle qu'elle soit d'ailleurs. Un psychanalyste s'inscrit toujours dans une communauté, fût-elle fantasmatique.

Après Freud le fondateur – rebelle à faire de la psychanalyse une conception du monde –, il n'est peut-être pas fortuit que dans un autre contexte, qui n'est pas celui des pionniers, l'éthique soit revisitée par Lacan[2].

De son vivant, Freud ne pouvait qu'en référer à lui-même, au sein d'une communauté analytique composée de ses analysés et de ses disciples. Pour les successeurs, les conflits se posent différemment et surgit la question de la légitimité et de l'inscription dans une filiation « freudienne ».

L'histoire de la scission par Lacan et de son exclusion de l'Association psychanalytique internationale n'est probablement pas étrangère à l'extrémisme de certaines de ses positions, notamment dans son *Séminaire VII*.

Je ne ferai que l'évoquer ici pour souligner que la relecture de la question du surmoi et du désir conduit assez naturellement Lacan à chercher, lui, une éthique de la psychanalyse. Je ne suis pas en mesure d'argumenter le texte de Lacan mais suivrais volontiers P. Guyomard pour penser que Lacan en recon-

1. Paris, Aubier-Montaigne, 1998.
2. *Le Séminaire VII : L'Éthique de la psychanalyse,* Paris, Le Seuil, 1986.

naît l'impasse. C'est finalement plutôt une éthique « du psychanalyste » qu'il définira avec la formulation provocante et ambiguë : « Ne pas céder sur son désir... » « Je propose que la seule chose dont on puisse être coupable, au moins dans la perspective psychanalytique, c'est d'avoir cédé sur son désir. » Une des interprétations possibles de cet aphorisme pourrait rester strictement classiquement freudienne et être rapprochée de l'idée de Freud selon laquelle l'éthique est toujours psychiquement du côté des forces de refoulement. Lacan ne se retrouve-t-il pas devant le même paradoxe ?

Il me semble ainsi rester freudienne, c'est du moins mon souhait, en affirmant que la psychanalyse ne serait pas apte à théoriser des phénomènes sociaux comme le racisme ou l'antisémitisme. Suivre au travers d'écrits la fascination qu'exerça Drumont sur Edmont de Goncourt est passionnant mais je ne suis pas sûre qu'on puisse en inférer une théorie de l'origine de l'antisémitisme.

Dans un article publié en 1997[1], Michel Fain évoque la transformation d'une phobie qui ne se constitue pas mais se transforme en trait de caractère. « J'ai peur d'un chat noir » devient « je n'aime pas les chats » et peut parfois muter en un « il faut éliminer les chats ». Dans une problématique totalement différente, Hannah Arendt nous montre dans *Eichmann à Jérusalem* que la banalité du mal est à mettre en relation avec des mécanismes anti-pensée.

Les analyses menées avec des patients racistes nous enseignent beaucoup sur la constitution personnelle du phénomène au sein d'un psychisme mais à mon avis peu sur les états de « dépendance » ou de régression du surmoi dans le collectif.

Mais ne parle-t-on pas de sa « dissolution dans l'amour » ? Est-ce une constatation, une constante ? Ne se dissout-il pas de même dans la haine ?

Je suis consciente de n'avoir évoqué ici que quelques idées éparses surgies en moi à propos d'un seul point que j'ai cru saisir à l'intersection des deux remarquables rapports.

Marilia Aisenstein
72, rue d'Assas
75006 Paris

1. Névrose de caractère et mentalisation, in *Revue française psychosomatique*, n° 11, 1997.

L'idéal désintriqué

Denys Ribas

Reprendre la distinction entre moi-idéal et idéal du moi nous permettra d'articuler les deux rapports par leur préoccupation commune d'une bascule mortifère toujours possible dans l'idéalisation. Gilbert Diatkine nous le montre à propos du narcissisme des petites différences et de la capacité de peuples hautement civilisés à redevenir barbares ou de la nature de l'antisémitisme. Lise Monette et Jacques Mauger nous décrivent de façon décapante les dangers qui guettent l'analyste.

Je me suis souvent (Ribas, 1992) attaché à proposer de différencier un moi-idéal de l'idéal du moi en opposant le degré d'intrication pulsionnelle de leur investissement.

On se souvient, en effet, qu'il n'y a pas d'idéalisation de l'objet sans sublimation de la pulsion et que cette sublimation impose un temps de renoncement objectal et donc forcément une désintrication pulsionnelle. Avec l'introjection le réinvestissement se fait donc forcément dans une économie narcissique : l'être se substitue à l'avoir, ressembler à l'objet à défaut de le posséder.

Alors que l'idéal du moi accepte une distance entre le moi et son idéal et s'inscrit dans une temporalité secondarisée – l'atteindre est un projet pour l'avenir, un mouvement vers cette représentation qui garde la marque des objets introjectés et leur statut parental : un jour « quand je serai grand » je serai comme un de mes parents... pour alors posséder l'autre, le moi-idéal réalise le collage, adhésif au sens de Meltzer, immédiat et total entre le moi et l'idéal. Des majuscules seraient bienvenues pour rendre compte de la mégalomanie ici à l'œuvre. Mais notons l'abolition de la temporalité, donc de la différence des générations et aussi de celle des sexes qui n'importe plus dans ce mode archaïque et duel de relation, et donc la faillite de l'organisation œdipienne. Dans l'identification adhésive à l'œuvre, il n'est d'ailleurs plus légitime de parler de relation duelle, ni même de fusion, il s'agit d'une unité moi-idéal qui seule donne un éprouvé d'existence. Le devenir de la destructivité va donc être radicalement différent dans les deux cas.

L'idéal du moi peut tuer l'individu, et son lien avec le surmoi apparaît ici de manière évidente, dans le conflit entre l'autoconservation et le devoir. Nous apprécions d'ailleurs plutôt que le pompier, le soldat ou le médecin ne s'enfuient pas devant le danger qui nous menace !

Dans la version du moi-idéal que je propose, la priorité s'inverse : le danger est ce qui menace l'unité entre le moi et l'idéal : la fin de l'incendie, la défaite, l'impuissance. Le reste ne compte plus. Il vaut mieux alors que le malade meure, supprimant le témoin gênant et la preuve de la castration du médecin, et le peuple du tyran ou les armées du chef fanatique seront sacrifiés plutôt que de reconnaître l'erreur ou la défaite. On peut même penser que la capacité de donner la mort alimente le fantasme omnipotent de la dominer dans l'absolu : ainsi l'immortalité que la religion donne au croyant est probablement assurée par les victimes du fanatisme religieux. Ce fanatisme montre encore une certaine « bonne santé » psychique puisque la destructivité reste tournée vers le dehors – même si le fanatique est prêt à donner sa vie biologique qui compte alors moins que l'idéal avec lequel il se confond dorénavant. Tout ce qui menace cet idéal menace alors l'existence adhésive du fanatique et doit être éliminé.

Mais cette capacité projective paranoïaque ne se maintient pas dans toutes les situations.

Les sectes en donnent une démonstration lamentablement éclairante (Ribas, 1999). Abandon de l'individu qui se dissout dans l'aliénation à une unité totalitaire régressive, sacrifice du rôle parental et des enfants eux-mêmes, entraînés dans la régression à la dualité puis à l'Un, coupure du monde et de ses lois. La désintrication pulsionnelle libérant la pulsion de mort qui vise l'individu lui-même, il n'est alors pas surprenant de constater des issues autodestructrices dramatiques et spectaculaires.

Si ce constat éclaire la montée du totalitarisme dans les circonstances économiques ou sociales de radicale désespérance, en quoi cela peut-il concerner l'exercice de la psychanalyse ?

Jacques Mauger et Lise Monette ont pourtant raison de nous mettre en garde, car les groupes de psychanalystes et leurs institutions, indispensables tiers du colloque singulier de la cure, sont aussi soumis en tant que foule à toutes les issues psychiques des groupes. Le surmoi collectif est ici nécessaire pour éviter les solutions régressives. En dehors des mécanismes projectifs habituels et combien fatiguants, le recours à l'idéalisation destitue les figures parentales ou les dénature et va s'accompagner de la libération de la pulsion de mort désintriquée qui va faire son œuvre : séparer, mettre en pièces. À la différence de la psychanalyse anglaise, la psychanalyse française n'a pas su éviter les scissions, et les scissions de scission jusqu'à l'émiettement de certains groupes psychanalytiques.

Dans les situations de crise, comme actuellement avec la vogue des neurosciences et la crise économique qui ont restreint les demandes d'analyses, alors que les psychanalystes sont nombreux dans les grandes villes, on voit poindre des tentations idéalisantes.

En tant qu'individu, le psychanalyste lui-même est toujours menacé dans le deuil de son propre analyste par des collages identitaires, transmettant des taches aveugles du contre-transfert à travers les générations. Il semble que seule une nouvelle tranche d'analyse avec un autre analyste permette d'analyser cette part occultée : quelle limite infligée à l'auto-analyse !

La transitionnalité à l'œuvre dans la cure permettrait d'éviter ce deuil au profit de la fonction analytique d'une manière saine et créative si l'on suit Winnicott qui nous dit qu'il n'y a pas à faire le deuil de l'objet transitionnel : il est simplement désinvesti au profit de la créativité et de la culture. Mais comme l'illustre « l'enfant à la ficelle » dont Winnicott complète son célèbre article lorsqu'il le réédite, une issue fétichiste est aussi possible. Certains analystes dénient ainsi leurs limites physiques, âge ou maladie, en surinvestissant leur fonction analytique d'une manière qui serait séduisante – la passion de l'analyse – si elle ne laissait pas le travail psychique évité en charge à leurs patients, dans une confusion des rôles entre patient et analyste, pour paraphraser Ferenczi.

Cependant le rapport de nos collègues québécois a surpris par son ton. Entre tentation idéalisante et illusion réparatrice mélancolique, le lecteur a le sentiment qu'il n'y a pas d'autre issue. Les deux écueils dénoncés ont en commun leur économie narcissique, évidente dans l'idéalisation, claire par la référence à la mélancolie et illustrée dans le rapport par la tentation mélancolique : il n'est question que d'investissement narcissique de l'objet : pourquoi ?

On pourrait déjà réhabiliter une part d'illusion positive en référence à la transitionnalité winnicottienne, importante dans la cure. N'en déplaise à Winnicott – qui s'en démarque – les auto-érotismes jouent aussi un rôle fondamental dans le plaisir de penser. Janine Chasseguet-Smirgel s'est d'ailleurs étonnée que l'analité ait été aussi absente de nos échanges.

La dépression n'est pas seulement narcissique et la valeur donnée à la position dépressive par la psychanalyse kleinienne illustre bien la rencontre de l'objet. La réparation y prend alors la valeur positive que l'on connaît. C'est l'objet qui disparaît du rapport de Lise Monette et Jacques Mauger. C'est probablement l'origine du malentendu : évidence pour les auteurs, absence étrange pour le lecteur.

On pourrait en imaginer une raison dont les causes m'échappent de par ma méconnaissance de l'histoire de la psychanalyse au Québec et de ses relations avec Paris. C'est le lecteur qui est l'objet investi. Il y a comme une provocation adolescente à démontrer lors de ce congrès – notre réunion de famille – l'échec des idéaux de la psychanalyse française. Est-ce de se nourrir des textes sans qu'une fréquentation régulière – une présence – ne permette l'indispensable travail de désidéalisation qui est un apport méconnu de la fréquentation des collègues dans les institutions psychanalytiques... ? Est-ce la solitude face à la psychanalyse d'influence américaine et donc un appel ? Est-ce, vu de l'extérieur, un déséquilibre des places réciproques liées aux évolutions des courants classique et lacanien ? Quoi qu'il en soit, cela indiquerait que l'heure est venue pour nos collègues québécois de se forger leurs propres idéaux.

L'investissement objectal du patient par le psychanalyste est en tout cas là pour réfuter une alternative limitée à deux investissements narcissiques. Mais cet investissement objectal a l'étrange particularité d'être abstinent. Ceci lui donne une dimension parentale – sur laquelle insistait Francis Pasche – qui justifie d'être rediscutée. Si l'investissement de l'enfant par les parents est de nature narcissique pour Freud – ce qui justifie les mises en garde des auteurs du rapport – il n'est pas que cela et malgré toutes les perversifications possibles des positions parentales, il semble préférable pour l'enfant qu'il ait des parents... Une transmission possible de la psychanalyse n'est pas non plus à exclure ! Enfin, une économie pulsionnelle objectale est possible : l'inhibition de but. Nous savons qu'elle débouche sur la tendresse.

Cette dimension parentale nous revient d'ailleurs du dehors : les théories qui privilégient la sincérité et l'authenticité de l'analyste au détriment du transfert ne satisfont-elles pas en l'agissant l'aspiration de l'analyste à prendre la place réelle du parent. Nous savons que c'est une impasse pour l'analyse, mais c'est aussi un indice. Cette position serait assez souhaitable pour des parents.

Nous retrouvons l'intrication pulsionnelle car seul l'objet *présent* – point essentiel pour la relation parent-enfant et pour la cure psychanalytique – la réalise au dehors en permettant un investissement simultané par les pulsions de vie et de mort. C'est l'absence de l'objet qui impose ou son deuil ou son idéalisation pathologique avec dans les deux cas une désintrication au destin bien différent, désinvestissement suivi du réinvestissement possible d'un nouvel objet ou persistance de la désintrication dans le collage adhésif, laissant libre cours à la composante mortifère autodestructrice.

Denys Ribas
33, rue Traversière
75012 Paris

BIBLIOGRAPHIE

Meltzer D. et coll. (1975), *Explorations dans le monde de l'autisme,* traduit de l'anglais par G. Haag, M. Haag, L. Iselin, A. Maufras du Chatellier et G. Nagler, Paris, Payot, 1980, 256 p.

Pasche F. (1992), La fonction parentale de l'analyste et sa castration symbolique, in *RFP,* n° 3, 1992, et in *Le passé recomposé,* Paris, PUF, 1999.

Ribas D. (1992), Sublimation de la pulsion et idéalisation de l'objet, in *Les cahiers du Centre de psychanalyse et de psychothérapie,* n° 25.

Ribas D. (1999), Un sectaire mortifère, in *Sectes.* Coll. « Débats de psychanalyse », PUF, 1999.

III — Surmoi, éthique et théorie de la pureté

Le divan mélancolique

Jean-Claude ARFOUILLOUX

Valse mélancolique et langoureux vertige !
Le ciel est triste et beau comme un grand reposoir.

Baudelaire, *Les fleurs du mal,* XLVII.

Freud écrit dans « Deuil et Mélancolie » : « Le mélancolique nous montre encore une chose qui manque dans le deuil, un abaissement extraordinaire de son sentiment du moi, un prodigieux appauvrissement du moi. Dans le deuil, le monde est devenu pauvre et vide, dans la mélancolie c'est le moi lui-même. »[1] Il ajoute un peu plus loin : « Le complexe mélancolique se comporte comme une blessure ouverte, attire de tous côtés vers lui des énergies d'investissement (que nous avons nommées dans les névroses de transfert "contre-investissements") et vide le moi jusqu'à l'appauvrissement total. »[2] Quelques années plus tard, au moment du virage théorique représenté par l'introduction de la pulsion de mort et de la seconde topique, c'est la même vision dramatique et violente de la mélancolie qui est proposée dans « Psychologie des masses et analyse du moi » : « Un caractère majeur de ces cas [de mélancolie] est le cruel auto-abaissement du moi, en liaison avec une autocritique sans ménagement et d'amers autoreproches [...] Elles nous montrent [ces mélancolies] le moi partagé, dissocié en deux parts dont l'une fait rage contre l'autre. »[3]

L'expression « fait rage » *(wütet),* utilisée par Freud, mérite d'être relevée. Elle donne sa dimension tragique à la mélancolie, qui est un théâtre de la cruauté sur la scène intérieure duquel l'idéal du moi, incarnation de la « conscience morale », poursuit le moi d'une haine sans merci, jusqu'à la mort. L'image de la blessure ouverte, trou béant qui engloutit l'énergie d'investissement en laissant le moi sans substance fait également surgir

1. *OCF-P*, XIII, p. 264.
2. *Ibid.,* p. 272.
3. *OCF-P*, XVI, p. 47.

d'autres métaphores. Elle n'est pas sans évoquer les « trous noirs » découverts par les astrophysiciens, étoiles mortes dont la masse s'est affaissée, effondrée sur elle-même pour laisser place à un « puits gravitationnel » qui aspire et absorbe toute la matière et l'énergie situées dans son environnement. On songe ici au « soleil noir » du poème de Gérard de Nerval, « El Desdichado »[1] et il faut rappeler à ce propos que l'hypothèse des trous noirs célestes, traces laissées par les étoiles mortes, remonte au moins au XVIIIe siècle, bien avant Einstein donc. Étoile morte, « mère morte », le rapprochement paraît tentant. Le trou noir de la mélancolie, ce vide qui attire à lui toute l'énergie psychique, ne serait-ce pas celui laissé par la perte de l'union narcissique originaire avec la mère, que le mélancolique se reproche sans fin d'avoir détruite par son ambivalence ? Le fantasme de retrait dans un refuge matriciel, de retour à l'intérieur du corps maternel s'apparente chez le mélancolique au désir qu'il a de sa propre mort[2].

Mais il n'est pas du tout sûr que ce filage de métaphores permette de réduire l'énigme de la dépression mélancolique, où la biologie a sans doute aussi son mot à dire. Que penser, notamment, de cette étrange inversion de l'inhibition mélancolique en excitation maniaque, dont la répétition cyclique a toujours laissé Freud dans la perplexité ? Pour rester sur le terrain qui est le nôtre, celui du fantasme, notons du moins que l'idée de l'absorption ou de l'ingestion d'un corps par un autre corps, d'une instance psychique par une autre, renvoie à une problématique pulsionnelle bien connue depuis Freud et Karl Abraham et reprise depuis par d'autres auteurs, celle des fantasmes de cannibalisme concernant l'objet perdu et qui sont à l'œuvre dans la mélancolie aussi bien que dans le deuil ; à la différence près que dans la mélancolie, le moi, totalement identifié à l'objet perdu, s'anéantit dans une sorte d'autophagie.

Ces quelques remarques, dans l'après-coup du dernier Congrès des psychanalystes de langue française à Montréal, mais aussi du précédent à Paris, m'ont amené à m'interroger sur l'usage qui est fait depuis quelque temps du terme de mélancolie dans un certain nombre de travaux et de publications. Dans cette version *soft,* si je puis dire, il n'est plus question de l'effondrement dépressif qui caractérise, du point de vue clinique, la maladie mélancolique, mais seulement des affects, somme toute bien banals – qui ne les a jamais éprouvés ? – de tristesse, déception, désillusion ressentis à l'égard de l'objet d'amour ou de transfert. La mélancolie est ramenée, en quelque sorte, à la

1. Cf. Julia Kristeva, *Soleil noir, dépression et mélancolie*, Paris, Gallimard, 1987.
2. Cf. Guy Rosolato, L'axe narcissique des dépressions, in *La relation d'inconnu*, Paris, Gallimard, 1978.

coloration de l'humeur en fonction des attentes nourries à l'égard de l'objet et des gratifications reçues de lui.

Dans son rapport remarqué au Congrès de Paris, l'année dernière, Catherine Chabert, avec beaucoup de subtilité, faisait de la mélancolie un moment de perlaboration du fantasme de séduction passive dans la cure analytique, lié à un mouvement de « détournement de la passivité », de retrait narcissique par rapport à l'objet[1]. Mais l'état mélancolique, *stricto sensu*, n'a-t-il pas pour résultat de sidérer les capacités d'élaboration psychique et plutôt que d'un retrait dans le refuge mortifère et anéantissant de la mélancolie, ne faudrait-il pas parler ici d'un mouvement de détachement, de séparation, de deuil par rapport à un objet qui par ses manquements est source de déceptions ? Winnicott insistait déjà sur l'importance du sentiment de déception chez l'enfant et récemment, Roy Shafer lui a consacré un article fort intéressant[2].

Jacques Mauger et Lise Monette, dans leur rapport au Congrès de Montréal, s'interrogent sur la « vocation mélancolique du psychanalyste ». Le candidat analyste, se demandent-ils, n'est-il pas tenté par *une identification mélancolique à la fonction analytique qui viendrait en lieu et place d'un travail de deuil, travail de mise à mort sur le plan psychique de l'objet initial que l'analyste, dans le transfert, ne manque pas de devenir ? La fonction psychanalytique purifiée*, selon eux, *trahirait ainsi le mode mélancolique de l'analyste : dans les termes de Freud, « forte fixation » à la fonction devenue l'objet d'amour et « faible résistance à l'investissement d'objet ».* L'analyste serait guetté par une « tentation mélancolique » qui l'amènerait, à travers le maintien interminable de sa fonction analytique, à surinvestir le lien transférentiel d'amour au détriment de l'objet analysé, et les rapporteurs ne manquent pas d'avancer que « cette tentation reste liée au devenir-analyste, immanquablement », qu'elle fait partie, par conséquent, du processus de transmission de l'analyse. À propos de la mélancolie, Freud souligne en effet la contradiction, difficile à comprendre, entre un investissement d'objet « peu résistant » et une « forte fixation » à l'objet d'amour lui-même. L'amour pour l'objet ne peut pas être abandonné tandis que c'est l'objet qui est abandonné, de sorte que l'identification narcissique avec l'objet devient le substitut de l'investissement d'amour[3]. Mais les rapporteurs n'ont guère été convaincants sur la façon dont ce modèle mélancolique pourrait s'appliquer au processus analytique, en particulier dans le développement qu'il suppose d'une haine destructrice de l'objet auquel le moi – de l'analyste ? de l'analysé ? – s'est identifié.

1. In *RFP*, 1999, LXIII, 5, numéro spécial Congrès.
2. Cf. Roy Schafer (1999), Disappointment and disappointedness, *Int. J. Psychoanal., 80,* 1093-1104.
3. *OCF-P*, XIII, p. 268.

La polysémie du mot de mélancolie permet, il est vrai, de multiples utilisations. Son origine le rattache à la tradition philosophique aristotélicienne et à la théorie hippocratique des humeurs, qui voient dans la « bile noire » une source d'excitation tantôt bénéfique, tantôt maléfique pour le corps et pour l'esprit. Elle peut engendrer la folie, mais aussi le génie, au point qu'Aristote se demande si tous les hommes qui ont particulièrement brillé dans les domaines de la philosophie, de la politique, de la poésie ou des arts ne sont pas des mélancoliques. De multiples productions, dans tous les domaines des arts, attestent la riche portée esthétique du concept de mélancolie, mis un peu à toutes les sauces suivant les époques et les écoles. Erwin Panofsky, dans son commentaire de la célèbre gravure de Dürer, *Melencolia I,* écrit ce qui suit.

« Une fois qu'elle eut repris du lustre sous les auspices conjoints d'Aristote et de Platon, la mélancolie, jusque-là tenue dans le mépris, s'auréola de sublime. Actions d'éclat ou chefs-d'œuvre impliquaient immanquablement l'intervention de la mélancolie : on a même dit de Raphaël qu'il était *"malinconico come tutti gli huomini di questa eccelenza".* Bientôt, le principe aristotélicien selon lequel tous les grands hommes étaient des mélancoliques s'exagéra en l'affirmation que tous les mélancoliques étaient des grands hommes : *"Malencolia significa ingenio"* ("la mélancolie dénote le génie"), selon l'expression d'un traité, qui s'efforce de démontrer l'excellence de la peinture par le fait que les meilleurs des peintres sont tout aussi mélancoliques que les poètes et les philosophes. Comment s'étonner, dès lors, que les gens désireux de faire figure dans le monde se soient appliqués à "apprendre à être mélancoliques" – comme le dit un personnage de Ben Jonson – avec autant d'ardeur qu'ils en mettent de nos jours à apprendre à jouer au tennis ou au bridge. Le comble du raffinement est atteint par le Jacques de Shakespeare, qui, par snobisme, arbore le masque d'un mélancolique pour dissimuler qu'il est lui-même, en réalité, un authentique mélancolique. »[1]

On peut, dans la mélancolie, ne considérer que l'affect, dont la valence lui permet de se lier à d'innombrables représentations et figurations qui ont généralement pour fonction de l'embellir en nous montrant la belle âme mélancolique. On privilégie alors, me semble-t-il, un point de vue esthétique, riche de développements possibles, mais où quelque chose du sens métapsychologique se perd ou se dilue. On pourrait en effet parler tout aussi bien de tristesse ou de nostalgie que de mélancolie, termes qui désignent des états d'âme voisins et ne présentant entre eux que des différences de nuance. Remarquons à ce propos que les représentations figurées les plus classiques de la mélancolie

1. Erwin Panofsky, *La vie et l'art d'Albrecht Dürer,* Paris, Hazan, 1987, p. 258.

(Albrecht Dürer, Domenico Fetti) font appel à l'idée de méditation, qui n'est évidemment pas étrangère à la psychanalyse.

Mais c'est une autre image, celle d'une mélancolie sans masque, où la pulsion de mort « fait rage », qui est développée par Freud et que la psychopathologie nous révèle avec constance. Cette mélancolie n'est pas créative, elle abrase le fonctionnement psychique et plonge ceux qui en sont atteints dans la souffrance. Bien qu'elle ait bien des points communs avec lui, pour ce qui est du travail psychique requis, elle ne peut non plus être confondue avec le deuil, où le renoncement à l'objet suit des voies différentes, moins mutilantes pour le moi. Or, l'une des difficultés qui surgissent à la lecture des rapports, c'est que cette distinction nécessaire entre la mélancolie et le deuil est souvent méconnue. L'analyse, c'est devenu une banalité de le rappeler, amène le sujet à un travail de deuil ou de renoncement, au terme duquel il abandonne, autant que faire se peut, un certain nombre de ses objets infantiles d'investissement. Ce n'est pas pour autant qu'il doit sombrer dans la mélancolie.

À ce propos, et ce sera ma conclusion, il serait sans doute utile de différencier ici le processus de deuil et le processus de renoncement ou de séparation, problème au sujet duquel j'ai déjà avancé des hypothèses et sur lequel je me promets de revenir ultérieurement. « Le mot est le deuil de la chose. » Cette formule hégélienne souvent citée peut également se retourner : c'est le renoncement à la chose, à l'objet, dans un travail de deuil ou de séparation, qui ouvre le chemin au langage et à la pensée.

Jean-Claude Arfouilloux
85, avenue du Général-Leclerc
75014 Paris

Un miroir quelque peu embué

Wilfrid REID

Introduction

Dans « Pure culture... », Jacques Mauger et Lise Monette affirment, d'entrée de jeu, qu'il existe « un malaise dans la transmission de la psychanalyse ». Nous pouvons envisager la chose au second degré ; ce « malaise dans la transmission » ne fut pas, dans sa transmission, sans susciter un certain malaise. Dans un premier temps, le rapport a entraîné comme une onde de choc ; plusieurs lecteurs, spontanément, en petits groupes, ont fait état d'une réaction de sidération, voire même de consternation ; en même temps, certains ont été sensibles au silence collectif qui a entouré le rapport. Dans un deuxième temps, sur un mode plus élaboratif, le Congrès, peut-on penser, a largement fait écho à ce malaise qu'il importe de tenter de comprendre car cette ombre portée, dans une certaine mesure risque d'occulter la pertinence tout à fait réelle de la problématique abordée dans « Pure culture... » et ce à plus d'un titre.

Une analogie avec la situation analytique vient spontanément à l'esprit. On le sait : souvent la composante affective de certaines dimensions transférentielles, en particulier les aspects clivés du transfert, se repère davantage dans l'effet produit chez l'analyste par le discours de l'analysant que dans le contenu même de ce discours. L'affect dominant se réfugie moins ici dans ce qui est dit que dans la manière de le dire. Ce dire des rapporteurs a trait à ce qu'ils désignent avec Nathalie Zaltzman (1998) comme la problématique mélancolique de l'analysant qui désire devenir analyste ; dans cette problématique, l'évitement du deuil de l'objet idéalisé originaire, objet dont l'investissement est transféré sur l'analyste, entraîne une identification mortifère – « pure culture... » – à une fonction psychanalytique idéalisée : ce qui s'avère délétère pour l'évolution de la psychanalyse. Convenons avec les rapporteurs que cette thématique, outre ses mérites propres, est riche de résonances multiples ; nous y reviendrons.

Une différence de tonalité affective

J. Mauger et L. Monette se réfèrent explicitement à Nathalie Zaltzman (1998) ; or, nous pouvons noter une différence assez marquée entre cette dernière et les rapporteurs en ce qui concerne la tonalité affective qui sous-tend le discours théorique. Deux citations parallèles nous permettront d'illustrer cette différence. Du côté de Zaltzman : « L'intention [de devenir psychanalyste] de l'analysant, parlée et agie, ne présente en elle-même aucun caractère de résistance particulièrement infranchissable à la progression du processus analytique... il [le projet de devenir psychanalyste] se présente inévitablement comme un enjeu transférentiel et c'est de l'interprétation de la composante transférentielle et non de son opportunité "réaliste" que l'analyste doit prioritairement s'occuper » (N. Zaltzman, 1998, p. 176). Maintenant du côté des rapporteurs : « L'analyse du désir d'être analyste n'est possible dans le meilleur des cas qu'à l'occasion d'une deuxième analyse plutôt rare chez les devenus analystes » (Mauger et Monette, 1998, p. 28). On peut penser que le malaise suscité à la lecture du rapport n'est pas sans lien avec cette différence de tonalité affective.

Un premier volet

Ce malaise, dans une analyse un peu sauvage, il faut en convenir, nous tenterons de le comprendre à l'aide d'une hypothèse comportant deux volets. Premier volet : une mise en abîme de la problématique mélancolique. Le regard porté sur la problématique mélancolique serait lui-même infiltré par la problématique mélancolique, qui devient une partie clivée de la pensée des rapporteurs, partie clivée éprouvée par le lecteur, dans son rapport contre-transférentiel au texte. En ce sens, André Lussier a souligné « une action mélancolisante du rapport ».

Prenant appui sur ce vécu contre-transférentiel, nous en venons à dégager un certain nombre de signes de ce regard mélancolique sur la problématique mélancolique. Un premier d'entre eux a trait à « la fonction psy purifiée ». J. Mauger et L. Monette font état d'une dichotomie entre l'analytique et le thérapeutique, une dichotomie qui serait à l'œuvre dans nos pratiques actuelles. Or, peut-on se demander, cette dichotomie n'est-elle pas présente dans la manière des rapporteurs de penser « la fonction psy » ? Ainsi, dans un même paragraphe, nous glissons imperceptiblement d'une polarité psychanalyse/psychothérapie à une polarité analytique/thérapeutique. La même dichotomie revient où il est question d'« une fonction psy biface, thérapeutique et analytique ». Enfin, il est dit « le désir d'analyser, aussi de guérir ». Or, cette division de l'analytique et du thérapeutique est assez étrangère à Nathalie Zaltzman. Le titre même de l'ouvrage cité *De la guérison psychanalytique* ne laisse place à aucune équivoque.

Autre signe d'un regard mélancolique : la question du renoncement. À quoi s'agirait-il de renoncer ? « Il est rare qu'une analyse de psy débouche sur la décision de renoncer à cette fonction psy » (Mauger et Monette, p. 29). Peut-on voir là un lapsus ? Est-ce que l'analyse d'une fonction devrait, en principe, conduire au renoncement à cette fonction ? « Je ne deviendrai jamais comme vous », dira une analysante citée peu après. Nous sommes ici plus près du renoncement à l'opportunité réaliste de devenir analyste qu'à celui de la composante transférentielle de ce projet pour reprendre les termes de N. Zaltzman. Il est permis de voir une teinte mélancolique dans cette modalité de renoncement.

Autre signe d'un regard mélancolique : une expression attribuée à N. Zaltzman, celle de « la vocation mélancolique du psychanalyste ». Or, je n'ai personnellement pas retrouvé cette expression sous la plume de l'auteur. Celle-ci introduit la problématique en cause, à la section C du chapitre VI, une section intitulée : « Problématique mélancolique, vocation psychanalytique. » Les rapporteurs semblent faire une condensation qui donne naissance à une nouvelle expression : « La vocation mélancolique du psychanalyste. » Cette condensation ne peut être considérée comme innocente.

Un second volet

Pour tenter de rendre compte du malaise suscité par le rapport, l'idée d'une mise en abîme de la problématique mélancolique ne constitue que le premier volet d'une hypothèse qui appelle un second volet. Nous proposons ici que via cette partie mélancolique clivée de leur pensée, les rapporteurs nous tendent un miroir, où nous aurions mauvaise grâce à ne pas reconnaître une certaine problématique mélancolique collective de la communauté analytique, c'est-à-dire une certaine difficulté à faire le deuil d'une idéalisation mortifère de la fonction analytique. Dans quelle mesure, derrière le deuil difficile de l'objet idéal originaire, observé dans la cure individuelle, n'y aurait-il pas le deuil difficile de notre objet originaire collectif, le deuil difficile de notre idéalisation de Freud, de la pensée et de la pratique de Freud, dont l'image, telle celle d'un revenant, refait surface sur la page couverture des publications du Congrès ?

André Green a déjà souligné l'existence d'une hallucination négative de l'échec de l'analyse de l'homme aux loups au sein de la communauté analytique. On le sait maintenant : à la fin de sa vie, l'homme aux loups a disqualifié en bloc, et de manière explicite, tout le travail de construction de Freud, quant à la prégnance des fantasmes de scène primitive, dans sa névrose infantile. Devons-nous nous surprendre des difficultés rencontrées par la méthode au moment où débute sa mise en œuvre ? Bien davantage, peut-on penser, il nous faut être sensibles aux difficultés que nous avons à reconnaître les difficultés de la méthode. Ne sommes-nous pas ici en présence d'un symptôme du malaise dans la transmission de la psychanalyse ?

L'homme aux loups, tout au long de sa vie, n'a pas manqué de fréquenter des analystes ; Michel Schneider (1981) a pu le désigner comme « l'homme aux analystes ». Or, ce n'est qu'à la toute fin qu'il semblera exprimer véritablement sa pensée concernant son analyse avec Freud et ce auprès d'une personne qui n'est pas membre de la communauté analytique, une journaliste qui d'ailleurs ne va pas beaucoup le solliciter à ce propos ; de fait, Karin Obholzer (1981) s'intéresse d'abord à l'homme qui a fait l'expérience immédiate de l'un des grands événements du XXe siècle, la révolution d'Octobre. Il est aussi remarquable d'observer que si l'homme aux loups disqualifie le travail analytique de Freud, il revendique en même temps, haut et fort le statut du patient le plus célèbre de l'histoire de la psychanalyse : idéalisation aliénante, mortifère s'il en fût, de la fonction analytique.

Il y a vingt-cinq ans déjà, André Green (1975) décrivait une « psychanalyse mélancolique » et soulignait notre deuil difficile de Freud. Claudette Lafond (2000) évoque maintenant le « fondement mélancolique de notre fidélité à Freud ». Les processus qui ont cours dans la psyché collective, s'inscrivent, dit-on, dans la longue durée. Ce deuil difficile d'un objet narcissique originaire n'est pas tellement étonnant quand on songe aux enjeux narcissiques considérables auxquels est confronté l'analyste dans l'exercice de la méthode. Les modalités de cet exercice sont, en effet, intimement liées à la personne de l'analyste. Il n'est pas facile d'introduire la tiercéité. En ce sens, l'élargissement de la notion de contre-transfert, dans sa fonction de levier, de résonance du transfert, tout en représentant une percée théorique majeure, quant à la méthode, n'en a pas moins eu pour effet de complexifier davantage, pour l'analyste lui-même, les enjeux narcissiques inhérents à la pratique : ce qui ne peut qu'alimenter le recours à une fonction analytique idéalisée.

Nous sommes d'autant plus autorisés à identifier cette problématique mélancolique collective sous-jacente au rapport que le questionnement des auteurs ne cesse d'osciller entre la situation individuelle des analysants et la situation collective des analystes. D'ailleurs, en toute fin de parcours, discrètement, trop discrètement sans doute, n'évoquent-ils pas notre mélancolie collective quand ils déplorent « notre incapacité à faire le deuil d'une validation de notre théorie et de notre pratique par la sanction de l'écrit sacré de l'ancêtre » (Mauger et Monette). Peut-on mieux dire les choses ?

On le sait, les nombres prennent facilement une valeur symbolique ; à l'aube du IIe siècle d'existence de la psychanalyse, puissions-nous être sensibles à ce cri d'alarme lancé par J. Mauger et L. Monette. Ou bien, nous parvenons à faire le deuil d'une certaine idéalisation de la fonction psychanalytique, idéalisation derrière laquelle se réfugie celle de Freud, notre objet originaire collectif ou bien – et nous retrouvons ici, dans une autre perspective, le lapsus concernant le renoncement à la fonction – se profile à l'horizon le spectre d'un renoncement collectif à « la fonction psy ».

Le miroir qui nous est tendu nous présente peut-être une mélancolie un peu lourde, d'autant que cette mélancolie s'inscrit davantage dans la texture du rapport que dans son contenu. Devons-nous, dès lors, tenter d'évacuer l'affect que l'on nous convie à ressentir ? Un miroir un peu embué n'en demeure pas moins un miroir.

Wilfrid Reid
74 Courcelette
Outremont/Québec H2V.3A6
(Canada)

BIBLIOGRAPHIE

Green A. (1975), La psychanalyse, son objet, son avenir, *Propédeutique, la métapsychologie revisitée*, Champ-Vallon, 1995.

Lafond C. (2000), Le matricide ou l'interdit d'altérité, *in* L'idéal transmis, *Revue française de psychanalyse,* n° 5, Paris, PUF, 1681-1685.

Mauger J. et Monette L. (2000), Pure culture..., *Revue française de psychanalyse,* n° 5, Paris, PUF, 1391-1460.

Obholzer K. (1981), Entretiens avec l'Homme aux loups, *La psychanalyse dans son histoire*, Paris, Gallimard.

Schneider M. (1981), *L'homme aux analystes, préface à Entretiens avec l'Homme aux loups,* Karin Obholzer, Paris, Gallimard.

Zaltzman N. (1998), *De la guérison psychanalytique,* Épîtres, Paris, PUF.

Tentations chez le psychanalyste « pour le bien du patient »

Annette FRÉJAVILLE

À Montréal, les rapporteurs de l'an 2000 mettent en garde les psychanalystes contre deux sortes de tentations complémentaires :

Jacques Mauger et Lise Monette invitent à nous méfier d'un « idéal de pureté » de nature narcissique, qui s'accommoderait mal de l'altérité de l'objet, y compris du patient.

Gilbert Diatkine attire notre attention sur le « surmoi culturel », en fait sur les traces, repérables dans la cure, que laissent les idéaux collectifs.

En ponctuant le chemin qui va du narcissisme à l'objet puis aux objets liés entre eux, ces mises en garde paraissent propices à de féconds développements.

Notre propos sera centré sur quelques écueils consécutifs à l'excès d'investissement narcissique conjoint du patient et du groupe analytique de référence.

Tentations pour l'analyste... dès les entretiens préliminaires

Nos collègues canadiens décrivent une double tentation : celle de souhaiter rendre nos patients semblables à nous-mêmes, puis celle de se laisser aller à un vécu mélancolique lorsque l'altérité de l'objet se révèle indépassable.

Leur argumentation n'est pas sans rappeler la douloureuse nécessité de l' « antinarcissisme » que F. Pasche (1964) avait mis en lumière. Elle réactualise la question de la transmission de la profession de psychanalyste, au devenir incertain.

Mais qu'en est-il des nombreux cas où le patient, en analyse au nom d'une authentique souffrance psychique, ne remet aucunement en cause ses choix professionnels enracinés dans de solides sublimations ? Des ingénieurs, des historiens, des musiciens peuvent bénéficier, y compris professionnellement, d'une expérience psychanalytique ; le temps n'est plus à souhaiter la multiplication des analystes. Mais échappons-nous, dans ces cas, à toute déception, ou à quelque récupération narcissique des réalisations du patient ?

La question posée par le rapport nous paraît avoir aussi sa pertinence à propos des entretiens dits « préliminaires » (qui ne nécessitent pourtant pas tous d'être suivis d'une psychanalyse). Il s'agirait plutôt d'entretiens de « faisabilité ». Qu'en est-il lorsque nous rencontrons un patient étranger au milieu « psy » qui ne nous demande, *a priori,* qu'une aide psychothérapique, qui ne souhaite rien de lourd en termes d'investissement, en affects, en temps et en argent ? Nous pensons parfois, après un ou plusieurs entretiens, qu'une indication d'analyse est justifiée, par ce que nous comprenons de sa conflictualité intrapsychique. Si nous proposons une cure type, avec nous-même ou avec un de nos collègues, à quelqu'un qui ne l'a pas demandé, nous voilà donneurs de conseils, attitude aussi anti-analytique que possible ! Il peut nous être rétorqué que le patient sait qu'il est venu voir un psychanalyste. Ce n'est pas toujours aussi clair (lorsqu'un généraliste est notre correspondant par exemple). Il vient aussi voir un psychiatre ou un psychologue, quelqu'un dont il attend une réponse dans un vaste champ de possibles ; quelqu'un qui, avant tout, sache mettre en mots sa souffrance. Mais un intense pré-transfert peut rapidement éclore : suggérer alors une psychanalyse à quelqu'un qui envisageait d'autres solutions peut avoir valeur d'injonction. Avons-nous toujours la prudence de mesurer les effets des contraintes matérielles sur ce patient potentiel et sur son entourage ? Ne sommes-nous pas tentés d'exercer notre art, quitte à attribuer nos attentes à celui qui nous consulte ? Bien sûr, nous pensons que si nous conseillons une analyse c'est « pour le bien » du patient. Mais ne serions-nous pas tentés d'un moment mélancolique si une « belle » indication d'analyse restait lettre morte ?

Ne sommes-nous pas aussi, dans ces situations, influencés par les idéaux du groupe des analystes à qui nous appartenons ?

En s'interrogeant sur le surmoi culturel, Gilbert Diatkine insiste sur l'habituelle multiplicité des idéaux, notamment parce qu'ils sont d'origine narcissique *et* objectale. Au mieux, les contradictions internes consécutives sont névrotiquement traitées. Mais ne peut-on penser que la mise en commun des idéaux, comme cela se passe dans tout groupe, est une tentative de résoudre la conflictualité psychique personnelle ? Le risque en est une régression collective avec effacement des différences et son cortège de simplifications, volontiers manichéennes : les « bons » idéaux, communs au groupe d'appartenance s'opposent aux « mauvais » idéaux, attribués aux autres groupes, devenant adverses. Ainsi pensent, cités par Gilbert Diatkine, les Galaadites et les Éphraïmites, qui se distinguent par leur façon de prononcer *Schibboleth,* chacun jugeant la sienne exacte.

Ne sommes-nous pas, dès les entretiens préliminaires, c'est-à-dire avant même de rencontrer un patient, assujettis aux idéaux de notre groupe analytique de référence ? Quel poids cela a-t-il dans nos constructions contre-transférentielles ?

Ces idéaux de groupe, apparemment communs, ont pourtant une histoire, sont aussi la résultante, parfois rigide à l'usage, de conflits narcissiques interpersonnels et de démêlés transgénérationnels. Inévitable dialectique des positions individuelles et collectives. Inévitable problématique de la transmission.

Tentations parentales

« C'est pour ton bien. » Voilà ce que, dans leur rôle surmoïque, les parents, *a priori* les mieux intentionnés, disent à leurs enfants, tandis qu'ils leur donnent quelque directive. Si, d'aventure, l'enfant n'en fait qu'à sa tête ou s'il fait des choix trop différents de ce qu'ils avaient pensé bon pour lui, ils seront peut-être tentés par un moment de mélancolie.

Nous aussi, en tant qu'analystes, pensons parler « pour le bien du patient », au nom de nos positions personnelles et de nos références théoriques. Il y a sans doute une tentation narcissique à penser cerner la problématique d'une demande, alors que d'autres professionnels répondraient différemment à la souffrance apportée par le patient, alors même que certains proches collègues verraient autrement ce qui est « bien » pour lui.

Nous voici bientôt mis transférentiellement en position parentale. Il se trouve que certains patients sont aussi parents dans la réalité. En évoquant leur manière d'exercer leur fonction paternelle ou maternelle, il leur arrive de mettre à l'épreuve notre contre-fransfert. Lorsque nous les entendons solliciter notre complicité pour partager leur affolement ou leur indignation agie à l'occasion de repas boudés ou d'examens ratés, envers les amours hasardeuses ou les transgressions bruyantes de leur progéniture, est-il si simple de rester « neutre et bienveillant » ?

Notre patient est peut-être tenté, dans son désarroi de parent, par un moment de mélancolie, lui-même pourvoyeur d'agis intempestifs. S'il investit trop narcissiquement son enfant, il l'expose aussi à des disqualifications brutales. Tout cela peut faire écho à un excès d'investissement narcissique que nous aurions pour notre patient, qui ne se conduit décidément pas comme on l'aurait imaginé ou souhaité.

Parce que nous sommes piqués au vif dans notre vécu d'enfant, mais aussi de parent éventuel dans la réalité, nous sommes troublés par l'émotion du patient-parent. Malgré le travail analytique portant sur le contre-transfert et le transfert, nous rencontrons la tentation de prendre parti pour le parent à bout ou pour l'enfant en passe d'être maltraité, comme s'il nous fallait choisir entre les acteurs d'une scène primitive. Nous sommes d'ailleurs provoqués de façon similaire lorsque nos patients semblent malmener leurs divers objets libidinaux, leurs enfants mais aussi leurs parents ou leur partenaire amoureux.

Dans la vie comme dans l'analyse, la fonction parentale, dans sa dimension éducative, est porteuse de l'instance idéal du moi/surmoi. Ainsi se protègent les protagonistes de leurs émois incestueux. Mais cette fonction parentale, consécutive à l'intériorisation du surmoi, n'est-elle pas liée aussi aux inscriptions socioculturelles du groupe des pairs ?

Lorsque sont en cause des questions d'éducation, de mœurs ou de société, nos réactions transférentielles ne sont pas linéairement liées à notre histoire infantile. Même s'ils représentent aussi pour nous des instances parentales, les idéaux culturels du moment nous influencent narcissiquement, par le truchement de nos groupes d'appartenance, personnels et professionnels. En sommes-nous toujours vraiment conscients ? C'est peut-être un des reproches qui est fait à la psychanalyse aujourd'hui.

Qu'ils concernent notre manière de concevoir la famille ou la psychanalyse, nos idéaux culturels ont, comme toute conceptualisation, une mixité originaire. Que nous le voulions ou non, nous sommes inscrits dans une filiation bilinéaire, et multiple dès la génération grand-parentale. En tant qu'analystes, nous pouvons aussi être issus de parents divorcés au moment de quelque scission passée. Les Galaadites et les Éphraïmites n'ont-ils pas pu concevoir un enfant, issu d'un Roméo et d'une Juliette moins malchanceux ? Comment l'enfant aurait-il dû prononcer *Schibboleth* ?

Jusqu'où ne pas aller

Certains patients mettent en cause, parfois sans le savoir, nos convictions les plus profondes. Ce peut être à l'occasion de considérations professionnelles ou politiques, sexuelles ou scatologiques. Si nos positions éthiques sont trop violemment heurtées, tout point abordé est à même, dans certaines conditions, de mettre à mal le contre-transfert. « Pour le bien » de qui alors intervenir ou rester silencieux ? Pour celui du patient ? Celui de ses objets ? Pour le nôtre ? Dans ces moments-là, nous rencontrons la tentation d'un moment de mélancolie, comme le Freud de *Malaise dans la civilisation,* à moins que ce ne soit celui d'un passage à l'acte intempestif. La question de la référence à un tiers dans la réalité peut alors se poser.

Sommes-nous toujours assez au fait des raisons pour lesquelles nous prononçons *Schibboleth* de telle ou telle façon ? Nos positions et nos convictions ont bien partie liée avec les idéaux des groupes d'appartenance auxquels nous sommes, narcissiquement, attachés. La reconstitution du parcours transgénérationnel des idées et des croyances rend celles-ci moins arbitraires, plus compréhensibles. Se retrouve une multiplicité habituelle des origines, comme dans les processus d'historicisation. La genèse complexe des opinions, même les plus arrêtées, apparaît comme garante d'un espace pour penser.

Les bords des orthodoxies ne sont-ils pas des lieux privilégiés de créativité ? *A contrario,* comme issue d'un monde parthénogénétique, d'une histoire sans histoire partagée par des clones, la pureté serait du côté du démoniaque.

Annette Fréjaville
71, rue Notre-Dame-des-Champs
75006 Paris

L'infantile et les idéaux

Pierre DRAPEAU

Au début de l'analyse de « L'Homme aux rats », Freud lui dit : « L'inconscient est l'infantile, et cette partie de la personne qui s'est alors séparée d'elle, n'en a pas accompagné l'évolution ultérieure et donc a été refoulée... ». En distinguant l'enfant et l'enfance de l'infantile, Freud a établi la spécificité de la causalité psychique découverte par la psychanalyse.

L'infantile est un territoire dans l'intemporel de l'inconscient où se chevauchent et s'affrontent de puissants courants issus de la rencontre des forces pulsionnelles et des événements de la vie relationnelle. L'infantile, comme le signale Bernard Brusset, en tant que catégorie de la causalité psychique, est en position intermédiaire et médiatrice entre l'inconscient hors du temps et l'histoire singulière du sujet.

Dans leur rapport, Lise Monette et Jacques Mauger ont bien montré comment l'infantile pouvait infiltrer les idéaux les plus nobles. Le sujet de l'atelier qui nous a été proposé m'a amené à m'interroger sur les sources dans l'infantile des idéaux questionnés par les auteurs à la lumière de l'idéalisation et de la tentation mélancolique : idéal analytique, idéal thérapeutique et idéal de pureté.

Idéal analytique

D'où vient cette passion à analyser, à comprendre, à interpréter ? Par-delà la référence au deuil impossible et à l'idéalisation d'une fonction, d'où ce désir si puissant prend-il son élan initial ?

Le 7 octobre 1907, quand Freud dit à l'Homme aux rats : « L'infantile, c'est l'inconscient », il a bien en tête tout ce que l'analyse des adultes lui a déjà appris mais il pense sûrement aussi à une nouvelle piste que lui ont ouverte les observations sur le développement du petit Hans. Quelques mois auparavant, il a publié un texte sur les explications sexuelles données aux enfants, dans lequel il décrit l'apparition chez les enfants de moins de trois ans d'une curiosité sexuelle importante qui les pousse à interroger les parents sur leur origine et la différence des sexes, et il parle pour la première fois des théories sexuelles infantiles.

Au début de 1908, la phobie du petit Hans remet en scène la tragédie œdipienne que Freud connaissait déjà bien. Elle met aussi en pleine lumière l'angoisse d'Œdipe face à la Sphinge terrifiante. Hans, face à l'énigme que lui pose la sexualité des adultes, interroge ses parents ; confronté à leurs résistances à lui répondre et à leurs mensonges, il élabore en secret des théories défensives qui réussissent à ses yeux à donner un sens à une réalité qui l'angoisse et qui lui échappe. Pourtant ces interprétations du monde qu'il formule pour se protéger vont elles-mêmes être à l'origine de son angoisse de castration. Elles expliquent aussi, selon Freud, les fantasmes et les symptômes de l'Homme aux rats qu'il analyse au même moment.

Nous n'avons pas ici à revenir sur le contenu de ces théories. Ce qui nous intéresse maintenant, c'est la rencontre entre la pensée de l'enfant et la sexualité, c'est la découverte d'une nouvelle forme de causalité psychique qui, après celle du traumatisme et du fantasme, constitue un nouveau courant au sein de l'infantile.

Dans sa démarche, Hans était mû par un besoin d'emprise face à une réalité menaçante au niveau narcissique et par l'énergie de la pulsion sexuelle de voir. Après le traitement, il devient excessivement curieux au sujet des contenus du monde et de sa construction. Freud remet alors au travail ses hypothèses sur la sublimation et il s'intéresse à un de ses héros, Léonard de Vinci. Chez Léonard, la curiosité sexuelle et les tentatives d'hypothèses explicatives de Hans ont été déplacées sur une autre scène. Freud nous dit :

> « Il avait seulement transformé la passion en poussée de savoir ; il s'adonna donc à la recherche avec cette persévérance, cette constance, cette capacité d'approfondir qui dérive de la passion, et au faîte du travail de l'esprit, la connaissance une fois acquise, il laisse l'affect longuement retenu se déchaîner, dévaler librement comme un bras d'eau dérivé d'un fleuve, une fois qu'il a actionné la machine. »

Bien sûr, au fil des jours, notre clinique n'est pas si généreuse. Mais qui n'a pas connu un tel moment de joie qui l'aura entraîné à surinvestir son travail analytique et à faire de cet éclair de compréhension un idéal à atteindre ? Freud d'ailleurs continue ainsi : « Au faîte d'une connaissance, quand il peut embrasser du regard une grande part de l'ensemble cohérent des choses, c'est alors que le pathos le saisit et qu'il glorifie en paroles exaltées la magnificence de cette part de la création qu'il a étudiée ou – sous un habillage religieux – la grandeur de son Créateur. » Dieu, bien sûr, mais surtout le génie créateur de Freud... ne pourrait-on alors dire que de la sublimation naît l'idéal d'une Terre promise – de la connaissance analytique...

Mais dans le cas de ce chasseur d'énigmes qu'est l'analyste, le plaisir peut encore être décuplé en raison justement de l'objet de sa recherche. Laplanche, lorsqu'il tente d'élaborer de nouveaux fondements pour la psychanalyse, donne un rôle central à l'énigme : « L'objet de la psychanalyse n'est pas l'objet humain en général mais essentiellement l'homme théorisant, et théorisant de lui-même ou s'autothéorisant et s'autosymbolisant. »

C'est dire que le gain de plaisir est magnifié pour l'analyste puisque l'énigme qu'il explore le renvoie en miroir à sa propre énigme qu'il peut continuer à approfondir et à résoudre. De là deux tentations : d'abord, faire de l'analyse de l'autre un simple prolongement de sa propre analyse ou une auto-analyse poussée à l'infini. Ou encore, comme le signale Piera Aulagnier, pour colmater un doute insupportable, faire de l'analyse un moyen de vérifier la validité de la théorie, la fiabilité de l'outil conceptuel qui a permis l'exploration de sa propre énigme.

Ces tentations, ces pièges, cette omniprésence de l'autre comme double de soi nous ramènent à un autre niveau, un autre courant de l'infantile. Avec « Hans », « L'Homme aux rats » et « Léonard de Vinci », Freud avait exploré l'infantile de la névrose, de la perversion, et de la sublimation. Le délire de toute-puissance du président Schreber, son pressentiment intense de fin du monde, vont ouvrir à Freud les portes d'un nouveau monde souterrain, celui de l'infantile de la psychose, du narcissisme, de la projection et de l'idéalisation.

Ici Hans, l'enfant, ne peut plus le guider. Dans les dernières lignes de son étude de Schreber, c'est vers l' « homme primitif, sauvage, du début des temps » qu'il se tourne comme modèle. Le sentier est ouvert pour l'aventure fantastique de *Totem et tabou.*

Face à l'énigme du fonctionnement du monde, l'homme primitif passe par trois phases successives. Pendant la phase animiste, dominée par la magie, c'est à lui-même que l'homme attribue la toute-puissance : c'est le narcissisme de l'enfant. Pendant la phase religieuse, il cède cette puissance au Dieu ; il tentera de contrôler par l'enchantement et la sorcellerie. Ici, la survalorisation de l'objet, son idéalisation, ne sera plus la lointaine conséquence d'un processus de sublimation mais le résultat immédiat du déplacement du narcissisme du sujet sur l'objet. Enfin, arrivé à la phase scientifique (analytique), l'homme perdra ses illusions et reconnaîtra sa faiblesse et sa vulnérabilité.

Par ailleurs, le repas totémique n'est pas seulement la célébration d'une victoire sur le père éliminé de la horde primitive mais la mise en acte d'une croyance liée à la magie qui veut qu'en introduisant en soi une partie du corps d'une personne par l'acte de consommation, on s'approprie aussi les qualités qui ont appartenu à cette personne. Les bases de *Deuil et Mélancolie* sont ici bien établies, l'identification mélancolique succédera à l'identification hystérique.

C'est à ces courants les plus profonds de l'infantile que les rapporteurs nous renvoient, alors même que nous pensions en être libérés. D'où découle la question : les *psy de psy*, en quête de pureté, seraient-ils à leur insu mus par l'infantile de la psychose et du narcissisme ? Paradoxalement, ce sont les plus engagés, les plus passionnés qui sont les plus sujets à soupçon. Leur idéal se rattacherait-il davantage à la nostalgie du paradis perdu du narcissisme qu'à la terre promise de la pulsion ?

Idéal thérapeutique

Autant l'homme autothéorisant, objet spécifique de la psychanalyse, appelle un travail interprétatif passionnant, autant l'homme souffrant nous interpelle différemment lorsque sa plainte rencontre les exigences de notre modèle thérapeutique. Dans la cure analytique, le soulagement à long terme de la souffrance passe justement par la remise en scène de cette souffrance dans le transfert. Souvent nous aurons à développer la capacité de laisser l'autre seul en notre présence. Face à une telle tâche, comment peut-on encore parler de guérison qui vienne par surcroît ?

Freud, dans sa pratique et dans sa définition de la psychanalyse, inclut la fonction thérapeutique comme un élément essentiel. Si l'acharnement thérapeutique peut dénaturer complètement la psychanalyse, si la visée thérapeutique doit être mise entre parenthèses pendant la séance, il n'en demeure pas moins que l'intention d'apporter un changement favorable, qui peut prendre plusieurs formes selon les idéaux, est toujours présente. Mais revenons au thème de l'atelier, c'est-à-dire aux sources infantiles de cette « idée incurable de guérison ».

À ma connaissance, Freud s'est toujours tenu à distance de cette question. En janvier 1910, il écrit à Ferenczi : « La passion de venir en aide me manque et j'en vois maintenant la raison ; c'est parce que dans ma prime jeunesse, je n'ai jamais perdu un être aimé » (il oublie Julius, le rival aimé et haï).

Quand il note judicieusement que le petit Hans, au cours d'un jeu, reproduit une attaque contre son père en lui donnant d'abord un coup sur la main pour ensuite embrasser tendrement cette même main, Freud associe sur le besoin d'être puni et ne fait aucun lien avec la tentative d'annuler ou de soulager une blessure qu'on a infligée.

On sait aussi que Freud a toujours associé la pitié à une formation réactionnelle contre la cruauté. Enfin, dans *Psychologie collective et analyse du moi,* il associe l'empathie à une projection narcissique de soi dans l'autre ; il ajoute cependant qu'un pressentiment le porte à dire qu'il est bien loin d'avoir épuisé le problème de l'identification.

Le *nourrisson savant* de Ferenczi nous enseigne que très tôt, « dès la toute première enfance », apparaît chez certains enfants la tendance à soigner leurs propres parents. Face au traumatisme, il y a eu autoclivage narcissique par lequel une partie de l'enfant devient autoperceptive et autosoignante. Les enfants traumatisés, nous dit Ferenczi, auront tendance à entourer maternellement les autres, « étendant ainsi aux autres les connaissances péniblement acquises pour le traitement de leur propre souffrance ». Enfin, les parents, guéris par le nourrisson, pourront lui redonner tout ce dont il a besoin. La dimension autoconservatrice ou narcissique et l'identification à la mère soignante inspirent l'élan thérapeutique.

Ce modèle implique que celui qui soigne a lui-même souffert du mal dont il veut soulager l'autre. Le psychanalyste doit lui-même se libérer de son mal avant de s'attaquer à celui de l'autre ; il est ainsi plus près du chaman que du médecin conventionnel. Dans cette position, la guérison va de soi. L'analyste sait que l'analysant, d'une certaine façon, tire aussi plaisir des compromis névrotiques qu'il a réussi à établir, mais il croit aussi qu'avec la prise de conscience et la symbolisation, il arrivera à se libérer comme lui-même l'a fait dans sa propre cure.

Malheureusement, les choses ne sont pas toujours aussi simples. Comme le souligne Pontalis, la découverte de la réaction thérapeutique négative et l'introduction de la pulsion de mort modifient profondément la façon de comprendre l'approche thérapeutique en psychanalyse. L'expression « tenir à son mal » ne peut plus avoir le même sens que lorsqu'on croyait que, seul, le principe de plaisir régissait les échanges intrapsychiques. C'est précisément les patients les plus soumis au travail de la mort qui sollicitent le plus vivement notre désir de guérir, alors même que nous pensions ne pas y être assujettis.

Si le *nourrisson savant* de Ferenczi est un enfant au départ innocent, victime du traumatisme, l'enfant que révèle Melanie Klein est avant tout porteur de la pulsion de mort. À partir des concepts que Freud élabore après le tournant des années 1920, à partir surtout du sadisme extrême qu'elle découvre chez les enfants très malades qu'elle a en analyse, Klein réécrit à sa façon *Totem et tabou* en se référant elle aussi à l'homme primitif, et elle introduit le jeu des pulsions de vie et des pulsions de mort dans l'agir et la pensée de la horde primitive. Au fantasme narcissique rétroactif du paradis perdu, elle ajoute celui d'un enfer des débuts.

Dans ses analyses avec les enfants, Klein voit des milliers de fois se répéter sous des formes différentes le scénario du petit Hans qui, après avoir agressé la main de son père, l'embrassait tendrement. Freud avait vu dans les gestes minimes d'agression de Hans contre son père la recherche de punition dans la réalité extérieure pour des désirs inconscients d'agression contre le rival œdipien. De la même façon, Klein verra dans les réparations concrètes faites au cours des jeux, l'expression d'un mécanisme utilisé dans le monde intérieur inconscient pour ramener à leur état antérieur les objets endommagés ou détruits par les attaques sadiques. Ce mécanisme se situe dans la lignée de la formation réactionnelle : haine et amour se traduisent en destruction et réparation de l'objet interne.

À la phase d'apogée du sadisme, seul ce travail de réparation peut faire contrepoids aux attaques continuellement répétées contre l'objet par ailleurs aimé profondément à d'autres moments. Son travail clinique avec plusieurs enfants permettra à Klein d'approfondir les motifs et les formes de réparation. Le motif premier découvert, le plus primitif, c'est la peur du talion, la peur de vengeance par des attaques sadiques ou par le retrait de l'objet nécessaire à la survie. Nous sommes à ce moment dans un monde narcissique paranoïde où le triomphe et l'autoprotection du sujet sont au centre de toutes les préoccupations : c'est un monde grandiose et cruel. Œil pour œil, dent pour dent. Les sacrifices humains d'un bouc émissaire dans certaines peuplades primitives témoigneraient de ce temps ancien.

Le travail acharné de Klein l'amènera à mettre à jour un autre motif et un autre type de réparation. La peur du talion sera remplacée au terme d'une longue évolution par l'identification empathique à l'objet et par la culpabilité. L'identification empathique est un mode d'identification centripète issue des pulsions génitales, qui consiste à se mettre à la place de l'autre en respectant le primat de son altérité. Elle se distingue de l'identification narcissique qui ne faisait de l'autre qu'un prolongement de soi-même, et de l'identification projective, découverte beaucoup plus tard, qui servira à envahir et à maîtriser l'autre. Winnicott qui attribuait tout autant que Klein une importance centrale au processus de réparation parlait, lui, de capacité de sollicitude.

Cette nouvelle forme de relation à l'objet blessé par les attaques de son propre sadisme joue un rôle déterminant dans l'apparition et le développement des processus de symbolisation. Au cours de la réparation symbolique, il ne s'agit plus de ramener l'objet à son état antérieur mais, en suivant les voies de la sublimation, de faire d'un objet blessé ou mourant un objet rempli de vie et de beauté, un objet certes qui n'a pas la perfection d'une idole mais qui pourra devenir un bon objet intérieur, stable et sécurisant. Il va sans dire que ce type de réparation pourra être une des sources infantiles du travail thérapeutique de l'analyste.

Lorsque Melanie Klein, au cours d'un deuil pénible, élabore la théorie des positions paranoïde et dépressive, elle situe les différents types de réparation ; elle ajoute la réparation maniaque comme première étape d'un long parcours qui rend possible l'élaboration de la position dépressive. À ce moment, la problématique mélancolique du rapport ambivalent à l'objet perdu devient l'enjeu, continuellement renouvelé, d'une phase centrale du développement. Lorsque ce travail a pu se faire, le deuil devient possible au moment d'une perte d'objet ; si le travail a échoué, l'issue pourra être celle de la solution maniaque ou mélancolique.

Le psychanalyste, en principe, a atteint et maîtrisé la position dépressive mais son travail de réparation symbolique peut toujours être infiltré par des formes plus primitives de réparation. Comment savoir si l'identification empathique n'est pas contaminée par l'identification narcissique ou l'identification projective ? Comment être à l'abri de la réparation magique, grandiose, ou de la réparation obsessionnelle, chargée de sadisme et d'emprise ?

Idéal de pureté

L'idéal de terre promise issu de la sublimation des pulsions partielles et l'idée de reconnaissance de l'altérité de l'autre atteint au terme de la position dépressive ont en commun un mouvement vers l'avant, alors que l'idéal mélancolique nous ramène à une position antérieure. Ici se pose la difficile question de l'idéal de pureté et de ses racines infantiles. Si nous adoptons la définition proposée par les rapporteurs, l'idéal de pureté renvoie nécessairement au registre du narcissisme ou, en termes kleiniens, à celui de la position schizoparanoïde, c'est-à-dire à un monde primitif fait de clivage, de déni, de projection, d'objets purement bons ou purement mauvais.

Ainsi défini, l'idéal de pureté ne peut être que mortifère puisqu'il va dans le sens contraire du passage de la position schizoparanoïde à la position dépressive, passage qui permet l'intrication des pulsions de vie et des pulsions de mort, le remplacement du clivage par l'ambivalence, la libération de l'idole parfaite, l'accès à un objet simplement bon et à un sujet délivré de la perfection narcissique.

Encore une fois, ce sont les analystes les plus passionnés qui sont sujets à soupçon d'être sous l'emprise de l'idéal de pureté. Encore une fois, les auteurs nous ramènent aux courants les plus primitifs de l'infantile. À ce moment nous pouvons nous demander si l'idéal de pureté ici proposé ne se rapproche pas trop ou n'est pas contaminé par l'idéal mélancolique.

Pourrait-il y avoir un idéal de pureté qui dériverait davantage du monde de l'analité, du retournement de la pulsion en son contraire et de la formation réactionnelle ?

Pourrait-il y avoir dans l'infantile d'autres sources plus évoluées de l'idéal de pureté, sources qui auraient quelque chose à voir avec la pulsion de vie, la tendance à la sublimation, à la symbolisation et au développement à travers la position dépressive d'une relation de plus en plus objectale qui contrerait la haine dans le transfert ?

Pourrait-il y avoir un idéal de pureté qui, au sujet de la théorie analytique, conduirait à une recherche de rigueur, au lieu de nous emprisonner dans un rôle paranoïde d'inquisiteur, ou autrement dit, y aurait-il un idéal de pureté plus près de l'idéal du moi que du moi idéal ?

* * *

Cela étant dit, la description de toutes ces possibles sources infantiles des idéaux n'invalide en rien le questionnement soulevé par les rapporteurs.

Si cette recherche de sources autres que la mélancolie aux idéaux analytiques et thérapeutiques peut ouvrir à une vision moins pessimiste de la psychanalyse, elle ne doit pas par ailleurs nous servir de défense face au noyau d'insupportable vérité présenté dans le discours des rapporteurs.

Les puissants courants qui parcourent l'infantile en de perpétuels réaménagements peuvent s'unir, s'équilibrer, voire même s'annuler temporairement, mais ils ne disparaissent jamais et gardent toujours leur force des débuts. Cette force inusable leur permet d'infiltrer insidieusement des territoires déjà conquis et de redonner vie à des désirs que nous aurions l'illusion d'avoir depuis longtemps maîtrisés.

Dans l'espace analytique, de la rencontre de l'infantile de l'analysant et de l'infantile de l'analyste peuvent naître des mouvements pulsionnels d'une excessive violence, et pour survivre à de telles tempêtes, de bien étranges alliances peuvent se nouer entre les deux protagonistes. En pareil contexte, étant donné notre infime connaissance du monde inconscient, qui dira que l'hypothèse d'une douleur insupportable, d'un deuil impossible, d'un clivage permettant le déni de la haine et l'idéalisation de la fonction ne peut être envisagée ?

Au moment où la psychanalyse est attaquée sur tous les fronts et en danger d'être, en son sein même, pervertie par des courants de pensée réductionnistes, qui dira qu'il n'y a pas tentation de développer un idéal de pureté qui fait appel aux mécanismes les plus primitifs et qui peut être une fermeture rigide face à l'inconnu et à l'étranger ? Qui dira enfin qu'il n'y a pas une part de mélancolie dans l'attachement à nos héros fondateurs idéalisés ?

Assumer cette part de mélancolie, cette part de défense archaïque, est peut-être la meilleure façon d'éviter que la tentation mélancolique, les incontournables moments de mélancolie ne se transforment en une vocation, voire un destin mélancolique inéluctable. C'est peut-être à cela que Lise Monette et Jacques Mauger nous convient au terme de leur réflexion volontairement provocante.

Pierre Drapeau
487 Stuart
Outremont/Québec H2V 3H1
(Canada)

La psychanalyse à la marge

Lewis A. Kirshner

C'est avec beaucoup de plaisir et d'ambivalence que je participe aujourd'hui à cet échange autour des textes de Jacques Mauger et Lise Monette et de Gilbert Diatkine. Plaisir pour la qualité et la profondeur de leurs contributions qui invitent à réfléchir sur le statut de notre métier dont je partage la passion. Ambivalence parce ce que j'ai été amené à considérer certaines déceptions de cette passion et les problèmes d'identité qui en découlent. Mon intervention pourrait s'intituler « Les apories du postmoderne » ou « L'hybride » dans la psychanalyse.

Dans un premier temps, je pensais pouvoir faire le lien entre les deux présentations à partir de ma position tierce. Sans pour autant renoncer à ce désir, je me suis questionné sur ce que j'étais supposé représenter dans ce rôle. J'ai réfléchi sur ma propre histoire de métissage intellectuel, et sur ce qu'il y a d'impur dans la psychanalyse contemporaine. Plus précisément, je fais référence à l'hybridisation de la psychanalyse américaine qui semble divaguer en tous sens, une expression de la nouvelle peste postmoderne et de son questionnement radical des disciplines.

En m'exprimant dans une langue étrangère, dans un pays familier mais étranger, dans un champ de référence psychanalytique qui ne m'est pas tout à fait connu, je suis particulièrement conscient du brouillage des frontières et des limites qui caractérise notre discipline à présent. Il y a quelques années est paru un article dans une revue psychanalytique de Montréal qui s'intitulait *Le Québec, un État limite.* Nouvelle clinique des états limites / limites des états.

J'ai retrouvé récemment par hasard une monographie de l'IPA sur le symposium de Taunton en Angleterre, 1986, qui avait pour thème : « Le maintien d'une identité et d'un mode de fonctionnement psychanalytique dans un monde instable et changeant. » Dans un texte impressionnant, Otto Kernberg, entre plusieurs autres choses, parle de la nécessité pour le psychanalyste d'avoir une identité de son moi saine *(healthy ego identity)* et du problème chez certains candidats « brillants et sensibles *(emotionally available)* d'un manque d'identité du moi, candidats qui manifestent un moi *borderline.* Il mentionne aussi d'autres candidats narcissiques qui cachent un idéal du moi immature derrière une idéalisation défensive de la psychanalyse. En même temps il nous met en garde contre la tentation de faire une idéologie de notre discipline dans un monde hostile, contre les pressions régressives dans nos institutions qui mèneraient vers une dégradation éthique d'exploitation et de sadisme. Pour Kernberg, le narcissisme non analysé ou non analysable représente la menace la plus grande pour la psychanalyse.

Qu'est-ce qui se cache derrière nos inquiétudes pour l'avenir de notre discipline et que nous trouvons encore plus vivement exprimées dans « Pure Culture » ? Bien que le texte de Kernberg touche des problèmes bien réels, je crois que la question de l'identité du moi cache un autre aspect de ce narcissisme problématique qui nuit à la psychanalyse. Peut-être suis-je particulièrement sensible à ce dilemme à cause de ma propre identité mixte – résultat de l'hybridisation de ma carrière universitaire en psychiatrie. Identité mixte que je partage avec O. Kernberg, qui lui-même incarne cet amalgame multiple et complexe de langues, de formation, et de carrière professionnelle. Peut-être partageons-nous avec beaucoup d'autres collègues ce moi pluriel et cette identité moins définie – le moi hybride du post-moderne. Toutefois, je me suis demandé si Otto Kernberg n'avais pas été passagèrement contaminé par une autre peste américaine – celle de la quête de pureté d'un moi cohérent, stable, bien équilibré...

Au même symposium, Roger Dufresne posait la question – sommes-nous plus soucieux d'un moi « bien équilibré » pour nos candidats que de leur capacité à jouir de leur métier ? Cela m'a fait penser à l'observation de Michel de M'Uzan citée par Gilbert Diatkine, « la caractéristique même de la sexualité humaine est d'être perverse ».

Je crois que cette interrogation sur l'identité du moi des analystes témoigne d'une tension au sein du mouvement psychanalytique entre deux éléments intrinsèques. *L'une « l'anti-idéale »,* l'acceptation de la vulnérabilité et de la fragilité du moi de chacun qui dépend, plus ou moins, d'une institution et d'une idéologie pour survivre, et le besoin constant de gérer l'agression qui s'ensuit (agression « narcissique » et défensive). *L'autre élément* – je ne l'appelle pas l'idéalisation mais plutôt l'*espoir amoureux,* l'espoir des amants – l'espoir d'avoir trouvé un bon objet d'amour, une « pure culture » d'amour – c'est-à-dire, Éros, selon Freud, l'espoir de la civilisation. Pour nous psychanalystes, c'est notre amour pour Freud, qui va nous guérir de nos problèmes d'identité et de narcissisme face à tous les conflits irrémédiables entre nos ambitions personnelles et égoïstes, nos désirs et nos perversions, notre agressivité et notre besoin de soigner, notre identité scientifique de chercheur, notre éthique de désir, etc. C'est notre amour pour Freud qui va nous permettre de résoudre nos conflits, de rassembler notre être morcelé, et de retrouver une identité du moi équilibrée.

Sous le qualificatif « postmoderne » vient la perte d'un concept des limites fixes, des définitions solides et précises, l'impossibilité d'établir des catégories pures. C'est une problématique abordée dans plusieurs sens par Jacques Mauger et Lise Monette. On la voit aussi dans la difficulté de Gilbert Diatkine – avec laquelle moi-même et bien d'autres peuvent nous identifier – de trouver une position de neutralité, de stabilité dans la houle des représentations sexuelles, culturelles, et linguistiques, où les préjugés et les désirs du contre-transfert peuvent s'exprimer à notre insu. Quelle interprétation hasarder ou vaut-il mieux se taire ? Mais là aussi on participe à une image, image de toute-puissance silencieuse. Il n'y a pas d'autre solution que de risquer l'incertitude, d'être basculé par le contre-transfert et le morcellement qui s'ensuit.

Peut-être que Freud lui-même semble personnifier une identité cohérente rassemblant tous les éléments disparates qui caractérisent un être humain. On voudrait bien s'identifier à lui (ou l'identifier avec notre idéal). La psychanalyse n'est pas en mesure de nous offrir une identité équivalente à cette image, ni, certes, une idéologie ou un système de référence de *bed rock*. Le moi est un lieu de conflit, chez nous et chez nos patients, plus morcelé peut-être que l'on pensait... plus limite. Nous assistons à un deuil difficile. Notre génération d'analystes, qui a été attirée par la réussite de la psychanalyse dans les années boum, quand la *talking cure* était la réponse à toutes les demandes, est déçue. Où sont les indications pour une psychanalyse dans la société qui nous entoure ? Rares sont les psychanalystes qui analysent les schizophrènes, les maniaco-dépressifs, les drogués, et même les cas de « OCD ». La cure type est une espèce en voie de disparition, confinée à certaines « réserves ». Même les candidats commencent à ressembler aux *borderlines*. Gilbert Diatkine, si vous me permettez, traite cette situation « à la française » – c'est-à-dire, rationnellement, systématiquement, logiquement – pendant que chez nos collègues québécois on entend une angoisse parfois insoutenable. Je reconnais ces deux voix dans les débats chez moi aussi de l'autre côté de la frontière.

Il me semble voir ce lien entre les présentations. C'est notre amour pour la psychanalyse qui nous réunit ; c'est notre déception devant la réalité qui morcelle et fragmente. Dans la situation actuelle, la tension entre l'espoir et la désillusion est devenue moins supportable.

La psychanalyse est une profession impossible à l'identité incertaine, située dans la marge, qui vit dans l'impureté. Par contre, comme je l'ai écrit dans un rapport après le Congrès de Barcelone, il se peut bien que la marginalité convienne à la psychanalyse. Une certaine prudence nous aidera à résister autant à la popularité qu'à l'exclusion élitiste. Ces deux tentations n'offrent que l'illusion d'une identité plus cohérente qui, inévitablement, se transforme en une grandiosité masochiste ou en une mélancolie impitoyable. Plutôt que ces destins funestes, peut-être pourrions-nous trouver en marge un peu de place pour un plaisir hybride.

Lewis A. Kirshner
306, Havard Street
Cambridge, MA.02139
(États-Unis)

RÉFÉRENCE

Crushner L. (1998), Rapport du panel « Challenges Facing Todays Psychoanalyse Practice », *Int. J. Psycho-Analyses,* 29, 595-596.

Voie courte, voie longue

Janine CHASSEGUET-SMIRGEL

Le rapport de Gilbert Diatkine, dans lequel la clinique individuelle vient étayer des hypothèses sur la psychologie collective, s'inscrit dans le droit-fil du propos de Freud de faire de la psychanalyse une anthropologie. Avec tous les risques que pareille entreprise comporte, certes, mais aussi avec la curiosité, l'élan et l'enthousiasme pour la recherche que cela implique. Ce travail est ample, riche, foisonnant et donne beaucoup de grain à moudre.

En raison du temps qui est imparti à chacun des intervenants, je n'aborderai que quelques points.

Tout d'abord, comme vous m'avez fait l'honneur de citer mon rapport de 1973 sur l'Idéal du Moi – dont la seconde édition, sous le titre *La maladie d'idéalité* (initialement sous-titre de mon rapport et de la première édition en volume) vient d'être reprise par l'Harmattan (2000) – je me permettrai d'y revenir afin de préciser mon propos dans la mesure où il est lié à celui du rapporteur. (Je dois l'expression « maladie d'idéalité » à Stéphane Mallarmé bien sûr.)

Je suis heureuse que vous considériez comme moi qu'il n'y a, en 1923, sous la plume de Freud, aucune différence entre Idéal du Moi et moi idéal, au moment où il introduit le Surmoi, qui est alors entièrement synonyme d'Idéal du Moi. À ce moment-là *Ichideal = Idealich = Uberich.*

Lorsque Freud parle pour la première fois de l'Idéal du Moi dans « Pour introduire le narcissisme » (1914), il en fait indubitablement *l'héritier du narcissisme primaire*. « Le développement du Moi consiste en un détachement du narcissisme primaire d'où il résulte une vigoureuse tentative pour le retrouver. Ce détachement est rendu possible grâce au déplacement sur un Idéal du Moi ». Tandis que le Surmoi est l'héritier du complexe d'Œdipe selon « Le Moi et le Ça » (1923) : « Lors de la destruction du *complexe d'Œdipe* l'enfant est obligé à renoncer à prendre sa mère comme objet libidinal. Deux éventualités peuvent alors se produire : ou une identification avec la mère, ou un renforcement de l'identification avec le père. C'est cette dernière éventualité que nous considérons généralement comme normale. » L'identification, alors renforcée avec le père a, pour antécédent, l'identification primaire, puis secondaire avec lui. Freud dit en effet, juste avant de parler du complexe d'Œdipe, et de ses conséquences sur l'instauration du Surmoi, que derrière l'Idéal du Moi « se dissimule la première et la plus importante identification effectuée par l'individu : celle avec le père de sa préhistoire personnelle. Il s'agit de l'identification primaire ». On ne peut trouver ici, à mon avis, aucun support pour permettre (comme le fait Gilbert Diatkine) de différencier l'origine du Surmoi de celle de l'Idéal du Moi, car – on ne saurait trop le répéter – les deux termes en 1923 sont parfaitement synonymes. Et, de surcroît, l'identification primaire au père apparaît comme un antécédent des identifications secondaires qui culmineront avec le complexe d'Œdipe. Quand Freud parle dans ce texte de « naissance de l'Idéal du Moi », il faut aussi bien lire « naissance du Surmoi ». En fait, en 1923, exit le narcissisme.

De 1914 à 1923 comme j'ai eu l'occasion de le dire ailleurs et comme Dominique Bourdin l'a mis en évidence dans sa thèse de Doctorat en psychologie sur l'idéalisation (1996), Freud a effectué une *objectalisation* de sa pensée. (Il peut être intéressant à cet égard de considérer certaines « dissidences » comme effet de refoulements de Freud ou d'abandons par lui-même d'aspects importants de sa théorie, cf. Kohut. En France nous avons échappé à la mise à l'écart de la sexualité, de l'Œdipe et des pulsions au profit du seul narcissisme, grâce aux travaux de Béla Grunberger, qui a rempli la place, laissée vide par Freud à partir de 1923, en mettant en évidence le conflit entre les pulsions et le narcissisme.)

Le second point que je désire aborder est de savoir si on doit considérer que l'Idéal du Moi est une instance.

Le rapporteur m'attribue cette idée. En fait c'est inexact. On ne peut en effet décider à la légère si tel ou tel concept a valeur d'instance. Il s'agit d'examiner, avant d'exercer sur lui le sacrement du baptême, s'il s'agit ou non d'un système doté *d'une certaine autonomie et susceptible d'exercer une action.* Par exemple empêcher des pensées ou des actes de se produire, ou, au contraire, les inciter à se manifester. En ce qui concerne l'Idéal du Moi, il joue un rôle d'instance lorsqu'il parvient à faire taire ou à rendre inopérante une autre instance, à savoir l'instance morale. Le fait que l'Idéal puisse entrer en conflit avec le Surmoi justifie qu'on lui accorde pendant la durée de la lutte et de son triomphe éventuel la dignité d'instance. Mais il ne l'a pas de façon permanente. La clinique individuelle et collective contraint, à mon sens, à ne pas abandonner la formation narcissique qu'est l'Idéal du Moi. En fait le Surmoi, dans sa forme régressive et persécutrice, peut entraver toute tentative de réussite personnelle qui rapprocherait le Moi de son idéal. Ceci est patent chez les sujets qui présentent des inhibitions dans leurs activités créatrices.

Le troisième point que j'aimerais évoquer est celui de la pertinence qu'il y a à introduire le concept de moi idéal à côté de celui d'Idéal du Moi. Gilbert Diatkine est d'accord avec moi pour considérer qu'il s'agit chez Freud d'un simple effet de style visant, on peut l'imaginer, à éviter la répétition. Il n'est certes interdit à personne après Nunberg et Lagache, de distinguer – c'est surtout le cas de Lagache – entre une formation archaïque à laquelle on donnera le nom de moi idéal, et une formation plus évoluée à laquelle le terme Idéal du Moi sera réservé. Mon but a été en rejetant le terme « moi idéal » d'éviter la multiplication inutile des concepts. On a déjà fort affaire, comme on le voit souvent dans la psychanalyse francophone, avec la distinction Surmoi-Idéal du Moi. Cette multiplication des concepts risque surtout de faire perdre de vue que moi idéal et Idéal du Moi ne constituent rien d'autre que des destins du narcissisme. De surcroît j'ai voulu insister sur le fait que l'Idéal du Moi, aussi bien dans sa forme archaïque que dans sa forme évoluée, était poussé par le même désir incestueux : les retrouvailles avec la mère.

Au lieu d'opposer moi idéal à Idéal du Moi, j'ai opposé *la voie courte* à la *voie longue*. La première recoupe certes le moi idéal. Mais j'ai surtout voulu montrer qu'elle esquivait le lent déroulement temporel qu'implique le développement de l'être humain... Le sujet qui emprunte la voie courte prétend être né armé et casqué, évitant ainsi les sentiments douloureux d'insuffisance et de petitesse, liés à la détresse infantile, à la *Hilflosigkeit* primaire. Emprunter la voie courte est cependant une tentation universelle qu'on voit apparaître à certains moments de la cure de sujets pourtant organisés névrotiquement, et de façon quasi permanente chez les patients pervers qui m'ont servi de modèle pour la maladie d'idéalité, ainsi que chez les *border-line*. Dans la psychose le problème ne se pose plus de la même façon du fait du décloisonnement des instances et de l'importance de la régression narcissique. Chez les sujets non psychotiques, la voie longue implique l'identification au père œdipien en vue de l'union avec la mère, tandis que la voie courte vise la fusion avec la mère sans avoir à passer par les processus d'identification au père.

On remarquera en passant, que si l'on effectue une différence entre moi idéal (archaïque, régressif, omnipotent) et Idéal du Moi, c'est bien que l'on attribue à ce dernier un caractère qui diffère de cet archaïsme, de cette propension à la régression, et de cette omnipotence.

Ce que j'ai ajouté, à ces notions couramment admises en partant de l'étude des rêves d'examen, est que l'Idéal du Moi – voie longue – pousse à éviter les faux-semblants, les courts-circuits, l'escamotage, l'imposture. Il est alors congruent avec l'amour de la vérité que Freud place au centre de la cure analytique et du besoin de connaissance que Bion considère comme fondamental chez l'être humain.

Lorsque Gilbert Diatkine dit qu'Arnaud et Marc avaient d'eux-mêmes une image idéalisée à laquelle ils croyaient avec conviction et que donc leur Moi ne faisait preuve d'aucune lucidité, il ne semble pas envisager l'existence, chez ses patients, d'un clivage de Moi, une partie du Moi s'imaginant semblable à son idéal, l'autre sachant fort bien qu'il s'agit là d'une illusion, savoir qui peut avoir pour effet de renforcer davantage encore la conviction menacée.

Ce n'est pas sans une certaine provocation que j'ai utilisé le terme d'Idéal du Moi maturatif à une époque de lacanisme bêlant et d'anti-américanisme rugissant. Je n'ai pas le temps de m'étendre davantage sur ce point si ce n'est pour rappeler à Gilbert Diatkine qu'il est analyste d'enfants et d'adultes et qu'il nous présente un passionnant cas clinique dans une partie de son rapport intitulée « Adolescence et surmoi culturel », signe que pour lui aussi le développement existe avec ses acquisitions et ses ruptures éventuelles. Ceci n'est pas en contradiction avec une conception structurale du psychisme humain. La structure psychique n'est pas un point. Elle se développe dans l'espace du corps qui subit des modifications psychosexuelles, physiologiques et relationnelles s'inscrivant dans la *temporalité*.

Freud avait considéré l'Idéal du Moi en 1914 comme situé à la charnière de l'individuel et du collectif. On aura sans doute deviné que je préférerais l'emploi d'idéaux culturels à celui de Surmoi culturel (au moins dans certains contextes). Il convient de remarquer que le problème des idéaux culturels affecte surtout les adolescents et les intellectuels. Ce qui les relie est sans doute le narcissisme. Il y a ainsi des mots et des modes (souvent vestimentaires chez les adolescents) qui sont facteurs d'exclusion ou, au contraire, représentent des tickets d'entrée dans certains cercles ou dans certaines bandes. Il s'agit souvent de choses parfaitement futiles auxquelles le terme de « Surmoi » convient peu, tant elles sont éloignées de la voûte étoilée.

Ailleurs on a institué le « politiquement correct ». Les modes changent. Le Surmoi est supposé être indépendant ! C'est à juste titre que le rapporteur s'interroge sur les états de la dépendance du Surmoi. (Mais s'agit-il ici du Surmoi ?) Il évoque le cas des Justes, dont il dit qu'ils font notre admiration pour leur courage et leur lucidité, mais pense qu'ils font peut-être partie à leur insu d'un groupe imaginaire. Je pense qu'il a raison. Rien n'est cependant plus difficile que de se dégager de « la majorité compacte ». On est seul, parfois en danger, comme dans le cas des Justes, souvent haï, dénigré, disqualifié. Semmelweiss s'est suicidé de ne pas être entendu, mais aussi d'être ridiculisé, honni ; Kravtchenko, d'avoir cru à la liberté, et d'avoir retrouvé la haine, le mensonge et le mépris. Les homosexuels ont inventé « la culture gay » et la « gay pride » (la fierté homosexuelle) contre l'ostracisme dont ils peuvent être victimes et contre un douloureux sentiment inavoué d'inadéquation.

Il me semble que dans ce rapport qui ouvre tant de pistes, manque une référence au besoin d'être aimé, ce qui équivaut, à un certain niveau, à être estimé. Il faut en effet beaucoup de courage pour braver la foule (réelle ou imaginaire). On se retrouve alors nu et inerme, comme à la naissance, sans mère pour vous recouvrir du manteau de son amour et de son narcissisme. Les objets internes peuvent, un moment, suppléer au manque d'amour des pairs. Mais un moment seulement. Là encore survient la mystérieuse action du temps. Comme le chantait une chanteuse (qui ne s'appelait pas Céline) : « Sans amour on est rien du tout, on est rien du tout... »

Soyez sûr, cher Gilbert Diatkine, qu'au-delà des commentaires et des critiques, votre travail suscite estime et reconnaissance.

Janine Chasseguet-Smirgel
82, rue de l'Université
75007 Paris

Le matricide ou l'interdit d'altérité

Claudette LAFOND

Il y a une phrase terrible, à la fois prophétique et d'expérience historique, tirée de l'extrait de Michel Tournier que Lise Monette et Jacques Mauger nous donnent à l'entrée de leur rapport : « L'homme chevauché par le démon de la pureté sème la mort et la ruine autour de lui. »

Dites-moi qui aurait pu prévoir que la peste annoncée par Freud pour le continent américain prendrait la forme de la pureté ?

Que comprendre des racines archaïques d'une pureté qui contaminerait la pratique analytique autant au-dehors qu'au-dedans ?

À la lecture du rapport, il me semble que le concept le plus opposé à la pureté soit l'altérité. La compréhension du texte me suggère que l'archétype de l'altérité serait la mère. Mon propos vise à explorer certaines conséquences de cette donne sur notre relation à la psychanalyse.

Dans mon texte prépublié, j'ai avancé l'idée que l'idéalisation de la fonction analytique et l'identification mélancolique en tant que destin possible de la vocation analytique, seraient causées par l'absence du deuil de l'objet primaire. Maintenant, il m'est apparu que ce qui fait obstacle au deuil de l'objet primaire, c'est le désir meurtrier à l'endroit de cette mère. Désir qui repose sur la nécessité de se débarrasser de cette mère impure tout en conservant l'investissement qu'elle a fait de son « infans ». Pourquoi dis-je impure ? C'est le rapport qui m'y invite, puisque la mère y est présentée, comme un objet de répulsion, qui donnerait naissance à des rites religieux d'expulsion de la souillure. À ce propos les auteurs du rapport citent Julia Kristeva : « Des rites religieux, "reposant sur le sentiment d'abjection et convergeant tous vers le maternel", tentent de conjurer la peur chez le sujet d'engouffrer sans retour dans la mère son identité propre. »

Devant ce constat, la tâche analytique serait la déprise du maternel-féminin. Déprise de, Kristeva est à nouveau citée, « ce qui transforme un déchet du corps en représentant de la défaillance de l'ordre symbolique. Sang menstruel et excréments, souillures qui relèvent du maternel-féminin en ce qu'elles sont liées à ce qui choit de la mère ».

Dans ce sens, une passion pour la pureté se confond avec la haine du maternel qui pourrait être ultérieurement réactivée dans la haine du transfert. Alors ne nous étonnons pas que, dans le rapport Mauger-Monette, la relation d'objet implique l'investissement du lien et non l'objet. Serait-ce l'origine de la passion de la déliaison ? Tragédie du désir ? Destruction de l'objet ? La haine est un véritable explosif, elle nécessite une ingéniosité obsessionnelle pour conserver le lien et en même temps détruire l'objet, déterminant ainsi l'ambivalence par rapport à l'objet.

Cela me rappelle ce que Freud dit à propos de la névrose diabolique. L'objet est « démonisé » après avoir été idéalisé. L'épuration quelle qu'elle soit est une lutte contre le démon. Vous me direz que le démon, dans le texte de Freud, c'est le père. C'est exact, mais on pourrait remplacer le dieu-père par la déesse-mère. Si je me permets cette irrévérencieuse substitution, c'est en tenant compte de ce que Freud nous dit : « Mais une chose est sûre : les dieux peuvent devenir de mauvais démons quand de nouveaux dieux les refoulent. »[1] Moi j'en conclus : donc le dieu-père a refoulé la déesse-mère.

La société patriarcale ne serait au fond qu'une résurgence de la société matriarcale. Les acteurs ont changé mais le régime reste le même. Quant à la déception causée par l'absence du père, dont parle le rapport, elle n'est qu'une plainte nostalgique du père fantasmé tout-puissant qui aurait vaincu la mère toute-puissante. Nous serions dans le royaume imaginaire de la société phallique qui, de meurtre en meurtre de petite ou de grande différence, maintiendrait l'interdit d'altérité. Sous l'emprise de la compulsion de répétition, le meurtre assurerait les limites du moi qui se consoliderait dans la rencontre des doubles narcissiques. Univers psychique dont l'incarnation exprimerait sa forme la mieux achevée dans les idéologies totalitaires. *A priori*, il n'y a aucune raison pour que les sociétés psychanalytiques en soient épargnées. De plus, rattacher ce phénomène à une culture institutionnelle singulière, risque d'être l'œuvre du refoulement sans vigilance analytique.

Dans la mesure où les leaders des sociétés psychanalytiques purifiées de la souillure de l'objet primaire sont des substituts maternels dans une communauté de double narcissique, on retrouve là, en plus de l'idéalisation pouvant aller jusqu'à l' « idolatrisation », une configuration du moi idéal, dont le culte condamne le péché d'altérité. C'est ainsi que je comprends la profondeur de

1. S. Freud, Une névrose diabolique au XVIIe siècle (1922), in *Œuvres complètes,* Paris, PUF, 1991, p. 230-231.

l'affirmation de Janine Chasseguet-Smirgel à savoir que, contrairement aux apparences, un leader occupe la place d'une figure maternelle.

Par l'intermédiaire du substitut, le personnage démoniaque demeure. Or, le démoniaque dans le rapport Mauger-Monette est mentionné comme gisant au cœur de la figure du plus impur. Mais il sera neutralisé par le passage de la sexualité impure au sexuel pur.

Devons-nous comprendre que le sexuel impur vient de la mère et que le sexuel pur vient du père ? Non pas le père de la préhistoire primitive, substitut maternel, mais bien, chez Freud, suite à une progression théorique, le père devenu condition pour penser pour ne pas dire condition pour civiliser, pour sublimer, condition pour psychanalyser. Mais ce père pour penser, ne serait qu'un travesti, si son pouvoir repose sur le fait de continuer à promulguer la loi d'interdit d'altérité.

S'il s'avère que des leaders d'une société édifient le pouvoir sur l'interdit d'altérité, ces leaders rendent justement la pensée et la créativité impraticables. Cela met en danger l'existence même de la psychanalyse. Il y a une violence dans l'interdit d'altérité qui n'a d'égal que l'angoisse de mort, sous forme de l'angoisse de castration ou de morcellement.

De la part du leader, cette violence peut aller jusqu'à exiger de l'autre d'adopter une position pré-spéculaire, dans laquelle le sujet n'est pas advenu. C'est l'aliénation aboutie. Dans les communautés cimentées par des identifications conservatrices, le sexuel en portera les stigmates. Cela est justement énoncé dans le rapport Mauger-Monette en ce qui a trait aux relations d'objets.

« Les identifications ne sont conservatrices qu'à travers ce qu'elles font subir à l'investissement de l'objet, qu'elles désexualisent plus ou moins. On ne peut donc faire œuvre de conservation du moi sans chercher à neutraliser ce qui lui est le plus inconciliable : le sexuel. Non pas celui qui tient compte du moi et de l'objet, mais bien plutôt celui qui n'a rien à faire avec l'intégrité de l'un ou de l'autre. Non pas le libidinal moi-objet total, génital, mais le sexuel qui cherche la satisfaction totale avec l'objet partiel, sans attacher la moindre importance à la nature de celui-ci, à la manière du polymorphisme pervers. »

Voilà ce que je suis portée à identifier comme étant la psychanalyse de mort. Si les crises récurrentes que subit la psychanalyse depuis Freud étaient l'alarme contre le symptôme de la haine de l'altérité, je dis bienvenue aux crises. Néanmoins, ce n'est pas par hasard que Freud considère l'agressivité comme étant l'entrave la plus redoutable de la civilisation. Meurtre et psychanalyse, comment en arrive-t-on là ? Il y a une réflexion de Patrick Guyomard dans *La jouissance du tragique* que je trouve éclairante : « Quand

Lacan dit, après Hegel, que le concept c'est le meurtre de la chose, puis, quelques années plus tard, que la chose c'est la mère à jamais perdue, comment ne pas entendre que c'est penser le signifiant et le symbolique, et donc l'opération analytique dans la mesure où elle est symbolisation, sous le registre du meurtre d'un trait maternel ? C'est instaurer le meurtre comme rapport ; et privilégier, dans le symbolique, le meurtre comme relation à l'altérité. »[1]

Voilà l'équation mise en place dans le rapport Mauger-Monette : l'impur c'est l'autre et l'autre c'est l'imago maternelle. La passion de la pureté serait en conséquence l'acharnement de la déliaison tenant lieu d'acharnement thérapeutique. Résurgence du fanatisme ? Toute cette logique repose sur une construction de la monstruosité maternelle. Ne doit-on pas interroger ce postulat civilisateur et institutionnel ? Postulat que nous maintenons refoulé. Dans cette optique, le refoulé ne serait pas relié aux sources idéalisantes selon ce que l'on peut en lire dans le rapport à propos de la réserve tenant lieu de territoire de la pureté analytique.

S'il y a des sources idéalisantes elles ont, à mon avis, une fonction d'alibis au meurtre. Par l'idéalisation, à saveur de réparation narcissique, le meurtrier fait l'économie de la culpabilité, l'économie de la honte consciente. Or, le retour du refoulé se manifesterait dans le symptôme mélancolique, ou peut-être, d'une manière plus défensive, dans ce que certains nomment le surmoi culturel dont l'ingérence dans les institutions analytiques et autres, est potentiellement destructrice. On tue l'idée du meurtre pour mieux continuer à assassiner la victime. Ainsi nous serions aux prises avec les tentacules mortifères de la mère. Sa force anticivilisatrice, au sens de malaise dans la culture de Freud, opposée à la conservation du moi, force anticivilisatrice qui à défaut d'être reconnue au cœur de notre psyché est projetée sur le maternel féminin.

Monstruosité dévoilée dans cet autre extrait de Guyomard : « L'éternelle menace du féminin, la duplicité de la femme, la haine œdipienne pour la mère, le caractère potentiellement destructeur des relations mère-fille, la question kleinienne du clivage pulsionnel et l'intrication de ces mêmes pulsions, tout cela se condense et prend figure, sans recul ni précaution, dans cette impureté essentielle et radicale qui fait du désir de la mère – de l'Autre maternel – une origine criminelle. »[2]

Que les élaborations théoriques autant que les institutions soient matriar-

1. P. Guyomard, *La jouissance du tragique,* n° 401, Paris, Aubier, Flammarion, 1998, coll. « Champs », p. 137-138.

2. P. Guyomard, *La jouissance du tragique,* n° 401, Paris, Flammarion, 1998, coll. « Champs », p. 61.

cales ou patriarcales donc idéologiques, l'interdit d'altérité constitue un danger pour la civilisation. Solennellement Paul Valéry a proclamé que les civilisations sont mortelles. Elles le sont, sans doute, parce que nous en sommes nous-mêmes les fossoyeurs. Pourrions-nous être les fossoyeurs de la psychanalyse ?

Claudette Lafond
Psychanalyste
10, 135 Saint-Denis
Montréal H3L.2H9
(Canada)

RÉFÉRENCES BIBLIOGRAPHIQUES

Freud S. (1922), Une névrose diabolique au XVIIe siècle, in *Œuvres complètes,* Paris, PUF, 1991.

Guyomard P. (1998), *La jouissance du tragique,* Champs-Flammarion, n° 401, Paris, Aubier.

Mauger J., Monette L. (2000), Pure culture, in *Revue française de psychanalyse,* n° 5, 1391-1460.

Culture, idéal et érotisme

Bernard CHERVET

De façon manifeste, les deux rapports se réunissent autour d'une préoccupation commune, celle de la culture. La polysémie de ce terme n'est pas sans infléchir les différences d'abords de chacun des auteurs. Ainsi une prétendue « pure culture » de la métapsychologie est-elle interrogée par Jacques Mauger et Lise Monette, depuis le Nouveau Continent, justement à proximité d'un lieu, les États-Unis, où s'est développée une psychanalyse influencée par ce qui a été nommé le *culturalisme* (M. Mead, G. Bateson, H. Marcuse), c'est-à-dire un abord anthropologique privilégiant les structures familiales, les mœurs, les us et coutumes d'un groupe social quant à leur détermination sur la formation et le fonctionnement psychique individuel. L'intersubjectivisme soutenu par les psychanalystes américains et présenté ici par les auteurs canadiens comme étant une réduction de la métapsychologie en est directement une émanation. Métapsychologiquement parlant, la réalité matérielle, corps somatique compris, exerce ce par le biais de la perception une contrainte à la différenciation du moi ; mais en fournissant des traces elle permet aussi l'émergence des éléments constitutifs de l'appareil psychique. En effet, par une transposition obligatoire sur les traces perceptives et un étayage sur ladite réalité, la virtualité de la psyché se mute en efficience. Cette transposition est identifiante ; elle est indispensable à l'avènement de la conscience (1923). De ce fait, le rôle de la réalité extérieure est inversement proportionnel au développement et à la fonctionnalité des processus psychiques. En d'autres termes, ce qui manque à l'intérieur devra être suppléé par un extérieur trouvé 'aménagé' – créé, au risque pour le sujet d'être traversé par des retours du dehors (1925). À la « pure culture » de la vie psychique est donc opposée une réalité hors de laquelle, point de salut.

Préférant ne pas scinder le couple pur-impur, Gilbert Diatkine a-t-il accolé au fleuron de la métapsychologie le surmoi, l'adjectif plus phénoménologique de *culturel*, insistant ainsi sur le lien que fit Freud entre cette instance et la tradition, « le passé de la civilisation » dont elle hérite (1938). La réflexion se tend alors entre deux directions, entre le sens du terme allemand *kultur* désignant ce qui constitue la civilisation grâce à un surmoi au service de la culture, au sens d'un travail de civilisation, cette dernière occupant la place de l'idéal ; et le sens désignant la suppléance proposée, voire imposée, par un groupe social, psychologie collective adoptée par un individu en lieu et place d'une instance personnelle qui aurait eu à s'étayer sur l'histoire singulière et collective pour instaurer sa fonction impersonnelle. Les deux rapports se retrouvent donc participer à une réflexion sur les phénomènes d'*acculturation*, tant à un niveau individuel, pour un sujet ayant à utiliser et à subir un contexte culturel précis, qu'à un niveau groupal et collectif, entre des groupes sociaux distincts, des sociétés diverses de psychanalyse et aussi entre ces dernières et d'autres proposant des conceptions théoriques et des méthodes thérapeutiques visant les troubles psychiques.

L'acte de culturation concerne à l'évidence le travail, le labeur, au sens banal du terme, qu'exige tout ouvrage social. La comparaison avec l'assèchement du Zuyderzee (1932-1933) vient immédiatement à l'esprit. Il s'agit d'un travail se faisant aux dépens des satisfactions pulsionnelles, reposant donc sur une inhibition de la pulsion quant à son but.

Mais l'idée de culture s'applique aussi à la vie mentale elle-même, d'abord en ce qui concerne sa formation, puis son fonctionnement tels qu'il se réalisent au sein de la cure. C'est alors à la célèbre formule freudienne précédant l'analogie avec le Zuyderzee, que va très directement la référence : « Là où était du ça, doit advenir du moi. » Cette opération est à la fois une conséquence de la mise en place du surmoi, donc de la résolution du complexe d'Œdipe, mais elle est également le moyen par lequel cette résolution va pouvoir être réalisée. Elle s'applique tout particulièrement aux instincts de conservation, le futur narcissisme. Elle est donc, en ce qui concerne le surmoi, et le moyen de son avènement et le but de sa fonctionnalité. Il s'agit d'une opération identifiante que Freud a désignée du terme assez général de *désexualisation*, l'envisageant aussi sous l'angle d'une sublimation.

Qu'il s'agisse d'un travail mû par un but de civilisation ou d'un travail psychique lié à un objectif de mise en place ou de fonctionnement de l'appareil psychique, dans tous les cas la culture est l'œuvre des opérations responsables de ces désexualisations et sublimations. Ces opérations ont pour effet la transformation d'une partie de la libido sexuelle, et tout particulièrement de celle impliquée dans la sexualité infantile. Ainsi le narcissisme secondaire, directement lié à la mise en place du surmoi, a été à plusieurs reprises défini par Freud comme né d'une libido sexuelle retirée aux objets œdipiens et achevant les « instincts de conservation », seuls éducables et donc cultivables. La sublimation quant à elle porte sur les pulsions partielles constitutives de la polymorphie de la sexualité infantile. Ainsi le narcissisme exige-t-il ces opérations de culture, opérations se prolongeant plus tard dans les actes civilisateurs. Le narcissisme, très logiquement, se trouve donc doublement concerné par la culturation : il est né de telles opérations, d'un tel travail de culture (travail rejoignant le conseil final de Candide : « Mais il faut cultiver notre jardin »), et il rend possible le travail de la psyché promoteur de ces productions culturelles. Le narcissisme se retrouve donc tout à la fois conséquence et condition des actes de culture. Cette façon d'aborder l'acte de culture en lui-même rejoint l'usage que fit Freud du terme *arbeit*, depuis les activités psychiques régressives de la passivité *(Traumarbeit)* jusqu'aux productions sublimes de l'humanité *(Kulturarbeit)* en passant par le travail spécifiquement thérapeutique de séance *(Durcharbeiten)*. La cure psychanalytique devient ainsi une culture de la psyché, au sens où ladite culture porte avant tout sur les opérations impliquées dans tout travail psychique. Ce sont ces opérations qui confèrent la qualité universelle, transculturelle au travail psychique ; c'est ce que Freud affirme en 1923 à propos du travail du rêve, quand il le considère comme non influençable par la suggestion pendant la cure, alors que les contenus utilisés dans le rêve témoignent de la possible complaisance[1].

Cette culture du travail psychique va se faire avec une visée, un but se référant à un idéal de fonctionnement. La diversité des courants et écoles psychanalytiques dépend du contenu octroyé à cet idéal. De grandes différences vont apparaître selon que la visée de la cure aura ou non pour idéal l'émergence d'un désir érotique capable de créer des conditions favorables à sa satisfaction et cela de façon variée. Le fonctionnement psychique de référence ne sera donc pas le même pour les diverses écoles psychanalytiques ; et sa culture sera elle aussi différente. Si les opérations en jeu s'avèrent identiques, l'instance qui en garantit le travail, le surmoi, aura à les mettre au service de cet idéal consensuel dépendant de la culture de tel ou tel groupe. Un tel surmoi peut être défini comme surmoi collectif, surmoi culturel, c'est-à-dire se référant à un idéal culturel au service de diverses symbolisations certes liées à la secondarisation rattachée quant à elle à la dimension impersonnelle.

1. « Sur le mécanisme même de la formation du rêve, sur le travail de rêve proprement dit, on n'acquiert jamais d'influence ; à cela on peut tenir fermement » (*in* Remarques sur la théorie et la pratique de l'interprétation du rêve, *OCF-P*, vol. XVI, PUF, p. 173).

Toutefois ces processus de désexualisation, certes favorables tant à la fondation qu'à la restauration du narcissisme, semblent ne pas suffire à définir toutes les modalités de travail impliquées dans la vie psychique. Freud parla à plusieurs reprises d'un apport supplémentaire d'Éros, tout particulièrement en ce qui concerne l'achèvement de la personnalité sexuelle, le renoncement à la bisexualité au profit de l'hétérosexualité ; l'homosexualité ayant justement ainsi comme destin le narcissisme et les liens sociaux. Mais la génération libidinale, sa régénération, considérées implicitement comme réussies dans les deux premiers apports à la théorie des pulsions, s'avèrent dépendre elles aussi de ces opérations. La dualité pulsionnelle de 1920 oblige à considérer cette génération libidinale comme le résultat d'un travail élémentaire de l'appareil psychique, un travail générateur de l'économie sexuelle qui, par la coexcitation, produit un investissement érogène au niveau de la Pc-Cs. Les éventuelles opérations de désexualisation et de sublimation ne pourront que lui succéder sans pouvoir se substituer totalement à cette voie première, reprise par le futur érotisme. Ainsi l'opposition très nette faite en 1900 et en 1914 entre pulsion sexuelle d'objet et pulsion de conservation, pulsion du moi, donc entre sexualité érotique et processus de désexualisation doit être complétée. Le rôle reconnu à la pulsion de mort après 1920 oblige à penser des mécanismes de domptage, de captation, de drainage, d'extraction, de déflexion de cette pulsion de mort. Nous retrouvons certains de ces termes sous la plume de Freud en ce qui concerne le rôle dévolu au surmoi, sa tâche vitale et impersonnelle ; tâche subsumant les caractères culturels, collectifs, ceux « de la communauté civilisée » (1929) pour lui conférer sa dimension impersonnelle et universelle ; c'est le mystère de la vie organique que Freud place alors à la base de l'existence du surmoi, et de ce qui le définit le plus strictement, l'impératif à réaliser les diverses modalités de travail psychique, impératif s'appliquant aussi bien à la voie progrédiente qu'à celle régrédiente et permettant la réalisation tant des modalités régressives du travail psychique que celles ayant pour objectif la progression de l'espèce et de la civilisation. Le surmoi, et par lui la culture, est-il engagé dans le déploiement des préliminaires.

Dès lors l'érotisme n'est-il plus dans une simple relation d'opposition au travail psychique. Le diphasisme de la sexualité humaine prouvait déjà qu'un temps de culturation était une condition nécessaire et indispensable à l'avènement du futur érotisme. En ce sens, les pulsions partielles de la sexualité infantile ne sont pas liées au processus culturel par le seul biais de la désexualisation. Certaines civilisations ont en effet promu de véritables *cultures des préliminaires*. Certes la morale judéo-chrétienne place-t-elle un objectif culturel en perspective de la sexualité : « Fructifiez et multipliez-vous » (*Genèse,* IX, 1 et 7). La civilisation est alors prise en compte par le biais de l'espèce, de sa survie et de son expansion ; et l'objectif procréatif utilise la sexualité comme vecteur ; ce faisant, cette dernière se trouve reléguée au statut de moyen. Par contre dans les civilisations orientales, un véritable art des préliminaires a participé à enjoliver un érotisme qui, certes, nous a été transmis par des ouvrages écrits, donc par une culture de la symbolisation[1]. Ceux-ci évoquent une *culture érotique* et proposent parfois de véritables « exercices » utilisant les pulsions partielles. Mais ils ont tous pour finalité, et là ils rejoignent le déplacement chrétien vers une conséquence de la sexualité, l'évitement de la jouissance orgasmique. L'expression paradoxale d'*érotisme culturel* peut donc leur être octroyée. L'expression de Freud s'appliquant au surmoi collectif, culturel, ce « surmoi de la communauté civilisée », s'applique aussi bien au commandement chrétien « aime ton prochain comme toi-même » qu'à ces modes d'érotisme. En effet, Freud juge qu'un tel commandement né du surmoi collectif est le meilleur exemple de « procédés antipsychologiques ». Si le précepte chrétien s'oppose à la reconnaissance de la haine et de l'agressivité, l'*érotisme culturel* offre aussi un mode de défense, un déni envers les bases organiques se déroulant pour ainsi dire *au-dessus* de l'individualité et de l'humanité ; en fait sous-jacentes à la sexualité infantile et à l'organisation de la personnalité psychique en instance. C'est cette réalité traumatique de la libido sexuelle qui est responsable des nécessités et des exigences les plus intenses et les plus contraignantes, eu égard auxquelles l'être humain ne peut que se ressentir et se constater impuissant. Ces philosophies qui, par le biais d'exercices, ont prôné une culture de l'érotisme l'ont toutes fait dans le cadre d'une théorie ayant un idéal comme référence ; ce sont des idéologies. Cet idéal ne refuse pas forcément la jouissance mais retarde toujours plus la réaction de l'orgasme ; généralement la jouissance est abandonnée aux femmes et l'emprise sur l'orgasme est prônée pour les hommes, ceci dans une théorie de la longévité ; le complexe de castration relie alors orgasme et raccourcissement de la durée de la vie. Mais ce qui est surtout évité de cette façon c'est la perception éprouvée de la compulsion de répétition, et plus encore de la compulsion de réduction *(la petite mort)*. Se retrouvent en conflit la sexualité infantile, dont la culture des préliminaires est riche, et une pure sexualité adulte dominée par un surmoi qualifiable alors de culturel, privé de toute régressivité vers l'objectalité infantile. L'érotisme au

1. On pense bien sûr au célèbre « Kâma-Sûtra » hindou mais aussi à tous *les arts d'aimer* développés à l'intérieur de la philosophie taoïste (cf. « Le Tao de l'art d'aimer » de Jolan Chang, 1977, Calmann-Lévy). La tradition chinoise offre à cet égard de très beaux ouvrages tels que : le « Sou Nü King », 1978, Paris, Éd. Seghers ; le « Jéou-P'ou-T'ouan », 1962, éd. J.-J. Pauvert, et bien sûr le très grand roman chinois : le « Jin Ping Mei Cihua », 1985, Bibliothèque de la Pléiade, 2 vol., NRF, Gallimard.

sens strict ne se réalise donc que par le biais d'un surmoi articulant sexualité adulte / sexualité infantile.

Ainsi le paradoxe contenu dans l'expression *érotisme culturel* et l'opposition classique entre érotisme et travail réapparaissent-ils nettement quand il s'agit de définir un *idéal érotique*. Certes l'extase mystique laisse-t-elle envisager une jouissance extensive, infinie, intemporelle, océanique, se situant alors hors de toute conflictualité. En réalité, cette aspiration vient régulièrement s'abîmer sur la réaction organique de l'orgasme, véritable butée de la tension régressive. La notion de culture érotique rencontre là ses limites puisqu'elle ne peut se prolonger par une référence qui serait l'idéal érotique. L'opposition érotisme/travail est donc bien et une opposition conflictuelle et une complémentarité, elle rejoint celles des processus primaires et secondaires, ainsi que celles retrouvées dans le double sens des mots primitifs ; il s'agit d'une oscillation diurne. Un malaise dans la civilisation provient des troubles affectant cette oscillation. Seuls le culturel et les activités de civilisation sont référençables à un idéal qui, sur la voie progrédiente, est censé ne pas rencontrer les mêmes butées que celles qui viennent limiter la culture érotique ; c'est compter encore sans les besoins de restauration narcissique exigeant l'oscillation avec le système sommeil/rêve. Toutefois, seul cet authentique idéal culturel pourra représenter les désirs d'extensivité, d'immortalité, d'éternité, par les œuvres humaines ainsi produites ; l'idéal érotique se trouve lui limité par une épreuve de temporalité. Alors au nom d'un déni de la mortalité, le surmoi peut orienter l'ensemble du travail psychique vers un tel idéal culturel ; il devient culturel quand cette orientation se fait vers des valeurs respectant un tel déni, et que de telles exigences culturelles prennent la place d'exigences personnelles internes, régulièrement confrontées, elles, au déplaisir issu du besoin de retour à un état antérieur, au-delà du principe de plaisir.

Un tel idéal porteur de déni propose des valeurs en vue de l'obtention d'un progrès, au service desquelles est censé œuvrer le surmoi, garant de toutes les opérations participant aux divers processus psychiques. Mais par le déni présent, ces valeurs, asymptotiques sur la voie progrédiente désignée pour les atteindre, s'avèrent en dernière analyse être au service de la visée régressive au-delà du principe de plaisir, au-delà de tout travail psychique. En fait la compulsion de réduction anime de telles idéalisations.

Les réflexions précédentes ne témoignent que partiellement de l'ampleur des questions soulevées par les rapporteurs ; elles dessinent toutefois deux champs dont l'investigation mérite une attention privilégiée.

Le premier est inductif ; il concerne l'émergence des bases de l'idéal du moi, ses origines organiques ; ceci sous l'influence d'une nécessité première, responsable de l'installation de la plus importante des différences psychiques, celle entre une tendance[1] à *l'extinction* et une autre à *l'extension*, différence éprouvée par le biais d'une intense tension de l'économie favorable aux diverses modalités de travail psychique, et sous-jacente à tout narcissisme des petites différences.

Le second s'appuie sur l'observation d'un phénomène : la potentialisation des achoppements affectant l'identification primordiale constitutive de l'idéal du moi, responsables des avatars du travail psychique que cette dernière appelle. Ces achoppements s'accompagnent d'une propension aux effets de résonance et d'amplification. Ainsi en est-il déjà de la contagion hystérique mais aussi, en gardant la métaphore bactériologique, des endémies narcissiques unissant les groupes (la horde), et encore de l'épidémie en masse agglomérant les foules. Une question complémentaire accompagne cette réflexion sur la potentialisation : un déni du travail psychique à réaliser peut-il se soutenir, et si oui de quelle façon, dans la solitude ? À quel moment les exacerbations et multiplications intrapsychiques sont-elles relayées, voire remplacées par des conglomérations de masse ?

Je développerai d'abord de façon théorique, et donc schématique, le premier point, celui portant sur l'idéal du moi, son émergence, et aborderai le second par une réflexion sur Kevin, petit garçon évoqué par Gilbert Diatkine, présentant des conduites dites asociales, des manifestations sadiques et destructrices, et soulevant des questions sur une culture du corporel, l'éducation des motricité et sensorialité, sous-jacente à celle de la symbolisation secondaire.

L'idéal du moi et le surmoi accèdent à leur accomplissement métapsychologique après 1920, donc à partir de la reconnaissance de la dimension régressive au-delà du principe de plaisir. Ce *troisième pas* de Freud dans sa théorie des pulsions, la reconnaissance du besoin de retour à un état antérieur, jusqu'à l'inorganique, exige en contrepoint une tendance contraire. Freud l'octroie à Éros, comme tendance à l'extensivité progrédiente. Une des fonctions particulièrement importantes de l'idéal du moi est donc d'orienter toutes les futures modalités du travail psychique, de leur donner une finalité, le *devenir conscient*. L'idéal comme vecteur de l'économie vient éclairer ce que Freud avait signalé dans les toutes dernières pages de *L'interprétation des rêves* et qu'il avait depuis laissé en suspens, tout en l'envisageant continuellement à travers le but du travail thérapeutique de l'analyse. En effet, dès 1900, il avait reconnu en l'extériorité de l'organe des sens qu'est la conscience sa justification téléologique ; cette conscience qui est un extérieur pour l'appareil psy-

1. L'usage de la notion de tendance laisse entier le débat entre instinct et pulsion, ainsi que les différenciations nécessaires entre dichotomie pulsionnelle (Jean Laplanche), dualisme des tendances à l'intérieur de la pulsion (Paul Denis) et dualité instinctuelle.

chique et qui met en contact ce dernier avec cet autre extérieur qu'est la réalité matérielle.

Ainsi travail d'érogénéisation, travail du rêve, travail de perlaboration, travail de deuil sont-ils tous vectorisés ; ils ont du sens ; ils participent à générer un investissement libidinal et à le rendre disponible à la conscience, permettant alors qu'adviennent de façon certes momentanée, goût et désir pour les belles différences, celles de nos patients.

Toutefois cet idéal-vecteur économique, précédant donc toute différenciation du moi, va devoir s'étayer, pour se mettre en place, sur une fonction précise, le cadre parental c'est-à-dire les processus de pensée des deux parents conjugués en leurs soins. Il s'agit de la célèbre identification primordiale, directe, immédiate, avant tout investissement d'objet (1923). Cette identification va fournir les valeurs universelles de l'idéal. Le fait qu'elle ne dépende pas d'une relation d'objet mais qu'elle soit seulement portée par ce dernier explique ce caractère d'universalité. Ces valeurs représentent Éros. Cette identification contient les réalisations potentielles et aussi les limitations d'un individu concernant tant son destin structural que son destin sublimatoire. C'est elle qui permet une réflexion sur les dons, par le fait qu'elle met en contact la finalité de tout travail psychique orienté par l'idéal du moi vers la conscience, et la sensorialité perceptive. Elle est ainsi impliquée au niveau du « noyau du moi », la Pc-Cs.

Cette identification se fait à l'opération de sublimation incarnée par les parents, sublimation dont l'enfant est l'objet. Celle-ci est transmise et reconnue concrètement par la sensorialité de l'enfant. Cette opération subsume et sert d'attracteur, de référence aux opérations régressives indispensables que sont le domptage de la pulsion de mort et la désexualisation instauratrice du narcissisme. Elle est plus qu'un domptage, plus qu'une désexualisation, elle est une *génération.*

Un point mérite encore d'être souligné. Cette identification à un travail psychique générateur, prise entre tendance à l'extinction et tendance à l'extension, va s'accompagner d'une obligation à ce que se réalise un travail psychique tenant compte de ces deux tendances. Là est perceptible une autre grande fonction liée à l'idéal, l'impératif à réaliser ce travail psychique jusqu'à son achèvement, impératif qui se trouve être au principe du futur surmoi post-œdipien. La prise en compte de la tendance extinctive funeste va donner à tout travail psychique une dynamique cyclique en deux temps, un temps régressif précédant un temps progrédient. L'impératif aura à suivre ce cycle régression-mutation-progrédience. C'est cette obligation qui fait que tout travail psychique est ressenti comme signe d'impureté. La pureté se définit alors de la suppression de ce travail ; soit par élimination de l'impératif, soit en tant qu'aboutissement idéal du travail lui-même ; deux façons de se libérer de l'obligation à réaliser les diverses modalités du travail psychique. Le surmoi culturel ainsi abordé se réfère toujours à un idéal de pureté. Le surmoi impersonnel lié à un impératif organique ne peut qu'être considéré comme terrestre et impur. Si la civilisation permet d'accéder à un certain degré de liberté par rapport à certaines lois de la nature (telle celle de la sélection naturelle), l'écart qui existe entre les lois organiques et celles qu'elle soutient dessine l'ampleur du déni culturel.

Cette opération sur l'économique, quelle est-elle ? Certes, les atrocités tant individuelles que faisant suite à une potentialisation de masse, nous laissent entrevoir une réponse. La potentialisation s'exerce à partir des dénis présents dans le cadre parental lui-même, dénis imposés à l'enfant laissant ce dernier aux prises avec une déficience des opérations fondatrices de son économie libidinale. Les dénis imposés tendent à maintenir chroniquement le déni physiologique, réversible, nécessaire à tout fonctionnement individuel. Ces atrocités nous obligent à reconnaître que cette opération, fondatrice de la genèse de l'économie libidinale elle-même, est bien un authentique meurtre. Elle ne deviendra « du père » qu'après coup, après l'apport des identifications narcissiques secondaires. La réduction de l'instinct de mort passe par un « meurtre » d'Éros, sa transformation en vivante libido. Quand ce meurtre n'est pas exécuté en référence à un idéal favorisant les processus psychiques, il se réalise malgré tout en d'autres destins, de dégénération. Et quand cet idéal inclut un déni du travail psychique libidinalisant, il devient le vecteur d'une économie brute non libidinale ; il participe alors à une pure culture d'instinct de mort[1]. Le moi à advenir doit s'effacer au profit de cet idéal porteur de déni. Il y a un appel à la pureté de l'idéal avec épuration du moi potentiel. Les réactions par potentialisation sont alors sollicitées et agies concrètement. La tendance extensive d'Éros réalise massivement des conglomérats à fonction antirégressive, et la pulsion de mort donne à ces masses leur tonalité réductrice. La contagion intrapsychique de l'hystérie est remplacée par une conglomération agie.

Quand il s'agit d'un enfant, c'est la transmission qui est porteuse de tels avatars et les tendances réductrices qui marquent son évolution entraînent des réactions tout aussi massives, antitraumatiques, de l'entourage culturel.

Ainsi quand Kevin frappe et détruit compulsivement, à coups de pieds, la matérialité des corps qu'il rencontre, ne cherche-t-il pas à assurer l'investissement érogène de ses membres par une compulsion de répétition censée entretenir la coexcitation menacée par une mère occupée par les ampu-

1. M. Fain (1996) Quelle pure culture ?, *RFP*, LX, n° 1, p. 55-63.

tations de son père et un père en prison ? N'est-ce pas ce qu'a perçu Gilbert Diatkine quand il participe au jeu du crocodile ? N'a-t-il pas alors à l'esprit tout autant l'artérite et les amputations progressives des membres inférieurs du grand-père maternel qu'une fantasmatique orale mettant en scène le croquement de membres, telle celle des « dents de la mère » ? Il élabore alors avec cet enfant une théorie sexuelle infantile de la castration, théorie ayant une valeur contre-investissante envers la tendance régressive à un état antérieur. Il ranime et réoriente le travail psychique régressif vers un potentiel sens progrédient et, par ce fait même, il se fait messager de la menace de castration. Il propose l'efficience de sa culture psychique en place de la résistance de la matière inerte. Et en cultivant l'érogénéisation des membres inférieurs de Kevin, il nous rappelle que la dimension thérapeutique de la psychanalyse est bien une œuvre de culture, premier temps indispensable à l'avènement futur d'un second, celui de la jouissance régressive.

Bernard Chervet
39, rue Professeur Florence
69003 Lyon

Transitionnalité du surmoi et de l'idéal du moi

Henri VERMOREL

Le Congrès de Montréal, qui avait mis à l'ordre du jour le rapport du sujet avec la culture renoue, à une autre époque, avec les préoccupations de Freud dans la seconde partie de son œuvre. À partir des deux intéressants rapports (Jacques Mauger et Lise Monette, Gilbert Diatkine), des discussions ont éclairé de nombreux points, même si beaucoup d'autres restent dans l'ombre, comme si cette thématique restait encore un domaine à défricher.

On a rappelé au cours du Congrès que Freud définissait la *Kultur (culture* ou *civilisation)* comme une formation psychique collective, située au-dessus, voire au dehors de l'individu ; mais elle est aussi au dedans, son empreinte marquant largement l'identité du sujet dont une grande part est inconsciente. Gilbert Diatkine a rappelé les travaux de Marcel Mauss sur la transmission par la mère, dès les premiers temps de la vie, des *« techniques du corps »* qui spécifient des attitudes du sujet comme signes d'appartenance à la culture, de même, que dès l'origine, les inflexions de la langue maternelle vont sélectionner, à partir d'un large registre inné, une gamme de sons spécifique d'une langue donnée, qui forme l'une des assises essentielles de la culture. Pour Michel de M'Uzan, le spectre de l'identité s'étend du dedans au dehors, ce qui implique le paradoxe du sujet dont le Je contient une part de non-Je.

On s'est interrogé au cours du Congrès sur le fait que, lors des guerres, nombre de sujets apparemment civilisés sombrent rapidement dans la barbarie. Freud en avait été très frappé lors de la guerre de 1914 et avait alors pensé que ces hommes n'étaient finalement pas aussi civilisés qu'il avait pu le croire, la culture n'étant chez eux qu'une mince pellicule recouvrant à peine des pulsions violentes. Mais la question est plus complexe puisque ce ne sont pas seulement les voyous ou les psychopathes qui deviennent meurtriers dans les guerres mais un grand nombre de personnes dont certaines ont un véritable surmoi. À propos de la Shoah, Hannah Arendt avait parlé de *« banalité du mal »,* expression que je comprends comme une banalisation de la violence chez des gens ordinaires, dans une culture d'extermination. Cela rejoint les travaux historiques de Goldhagen, rappelés par Gilbert Diatkine, sur l'extermination des juifs en Allemagne non seulement par les SS mais aussi par les bataillons de la Wehrmacht, formés de citoyens « ordinaires »[1].

Freud avait pointé que, dans les guerres, l'État inverse le commandement « tu ne tueras point » et Perel Wilgowicz a rappelé que les historiens parlent alors d'une culture de guerre, devenue culture d'extermination avec le nazisme.

Le couple idéal du moi-surmoi est au plus haut point une expression de la culture puisqu'il tente de faire le lien entre le sujet et le groupe social : ce sont des formations transitionnelles qui sont à la fois au dedans et au dehors du sujet. Pour Winnicott, l'objet transitionnel est à la fois Je et non-Je, ce caractère paradoxal se retrouvant dans la culture, métaphore de l'espace transitionnel.

Certes, il faut distinguer un pôle intrapsychique du sujet avec les objets internes, le surmoi postœdipien et l'idéal du moi évolué ; cette autonomisation du sujet est plus marquée dans notre culture fondée sur l'émancipation du sujet : Claude Lévi-Strauss parle ici des cultures qui « vomissent » l'individu, par opposition à celles qui « l'avalent », lui laissant une faible indépendance par rapport au groupe social.

Mais même chez le sujet de la culture moderne et postmoderne, objet de la psychanalyse, il existe une part d'indétermination qui remonte aux origines de la psyché de l'enfant, soumis à la violence des messages de l'environnement, notamment de la mère, « porte-parole » de la culture selon Piera Aulagnier. José Bléger, dans cette direction, postule qu'il existe une part indifférenciée du narcissisme originaire dans un lien préambivalent avec le parent originaire ; et ce lien persiste toute la vie. Ce *noyau ambigu* éclaire la métapsychologie des psychoses ; mais il peut dans des circonstances comme les camps d'extermination ou les prises d'otages, où la vie est menacée dans un climat de terreur, entrer en action pour assurer la survie, et ce même au sein des psychismes les plus évolués. Alors, le surmoi et l'idéal du moi peuvent être paralysés laissant la place par un clivage de la psyché à une soumission à l'autorité violente dont dépend la survie, dans une régression qui se situe au

1. On notera au passage que les thèses de Goldhagen ont rencontré de vives critiques, comme s'il était difficile d'admettre que la personne humaine soit à ce point dépendante d'une culture même violente, cette vulnérabilité se révélant à l'évidence dans les totalitarismes basés sur la terreur.

delà du bien et du mal, par activation du noyau ambigu de la personnalité. Cette thématique jette un éclairage profond – et différent – sur la question dite de l'identification à l'agresseur ; et elle apporte un argument de poids pour saisir le phénomène de la soumission des individus dans les guerres voire leur participation aux horreurs qui les caractérisent.

Le surmoi tout entier est une instance de la culture : Jean Laplanche traduit d'ailleurs *Kultur-Über-Ich* par *sur-moi-de-la-culture* et non par surmoi culturel. Dans l'évolution des idées de Freud, on peut relever qu'il a admis progressivement l'existence d'une *« pulsion originaire et autonome », l'hostilité primaire* qu'il dénomme, en 1933, dans sa lettre à Einstein, *violence.*

Cette violence originaire, analogue à la cruauté de l'animal qui tue pour survivre, pourrait être considérée comme un reste de notre animalité. Jean Bergeret considère cette *violence fondamentale* comme une affirmation narcissique au service de la vie. Dans cette optique, elle serait l'exact opposé de la pulsion de mort dirigée, selon Freud, primitivement contre le sujet. Sa direction rejoint l'antinarcissisme de Pasche, ce qui amène à placer, face à la violence originaire, l'attachement comme élément vital, par l'investissement des parents, programmé par l'espèce. La vie psychique serait dans cette perspective une mixtion de ces forces contraires comme le sont dans le contexte de la génitalité les pulsions de vie et les pulsions sexuelles[1] de mort.

Affirmation vitale de soi face à l'autre non identifié comme objet, la violence ne se situe pas au même niveau que la haine, envers de l'amour objectal. La violence n'engendre pas de culpabilité qui, elle, découle d'un surmoi résultant de l'évolution œdipienne. Si, dans le surmoi primitif tel que le décrit Melanie Klein, on peut déceler un retournement de la violence originaire contre soi – dans un mouvement antinarcissique qui équivaut à la pulsion de mort – le surmoi postœdipien intègre la tendresse parentale et humanise le sujet en engendrant la culpabilité spécifique de l'espèce humaine. On a l'impression que Freud en arrive à considérer que la violence gît de façon inextingible au cœur de l'homme et que la culture humaine a trouvé une réponse avec la création humaine du surmoi pour surmonter ces pulsions violentes, ce non-humain qui persiste même chez les hommes les plus civilisés ; mais c'est une tâche jamais terminée ni pour le sujet ni pour les sociétés.

Si l'idéal du moi est l'héritier du narcissisme, le surmoi est l'héritier du complexe d'œdipe. Les deux instances sont composites : narcissisme de vie et narcissisme de mort pour André Green ; quant au surmoi, il relève des pulsions de vie en ce sens qu'il assure la protection du sujet par introjection de l'amour des parents et du lien à l'autre, mais il génère aussi de la pulsion de

1. Selon Jean Laplanche.

mort ainsi que le souligne Freud. C'est qu'il puise dès l'origine dans l'antinarcissisme avec l'attachement aux imagos parentales qui, pour assurer une protection vitale, formulent des interdits s'opposant aux pulsions pour les limiter.

Je me suis cependant demandé si Freud, qui met l'accent sur le caractère violent du surmoi postœdipien, n'aurait pas fait un amalgame avec le surmoi précoce, mal individualisé dans son œuvre ; car ce dernier relève de la loi du talion et n'a pas de limites, contrairement au surmoi évolué qui a introjecté l'amour des parents, c'est-à-dire une dimension vitale, ce qui donne alors au surmoi une valeur moins désespérante. Gilbert Diatkine a montré dans son rapport comment la genèse du surmoi, bloquée à un niveau violent chez des adolescents abandonniques ou délinquants, pouvait par l'action psychothérapique des équipes soignantes combler parfois les défaillances précoces du milieu familial.

Tandis que la plupart des sociétés animales ont élaboré des comportements dissuasifs limitant la violence et la destruction à l'intérieur de l'espèce, l'accession de l'homme à la civilisation s'est accompagnée d'une émancipation de son animalité en particulier de la périodicité de la sexualité mais aussi de la régulation animale de la violence intraspécifique. C'est tout le problème des guerres dont la nature a évolué au cours de l'histoire humaine. Si l'on suit les idées de Pierre Clastres, la guerre dans les sociétés primitives est de nature vitale, nécessaire à l'existence du groupe social : elle fonde son identité par rapport à l'autre social ; c'est la même idée que celle de Bergeret sur la violence fondamentale chez l'individu. Clastres va jusqu'à considérer que c'est la guerre qui fonde la structure sociale car, pour se battre, il faut des alliés et c'est avec eux que se font les échanges et les alliances matrimoniales. Les sociétés primitives auxquelles il fait allusion sont peu nombreuses dans des territoires étendus. Et il y a des mécanismes de régulation : il ne faudrait pas aller trop loin dans la destruction de l'ennemi, car le combat cesserait faute de combattant, ce qui mettrait en péril l'existence de la société primitive.

Ces mécanismes sont très semblables au *narcissisme des petites différences* décrit par Freud dans les sociétés humaines et revisité par G. Diatkine : c'est l'étranger, le voisin qui est l'adversaire potentiel, objet de raillerie en temps de paix, devenant l'ennemi à détruire dans les guerres. Même dans les groupes sociaux animés par les idéaux élevés, tel l'amour du prochain de saint Paul, ne sont protégés de la violence que ceux qui appartiennent à cette communauté, les autres étant voués à une violence sans culpabilité : Freud cite ici la persécution des juifs par les chrétiens au cours des siècles, à l'opposé de la charité chrétienne ; et on pourrait parler aussi des multiples guerres de religion des temps passés et actuels.

En somme, le narcissisme des petites différences serait une sorte de paranoïa groupale élémentaire qui ne pourrait être combattue que par l'émergence d'idéaux humanistes tels que ceux des Lumières s'adressant à toute l'humanité ; mais on sait la portée relative de tels idéaux si on examine l'histoire moderne, qui a vu au contraire avec les sociétés de masse apparaître les guerres de masse. La question de l'aggravation de la destruction (la mort de dizaines de millions de combattants au cours des guerres mondiales) et de l'intensité du mal avec les cultures d'extermination et les sociétés totalitaires, pose des problèmes qui sont à la jonction de la psychanalyse et des autres disciplines des sciences humaines et qui dépasseraient le cadre de cet article ; plusieurs intervenants du Congrès ont abordé ces sujets qui gardent une part de mystère.

J'ai noté au cours du Congrès de Montréal le peu de place laissé aux religions qui ont pourtant modelé pendant des millénaires les idéaux du moi et le surmoi : Freud l'a reconnu à son corps défendant ; de ses formules sur les religions comme névrose obsessionnelle de l'humanité ou idéaux trompeurs, il est passé ensuite à une reconnaissance de la valeur des religions comme *« constructions »* de la civilisation. Cet héritage des religions est présent même dans la culture laïque de notre époque et se retrouve dans la psychanalyse, discipline laïque s'il en est. Il est vrai que Freud avait donné à son identité une formulation paradoxale en tant que *« juif athée »* ou *« juif hérétique ».* Cette racine est une des sources fondamentales de la psychanalyse ; et en suivant le philosophe Yovel, on peut retrouver ici une identification fondamentale à Spinoza[1]. Considérant la religion comme superstition, ce dernier préconisait de remplacer, pour les gens cultivés, la religion par sa philosophie qui proposait la connaissance de soi comme équivalent de *« l'amour intellectuel de Dieu ».* C'est dans cette optique qu'on pourrait relire *L'avenir d'une illusion* entièrement basé sur un modèle spinozien. Par la suite, Freud se considère en quelque sorte comme le Moïse de la psychanalyse, réintégrant, comme Spinoza, sur un mode laïque des valeurs héritées des religions. C'est là qu'il retrouve, dans les derniers temps de sa vie, le sacré (le pur et l'impur dont il a été question sous d'autres angles dans le rapport des collègues québécois). Et la psychanalyse pourrait être une sorte de quête du sacré, qui a déserté la culture (la mort de Dieu), dans l'inconscient du sujet de la modernité, où cette dimension fondamentale de l'homme s'est réfugiée.

Henri Vermorel
La Tour (Puy Gautier)
73800 Coise-Saint-Jean-Pied-Gauthier

1. Ignorée par la plupart des auteurs qui ont traité des rapports de Freud avec les philosophes. Mais il est vrai que ce qui est le plus profond est souvent le plus caché.

Surmoi groupal dans les situations d'exclusion : l'exemple des premiers psychanalystes

Michel SANCHEZ-CARDENAS

En 1872 Freud retourne pour la première fois à Freiberg, qu'il a quittée en 1859 à l'âge de 3 ans. Il s'y sent gêné par sa rencontre avec la population des Juifs provinciaux et non assimilés. De retour vers Vienne, sa rencontre avec une famille juive issue de cette population lui laisse « un goût désagréable », comme il l'écrit à son ami Emil Fluss[1]. Le père, en particulier, l'irrite car il trouve à cet homme une allure « typique », « ... l'étoffe dont on fait les escrocs » ; il l'estime « dépourvu de principes et sans personnalité ». Et de conclure : « J'en ai assez de cette racaille. » Même si on les imagine liés à sa révolte d'adolescent contre son propre père, ces propos ne dépareraient pas chez un antisémite patenté.

Quelques années plus tard, le ton a changé. Il voyage vers Leipzig quand il se fait prendre à partie dans le train : « C'est un sale Juif », hurle un passager à son encontre. Lorsqu'il écrit à Martha Bernays[2], Freud lui dit qu'il ne s'est pas ému de l'incident alors qu'à peine une année plus tôt il aurait été ébranlé. Il a répondu froidement et ne s'est pas donné la peine de renvoyer des insultes à son interlocuteur. *Il n'est pas tombé à son niveau.* Le voici donc devenu un Juif fier de l'être : l' « horreur et la honte »[3] d'être juif ne semblent plus exister.

De Paris, en 1886, il écrit encore à Martha[4] et lui dit qu'il se sent l'héritier de la capacité de défi et de toutes les passions avec lesquelles « nos ancêtres

1. Lettre à Emil Fluss du 18 septembre 1872. Cité p. 46 par Dennis B. Klein, *Jewish origins of the psychoanalytic movement,* Chicago, Chicago University Press, 1981 et 1985. Les citations ultérieures tirées de cet ouvrage sont mentionnées sous l'appel DBK.
2. Lettre du 16 décembre 1883, *in* DBK, p. 55-56.
3. DBK, p. 54.
4. Lettre du 2 février 1886, *in* DBK, p. 57.

ont défendu leur Temple ». « Je pourrais sacrifier ma vie avec bonheur pour un grand moment historique », s'exprime-t-il. Donc un Juif fier mais aussi audacieux et prêt à assumer son autodéfense.

Des années plus tard, lors de la cérémonie donnée en son honneur à la B'nai B'rith (BB) de Vienne à l'occasion de son 70e anniversaire, il attribue sa pensée libre de préjugés « seulement à sa nature juive »[1], ainsi que sa détermination à ne pas se soucier de la « majorité compacte ». Et il fait un lien de cause à effet : c'est pour cela qu'il est devenu membre de la BB et qu'il a participé à ses intérêts nationaux et humanitaires.

On voit grâce à ces citations, tirées du passionnant *Jewish Origins of the Psychonalytic Movement* de Dennis B. Klein, que Freud s'inscrit au sein d'un groupe, celui de la BB, puis au sein d'un autre, celui des premiers psychanalystes, tous deux dotés d'une forte conscience de leur appartenance juive et de la mission qu'ils ont, en tant que tels, d'éclairer l'humanité qui les entoure. *Un surmoi groupal, une éthique « missionnaire » les portent donc.*

Je souhaite exposer ici une hypothèse qui nuance et complète le point de vue qu'exprime Freud lors de son 70e anniversaire (c'est en tant que Juif que, premier psychanalyste, il a pu faire preuve d'autant d'indépendance et d'originalité créatrices). *Certes*, me semble-t-il, les premiers psychanalystes ont pu tirer de leur culture et appartenance juives une inspiration de penseurs libres et déterminés mais ils ont pu être *aussi* amenés à le faire de façon plus aspécifique, c'est-à-dire en tant qu'individus faisant partie d'un groupe exclu, que celui-ci soit juif ou non juif. En somme, « un peu moins de Moïse et un peu plus d'antisémitisme », c'est ainsi que je déplacerais l'accent pour comprendre de façon complémentaire leur situation autant du point de vue de la contrainte extérieure qui pesait sur eux que de celui de leur culture juive interne.

Résumé à l'extrême, l'argument – très documenté – de Klein est le suivant :

— Le premier groupe des psychanalystes est constitué uniquement de Juifs, une vingtaine de 1902 à 1906, date à laquelle vont s'y joindre les premiers non-Juifs, Jung et Binswanger puis, en 1908, Jones et Urbanschtisch.

— La passion qui anime ces chercheurs se double d'un état d'esprit à la fois pétri de la conscience de leur supériorité intellectuelle et de celle d'une mission : répandre une vérité scientifique.

— Cet esprit est issu lui-même de celui de la BB, qui peut être compris à la fois comme particulariste et universaliste. Dans les années 1860-1870, années de formation du jeune Freud, une conjoncture très libérale règne à Vienne, pour laquelle s'enflamment de nombreux groupes sociaux, dont celui

1. Lettre à la B'nai B'rith du 26 mai 1926, *in* DBK, p. 86.

des Juifs. Par exemple, ces derniers se voient accorder légalement leurs pleines émancipation et égalité de droits en 1867. Qu'ont-ils désormais à faire d'une foi étroite et qui leur semble anachronique et plus contraignante que l'esprit de liberté d'alors, héritier lui-même de celui des Lumières ? C'est comme une illustration de ce mouvement que Dennis B. Klein propose d'entendre la réaction d'un jeune Freud (cf. *supra,* lettre à Fluss) alors épris d'assimilation, d'universalisme et méprisant pour ses origines. Mais l'espoir est de courte durée : dès les années 1880 la parenthèse commence à se refermer et l'antisémitisme à devenir de plus en plus virulent. Les Juifs doivent déchanter et abandonner leurs espoirs sociaux. Ils peuvent encore cependant cultiver l'inspiration des Lumières, mais dans un carré étroit et particulariste, celui de leur communauté, resserrée sur elle-même par la force de la contrainte extérieure. Ils constituent des groupes (estudiantins, politiques, religieux) dont les buts sont leur regroupement, leur auto-affirmation et leur autodéfense. L'espoir les anime, celui d'un monde global et meilleur à venir (même s'il doit se situer ailleurs : à cette époque naît le sionisme) mais aussi le besoin de trouver leurs ressources en eux-mêmes (et à ce mouvement, indique Klein, se rattachent les autres citations d'un Freud qui a retrouvé un lien à son groupe d'origine).

— De la BB, où Freud trouve un accueil des plus chaleureux, naît le cercle des premiers analystes. Ses idées y sont reçues avec enthousiasme alors que le monde médical et universitaire lui bat froid. Il passionne ses coreligionnaires par des exposés sur des pans majeurs de son œuvre, dont en particulier ceux qui préfigurent *L'interprétation des rêves.* Au sein de la BB Freud est d'une grande présence (jusqu'à ce que, à partir de 1902, le cercle psychanalytique absorbe la majeure partie de son énergie) et il y recrute même quelques premiers disciples, dont Hirtschmann et Rye.

— Freud et ses contemporains juifs partagent donc un universalisme mais aussi un particularisme qui, parfois, confine au sectarisme[1]. Jones, en particulier, y est douloureusement sensible[2], qui décrit au cercle des premiers analystes un esprit où règne la méfiance vis-à-vis des non-Juifs et une perception des Juifs comme non seulement différents des autres mais aussi comme devant leur imposer leur supériorité intellectuelle. En somme, ceci correspond au propos même d'un Freud doutant de la capacité des Gentils à pouvoir sortir du coutumier, eux qui « ne s'efforcent pas de faire de nouvelles découvertes et qui ne fouillent pas trop loin »[3].

1. DBK, p. 143.
2. Ernest Jones, *Free Associations. Memories of a Psycho-Analyst,* New York, Basic Books, 1959, p. 208-212, cité *in* DBK, p. 143.
3. Lettre à Martha du 4 septembre 1883, *in* DBK, p. 62.

Ehrmann, membre de la BB de Vienne, écrit en 1902[1], dans un texte consacré à la fonction des Juifs dans l'humanité et à celle de la BB dans le monde juif, qu'ils sont les « champions de l'idéal de l'humanité ».

Mon hypothèse est que ce messianisme selon lequel les Juifs[2] se pensent alors eux-mêmes en termes de surmoi social peut être compris en termes de formation réactionnelle. Les deux éléments les plus démonstratifs à ce titre sont ceux du « nationalisme » juif et de la « supériorité » que le groupe semble s'attribuer :

— On peut, en effet, remarquer que le nationalisme juif d'alors n'est pas original mais une réponse calquée sur le groupe extérieur. À une société travaillée par sa propre définition (on est en pleine période d'exacerbation des nationalismes en Europe[3] et en particulier dans l'Empire austro-hongrois) fait écho un sous-groupe exclu qui utilise une même réponse : « Nous aussi formons une nation spécifique. » Le langage de la réponse est fourni par celui qui, antisémite, pose la « question juive ». Les termes de la réponse sont ceux d'une clôture du groupe sur lui-même, ici en termes de nation. Pour qu'un groupe puisse se définir une essence, il dispose de deux moyens principaux : la religion et/ou l'exclusion d'un autre groupe. La religion fabrique le groupe de l'intérieur : issus d'une même famille, de mêmes ancêtres divins, les membres du groupe sont unis par une même foi basée sur les mêmes postulats ininterrogeables car défiant le principe de réalité : un cheval qui s'élève vers le ciel, la mer qui s'ouvre devant un peuple, une vierge qui enfante, Mao qui peut tout... *Credo quia absurdum.* L'exclusion d'un autre groupe, elle, fabrique le groupe de l'extérieur, en lui créant des limites. L'exclusion régulière des Juifs les montre comme un « tampon » de l'Occident chrétien : ils servent à créer de l'identité « à partir de l'extérieur » pour des groupes en remaniement et en besoin de savoir qui ils sont. Quand le groupe ne peut se dire : « Nous savons qui nous sommes », il peut au moins penser : « Nous savons que nous sommes... ceux qui ne sont pas juifs. » Dans cette perspective, les mythes qui prennent (ou reprennent) force au sein du groupe juif viennois sont en miroir de ces mythes nationaux rejetants. Des figures mythiques (des Macchabées[4] à Moïse en passant par Hannibal), une terre promise, un message messianique sont une réponse en écho à un essentialisme en recherche d'une solution nationale. L'attitude de Freud et du groupe des premiers analystes vis-à-vis

1. Solomon Ehrmann, Über die Function des Judenthums innerhalb des Menscheit un des BB innerhalb des Judenthums, *BBJ*, 4 (january 1902), 103, *in* DBK, p. 150.

2. Ici comme ailleurs, j'écris un « Les Juifs » évidemment trop globalisant même s'il sert la commodité de mon exposé. En fait, bien entendu, il s'agit de ceux que nous décrit Klein.

3. Anne-Marie Thiesse, *La création des identités nationales. Europe XVIIIe-XXe siècle,* Paris, Le Seuil, 1999.

4. DBK, p. 18.

des non-Juifs est souvent méfiante, voire à la limite du rejet. Par exemple, Freud écrit à Karl Abraham[1] qu'à la base de leur affinité intellectuelle existe une « fraternité raciale » mais à l'inverse il dit éprouver vis-à-vis de Jones un sentiment d' « étrangeté raciale ». Ne peut-on voir là une identification à l'agresseur (le groupe des Gentils, dont Jones serait en l'occurrence le représentant), un : « Là où l'on me rejette, je prétendrai que c'est moi qui ai tout loisir de rejeter l'autre ? » À l'exclusion répondrait ainsi une contre-exclusion.

— Le sentiment de supériorité peut également être entendu comme une formation réactionnelle contre l'insulte permanente, comme un : « Là où l'on me dit inférieur, je me trouverai, moi, infiniment supérieur. » Dans la Vienne de Freud, l'antisémitisme exerce une pression si considérable que très nombreux sont ceux qui se convertissent (et pas seulement les plus faibles d'esprit, par exemple Karl Kraus) ou qui germanisent leur nom (dont, entre autres, Sigismund qui devient Sigmund[2] et Rosenfeld qui devient Rank[3]). Par rapport à une telle pression, n'est-ce pas une défense efficace que de penser qu'on ne la subit pas mais qu'on la dépasse, que, comme Freud dans le train (cf. *supra*), on ne « tombe pas à son niveau » ? L'humiliation est remplacée par une mégalomanie compensatoire. Il me semble que l'on peut entendre l'esprit de défi et de détermination obstinée de Freud de la même façon. Est-il spontané ou bien n'est-il pas vraiment un choix mais la seule solution qui ménage une survie psychique ? La note finale reste cependant grinçante : Freud parle de « sacrifier sa vie avec bonheur » (cf. *supra*) à Martha... quel amer bonheur, en effet, que celui qui passe nécessairement par le sacrifice de soi-même !

La notion de supériorité intellectuelle juive mérite enfin un commentaire particulier car elle appartient à la culture ambiante de l'époque. En effet, le débat sur la supposée intelligence supérieure des Juifs fait intégralement partie des notions alors très présentes[4] dans la société viennoise (entre autres). Bénéficient-ils pour autant de ce mythe... « favorable » ? Ce n'est pas évident car, d'une part, si les écrits de l'époque décrivent le Juif comme intelligent, ils le veulent aussi sans génie ni créativité authentiques (pour tous développements voir. Gilman) ; et, d'autre part, le fait même d'avoir à se croire doté d'une intelligence supérieure indique un malaise. Bien entendu l'on ne peut douter de celle de Freud en tant qu'individu mais, au niveau social, il y a là comme le besoin d'une « sur-justification », d'un « voyez tout ce que nous apportons de bon à l'humanité » qui peut s'entendre aussi dans le réactionnel, comme s'il

1. Lettre du 3 mai 1908, DBK, p. 142.
2. DBK, p. 46.
3. DBK, p. 134.
4. Sander L. Gilman, *Smart Jews. The construction of the image of Jewish superior intelligence*, Lincoln and London, University of Nebraska Press, 1996.

fallait prouver que l'on a un « plus » pour justifier son existence au regard des autres (et au regard des autres intériorisé en soi). De la haine de soi à l'auto-idéalisation, on peut comprendre ces éléments comme autant d'impacts du rejet raciste sur le psychisme de ceux qui en sont la cible.

« ... notre personnalité sociale est une création de la pensée des autres »[1] ; pour étayer mon hypothèse d'une identité étayée sur le préjugé du milieu extérieur, il me faut l'élargir sur d'autres cas de figure qui en soient rapprochables. Je pense en particulier au travail de Mills sur les Noirs américains. L'auteur de *Blackness visible*[2] s'est attaché à montrer le statut ontologique particulier de la condition noire américaine, faite d'un assemblage de contraintes externes et d'une néo-identité interne créée à partir de ces contraintes. Pour le résumer, on pourrait dire qu' « un Noir tout seul, ça n'existe pas » sans quelqu'un qui le désigne comme tel (ce qui évoque la thèse de Sartre dans *La question juive*). Par contre, si, de l'intérieur, il n'y a pas d' « essence » noire, de l'extérieur il existe bien un statut qui contraint et donne, en une « ontologie sociale », une réalité à la négritude. Dans cette « coquille vide » va se greffer une prise de conscience de l'identité, basée sur un questionnement, un *« But what are you really ? »* (titre d'un chapitre de Mills. Le *you* désigne les Noirs). Différentes réponses vont en naître. Certaines concluront à la nécessité d'une séparation des Blancs et de Noirs perçus comme différents (Malcom X en étant le représentant extrême) et d'autres vont être assimilassionnistes (par exemple Martin Luther King Jr et le mouvement des *Civil Rights*, demandant à ce que l'égalité naturelle des uns et des autres soit reconnue au sein d'une même communauté civile). Tout un chacun vivra en son for intérieur cette contradiction intime, mélange de sentiments d'existence, de non-existence, d'autodérision ou d'autosurévaluation, de façon assez proche de l'ambivalence des Juifs de l'époque de Freud et dont témoignent chez lui les citations du début de ce texte.

Réfléchissant à la question du racisme et de ses conséquences psychologiques, j'ai été frappé par cette question de la « coquille vide » qu'il crée pour ceux qui appartiennent au groupe qui le subit. Dans son *Portrait d'un Juif,* Albert Memmi aborde ce point : « ... Ce qui fait le malheur du Juif, sinon tout *son être*, n'est pas tant ce qu'il *est* que ce qu'il *n'est pas*. Au point qu'il craint obscurément de *ne pas exister...* »[3] Cruciale, cette question hante un

1. Marcel Proust, *Du côté de chez Swann,* Paris, Grasset, 1913 ; Gallimard/Folio, p. 19, pour cette citation.

2. Charles W. Mills, *Blackness visible,* Ithaca and London, Cornell University Press, 1998. Le titre de l'ouvrage est un jeu de mots qui prend le contre-pied du roman américain *Invisible Man* dans lequel un Noir raconte comment le monde blanc l'ignore comme si, Noir, il n'était pas un être humain qui existe à ses yeux.

3. Albert Memmi, *Portrait d'un Juif,* Gallimard, 1962, p. 217. Termes soulignés par moi.

Shylock qui l'éprouve dans son être le plus intime, au point d'ailleurs de l'exprimer dans un langage corporel : « ... un Juif a-t-il pas des yeux ? Un Juif a-t-il pas des mains, des organes, des proportions, des sens, des émotions, des passions ? est-il pas nourri de même nourriture, blessé des mêmes armes, sujet à mêmes maladies, guéri par mêmes moyens, réchauffé et refroidi par même été, même hiver, comme un chrétien ? Si vous nous piquez, saignons-nous pas ? Si vous nous chatouillez, rions-nous pas ? Si vous nous empoisonnez, mourons-nous pas ?... »[1]

On le voit donc, *in fine*, le racisme vise à déposséder l'autre de son existence. Celui qui le subit s'interroge sur lui-même et son psychisme est contraint de trouver une figurabilité à ce vide qui lui est imposé. Pour ce faire, il peut piocher dans le monde qui l'entoure – un nationalisme par-ci, une image supérieure de lui-même par-là, un contre-mythe originaire mégalomaniaque... – afin de combler le vide ontologique induit en lui. Ce cheminement interne peut en particulier déboucher sur la création d'un surmoi marqué par ce rejet. Il semble que dans certains cas, là où le racisme désigne l'autre comme un délinquant, il y ait un risque qu'il ne se moule dans cette néo-identité rebelle au surmoi social[2] et qu'il ne devienne ce délinquant qu'on attend qu'il soit. Ailleurs la réaction groupale peut être celle de la constitution d'un surmoi d'autant plus exigeant, comme semble l'avoir été celui de Freud et des premiers psychanalystes mis au ban de la société en tant que Juifs[3].

Michel Sanchez-Cardenas
29 bis, rue de la Chézine
44100 Nantes

1. W. Shakespeare, *Le marchand de Venise,* trad. franç. par Jean Grosjean, Paris, Garnier-Flammarion (édition bilingue), p. 155-156.

2. Comme l'indiquent Norbert Elias et John L. Scoton, dans *Logiques de l'exclusion,* Paris, Fayard, 1997, pour la traduction française de Pierre-Emmanuel Dauzat (titre original *The Established and the Outsiders,* Sage publications, 1965).

3. À l'appui de cette thèse, on pensera aussi à comment, en France, les Juifs du XIXe siècle purent, pour certains d'entre eux, incarner la morale républicaine et s'en vouloir les phares comme le montre Pierre Birnbaum, in *Les fous de la République. Histoire des Juifs d'État de Gambetta à Vichy,* Paris, Fayard, 1992.

La mère messagère

Jean COURNUT

C'est une étrangère, une femme venue d'ailleurs. Le fils l'a ramenée, on ne sait pas d'où ; les hommes l'ont peut-être raptée ; à moins qu'elle n'ait fait tout simplement l'objet d'un marchandage, d'un échange, d'une alliance. Et c'est pourtant à elle que l'on va confier deux missions : non seulement faire un enfant qui sera inscrit dans la filiation paternelle, mais, qui plus est, elle va devoir désigner à cet enfant les valeurs de son groupe familial paternel à lui, et, si l'on peut dire, au premier chef, le père de sa préhistoire, et, ce faisant, son idéal du moi.

C'est un des mérites du rapport de G. Diatkine que d'avoir remarquablement évoqué le rôle de cette mère dans la transmission, rôle relativement peu évoqué dans la littérature analytique. On parle de féminin, de féminité, de sexualité féminine, de mère archaïque, folle, œdipienne, etc., mais, sauf erreur, on a peu étudié le *statut de la mère en tant qu'elle est une femme mariée.* Mariée au sens d'une alliance, d'un contrat avec échange, marque symbolique et rituel de passage. Cette mère ne sera messagère que parce qu'elle est d'abord femme du père, et, dès son entrée dans l'alliance, objet d'une double prescription : faire un enfant au père et désigner à cet enfant son histoire, sa généalogie et ses origines. En termes freudiens, évoquer les origines c'est remonter au meurtre du père primitif. On se souvient de la phrase célèbre : « Les hommes ont toujours su qu'ils ont possédé un jour un père primitif et qu'ils l'ont mis à mort. »

Le meurtre du père de la horde

Évidemment, le rôle de la mère messagère est à envisager dans la perspective de la question de ce meurtre d'un père primitif. Est-ce un mythe originaire ? Non, Freud insiste : c'est « une vérité historique ». Sa nécessité conceptuelle est de fonder une culpabilité inconsciente, à la fois individuelle et collective, transculturelle et transhistorique, mais une culpabilité acquise, non pas de nature, mais consécutive au meurtre initial et ensuite transmise de génération en génération, et d'individu à individu.

Donc question : une culpabilité acquise est-elle possiblement transmissible par hérédité des caractères acquis ? On a beaucoup discuté et contesté l'attachement de Freud à cette théorie lamarckienne de l'hérédité des caractères acquis. En fait, une autre question, corrélative, est en l'occurrence bien plus intéressante, elle concerne non pas le caractère éventuellement acquis de cette transmission mais cette transmission elle-même. La culpabilité dite ancestrale ne serait-elle pas tout simplement inclue dans la structure œdipienne de l'humain avec seulement un déplacement temporel effectué dans et par le discours de la mère ? La mère messagère – j'y reviens dans un instant – dit en quelque sorte à son enfant que sa haine œdipienne envers son père-rival procède d'une vieille querelle des temps jadis. Autrefois, à l'origine des âges farouches, vivait un héros. Il était très fort, très puissant, c'était lui le père, le chef. Mais un jour, ses fils se sont ligués contre lui, ils l'ont tué et ils l'ont mangé. En lui racontant ainsi ce conte :

1 / La mère offre à l'enfant la geste cannibalique propice à une identification primaire.

2 / Elle lui dit sa préhistoire et celle de l'humanité.

3 / Elle lui confirme son nom, sa filiation.

4 / Elle lui désigne son idéal du moi à lui.

5 / Elle lui atténue son drame œdipien en lui racontant un roman familial issu, certes, de ses propres fantasmes à elle, mais aussi de ce qu'on lui a dit de dire, de ce qu'on lui a prescrit, du discours dont on l'a faite messagère. En somme, si « les hommes ont toujours su qu'ils ont possédé un père primitif et qu'ils l'ont mis à mort », c'est parce que leur mère le leur dit, et qu'une parole de mère, œdipienne et complice en plus, c'est, si j'ose dire, la vérité du bon Dieu...

Le message

Outre le fait qu'elle est l'objet des désirs rivaux des deux autres partenaires du triangle œdipien, la mère, soumise aux prescriptions de l'alliance, doit renoncer au système de valeurs de son propre groupe familial d'origine, de sa filiation à elle. Renoncer, est-ce à dire refouler ? En tout cas, cette nouvelle situation ne va sans doute pas manquer de réveiller en après coup des conflits infantiles. *On peut même supposer que cette femme, mariée devenue mère, va fonctionner mentalement comme les enfants qui acceptent apparemment les explications des adultes mais continuent inconsciemment d'adhérer à leurs théories sexuelles à eux.*

En corrigeant la prononciation du *Shibboleth,* la mère est messagère d'une castration possible au cas où l'enfant enfreindrait l'ordre paternel. Cette menace de castration réveille sûrement celle que cette femme a elle-même subie, et qui, en plus, se trouve répétée dans l'actualité. En effet, si elle trahit, elle, l'ordre paternel de son mari, elle sera répudiée. Pire, elle sera niée en tant que sujet, pour n'être plus qu'une mère porteuse. Cela s'appelle « la purification ethnique », « pure culture » paternelle (c'était déjà dans Eschyle et Euripide).

Le coût du message

La situation sociale et symbolique de cette femme mère est donc déjà précaire et menacée, un conflit intrapsychique l'aggrave encore dû à des qualités d'angoisse qui risquent fort d'envahir cette femme venue d'ailleurs.

1 / Angoisse de séparation de son « corps » familial à elle. Une patiente dit : « Le jour de mon mariage j'ai compris que je perdais père et mère. »

2 / Angoisse d'intrusion à... pénétrer ainsi dans ce nouveau corps familial qu'est la famille de son mari, là où elle vient pour être elle-même pénétrée et fécondée. Une patiente dit : « Dans cette famille, il a fallu que je les viole pour entrer, mais ils me l'ont bien rendu ! »

3 / Angoisse de morcellement à la crainte de désorganiser ce corps familial nouveau pour elle, l'étrangère. Une patiente dit : « Chaque fois qu'il y avait un drame c'était de ma faute ; pour eux je suis toujours restée l'étrangère ; ils n'ont eu de cesse de me briser ! »

Toute cette affaire, on le voit, est tissée de violence, d'ambivalence, de contradictions, d'amour et de haine, et, pour tout dire : de conflits, intrapsychique chez la mère et aussi bien chez l'enfant. Celui-ci est tributaire de deux lignées de filiation, chacune inductrice de conflits.

Investissement et identification au père, c'est conflictuel dans le contexte œdipien.

Investissement et identification du côté de la mère, c'est tout autant conflictuel dans la mesure où la désignation, par la mère, du père de la préhistoire, ne peut pas, chez la mère, ne pas être à tout le moins controversée. L'enfant va hériter, si l'on peut dire, des retours du refoulé maternel.

La trahison du double

On ne peut pas, d'autre part, négliger le fait que pour l'enfant, lui qui vit sa mère en double narcissique, la moindre défaillance dans le rôle auquel cette mère est assignée par rapport à la lignée paternelle de l'enfant sera ressentie par celui-ci comme une blessure narcissique ; c'est le cas classique de la liaison extra-conjugale de la mère qui ne déclenche pas seulement un drame œdipien mais atteint chez l'enfant son propre idéal du moi dans la figure du père ainsi dévaluée. Heureusement, comme le dit G. Diatkine, le surmoi culturel relaie la mère et cadre ainsi l'enfant et ses propres conflits.

Revaloriser le conflit

L'étude des contradictions et oppositions entre les diverses instances de la psyché, notamment entre surmoi individuel et surmoi culturel a, entre autres, l'intérêt de nous inciter à *revaloriser la notion même de conflit psychique, d'autant qu'à notre époque, cette insistance est nécessaire et urgente.*

En effet, on a actuellement tendance à décrire amplement la dépression, la perte de l'estime de soi, la performance obligatoire et ratée, l'échec par impuissance, le renoncement par épuisement, la fatigue d'être soi, etc., tout ceci à l'encontre du conflit et de la culpabilité. On pourrait supposer que l'étude des pathologies narcissiques et des troubles identitaires a mis en quelque sorte le narcissisme à la mode, au détriment d'un œdipe trop bien connu et usé. Mais cette hypothèse n'est bonne que pour le sérail. En effet, sous couvert de valoriser le narcissisme, sa pathologie et les travaux importants dont il a été l'objet, la manœuvre n'est ni gratuite ni innocente. Dire que les gens, ou même une culture, sont dépressifs, déprimés, mornes, moroses, cultivant la déréliction de l'échec, en manque d'idéal du moi, traînant un moi idéal sobre et un surmoi sec, c'est, tout compte fait, attendre et espérer l'idéologie qui réveille, la mystique qui enflamme, le leader, le prophète, je n'ose pas dire le messie. C'est aussi prôner la rééducation des comportements, le recours aux psychotoniques et psychotropes et à toutes les méthodes de thérapie revitalisantes, développementales et suggestionnantes. C'est comme cela que l'on crée de la demande ; l'offre et le marché sont surabondants ; psychopharmacologie et psychomanipulations de tout poil sont prêtes à l'emploi.

À l'inverse de la dépression généralisée, le conflit et la culpabilité sont, évidemment, plus difficiles à traiter ! Sous nos climats, il n'existe guère que trois méthodes : la première c'est l'expiation, la contrition et le pardon par rédempteur interposé ; mais c'est un peu désuet. La deuxième consiste à consommer, à se défoncer, à « s'addictionner », à se shooter d'abord pour y aller, et après, pour dormir, sans rêves. La troisième méthode consiste à analyser le conflit pour le dépasser, le réduire à son actualité, et à le vivre en s'étayant sur la culpabilité, car celle-ci a un grand mérite, celui d'être une preuve de l'existence et de la consistance d'un sujet, et de sa valeur narcissique. Coupable : donc capable. Et c'est bien là ce que transmet la mère messagère...

Jean Cournut
4, rue du Vert-Bois
75003 Paris

IV — Culture, groupe et société

L'enfer de la pureté

Roger PERRON

Il était une fois un petit groupe d'hommes et de femmes qui aspiraient à un univers meilleur. Un Maître très sage leur avait révélé ce que nul auparavant n'avait compris. Ils avaient révéré sa parole et bu son enseignement comme rosée du matin. Serrés autour de lui, ils avaient constitué le premier cercle de ceux qui un jour, espérait-il, allaient se répandre dans le monde pour y porter la bonne parole. Ils avaient juré de consacrer leur vie à la Cause. Car ils savaient l'origine du mal dans le monde, et ils savaient comment y mettre fin.

Ils formèrent des disciples. Ils ajoutèrent au Livre du Maître leurs propres écrits, qui allaient ensuite, pendant des générations, occuper les nuits studieuses d'innombrables adeptes.

Et pourtant, sans qu'ils comprissent bien pourquoi, le mal se réinfiltra dans ce groupe des purs. Chacun souhaitait être le fils aîné du Maître, et celui-ci eut la faiblesse de laisser croire à l'un ou à l'autre qu'il était l'élu. Plus tard, ceux qui ne l'avaient pas connu se flattèrent de tenir du Fils aîné, initié lui-même par le Maître révéré, la pureté du vrai savoir. Ils se jalousèrent, s'accusant les uns les autres de trahir l'enseignement du Maître. Deux ou trois furent schismatiques et partirent de par le monde en prétendant avoir trouvé une vérité plus vraie ; ils furent en abomination aux plus fidèles, dès lors appliqués à commenter pieusement la glose des écrits sacrés. Certains, pensant qu'au sein même de la Cause la vraie parole s'était affadie, levèrent l'étendard du « retour à la vraie Parole du Maître ».

Mais ce n'était rien auprès de ce qu'il leur fallut endurer d'un monde hostile, en proie au Mal et qui ne pouvait tolérer des vérités que, de temps immémoriaux, on s'était appliqué à méconnaître. On les accusa, comble d'horreur, d'immoralité. Alors ils firent la preuve de leur pureté en déclarant que les Purs s'abstiendraient rigoureusement de relations sexuelles entre maîtres et disciples. Car les disciples, qui se pressaient en foule, n'étaient pas encore débarrassés de leurs plus viles pensées, et, pleins d'émotion, aspiraient parfois à un contact charnel que ces malheureux tenaient à tort pour le bien suprême.

Les Purs se répandirent et se multiplièrent dans quelques États tolérants ou indifférents. Mais ailleurs il se trouva des princes jaloux de leur pouvoir pour craindre de voir dénoncées les vraies sources de la fascination qu'ils exerçaient sur leurs sujets, et qui les persécutèrent. Alors les Purs de ces États décidèrent de continuer à servir clandestinement la Cause. Leur exemple fut tant tenu à honneur par leurs frères des États tolérants qu'il s'y trouva des Purs pour préparer leur retraite dans d'obscures Catacombes, s'il advînt que le Mal triomphât pour un temps.

Mais les plus déterminés s'accordèrent à penser que, si elle ne se donnait un pouvoir temporel, la Cause était en grand danger de périr. Alors on vit s'ordonner entre les uns et les autres une hiérarchie en fonction du degré de pureté et du dévouement à la Cause. En bas la masse des laïcs, aux lumières incertaines et à la foi vacillante ; puis les disciples, fiers d'être entrés dans les voies de la Pureté mais anxieux de peut-être y échouer s'il se révélait que leur manquait la Grâce ; puis les quelques-uns qui avaient franchi ce cap et se trouvaient ordonnés prêtres ; puis les Parfaits, parmi lesquels étaient choisis des évêques parfois réunis en conciles.

Et pourtant le Mal, non content de régner autour d'eux, s'insinuait parmi eux. Il advint que des évêques se disputèrent, chacun prétendant être plus fidèle au Maître et accusant d'autres de le trahir. Des conclaves chassèrent des schismatiques, qui pourtant, aveuglés, continuèrent à former des disciples. Les institutions de la Vraie Foi, en grand danger de s'éparpiller, se firent plus rigides. Elles se durcirent aussi parce que, tout autour d'elles proliféraient les adeptes d'autres croyances qui les accusaient d'obscurantisme, et de se dévouer à un Maître depuis longtemps désuet.

Alors il advint que, au sein même de la Vraie Foi, se levèrent des prêcheurs disant : mes frères, le Mal est en nous. Notre foi a été créée par le Maître pour combattre le Mal, mais il nous a dit aussi que le Mal est en nous-mêmes. Regardez, mes frères, ce qui se passe parmi nous. Certains se laissent aller à des pensées relâchées, et d'autres même à des pratiques condamnables. La discorde est parmi nous parce qu'elle est en nous. Peut-être est-ce notre destin que de périr du Mal que nous voulions combattre, peut-être était-ce écrit dès l'origine. Mais il appartient aux Purs d'entre les Purs, si rares mais dont nous portons la parole, de le proclamer.

Alors les princes et les prêtres d'autres Églises se coalisèrent et organisèrent des Croisades pour exterminer les Purs, déjà prêts au sacrifice, et qui périrent en grand nombre. En mars 1244 fut prise leur dernière forteresse, Montségur.

Ainsi disparurent les Cathares. Car bien sûr c'est leur histoire que je viens de rappeler. Les psychanalystes ne sont certainement pas des Cathares. Alors pourquoi cette histoire m'est-elle revenue en mémoire en lisant le rapport de Jacques Mauger et Lise Monette, et en écoutant à Montréal leur « défense » ?

Roger Perron
6, rue Damesme
75013 Paris

Ôter la vie, ôter la mort[1]

Pérel WILGOWICZ

Dans ses textes sur la culture et sur la psychologie collective[2], Freud interroge de différentes façons les déraisons de la destructivité et de la guerre, « pourtant conforme à la nature, biologiquement très fondée et pratiquement, presque inévitable ». Les raisons de s'élever contre la guerre sont à ses yeux évidentes : « Parce que tout homme a un droit à sa propre vie, parce que la guerre détruit des vies humaines chargées de promesses, place l'individu dans des situations qui le déshonorent, le force à tuer son prochain, anéantit de précieuses valeurs matérielles, produit de l'activité humaine, etc. » Il ajoute : « La guerre, sous sa forme actuelle, ne donne plus aucune occasion de manifester l'antique idéal d'héroïsme et... la guerre de demain, par suite du perfectionnement des engins de destruction, équivaudrait à l'extermination de l'un des adversaires, ou peut-être même des deux. »

Panorama des horreurs à venir dans la civilisation. En 1915, les Turcs s'étaient en toute impunité livrés aux massacres des Arméniens. Freud, sensibilisé par la guerre de 1914-1918, avait pressenti l'ampleur de la destructivité à venir, bien qu'il n'ait pas eu connaissance des dangers proches d'une conflagration mondiale, de la Shoah et des camps d'extermination nazis (dans lesquels périrent quatre de ses sœurs), de « l'épuration ethnique et politique » perpétrée par les Khmers rouges au Cambodge, de celles auxquelles nous

1. Ce travail a été publié dans le n° 37 du *Bulletin de la SPP* (1995), à la suite d'une rencontre organisée en 1993 par A. Anargyros, J. Asher, G. Goldzal et moi-même sur « Les figures individuelles et collectives du Surmoi » (leur rapport à la violence et à la mort). Il est remanié dans ce texte.

2. S. Freud (1917), Considérations actuelles sur la vie et sur la mort, *Essais de psychanalyse*, Paris, PBP, 1981 ; (1921), Psychologie des foules et analyse du moi, *Essais de psychanalyse*, PBP, 1981 ; (1927), *L'avenir d'une illusion*, Paris, PUF, 1995 ; (1929), *Malaise dans la civilisation*, Paris, PUF, 1992 ; (1932), Pourquoi la guerre ?, *Résultats, idées, problèmes*, Paris, 1985 ; (1933), *Nouvelles conférences sur la psychanalyse*, Paris, Gallimard, 1984.

avons assisté quasiment en direct devant nos postes de télévision en ex-Yougoslavie, du génocide au Rwanda. Pour lui, le développement de la culture – il hésite entre ce terme et celui de civilisation dans sa lettre à Einstein – la maîtrise de la vie instinctive, la limitation des réactions impulsives de destructivité devraient mettre un terme à la guerre.

Le mot allemand *Kultur* est traduit par « civilisation » en français dans *Malaise dans la civilisation*[1]. Pourtant une distinction entre ces deux termes me semble féconde dans notre langue pour aborder notre sujet. La civilisation – opposée à la barbarie – est l'ensemble des institutions mises en place par les êtres humains pour se protéger contre la nature et réglementer les rapports sociaux. Elle est menacée par « cette hostilité primaire » et « le narcissisme des petites différences » qui opposent les hommes les uns aux autres, traversés qu'ils sont par leurs tendances à l'agression.

> « La civilisation doit tout mettre en œuvre pour limiter l'agressivité humaine et pour en réduire les manifestations à l'aide de réactions psychiques d'ordre éthique. »

Civiliser, selon *Le Robert,* c'est faire passer une collectivité d'un état plus primitif à un état plus évolué dans l'ordre moral, artistique, technique... Cultiver, c'est développer une action en vue d'en obtenir le produit. Le terme de culture, qui appelle un quantitatif, n'est devenu synonyme de civilisation u'au sens figuré. Les deux impératifs « Tu ne tueras pas », et « Aimes ton prochain comme toi-même », qui imposent renoncement et obligations morales, garantissent la préservation de la vie en commun et des idéaux collectifs.

L'horreur dans la civilisation surgit lorsque les valeurs et les lois qui la régissent sont bafouées. « Tu tueras », proclame le chef des armées. « Exècres ton prochain pour n'aimer que toi et ceux qui te ressemblent », exige le leader qui incarne raison d'état, totalitarisme, racisme, volonté de génocide. Dans l'enfer – dans l'envers – de la civilisation mise à feu et à sang, le crime est promu au rang de précepte, le meurtre organisé s'est fait loi, la justice des hommes n'a plus sa raison d'être.

Alors que les criminels de droit commun, qui sont des individus en conflit avec la société, relèvent d'un jugement pénal, une justice d'exception est requise en cas de conflits guerriers. Les crimes de guerre perpétrés, s'ils n'incitent pas à un cycle interminable de vengeance, seront jugés en référence à la convention internationale de La Haye de 1907 sur les lois et coutumes de guerre.

1. S. Freud (1929), *Malaise dans la civilisation*, Paris, PUF, 1992.

La notion de « culture de guerre » dans le domaine de l'historiographie est récente. Elle s'applique en particulier à la Grande Guerre de 1914-1918. Dans cette perspective « la guerre mondiale fut largement orientée, dans sa violence radicale, par la culture de guerre elle-même. Celle-ci ne serait pas une conséquence de la guerre, mais sa véritable matrice »[1].

Toute « culture de guerre » est, par essence, homicide et, de surcroît, filicide. Ce sont des hommes jeunes que l'on envoie aux combats. Les civils, il est vrai, sont également pris comme cible dans les guerres contemporaines. Cette notion d'une culture d'agression et de destructivité paraît encore plus pertinente lorsqu'il est question de génocide. L'anéantissement programmé de tout un peuple est bien l'aboutissement d'une « culture d'extermination »[2]. La Shoah, la destruction systématique des Juifs d'Europe organisée par les nazis, n'a pas surgi inopinément au XXe siècle. Elle succédait à une longue et lente évolution de pratiques séculaires antijuives inspirées par des théories à bases théologiques, politiques, puis à l'avènement d'une idéologie raciste (cf. les travaux de Raoul Hilberg[3]). Le fonctionnement des structures administratives, de l'appareil bureaucratique indispensables à la réalisation de la « solution finale » nécessitait la participation et la collaboration d'exécuteurs à tous les étages de la hiérarchie : fonctionnaires, hommes de partis, grands commis de l'État, policiers et soldats, représentants de tous métiers et de toutes professions, médecins, juristes, ingénieurs, entrepreneurs. La construction et la mise en marche des chambres à gaz se firent sans obstacle.

Pour juger ces « crimes contre l'humanité », il fallut après la guerre faire appel à une juridiction internationale (Procès de Nuremberg et procès de Tokyo, 1945-1946) et imposer la notion d'imprescribilité, indispensables à la prise en compte tant des responsabilités individuelles que collectives. Le terme de génocide, proposé par Raphaël Lemkin dès 1943, ne sera adopté qu'en 1954. La question de la culpabilité des meurtriers reste entière, ceux-ci se retranchant derrière leurs obligations d'obéissance à leurs chefs, à des ordres émanés du Fürher.

On considère comme faisant partie de la première génération de la Shoah tous ceux qui furent, ou étaient susceptibles d'être exterminés du fait même de

1. S. Audouin-Rouzeau, A. Becker, J. J. Becker, G. Krumeich, J. Winter, Épilogue, souffrances, attentes et consentement, numéro spécial du journal *Le Monde*, 1994 ; *14-18, retrouver la Guerre*, Paris, Gallimard, 2000.

2. J. Gillibert, Culture d'extermination, in *Malaise dans la civilisation, RFP*, Paris, PUF, t. LVII, octobre-décembre 1993.

3. R. Hilberg (1988), *La destruction des Juifs d'Europe*, Paris, Fayard ; *Exécuteurs, victimes, témoins. La catastrophe juive, 1943-1944*, Paris, Gallimard, 1994.

leur naissance. Oter la vie à tout un peuple, c'est interdire toute naissance, c'est clore définitivement l'avenir. C'est aussi ôter la mort.

L'entreprise de déshumanisation gigantesque mise en place par les nazis, depuis les autodafés de 1933 (des livres de Freud parmi d'autres), la loi pour la protection du sang et de l'honneur de 1935, l'abolition et la destruction de la personne juridique de 1938 pour les Juifs, les ghettoïsations dans les villes à partir de 1941, les tueries organisées jusqu'à la déportation, les centres de mise à mort et les chambres à gaz, trouvaient leur justification dans une propagande savamment dosée et exploitée. Le but poursuivi était de faire disparaître chez les victimes les marques d'appartenance à la communauté des vivants, d'interdire toute vie scandée par des rituels religieux ou sociaux, d'effacer la mémoire du passé et de l'avenir ; il fallait supprimer les traces des atrocités commises, et jusqu'à celles du passage sur la terre de ces êtres humains, sauf à créer quelques musées zoologiques. Il n'était pas suffisant de leur ôter la vie, il était en outre impératif de leur ôter leur mort. Ni nom ni date de naissance, mais un numéro. Ni funérailles ni sépulture. Ni cadavres ni urnes funéraires ; seulement l'odeur disparue des fours crématoires et les cendres répandues sur les terres où les herbes ont repoussé. Ni naissance ni mort !

Les idéologues du génocide, en déniant aux victimes ces deux termes de la vie, événements qui inscrivent chaque individu dans une communauté humaine, œuvrent pour un lendemain où il n'y aura ni ascendance ni descendance pour les persécutés. C'est ce processus mortifère à l'égard d'une collectivité qu'il me semble pouvoir qualifier de « vampirisme historique », « de masse ». J'y reviendrai.

Hannah Arendt, qui a peut-être trop tendance à assimiler l'une à l'autre l'expérience totalitaire et l'expérience d'extermination, a néanmoins bien vu que, si pour les déportés, il s'agit d'une situation insensée, pour l'idéologue, il serait plutôt question de « sursens ».

> « Si les détenus sont de la vermine, il est logique qu'on doive les tuer avec des gaz toxiques ; s'ils sont dégénérés, on ne doit pas les laisser contaminer la population ; s'ils ont des âmes d'esclaves (Himmler), personne ne doit perdre son temps à les rééduquer. Du point de vue de l'idéologie, le défaut des camps de concentration est presque d'avoir trop de sens, et l'exécution de la doctrine est très cohérente »[1].

Lorsque la culture de la terreur, l'autorité et la loi, inversées, confiées à des exécuteurs exerçant sans scrupules, sans culpabilité ni honte, un droit de vie et de mort sur des hommes et une collectivité, servent le projet d'un tyran

1. H. Arendt (1972), *Les origines du totalitarisme*, Le Seuil, 1972 ; *Eichman à Jérusalem*, Paris, Gallimard, 1991.

qui asseoit son pouvoir sur le culte de sa personnalité, que deviennent les différentes instances psychiques de chacun dans leurs rapports aux Idéaux et au Surmoi collectifs ?

Freud a notablement déchiffré ces champs de désastres, en partie à partir de la notion du Surmoi et de ses variations dans la pathologie individuelle. Mélancolie et manie sont repérées, l'une par rapport à l'hyperexigence du Surmoi, l'autre par rapport à sa laxité et son état de fusion avec le Moi. L'une témoigne d'une tendance du Moi à se restreindre, l'autre à se libérer d'un joug qu'elle trouve excessif, et, par là, à donner libre cours à ses impulsions agressives et à ses pulsions destructives. Se profile ainsi la discussion fondamentale d'un « Au-delà du principe de plaisir » au sein même de la tension entre le Moi et le Surmoi de Thanatos (cf. Gérard Goldzal[1]). Notons que le terme utilisé par Freud dans le texte allemand est *kulturarbeit.* Que les foules puissent obéir comme un seul homme à ces deux oscillations, mélancolique et maniaque, donne à entendre la grande fragilité du Surmoi, sa flexibilité, ses aptitudes à la régression. Mais la question qui prédomine concerne alors celle des identifications, par rapport à l'emprise du leader et de son idéologie. Qu'il n'y ait pas d'opposition à leurs influences conjuguées, au point que toute conscience morale soit abolie, toute critique éteinte, toute pensée personnelle étouffée, conduit à interroger les parts respectives des identifications *œdipiennes*, *narcissiques* et, à mon sens, *vampiriques.*

Déjà La Boétie, en 1546, avait perçu quelques traits propres aux émules du tyran :

> « Toujours, il a été que cinq ou six ont l'oreille du tyran et s'y sont approchés d'eux-mêmes... Ces six ont six cent qui profitent sous eux, et font de leur six cent ce que les six font au tyran. Ces six cent en tiennent sous eux six mille... Grande est la suite après cela, mais les cent mille, mais les millions, par cette corde se tiennent au tyran »... Et plus loin : « Ceux qui sont tâchés d'une ardente ambition et d'une notable avarice s'amassent autour (du tyran) et le soutiennent pour avoir part au butin, et être, sous le grand tyran, tyranneaux eux-mêmes »[2].

Peut-on reconnaître là une identification au père de la horde, vivant ? Une identification source de profit et de la transmission d'un pouvoir comparable à celui du tyran, qui s'est donné celui d'un Dieu ? Que sont alors devenus les idéaux du Moi et collectifs, sauf à être identifiés à ceux du despote ? Seule la loi du plus fort fait la loi. Droits de l'homme et démocratie n'ont pas droit de cité.

1. G. Goldzal, À propos de la guerre, *in* Surmoi et violence collective, *Bulletin de la SPP,* n° 37, 1995.

2. La Boétie (1546), *Discours de la servitude volontaire*, Paris, Payot, 1985.

Les expériences faites par S. Milgram sont saisissantes à cet égard : deux personnes, dans un laboratoire de psychologie font une enquête sur la mémoire et l'apprentissage. Le moniteur, prend place devant un impressionnant stimulateur de choc, qui comporte des manettes. L'élève, dans une autre pièce, visible mais non audible, est en fait un acteur. Il a la consigne d'apprendre une liste de couples de mots. C'est le moniteur qui est le véritable sujet de l'expérience. Il doit administrer une charge électrique si l'élève se trompe, avec des charges de plus en plus fortes. Le moniteur est alors pris entre son désir de s'arrêter, de rompre avec l'autorité, et les injonctions à poursuivre de celle-ci. L'expérience consiste à découvrir à quel moment cette rupture se produit. De nombreux moniteurs placés dans les circonstances continuent à obéir aux ordres de l'expérimentateur.

« C'est peut-être là l'essentiel de notre étude : des gens ordinaires, dépourvus d'hostilité, peuvent, en s'acquittant simplement de leur tâche, devenir les agents d'un atroce processus de destruction »[1].

Si l'application et l'adhésion à une consigne sans critique en laboratoire est possible, comment ne le serait-elle pas dans des circonstances organiquement hiérarchisées ? Il ne s'agit même plus, dans ce cas, d'envier une place identique à celle du donneur, mais d'une identification, faudrait-il dire adhésive, hypnotique ou vampirique, à l'ordonnateur, identifié à l'ordre lui-même, à l'idéologue et à l'idéologie ?

Le « naufrage spirituel », dont parle Primo Levi[2], et dont des millions d'êtres humains avec lui furent victimes, n'a pu surgir et s'étendre que parce qu'un grand nombre d'exécuteurs trouvaient en eux-mêmes des éléments propres à favoriser la réalisation et l'assouvissement de leurs pulsions agressives et sadiques, de leurs vœux barbares secrets, peut-être plus encore l'expansion d'une toute-puissance que la collectivité nazie, par son aval, ne venait plus réfréner. Adéquation entre des idéaux narcissiques et collectifs grandioses, pervertis ? Rappelons cette phrase de Goebbels : « L'histoire se souviendra de nous : nous aurons été les plus grands hommes d'État de tous les temps, ou les plus grands criminels. »

Sommes-nous encore sur le terrain du Surmoi qui pourtant, comme nous le savons, puise une grande part de ses forces vives dans le ça, « cette partie obscure, impénétrable de notre personnalité (que) nous appelons chaos, marmite pleine d'émotions bouillonnantes ? » Sur le plan individuel comme sur le plan collectif, bourreaux et exécuteurs ont suivi une pente régressive que la

1. S. Milgram (1974), *Soumission à l'autorité*, Paris, Calmann-Levy, 1974.
2. P. Levi, *Si c'est un homme*, Paris, Julliard, 1987.

« banalité du mal » et la routine quotidienne authentifie et renforce encore plus.

> « Les monstres existent mais ils sont trop peu nombreux pour être vraiment dangereux ; ceux qui sont plus dangereux, ce sont les hommes ordinaires, les fonctionnaires prêts à croire et à obéir sans discuter, comme Eichmann, comme Hoss, le commandant d'Auschwitz, comme Stangl, le commandant de Treblinka. »

Héritier du complexe d'Œdipe, le Surmoi garantit la loi de l'interdit de l'inceste et du parricide, les identifications œdipiennes et postœdipiennes bisexuelles. Il inscrit, en même temps que le complexe de castration, le refoulement et la conscience morale, l'espace à trois dimensions et la temporalité des trois âges humains, inclus dans l'énigme de la Sphynge. Le sujet, qui a reconnu ses vœux incestueux et meurtriers infantiles, et la nécessité du renoncement, est entré dans le champ de la culpabilité, mais aussi de l'aptitude à penser, du langage, de la symbolisation et de la sublimation. L'Idéal du Moi, héritier du narcissisme primaire, s'il tente de récupérer la toute-puissance perdue, oriente vers l'illusion. Si l'on suit Freud, le Surmoi coupe l'enfant de la mère, l'Idéal du Moi le pousse à la fusion. Toutefois, si le premier est le terreau de la culpabilité, le deuxième est celui de la honte. L'exécuteur en ignore l'une et l'autre, même lorsqu'il passe devant la justice. Il n'a pas, et n'a pas eu d'état d'âme. Il n'a pas besoin d'âme. Quant à la foule, elle a régressé à l'état de la horde. L'ordre émane d'en haut, qui relie ceux qui la composent les uns aux autres en un seul but : elle n'a plus qu'à exécuter, à s'exécuter. En elle, ces deux formes d'actes s'articulent et se conjoignent. L'individualité s'efface au profit d'une « monoculture destructive de la civilisation ».

Cette double régression, individuelle et collective, prévaut lorsque le Surmoi a été délogé par l'Idéal du Moi et, surtout, par le Moi Idéal. Il semble en effet pertinent, pour notre propos, de distinguer ce concept au sein de la complexité des fluctuations freudiennes concernant le Surmoi, comme cette part qui dégénère lorsque le complexe d'Œdipe n'a pas été surmonté. J.-L. Donnet[1], C. Athanassiou[2], dans leurs travaux, ont mis l'accent sur les ambiguïtés du Surmoi. Le Moi idéal conçu, selon les auteurs, comme « ce moi encore inorganisé uni au ça » (H. Nunberg[3]), ou comme « cet idéal narcissique de toute-puissance qui ne se réduit pas à l'union du Moi avec le Ça, mais comporte une identification primaire à un autre être, investi de toute-

1. J.-L. Donnet, *Le Surmoi,* I, coll. des Monographies de la *Revue française de psychanalyse,* Paris, PUF, 1995.
2. C. Athanassiou, *Introduction à l'étude du Surmoi*, Meyzieu, Césura, Lyon Édition, 1995.
3. H. Nunberg, *Principes de psychanalyse*, Paris, PUF, 1957.

puissance, c'est-à-dire à la mère » (D. Lagache[1], est pris en considération également par un certain nombre d'auteurs contemporains : P. Marty[2], A. Green[3], entre autres. Telle est aussi l'opinion de Gilbert Diatkine. Telle était également la position partagée par A. Anargyros, G. Goldzal, J. Ascher et moi-même lors de la rencontre que nous avions organisée en 1994 sur « Les figures individuelles et collectives du surmoi (leur rapport à la violence et à la mort) ». C'est à mon sens ce qui opère au cœur du « vampirisme », lorsque la distinction des limites s'estompe, que le « dispositif Moi-Idéal / Idéal du Moi », décrit par G. Diatkine est atteint, que des lignes de clivage structurelles ayant tracé les butées régressives du dispositif Idéal du Moi / Surmoi favorisent, sur le plan individuel mais plus encore sur le plan collectif, une emprise désubjectivante. Les modalités de régression du Surmoi au Moi Idéal dépassent sans doute nos capacités d'appréhension. La métaphore du cristal utilisée par Freud dans *La personnalité psychique*, applicable au Moi de l'individu, peut l'être également à la civilisation, *dont les « complexes belligènes »* décrits par le polémologue G. Bouthoul[4], comme les *cultures de destruction et de guerre*, à plus forte raison *d'extermination*, constitueraient autant de lignes de fracture.

« Jetons un cristal par terre, il se brisera non pas n'importe comment, mais suivant ses lignes de clivage, en morceaux dont la délimitation quoique invisible, était cependant déterminée par la structure du cristal. »

La transmission est en outre, pour Freud, l'affaire du Surmoi qui, chez l'enfant, « ne se forme pas à l'image des parents, mais bien à l'image du Surmoi de ceux-ci ». Et aussi « l'humanité ne vit pas que dans le présent : le passé, la tradition de la race et du peuple persistent dans les idéologies du Surmoi ». Freud voit dans ses interdits la mise en perspective avec le meurtre du père de la horde primitive, les refoulements des traces laissées par une « série infiniment longue de générations de meurtriers qui, comme nous peut-être, avaient la passion du meurtre dans le sang ».

Selon Freud, le meurtre dont il est question est le parricide. Mais dans les cultures de destructivité, d'extermination, le crime perpétré l'est contre l'humanité, contre des individus et la communauté qu'ils forment, lesquels, respectivement, n'ont plus droit à l'existence, pas plus à la naissance qu'à la mortalité naturelle, pas plus à une généalogie qu'à une transmission vivante. Il y a une visée d'extinction de toute filiation. Dans ses tendances régressives

1. D. Lagache, La psychanalyse et la structure de la personnalité, in *La psychanalyse,* vol. VI, Paris, PUF, 1961.

2. P. Marty, *Les mouvements individuels de vie et de mort*, Paris, Payot, 1976.

3. A. Green, *La déliaison*, Paris, Les Belles Lettres, 1992.

4. G. Bouthoul, *Traité de polémologie*, Paris, Payot, 1970.

vers le Moi Idéal, le Surmoi quitte le terrain triangulaire de l'Œdipe et de l'Éros pour faire place à une culture mortifère pour l'autre, l'étranger, le différent et ne reconnaître que celui, à l'identique d'un leader auto-engendré, n'engendre à son tour qu'adeptes, exécuteurs et bourreaux, fut-ce sous la forme de fonctionnaires hyperadaptés. Cette filiation délétère s'inscrit dans un « processus vampirique d'asubjectivation/désubjectivation »[1] massif, dont l'infanticide et le matricide, ou plutôt le parenticide, seraient les enjeux, dont le Moi Idéal serait le vecteur le plus sûr. Les grands hommes de notre culture psychanalytique, Œdipe, Moïse, le Christ, étaient voués à l'infanticide. Le « vampirisme de masse » articulé sur la prégnance du Moi Idéal individuel, constituerait-il, sur le plan collectif, cette pure culture de pulsion de mort qui se déchaîne en destructivité collective ?

> « Aussi l'histoire primitive de l'humanité est-elle remplie de meurtres. Ce que nos enfants apprennent encore de nos jours dans les écoles, sous le nom d'histoire universelle, n'est pas autre chose qu'une succession de meurtres collectifs, de meurtres de peuple à peuple » (S. Freud).

Qu'en est-il du destin de l'individu et de la civilisation quand seul le destin des pulsions de mort régit le grand jeu de la vie d'Éros et de Thanatos ? Sans pouvoir engager dans le cadre de cet exposé une discussion sur la désintrication pulsionnelle et sur la pulsion de mort, notons l'intérêt des auteurs contemporains pour cette conceptualisation des réflexions de Freud après la Grande Guerre de 1914-1918, qu'il n'a cessé d'alimenter et d'approfondir, dont le mouvement vers l'extérieur se nommerait « pulsion de destruction, d'emprise, de volonté de puissance ».

Des auteurs contemporains s'interrogent sur cette part obscure de la psyché Jean Bergeret[2] voit dans la violence fondamentale un instinct antérieur au sexuel et à l'agressif, qui n'a pas cure de l'objet si ce n'est dans une rivalité de type « lui ou moi ». Ce n'est qu'ultérieurement qu'il serait susceptible de s'intégrer dans l'organisation œdipienne en fonction de l'environnement. Pour Daniel Rosé[3], qui s'intéresse à l' « injusticiable », « le Mal possède un sens en ayant précisément une origine (le cœur humain) et une fin (tuer et détruire le semblable comme tel)... ». « Le Mal est donc cette violence (interne ou externe) neutre en elle-même mais transformée en mal par l'alchimie du cœur humain qui plonge ses racines bien en deçà des motivations conscientes. »

1. P. Wilgowicz, *Le vampirisme. De la Dame blanche au Golem. Essai sur l'irreprésentable et la pulsion de mort,* Meyzieu, Césura, 1re éd., 1991, 2e éd., 2000.
2. J. Bergeret, *La violence fondamentale*, Paris, Dunod, 1993.
3. D. Rosé, « Pourquoi le Mal ? De l'injustifiable à la culpabilité, jalons pour un abord psychanalytique du Mal », Colloque de Toulouse, 1993 ; *L'endurance primaire*, Paris, PUF, 1997.

Il rejoint Gaston Bouthoul, pour qui « quelles que soient les armes dont il dispose, le gourdin des cavernes ou la fusée intercontinentale, c'est l'homme seul qui tue ». En distinguant instinct de mort (ou Thanatos), pulsion de mort et agressivité, Daniel Rosé s'attache à l'endurance primaire, à la haine de soi, à l'illimité de la toute-puissance et à la « folie de l'idéal ».

« Autrui peut redevenir subitement l'étranger sur lequel la haine de soi et le plaisir tout-puissant s'actualisent : on fait à l'autre en face ce que l'on voudrait se faire à soi-même, mais sans frein cette fois. (...) Mais les choses peuvent également, aussi violemment qu'elles sont sorties, retourner à l'ombre du clivage (avec absence de culpabilité), et permettre à quelqu'un de continuer à mener une vie ordinaire, sans faire de mal à une mouche. »

« L'homme, lieu de l'inhumain ? », se demandait A. Anargyros[1] ; J. Ascher[2] développait une réflexion à partir de l'*hilflösigkeit* freudienne et de la notion de « désolation », « d'esseulement » chez H. Arendt.

Il faudrait évoquer ce qui, de la *« planète Auschwitz »* décrite dans *Les visions d'un rescapé*, par Ka Tzetnik 135633[3], l'homme qui signe son livre de ce numéro tatoué sur sa chair, ou ce qui, de *« la zone zèbre »* que Primo Levi n'a cessé d'arpenter dans ses écrits, a perduré chez les survivants et leurs descendants ; comment les dissimulations des massacres ont influé sur le sens de la vie comme de la mort : les perversions/dérisions de la justice (par exemple le fait que ce furent des criminels de droit commun qui encadrèrent les déportés), les parodies du langage (sur le travail ou sur les douches). Comment encore comprendre l'utilisation du terme holocauste dans les travaux scientifiques pour désigner l'anéantissement organisé, alors qu'il s'appliquait en fait à une ritualisation sacrificielle ancienne d'animaux (et non d'humains) dans le registre du sacré.

Il conviendrait encore de développer les conséquences de cette « culture d'extermination », la nécessité de rétablir la mémoire pour que les deuils puissent s'élaborer, pour qu'une transmission vivante inverse les effets des processus vampiriques, pour qu'un travail de sens se déploie et aide l'individu à réhabiter ses traces traumatiques demeurées irreprésentables, à se réapproprier sa subjectivité. Mais la seule réflexion psychanalytique ne peut se passer de

1. A. Anargyros, L'homme, lieu de l'inhumain ?, in *Figures individuelles et collectives du Surmoi* (leur rapport à la violence et à la mort).

2. J. Ascher, Désolation-Détresse, in *Figures individuelles et collectives du Surmoi* (leur rapport à la violence et à la mort).

3. Ka Tzetnik 135633, *Les visions d'un rescapé. Le syndrome d'Auschwitz*, Paris, Hachette, 1990.

celle de chercheurs pluridisciplinaire, historiens, philosophes, écrivains et artistes[1]. Elles n'épuiseront pas le sujet.

Dans le cadre de l'Unesco, la programmation d'une « Culture de la Paix », a vu le jour depuis quelques années (D. Adams[2]).

« Le moi doit déloger le ça, c'est une tâche qui incombe à la civilisation » (S. Freud[3]).

Pérel Wilgowicz
7, rue des Blancs-Manteaux
75004 Paris

1. *L'Ange exterminateur* (1993-1994), éd. par J. Gillibert et P. Wilgowicz, avec la collaboration d'A. Nysenholc, Bruxelles, Éd. de l'Université de Bruxelles-Cerisy.

2. D. Adams, The first consultative meeting for the culture of Peace programme, Paris, 27-29 septembre, 1994 ; *Année du Manifeste pour une culture de la Paix,* 2000.

3. S. Freud, La personnalité psychique, in *Les nouvelles conférences sur la psychanalyse,* Paris, Gallimard, 1932.

La femme, trublion de l'ordre social

Ruth MENAHEM

L'idéal transmis sous la forme de la « Pure culture (analytique) » et du « Surmoi culturel » est le dénominateur conceptuel commun aux deux rapports. Or, la pureté tout autant que le collectif (ou culturel) sont fondés sur l'exclusion de ce qui n'est pas conforme à l'idéal, rejet de la souillure, de l'impur, d'une part, et rejet de l'autre, de l'étranger, d'autre part. La collusion entre pureté et collectif s'effectue par le sacrifice exigé par les rituels sociaux et religieux.

Ainsi condensés, les rapports dévoilent une lacune : où est la femme ? La constitution du surmoi individuel et l'avènement de la culture, du surmoi collectif tels que Freud les a décrits, sont une histoire qui se déroule entre père et fils, où le rôle des femmes est essentiel puisqu'elles en sont l'enjeu, mais reste purement passif. Meurtre du père, culpabilité, cohésion du groupe de par la libido homosexuelle des frères, autant de thèmes qui ne concernent qu'une moitié de l'humanité. Si Freud a affirmé que : « Le contenu de l'inconscient est collectif dans tous les cas, c'est une propriété générale des êtres humains », on constate qu'il y en a qui sont plus collectifs (ou encore plus purs) que d'autres, en parodiant ce qu'on dit de l'égalité. En effet, la répartition des rôles assignés aux hommes et aux femmes quant à l'exigence de pureté et quant à leur participation à la vie de la cité, n'est pas égalitaire.

La lecture des rapports et les cures de plusieurs patientes, différentes par leur fonctionnement psychique, leur passé socioculturel, leurs symptômes, mais affrontées à une même problématique – diversement vécue et élaborée – concernant leur place dans une société à dominance masculine, m'ont incitée à essayer de comprendre l'articulation entre surmoi individuel et surmoi collectif chez la femme. Ces analyses difficiles – comme toutes les analyses – mais en bonne voie de résolution, butent, non point sur le refus du féminin, mais sur un obstacle dont j'attribue l'origine à la structure spécifiquement féminine, de leur surmoi individuel et collectif.

Ma question est la suivante : est-ce que la psychanalyse et plus précisément les concepts de surmoi, d'idéal du moi et de moi idéal, peuvent nous aider à comprendre pourquoi c'est la femme qui est considérée comme impure par la majorité des rituels religieux et en quoi son rôle dans la vie publique en est affecté ? Freud nous offre une première piste quand il constate : « Ce qui se cache dans la crainte principielle devant la femme, peut-être cette crainte se fonde-t-elle en ceci que la femme est autrement que l'homme, qu'elle apparaît incompréhensible et pleine de secrets, étrangère et pour cela hostile » (« Tabou de la virginité », cité dans le rapport).

La femme à la fois « autre » et « impure » remplit bien sa fonction dans la transmission de l'idéal, le revers de la médaille soudé à son avers.

Le surmoi de la femme

Peut-on souscrire à l'argumentation freudienne exposée dans « De quelques conséquences psychiques de la différence anatomique entre les sexes » (1925 *j*) où Freud avait comparé la sexualité infantile masculine et féminine et en avait conclu que les garçons subissent un complexe de castration qui ébranle leur complexe d'Œdipe ; les désirs ainsi sublimés formant le noyau du surmoi. Ce passage serait épargné aux filles. Cette conception d'un surmoi faible, sinon inexistant, chez la fille est réaffirmée en 1931, sans grand changement, dans le texte sur la féminité.

Comme pour Freud il y a coïncidence des surmoi individuel et culturel, les deux étant pris dans les mêmes conflits dynamiques entre moi, ça et surmoi, que faut-il en conclure en ce qui concerne les femmes ? Qu'en est-il de leur surmoi collectif ? S'il y a défaillance dans la constitution du noyau du surmoi individuel, sont-elles condamnées à se soumettre à un surmoi collectif masculin ?

Laissons ces questions ouvertes pour évoquer brièvement quelques phénomènes issus de la clinique ou de la vie sociale où cette hiérarchie est si bien établie qu'elle nous semble évidente.

L'anorexie

La clinique de l'anorexie est intéressante car cette pathologie est typiquement féminine. Dans leur rapport (Monette, Mauger) les auteurs disent n'avoir pas exploré un certain esthétisme de la pureté qui peut être source de jouissance. Ils en donnent comme exemple la quête d'une forme pure chez l'anorexique comme incarnation de l'ascèse que nécessite l'asservissement à un idéal mélancolique de pureté. On peut aussi y repérer l'asservissement à l'idéal masculin d'une femme pure, sans la souillure des règles, ainsi que la soumission aux canons sociaux édictés par les magazines féminins.

La vie des groupes sociaux, religieux ou politiques, nous offre de nombreux exemples des influences réciproques des surmoi individuel et collectif, ainsi que de la transmission des préjugés sur l'inégalité.

Les rituels religieux

La distinction pur/impur est fondamentale pour la vie religieuse juive. L'impureté est devenue la métaphore de l'idolâtrie, de la sexualité et de l'immoralité. La ligne de partage ne se situe pas entre hommes et femmes, mais passe entre le pur et l'impur dont la métaphore traverse tous les chapitres du *Lévitique.* Selon ce dernier, Dieu exige une offrande mâle sans défaut. L'infirme n'est pas admis à entrer dans le temple. La femme, comme les infirmes, porte la marque visible d'un défaut. « Elle restera sept jours dans son isolement », car sa faiblesse évidente doit rester invisible, interdite au regard de l'homme. C'est en effet par le regard que l'impureté de la femme se communique à l'homme. La femme par définition est déclarée impure en deux occasions : lors des menstruations et lors d'un accouchement. La source de l'impureté n'est pas le sang comme tel, qui lui-même est porteur de pureté ou d'impureté selon qu'il charrie la vie ou que la mort sort avec lui du corps abandonnant le cadavre.

L'homme est pur à temps complet pour s'être libéré de sa dette par la circoncision. La femme est dans un rapport de discontinuité, elle est pure et impure mais jamais en même temps. Mais notons le renversement qui s'opère dans la prescription : ce que la femme dit devient la loi : si elle annonce que ses règles sont arrivées son mari doit se conduire en conséquence. Son impureté la fait autre, partenaire du sexe opposé, et non pas simple objet offert au désir de l'homme. Par le bain rituel s'effectue une rupture totale, une recréation. La femme redevient pure, c'est-à-dire apte au rapport sexuel (!). La mère accouchée est impure, ainsi que sa fille ; pour le fils, la circoncision le sépare de la souillure maternelle et il devient pur.

Le Nouveau Testament n'est pas en reste pour reléguer la femme à son rôle démoniaque : « C'est par une femme que le péché a commencé et, à cause d'elle, nous périssons tous. ».

La femme et la politique

La tragédie grecque.— La thématique de la tragédie antique reste toujours d'actualité. Comment comprendre autrement que par un effet de la compulsion de répétition l'autorité ininterrompue des mythes grecs sur l'imaginaire occidental ? S'il y a eu plus d'une centaine d'Antigone après Sophocle ne doit-on pas s'interroger sur la question du trauma non résolu qui se transmet ainsi. Le type de conflit Antigone/Créon reste une dimension *a priori* de la conscience intellectuelle et politique de nos démocraties. Le conflit illustre la contradiction entre la conscience individuelle et le bien public, contradiction dont la nature et la gravité sont inséparables de l'historicité et de la condition sociale de l'homme et de la femme.

En effet, dans la tragédie grecque s'exprime le rôle transgresseur des lois de la cité par des femmes comme Antigone, Médée, Clytemnestre, Phèdre, Hélène ; ceci est d'autant plus surprenant alors que les femmes n'ont pas d'existence en tant que citoyennes. Les droits niés aux femmes dans la vie de tous les jours, dans la législation, dans la politique et dans la classification aristotélicienne des êtres organiques, font retour – sur scène – comme lors d'une levée de refoulement. En acceptant l'appel d'un destin normalement réservé à l'homme, s'offrant comme victime du sacrifice exigé par Créon qui incarne l'ordre social, Antigone est entraînée à occuper une place contradictoire avec son être de femme.

Seules les femmes peuvent braver l'interdit puisqu'elles sont dépourvues de surmoi collectif. On bat le rappel d'Antigone toutes les fois où le conflit entre surmoi individuel et collectif ne peut être dépassé que par la transgression. Rappelons le scandale provoqué par l'adaptation anarcho-pacifiste de l'*Antigone* de Sophocle, inspirée par Hölderlin et Brecht en 1967 (d'après un script de Heinrich Böll). On se demandait si on pouvait donner l'*Antigone* de Sophocle au moment où la bande à Baader avec Ulricke Meinhof mettait l'Allemagne à genoux ? Créon n'a-t-il pas raison de défendre la survie de la société contre des tueurs sans pitié ?

La contradiction ainsi ouverte n'est pas spécifique à l'Allemagne. Pour Charles Maurras, Antigone devient « la vierge mère de l'ordre » (1948). Pour lui, ce n'est pas Antigone qui est rebelle à la loi, c'est Créon qui détruit la cité. Il faut donc réviser les problèmes politico-moraux soulevés par la lecture d'*Antigone,* c'est Antigone vierge, mère de l'ordre, qui incarne « la concordance étroite entre les lois de l'homme, de dieu, de la cité ». C'est Créon l'anarchiste qui viole toutes ces lois. Exit la femme et son rôle transgresseur. Ce même type d'interprétation est repris par B.-H. Lévy (1979).

Vouloir être un citoyen, participer à la vie de la cité – dans la réalité et non sur scène –, est interdit aux femmes. Elles exigent ce qui ne peut leur être donné. C'est ce que répète inlassablement le chœur : « Antigone, tu veux l'impossible. »

Statut de la femme dans les démocraties

Le débat a longtemps porté sur la question de savoir si l'infériorité de la femme est d'ordre naturel ou social. Ce qui sous-entend que l'infériorité est un fait établi. Le discours politique et un certain savoir scientifique (psychanalytique ?) sont chargés d'expliquer la différence afin de justifier l'exclusion.

Dès avant la Révolution française, en 1673 dans *De l'égalité des deux sexes,* Poullain de La Barre s'oppose aux préjugés naturalistes en affirmant la raison sociale de l'inégalité des sexes : « Ils [...] disent que c'est la nature qui leur a assigné les moindres fonctions dans la société... Mais on les embarrasserait fort si on les obligeait de s'expliquer sur ce qu'ils appellent nature en cet endroit, et de faire entendre comment elle a distingué les deux sexes comme ils le prétendent. » C'est cette conception de P. de La Barre que la révolution imposera comme loi. C'est une forme de sexisme naturelle et non divine. Celui-ci (comme le racisme de couleur) s'étaye sur une différence anatomique (« L'anatomie c'est le destin »).

En 1848, les républicains reprennent l'argumentation de l'infériorité naturelle pour justifier l'exclusion des femmes : « Malheur aux femmes si la loi leur accordait ce que quelques-unes ont la témérité de demander ! La femme émancipée sans posséder jamais l'autorité de l'homme perdrait sans retour son influence et son prestige, la force de la femme est toute morale et c'est en se refermant dans les limites de ses devoirs qu'elle est véritablement libre et souveraine. » On s'évertue à vanter les qualités de cœur des femmes pour mieux les éloigner de la raison politique. On voit le piège tendu aux femmes : elles doivent occuper l'altérité qui leur est imposée.

Mais aujourd'hui, après les conquêtes du féminisme, la question ne serait-elle pas obsolète ? On peut en douter si on analyse les récents débats sur la parité en politique. La lecture de ces quelques lignes de Geneviève Fraisse (une femme qui a réussi à concilier vie familiale, vie professionnelle et carrière politique importante) est révélatrice : « La démocratie a peur des femmes. Et si l'égalité politique détruisait l'amour ? Et si la confusion s'introduisait dans la différence et le partage des sexes ? Abolir la dualité des sexes (non la différence) est une crainte de l'imaginaire démocratique, hier avec la citoyenneté des femmes, aujourd'hui avec le pacte de solidarité. La similitude, fondement de l'égalité possible, serait la porte ouverte à l'indétermination, par essence dangereuse, mortifère. À deux siècles de distance, la confusion est la même. Car la démocratie a peur chaque fois qu'un droit apparaît ou se modifie. Donner aux femmes une place dans la souveraineté nationale, cela pourrait réveiller d'autres demandes. Seraient-elles pour autant injustifiées ? Et en quoi serait-ce un danger ? Pourquoi le démocrate a peur ? Parce qu'il projette sur l'écran de la logique égalitaire l'imaginaire fantasmatique d'identités irréelles. Ce mélange fabrique de la peur. »

Pour conclure ce rapide survol, rappelons une proposition des auteurs du rapport sur « ce que propose de renversant la méthode analytique elle-même : établir et rétablir les conditions d'un espace, d'une marge où peuvent coexister les opposés : sacré et impur, interdit et impur, sans que l'un délimite l'autre ». Cela implique la coexistence homme/femme dans l'égalité. Mais devant la pérennité de la peur qu'inspirent les femmes, quelle mutation permettrait de sortir enfin de la répétition ? Si on persiste à considérer l'impureté comme contagieuse, si c'est par le regard que l'impureté de la femme se communique à l'homme, faut-il détourner le regard sous peine de souiller la pureté analytique ? Si vraiment l' « anatomie c'est le destin », les femmes continueront en fait à faire triompher leur loi en décidant du moment où elles souhaitent être pures ou impures (traduction : aptes à satisfaire l'homme).

Merci aux rapporteurs et merci aux patientes dont les questions entrecroisées m'ont ouvert les yeux sur bon nombre de préjugés. Mais peut-être penserez-vous qu'il vaut mieux « fermer un œil / les yeux ».

Ruth Menahem
1, rue Andrieux
75008 Paris

Théorisation psychanalytique et surmoi culturel[1]

Martin GAUTHIER

Le thème de l'idéal transmis pose d'emblée le problème des rapports entre l'individu et le groupe. À travers l'idée de surmoi culturel, qu'on adopte la notion ou non, Freud a cherché à éclairer deux questions : d'une part celle du conflit qui se pose irrémédiablement entre l'individu et la culture, et d'autre part celle de l'originaire et de sa prégnance dans la réalité actuelle.

Il y a lieu d'hésiter à suivre Freud trop fidèlement sur le chemin d'un concept plongeant vers les origines phylogénétiques de la horde originaire. J'aimerais cependant développer un peu ces deux questions pour aborder celle des rapports existant entre nos théorisations et la culture psychanalytique prévalant dans nos institutions.

La culture est une production groupale. Chaque individu appartient à différents groupes et fonde son identité sur ces appartenances. Mais l'individu se trouve aussi inévitablement en conflit avec le groupe. Freud a insisté sur la dimension pulsionnelle, libidinale et surtout agressive dans *Malaise* (S. Freud, 1930), sur le renoncement à la satisfaction directe de la pulsion qu'imposent les règles et les idéaux du groupe. Mais une autre dimension, essentielle, du conflit est l'enjeu identitaire, narcissique.

L'individu est irrémédiablement en conflit avec le groupe, auquel il appartient et auquel il contribue nécessairement, mais dont il doit aussi se distinguer. La relation au groupe provoque des angoisses identitaires qui plongent leurs racines à un niveau très primitif. Le groupe s'avère en réalité un ensemble d'individus dont la complexité déborde les capacités d'intégration de chacun. L'ampleur de la tâche provoque un mouvement régressif qui ébranle

1. Ce texte a servi d'introduction à l'atelier intitulé « Théories psychanalytiques et surmoi culturel » que j'ai eu le plaisir de préparer et d'animer avec Chantal Lechartier-Atlan.

l'intégration du moi plus secondarisé, alors que sont convoqués des mécanismes primitifs comme le déni et le clivage permettant d'instaurer ce que Anzieu appelait l'illusion groupale (D. Anzieu, 1975). Le groupe cesse alors d'être reconnu comme un agrégat d'individus, il se donne comme un tout. Par l'illusion groupale, l'individu se joint magiquement à la force du groupe et fait l'économie du travail psychique qu'impose le conflit entre l'appartenance au groupe et l'affirmation de son individualité propre. Freud avait d'ailleurs souligné, dans « Psychologie des foules » (S. Freud, 1921), l'importance du pouvoir transférentiel du groupe.

Sous ce même versant régressif, Bion a décrit les hypothèses de base (W. R. Bion, 1961), ces organisations fantasmatiques permettant de lier les angoisses primitives que le groupe soulève, mais risquant aussi de bloquer la voie à une véritable approche de la réalité et à l'apprentissage par l'expérience, caractéristiques de ce que Bion appelle le groupe de travail.

L'individu dans le groupe se voit ainsi confronté à des forces formidables où son individualité est mise à mal. Chaque groupe développe sa culture et, selon le degré de structuration atteint et la part jouée par le groupe de travail comme par les hypothèses de base, il devient possible d'identifier des niveaux de prescriptions et d'idéal garantissant le fonctionnement groupal. Mais le groupe demeure une construction que chaque individu traduit singulièrement.

Les sociétés psychanalytiques n'échappent pas à la règle et chacun de nous sait combien toute appartenance institutionnelle est marquée d'ambivalence. Sous ce jour, ne devons-nous pas admettre que tout psychanalyste est soumis à une forme de pression groupale – faut-il en faire un « surmoi culturel analytique » ? –, qui pèse sur sa pratique et sur ses théorisations, cette part plus secondarisée de son contre-transfert ?

Nos théories contribuent au travail scientifique, donc au groupe de travail et à l'effort d'interprétation en prise avec la réalité, mais elles sont aussi nécessairement symptomatiques et participent à l'identité fantasmatique du groupe. C'est sans doute la poursuite des efforts d'analyse qui seule permet de maintenir l'ouverture scientifique sur la vérité. Il faut s'inquiéter des certitudes et des belles unanimités.

Nos théorisations sont aussi nos tentatives d'individualisation, nos petits gestes héroïques pour s'extraire de la soumission au groupe ou pour chercher à élaborer le conflit qui nous unit à l'autre et au groupe. Freud disait à sa façon que face au groupe, pour penser et pour s'accoupler, il fallait pouvoir se transformer en poète et en meurtrier.

L'individu, dans son mouvement d'autoreprésentation et d'auto-appropriation, doit nécessairement symboliser son rapport au groupe et se représenter sa place dans l'histoire du groupe. Son travail de théorisation participe à la construction d'un roman des origines du groupe et de son évolution. Il y a une construction commune des origines qui précède l'individu mais ce dernier la traduit à sa manière et y contribue. Ce travail d'autoreprésentation et d'autosymbolisation nous mène à la deuxième question que j'annonçais au début, celle de l'originaire. Le travail de reprise fantasmatique que l'originaire sous-tend pour chaque individu implique une représentation fantasmatique des débuts du groupe et de ses moments mutatifs. Ce sont les mots qui créent les légendes. Ainsi peut-on aborder certaines caractéristiques de la Société psychanalytique de Montréal que Mauger et Monette mentionnaient dans leur rapport, par exemple qu'elle se soit longtemps voulue une société sans pères (ce qui rappelle ce que Freud écrivait des Américains dans *Malaise*, avec « la misère psychologique de la masse »), parvenue à les laisser en France et aux États-Unis pour constituer le digne bastion de la psychanalyse en terre nord-américaine.

Le nécessaire travail de symbolisation et de théorisation participe donc à la construction de la culture groupale. Mais dans le même mouvement peuvent aussi germer les nouvelles idées qui viennent menacer le statu quo et exiger un nouveau travail d'intégration. Tout processus de développement, avec son corollaire de reconnaissance du passage du temps et de la différence, suscite des sentiments de persécution et d'hostilité. Les fondements plus primitifs de notre appartenance groupale s'en trouvent menacés. Tout développement implique nécessairement la rencontre de l'ancien et du nouveau, du père et du fils, la remise en question des cultes et des totems, la production inévitable d'un conflit et d'une souffrance qu'il faudra à leur tour élaborer, symboliser.

En fait, il ne faudrait pas limiter la culture groupale seulement à un rôle d'antagoniste à ce travail individuel de symbolisation et de théorisation. C'est d'abord elle qui fournit les matériaux et les outils à partir desquels l'individu découvre et affirme sa voix personnelle. La culture offre un langage, des représentations, des codes pour aborder la réalité. Dans les conditions favorables d'un groupe de travail, ce groupe favorisera non seulement l'accomplissement optimal de la tâche commune mais aussi le développement individuel des membres.

Mais par rapport aux découvertes de la psychanalyse, ne sommes-nous pas dans des eaux particulièrement troubles ? Notre discipline fonde sa vérité sur l'expérience de la cure, essentiellement dans l'expérience du transfert : une société de psychanalyse reconnaît donc l'importance du travail qui se fait dans nos bureaux. Mais en même temps – c'est une autre caractéristique du fonctionnement groupal –, il y a conflit entre le groupe et le couple, qu'il soit amoureux ou analytique. Le groupe se méfie des couples, la société psychanalytique se méfie du travail en couple de ses membres, et par conséquent de ce qui peut émerger de ces couples. Sachant le caractère explosif des charges que l'analyste manipule dans le transfert, sachant aussi la haine du moi pour ce qui lui échappe, sa volonté de fermeture, sachant enfin l'antagonisme du groupe, comment nos théorisations résistent-elles à toutes ces pressions, pour poursuivre l'exploration des vérités de l'inconscient et rester ouvert sur le nouveau, sur l'étranger ?

Enfin, dans nos groupes psychanalytiques, un autre aspect intervient. Si nous admettons que nous théorisons toujours à partir du transfert – disons même que nous théorisons toujours quelque chose du transfert à partir de notre transfert –, l'autre, le groupe est déjà intimement associé à notre démarche. Nos efforts de théorisation appartiennent à notre transfert sur le groupe. Peut-on penser que nos théorisations, toujours symptomatiques, sont plus ou moins héroïques ou soumises à la culture groupale selon la capacité à interpréter le pouvoir de ce transfert ? Jusqu'où est-ce possible ? Le groupe n'a-t-il pas une influence déterminante quant à la manière avec laquelle il provoque et accueille ces théorisations ? Une signature collective n'est-elle pas toujours insidieusement présente derrière tout auteur ? La rencontre analytique intergroupale prend sans doute toute son importance pour identifier (se désidentifier à) certaines de ces taches aveugles où le groupe d'origine ne fonctionne plus comme un tiers mais vient renforcer l'aveuglement individuel.

J'ai essentiellement voulu souligner le conflit inhérent aux rapports entre l'individu et le groupe. La sublimation est une fenêtre exemplaire de ces enjeux. Si la sublimation analytique fonde sa vérité sur le plaisir sublimatoire trouvé dans la position d'analysant (J.-L. Donnet, 1998), l'expérience indépassable, toujours renouvelée, inachevée, à laquelle l'analyse nous confronte, c'est celle du transfert, celle du pouvoir hypnotique de l'autre. Là aussi, sur la question du phénomène transférentiel et de ses origines, Freud répondait en retournant à la réalité historique de la horde originaire. Je soulignerais surtout l'impossibilité d'éliminer le transfert, cette hydre aux incalculables têtes, la manière singulière avec laquelle notre héritage archaïque individuel est éveillé par l'autre, en psychanalyse, en groupe, en société, en théorisant...

Martin Gauthier
4000, avenue Marcil
Montréal, Québec
Canada H4A 2Z6

RÉFÉRENCES BIBLIOGRAPHIQUES

Anzieu D. (1975), *Le groupe et l'inconscient,* Paris, Dunod, 346 p.

Bion W. R. (1961), *Recherche sur les petits groupes*, trad. franç. par E. L. Herbert, Paris, PUF, 1965, 144 p.

Donnet J.-L. (1998), Processus culturel et sublimation, *Revue française de psychanalyse,* 62, 4, 1053-1067.

Freud S. (1921), Psychologie des foules et analyse du moi, trad. franç. par P. Cotet, A. Bourguignon, J. Altonnian, O. Bourguignon et A. Rauzy, in *Essais de psychanalyse*, Paris, Payot, 1981, 117-217.

Freud S. (1930), *Le malaise dans la culture*, trad. franç. par P. Cotet, R. Lainé et J. Stute-Cadiot, Paris, PUF, « Quadrige », 1995, 94 p.

Penser le surmoi culturel aujourd'hui

Nicole MINAZIO

La réflexion ouverte et stimulante de Gilbert Diatkine nous invite à repenser le concept de surmoi culturel à la lumière de l'élargissement du champ clinique contemporain qui souvent confronte l'analyste aux défaillances du fonctionnement psychique sous les effets de la destructivité.

Il nous a également fait partager, tout au long de ce congrès, la manière dont il poursuivait et précisait son itinéraire, ouvrant ainsi la discussion et nous permettant l'expérience de la rencontre avec la pensée de l'autre dans un climat favorable à la poursuite de nos réflexions.

Je l'en remercie.

Je tenterai, pour ma part, de poser succinctement quelques jalons de ma réflexion à la suite de la lecture du rapport, en lien avec ma pratique analytique.

La dimension collective du surmoi et les processus identificatoires

Pour Freud, le surmoi est au centre du fondement de la civilisation en tant qu'il est le creuset des valeurs transmises de génération en génération.

« Mais le Surmoi est aussi au centre de la théorie généralisée de l'identification qui fait le joint entre "Psychologie des foules et analyse du moi" (1921). Le Surmoi apparaîtra comme le dénominateur commun, trans-subjectif et transgénérationnel de l'ontogenèse et du processus civilisateur qui occupe une place si cruciale dans la réflexion terminale de Freud » (*Malaise dans la civilisation*, 1930 ; *Moïse et le monothéisme*, 1937) (Jean-Luc Donnet, 1995).

Le surmoi, héritier du complexe d'Œdipe, conséquence d'un travail d'élaboration et d'intégration psychiques, est une instance qui, marquée par le renoncement aux désirs incestueux, limite et protège le moi tout à la fois puisqu'il assure une fonction de conscience morale et de formation des idéaux.

Allié du principe de réalité, il a donc une dimension éthique et collective.

Notons qu'il s'inscrit dans le deuxième modèle du fonctionnement psychique, né de la découverte par Freud du rôle des identifications dans la construction du Moi, en même temps qu'Éros et Thanatos entrent sur la scène psychique. Le surmoi, fruit d'une identification avec le modèle paternel « désexualisé », doit sa cruauté à la désintrication des pulsions.

La deuxième topique nous décrit un système de relations entre les instances s'étant différenciées : véritable théâtre interne où elles ne font pas toujours bon ménage et où c'est de leur dialectique que dépend la névrose.

Une multitude de personnages entrent en scène, se répondent, se trouvent, entrent en conflit, se quittent et se perdent. Objets perdus déposés dans le Moi.

La dimension collective du surmoi nous invite donc à interroger le rôle de l'environnement mais aussi de l'histoire transgénérationnelle aux fondements de la vie psychique. Et il semble important, comme le fait remarquer Gilbert Diatkine, de penser le surmoi culturel en tenant compte des rapports qu'entretiennent entre elles les instances et particulièrement le Moi idéal, l'idéal du Moi et le Surmoi. Nous constatons combien ces rapports peuvent être perturbés et conflictuels sous l'influence de facteurs internes et externes.

Pour ma part, ce seront les complexités et les avatars des processus identificatoires qui retiendront particulièrement mon attention. En effet si, comme le précise Freud ultérieurement, le Surmoi ne se forme pas à l'image des parents mais bien à l'image du surmoi de ceux-ci, le sujet apparaîtrait comme le maillon d'une chaîne de transmissions et de transformations psychiques portées par les processus identificatoires de nature différente en fonction des étapes successives de la constitution de l'appareil psychique.

Le conflit entre les instances, sous-tendu par les liens dynamiques qu'entretiennent entre eux les objets internes, entre alors nécessairement en résonance avec les modalités de transmission des valeurs, traditions et idéaux de la culture dans laquelle nous vivons et dont nous sommes les héritiers, tout en la construisant.

La manière dont le rapport entre la dimension sociale du surmoi et le surmoi culturel s'établit interroge donc les liens réciproques entre l'individu et le groupe.

Pourrions-nous alors penser le surmoi culturel comme un concept limite au carrefour de l'intra- et de l'interpsychique, liant entre eux les différents temps de l'histoire identificatoire du sujet ?

La rencontre d'un psychisme avec un psychisme autre ouvre un espace marqué par le flux et le reflux de soi vers l'autre. Elle est le cadre d'un travail de transformation des éléments pulsionnels non symbolisés en éléments psychiques utilisables pour la psyché individuelle au service des capacités de symbolisation, de représentation et dans l'investissement d'une création commune.

« En utilisant le mot "culture" [nous dit Winnicott (1971)], je pense à la tradition dont on hérite... je pense à quelque chose qui est le lot commun de l'humanité auquel des individus et des groupes peuvent contribuer et d'où chacun de nous pourra tirer quelque chose, si nous avons un lieu où mettre ce que nous trouvons. » Ce lieu psychique où réside l'expérience culturelle est « l'espace potentiel entre l'individu et son environnement (originellement l'objet). On peut en dire autant du jeu. L'expérience culturelle commence avec un mode de vie créatif qui se manifeste d'abord dans le jeu ».

Cet espace se trouve être stimulé dès les premiers temps de notre rencontre avec nos patients.

En tant qu'analystes, c'est au niveau de notre travail charpenté par la relation transféro-contre-transférentielle que nous pourrons investiguer la manière dont les exigences parentales, les idéaux parentaux et transgénérationnels seront investis, transmis et repris par l'organisation psychique individuelle. Comment également ces idéaux viennent-ils enrichir ou entraver la constitution du surmoi postœdipien ?

Il me semble donc que nous ne pouvons penser le surmoi culturel sans prendre en considération les diverses figures de l'aliénation à un environnement dont les défaillances peuvent avoir des effets dévastateurs sur la psyché. Ce qui donne aux aléas des identifications primaires et secondaires un rôle crucial au niveau des modalités de transmission de la vie psychique.

Dans son exposé, Gilbert Diatkine définit l'identification primaire comme étant une identification à une figure désignée par la mère comme étant l'autre de l'autre (le père de la procréation). Par la suite, poursuit-il, toutes les figures auxquelles l'enfant s'identifiera vont confluer pour former l'idéal du moi du sujet et, pour que l'enfant ressemble à toutes ces figures idéales, il faut qu'il satisfasse à tous les idéaux dont ces figures exigent la satisfaction et qu'ils lui soient indiqués par la mère et ensuite par tous les personnages auxquels il va s'identifier secondairement.

Ce sont ces identifications secondaires qui constituent le surmoi culturel.

Elles plongent leurs racines dans le terreau des identifications primaires puisque c'est l'objet maternel – agent de transformation psychique et messagère tout à la fois – qui préside à la naissance de la vie psychique de son enfant.

Bion fait de la capacité de rêverie de la mère le prototype des qualités transformationnelles spécifiques du fonctionnement psychique maternel. Celui-ci présente donc des qualités de réceptivité d'éléments non pensés tels que des données sensorielles et motrices émanant de l'enfant (éléments β) et de leur transformation en éléments α assimilables par le psychisme de l'enfant. Ceux-ci constitueront une barrière de contact délimitant le conscient et l'inconscient, prélude au processus de refoulement. Cette fonction éminemment transformatrice traite la perception de l'expérience, sous-tendue par l'investissement narcissique réciproque de la mère et l'enfant. La capacité de rêverie de la mère a donc une fonction symbolisante, marquée du sceau de l'organisation œdipienne, des processus de refoulement et de l'histoire de ses identifications à ses propres objets parentaux.

En investissant son enfant, en le soignant, en le nourrissant et en l'aimant, la mère l'inscrit dans une histoire dont certains chapitres sont ignorés d'elle. Elle lui transmet des éléments transformés mais aussi des éléments mystérieux dont le psychisme en devenir de l'enfant devient dépositaire.

Kaës (1994), faisant également référence à la pensée de Piera Aulagnier, note que la « pensée vient à l'enfant grâce à un dispositif intersubjectif de désir d'interdits et d'entre-dits et que régit la métaphore paternelle ».

Ce que communique la mère à l'enfant n'est donc pas une traduction simultanée mais résulte d'un travail d'interprétation et de représentation de son rapport à son corps, à l'objet et au monde qui l'entoure.

Comme le souligne Aulagnier, elle porte la parole d'un autre ou de plus d'un autre, figures qui seront susceptibles d'incarner l'idéal du moi du sujet.

Situations cliniques

Certaines situations cliniques révèlent les défaillances de cette dynamique interpsychique et nous indiquent la manière dont elles tracent leur sillon au sein du fonctionnement intrapsychique qui en est affecté, sous forme de troubles de la pensée et d'un manque à représenter qui s'appréhendent en séance par la prévalence du registre perceptivo-moteur et hallucinatoire. Des éléments non mentalisés tels que manifestations sensorielles, somatiques et agies surgissent en séance et peuvent avoir valeur traumatique au sein de la relation thérapeutique elle-même.

Motions pulsionnelles en quête d'un objet pensant capable de leur donner forme et sens. Ce qui ne peut encore se penser ni se dire sera saisi dans la relation transféro-contre-transférentielle et représentera alors quelque chose pour quelqu'un dont les capacités de figuration et de représentation seront à la fois indice et agent de transformation psychique.

C'est ainsi que le travail avec les adolescents nous montre des situations où se voient remaniés et renégociés les processus identificatoires à la faveur de la resexualisation des relations objectales. Ceux d'entre eux qui n'ont pas la capacité d'utiliser les membres de leur entourage et plus particulièrement les groupes auxquels ils appartiennent (famille, école) comme étayage d'un travail d'élaboration des changements sous-tendus par l'organisation œdipienne, nous montrent leur difficulté de mettre en perspective leur position de sujet dans les diverses dimensions de leur vie psychique. La dialectique de la permanence et du changement spécifiques du temps de l'adolescence vient perturber le monde interne du sujet, mettre en péril l'équilibre antérieur déjà précaire et conflictualiser les relations entre les instances.

Les conflits entre moi idéal, idéal du moi et surmoi sont particulièrement intenses car la crise pubertaire reprenant dans son sillage les vécus traumatiques infantiles déborde le Moi dans ses capacités de liaison et de représentation. Le surmoi est vulnérable sous la poussée des représentations incestueuses et parricides, mettant en péril le projet identificatoire postœdipien. Lorsque la crise vécue par l'adolescent est vécue comme traumatique, elle ne permet pas de renégocier les relations inter- et intra-instancielles et d'intégrer progressivement les changements pulsionnels et objectaux. Les mécanismes de déni, de clivage et d'idéalisation sont alors au premier plan face aux angoisses d'effondrement.

Tout au long de la vie d'ailleurs se manifestent des états de crise et de rupture qui menacent le monde interne ; crises extrêmement douloureuses pouvant s'avérer organisatrices pour autant qu'un objet externe ou un environnement-cadre symbolisant puisse les penser et les parler, engendrant une mutation qui ne soit pas vécue comme catastrophique, mettant en péril le sentiment de continuité d'être du sujet.

Ces états de crise peuvent également s'externaliser au cours du processus analytique et perturber l'équilibre du système inter- et intrapsychique. Tout se passe comme si les états de désorganisation psychique se rejouaient sur la scène transféro-contre-transférentielle. Il me semble que lorsque nous approchons de ces zones chaotiques non symbolisées, la situation analytique ne peut plus être définie uniquement comme la répétition de l'histoire libidinale du sujet mais aussi comme l'externalisation de l'échec des liens narcissiques entre le Moi et l'objet qui aurait dû présider à la construction et au développement de la psyché. Cette externalisation se manifeste sous forme d'identification projective à un objet interne non « transformationnel », particulièrement d'identification à l'agresseur ou à un tyran détenteur d'une pensée totalitaire interdisant tout processus de changement – donc de pensée – et toute conflictualisation entre les idéaux et les objets internes.

Le tyran, objet idéalisé cruel et exigeant, impossible à satisfaire, est apparenté au Surmoi archaïque et à la notion de mentalité de groupe développée par Bion. Celle-ci se caractérise par l'expression d'une opinion commune unanime et anonyme qui entre en résonance avec le fonctionnement psychique individuel sous-tendu par l'organisation œdipienne, résultat des identifications introjectives. L'adhésion inconsciente des membres du groupe à cette mentalité leur garantit l'appartenance au groupe et le maintien de sa cohésion au prix de leurs désirs et pensée individuels. L'identification à une telle mentalité est protection et défense contre l'émergence de la souffrance psychique inhérente à l'avènement des pensées nouvelles. Elle nourrit alors l'adhésion à des idéologies dont des leaders autoritaires deviennent les détenteurs.

Sans doute devrions-nous réfléchir plus avant au travail analytique avec les groupes dont le cadre spécifique permet d'appréhender autrement des zones psychiques qui n'apparaissent pas dans les cures individuelles.

Il est intéressant d'explorer pourquoi et comment le groupe peut devenir soit le terrain d'enracinement de la vie psychique et le fond d'où émerge le sentiment d'appartenance à une culture, soit le lieu de soumission de l'être humain et de l'antipensée.

J'avais montré dans un exposé précédent (mars 2000, Colloque des Arcs) comment le groupe de psychodrame pouvait être un lieu particulièrement propice au travail du transitionnel ; les rencontres régulières et répétées avec l'autre y encadrent le travail de mise en figurabilité et de représentation. Il s'y constitue un espace où se tisse lentement une histoire : celle des avatars des relations interpsychiques et l'histoire des entraves à l'organisation intrapsychique en résonance avec la dynamique et la culture du groupe.

« Dans les groupes, nous avons toujours affaire à un double registre métapsychologique : celui des processus et des formations de la réalité psychique de l'ensemble en tant que tel ; celui conjoint et articulé des formations et des processus de la réalité du sujet singulier » (René Kaës, 1994).

Nicole Minazio
Dieweg, 55
1180 Bruxelles
(Belgique)

RÉFÉRENCES BIBLIOGRAPHIQUES

Diatkine G. (2000), Surmoi culturel, in *Revue française de psychanalyse,* n° 5, 2000, 1523-1588.

Donnet J.-L. (1995), Surmoi I, Le concept freudien et la règle fondamentale, *Monographies de la Revue française de psychanalyse*, PUF, 12 p.

Kaës R. (1994), *La parole et le lien. Processus associatifs dans le groupe*, Paris, Dunod, 1994, 330 p.

Winnicott D. W. (1971), *Jeu et réalité*, trad. franç. par C. Monod et J.-B. Pontalis, Paris, Gallimard, 1975, p. 137, 139.

La « compassion » du SS

Marie-Lise ROUX

Durant tout le Congrès, j'ai été parasitée par le souvenir de deux expériences extrêmes qui ont cependant un point commun : elles se sont produites dans un de ces lieux de barbarie où il semble que l'humanité et les instances psychiques n'avaient plus aucune existence, mais où pourtant, il a été question de ce qui fait l'humain et qui peut nous obliger à penser notre nature.

Si je les évoque ici, c'est parce qu'elles m'ont paru propres à poser quelques questions sur ce que nous entendons par « culture ».

La première de ces expériences est rapportée par Anna Novac, dans le « journal » qu'elle a réussi à tenir à Auschwitz et qui a paru en France sous le titre *Les beaux jours de ma jeunesse*[1]. Misérable petite déportée de 15 ans, affamée et désespérée, Anna tient un « journal » sur tous les supports qu'elle peut trouver : car elle a pour projet depuis toujours d'être écrivain. Aussi lorsqu'elle voit, dans une des « rues » d'Auschwitz, un SS, les bras chargés de cahiers et de crayons, elle s'élance – au mépris de la règle qui veut qu'une détenue ne possède rien en propre – pour réclamer sa part : « J'en ai besoin, il me les faut parce que je suis écrivain. » Et le SS va condescendre à cette demande incongrue.

L'autre expérience m'a été rapportée par Henriette (elle est rappelée dans le livre de Germaine Tillion, *Les Françaises à Ravensbrück*). Déportée à 64 ans, pour fait de résistance et chrétienne convaincue, elle a réussi, malgré les fouilles et l'interdiction, à conserver précieusement sa Bible qu'elle garde dans un petit sac en toile avec son pain. Ce sac lui est volé par une codétenue, et Henriette, à l'affolement de ses camarades de block, va aller voir la chef de camp et lui demander de retrouver sa précieuse Bible (qu'elle n'aurait pour-

1. Balland (éd.), 1992, p. 30.

tant pas dû avoir) : « J'en ai besoin, parce que je suis femme de pasteur. » La SS, aussi improbable que cela paraisse, recherchera la Bible, la trouvera et la rendra à Henriette, contrevenant ainsi de manière éclatante à la règle qui règne dans la société du camp.

Comment comprendre, du point de vue d'un Sur-Moi culturel cette désobéissance des SS ? Anna Novac parle d'un geste de « compassion », au moins d'une compréhension ? Faut-il y voir un moment de faiblesse ? Un rapprocher humain, révélateur d'un clivage du Moi chez ces hommes par ailleurs entièrement consacrés à leur tâche d'extermination ?

Nous ne savons rien de la personnalité de ces deux SS, mais on peut sérieusement douter de ces hypothèses lorsque l'on sait combien fidèles à la loi du camp ils se sont tous montrés. Germaine Tillion (dont on connaît le courage et l'honnêteté intellectuelle) a consacré à l'étude du personnel SS des camps des pages remarquables où elle s'interroge sur la vie mentale de ces gens. Elle signale la rapidité d'adaptation à la cruauté, à la brutalité et à l'inhumanité des procédés utilisés, y compris de la part des personnels de « santé » du Revier : « On peut dire que huit à quinze jours, un mois au plus, représentaient une moyenne très normale d'adaptation... Les meilleures n'avaient en tout cas aucune réaction lorsqu'une femme était battue en leur présence... » À propos du Dr Treite, médecin du Revier de Ravensbrück, G. Tillion écrit : « (c'était) simplement un médecin correct, bon technicien, amateur de draps propres et de mains lavées, de discipline et de sérieux professionnel. » Cet homme « sérieux et discipliné » a été responsable personnellement de stérilisations, d'empoisonnements et d'envois délibérés à la chambre à gaz. Des hommes « ordinaires », en somme, scrupuleusement attachés à la bonne marche de leur tâche barbare, bons pères, bons époux, bons citoyens et pas sadiques, au sens psychiatrique du terme. Figés dans une technicité rigoureuse et obéissant aux règles édictées. Comme l'a dit l'un d'eux : « Tout maître doit être servi et tout travail doit être fait. » Peut-on mieux définir un des aspects les plus remarquables de ce que Gilbert Diatkine s'est efforcé de décrire comme Sur-Moi culturel ? Mais il me semble que cela n'en est qu'un des aspects, justement et c'est sur cela que je vais revenir. Cependant il me paraît intéressant de dire, en relisant les lignes de G. Tillion, qu'il pourrait être utile de réfléchir à l'importance du « nombre » ou de la quantité pour éprouver le poids de l'investissement d'une « règle » culturelle. Freud avait déjà souligné le fait (« Considérations actuelles ») en montrant que le meurtre en commun devenait légitime, du fait même qu'il se produit en groupe. Il en est de même, on le sait pour beaucoup d'autres actes délictueux, tels que les viols ou les rapines. Il y a entre l'individuel et le collectif, un poids « économique » qui a sans doute un rôle à jouer dans la force surmoïque. À l'inverse, on le sait, une discordance ou un désaccord entre les membres d'un groupe fait voler en éclats les références surmoïques : c'est ce que l'on observe dans les phénomènes d'acculturation.

Mais mon propos n'est pas d'approfondir ce thème aujourd'hui mais plutôt de réfléchir à ce qui, à la lumière de mes deux courts récits d'une expérience extrême et paradoxale, peut nous apparaître comme une particularité possible d'un Sur-Moi culturel, dont une des caractéristiques, selon moi, serait d'être double.

À la fin de *Malaise,* Freud distingue, on le sait, le bonheur individuel, égoïste et l'aspiration à l'union avec les autres membres de la communauté. Il introduit là la notion de Sur-Moi culturel (ou collectif) dont il souligne la particularité qui est que ses prescriptions sont conscientes, par opposition avec le Sur-Moi individuel où les prescriptions restent inconscientes et liées au refoulement de l'histoire individuelle œdipienne. Or, il me semble qu'une autre opposition pourrait être mise en lumière en ce qui concerne le Sur-Moi collectif et les exigences de la société : cette opposition, Freud l'a déjà en germe lorsqu'il rédige « Psychologie collective et analyse du Moi » et « Considérations actuelles sur la guerre et sur la mort ». On peut penser que ce sont elles qui sont à l'origine de « Au-delà du principe de plaisir » et des notions si importantes pour nous que sont celles « d'Éros qui sépare et de la pulsion de mort qui réunit ».

En effet, tout groupe humain a besoin, pour sceller sa cohésion, d'affirmer et d'approfondir en quoi il se distingue et se différencie des autres groupes. C'est le principe de l'union sacrée contre les ennemis extérieurs, dont on sait qu'elle a été un des points importants du nazisme (mais aussi de tout groupe humain, peu ou prou !). À mon sens, c'est là la fonction majeure de toutes les prescriptions des sociétés, de leurs règles de vie, de leurs impératifs de « puériculture », comme l'a fort bien montré Gilbert Diatkine avec ses exemples cliniques. Les prescriptions sont à la fois ce qui unit et ce qui sépare le groupe et le différencie. Elles relèvent des différenciations nécessaires à la vie psychique que sont la différenciation dedans/dehors et la différenciation moi/non-moi. L'intérêt principal de ces prescriptions est d'être facilement transmissibles et transmissibles également à tous les membres du groupe, même si leur observance est difficile. Dans sa 34e Conférence de 1932 Freud écrit : « La foule elle-même cherche la facilité... elle veut avoir des solutions simples et savoir les problèmes liquidés » ; le mot est prémonitoire !

Les solutions simples sont toujours facilement applicables et surtout reconnaissables par tout membre du groupe (l'exemple du *shibboleth* est, en ce sens, remarquable) et techniquement reproductibles. Comme je l'ai souligné à Montréal, ces prescriptions techniques transmissibles, en quelque sorte des « apprentissages », ne sont pas, comme on l'a longtemps cru, propres à notre espèce humaine : les anthropoïdes et même les primates en sont capables comme le montre l'exemple des singes Bonobos se transmettant par apprentissage transgénérationnel le trempage des pommes de terre dans l'eau de mer pour les rendre plus savoureuses. Ces prescriptions concernent avant tout le corps et la vie matérielle, mais elles atteignent aussi la vie de la pensée ou plutôt du dogme : c'est ce qu'on rencontre dans tous les dogmatismes, voire même les snobismes. Il est de bon ton de citer tel auteur plutôt que tel autre, de se référer à telle culture plutôt qu'à une autre ou de lire ceci plutôt que cela. Il y a ce qui se fait et ce qui ne se fait pas : la différence est entre bon et mauvais, entre pareil et pas pareil. On retrouve ici le premier clivage qui crée le Sur-Moi, tel que Freud le décrit dans la 31e Conférence. De toute façon on peut noter que dès qu'il s'agit du lien avec le *socius,* ce sont les questions de comportement qui occupent le devant de la scène. En effet, le collectif renvoie d'abord au « public » par rapport au « privé », à ce qui se voit ou se dit par rapport à ce qui se pense ou se fantasme et ne trouve pas d'expression à l'extérieur.

Et là nous touchons au deuxième aspect du Sur-Moi culturel : ce qui implicitement, en quelque sorte, et peut-être au travers des prescriptions les plus techniques, a pu installer de modification dans la psyché de chaque membre d'un groupe ou d'une communauté, modification qui permet à la fois de reconnaître et de différencier les modes de pensée et de comportement. Or, quelle est donc la nature même de cette modification ? Est-elle vraiment consciente, comme le disait Freud, ou n'y entre-t-il pas une large place qui relèverait du Préconscient, via le langage et la forme même de celui-ci ? Ceci pose d'ailleurs la question même de la forme de la pensée et de ce qu'entraînent, par exemple dans un groupe familial, les formes de pensée particulière des parents ? Mais mon projet n'est pas ici de régler ce problème, que pourtant, je voulais évoquer avant de revenir à Anna et Henriette.

Leur demande dans le cadre des camps où ce qui était visé était la destruction de toute individualité, ainsi que la non moins surprenante réaction des deux SS, contrevenant à la règle prescrite, pourraient s'entendre comme une « rencontre », certes singulièrement exceptionnelle, et où, pour une fois, un peu de compréhension (Anna dit de compassion) serait passée. Pourquoi pas ? Mais, il me semble que l'intérêt de ces deux expériences est de nous amener un peu plus loin dans notre réflexion. En effet, la demande d'Anna et d'Henriette est tout à fait particulière en ce qu'elle ne concerne justement pas le corps ni aucun des aspects de la vie matérielle des deux déportées. On connaît le mot abominable (je crois rapporté par Primo Levi) du SS voyant des déportés se jeter sur des épluchures pour assouvir la faim qui les tenaillait : « Vous voyez bien que ce sont des bêtes, ils ne pensent qu'à manger. » Il est a peu près certain que si Anna et Henriette avaient demandé à manger, elles se seraient attiré ce type de réponse. Mais leur demande se réfère à un autre type de besoins et concerne la part désérotisée et sublimée d'elles-mêmes. Référence qui est de plus soutenue par la désignation d'elles-mêmes qui les singularise et les différencie du groupe dont elles sont issues aux yeux des SS. On peut imaginer qu'elles se sont ainsi inscrites dans le champ de prescriptions autorisées et sur-moïques que les SS reconnaissent : l'écriture et l'Écriture. Par là, elles ont touché chez leur SS une possibilité de s'identifier non pas à elles en tant que « personnes », mais à une part d'elles que les SS pouvaient s'autoriser à reconnaître comme « pareille » à eux. Part qui touche plus à l'identique qu'à la reconnaissance d'un « autre ».

Il me semble que c'est bien là le risque que J. Mauger et L. Monette ont voulu dénoncer dans leur rapport : le risque d'une répétition où la culture psychanalytique ne serait plus que reproduction à l'identique au moyen de prescriptions sur-moïques et où nous n'accepterions de reconnaître en l'autre que ce que nous tolérons chez nous : le « bon » analyste, à quatre séances, à paiement en liquide, à fantasmes originaires bien répertoriés et à références de lectures bien homologuées. Le risque existe de cette caricature, nous l'avons hélas ! rencontré.

Il faut aussi y ajouter ce que nous connaissons de plus en plus sur nos divans de ces patients très au fait de leur complexe d'Œdipe, du rôle du transfert, de l'importance de leur agressivité et des vertus innombrables de la « parole », ce qui aboutit souvent à cette parfaite résistance du « tout dire pour ne rien dire ».

Mais alors, y a-t-il une véritable « culture » analytique possible et quelle peut être la transmission de l'analyse qui nous permettrait d'échapper au risque d'être un SS ou un vulgaire bonobo ?

Au Musée des civilisations d'Ottawa, il y a une interview d'un chef Huron et il dit : « Toute rencontre est une modification. » C'est peut-être le mot qui nous a manqué au cours du Congrès et il faut se réjouir qu'il nous vienne d'une autre culture et peut-être y voir un signe bénéfique !

Alors, quelle est donc la modification que la rencontre d'Anna et Henriette a amenée ? Chez Anna et Henriette, je le sais, une espérance de pouvoir continuer à être fidèles à ce qu'elles avaient en elles de plus précieux. Chez les SS, je ne sais pas : peut-être l'idée que les choses et les gens ne sont pas toujours ce qu'on nous a dit qu'ils étaient ? On peut avoir l'espoir que d'avoir rencontré chez des déportés quelque chose qui leur ressemblait (eux qui n'avaient voulu y voir que la différence à haïr et peut-être une « relation d'inconnu ») a pu créer chez eux le sentiment d'un doute.

Ce que la rencontre analytique peut provoquer, en tout cas peut être, c'est justement l'introduction d'un doute, d'un écart, d'une différence. Et, me semble-t-il c'est en cela que l'analyse se rattache à ce que la culture a de proprement humain et qui échappe aux prescriptions, qui peut se transmettre et représente même la nécessité intérieure d'une transmission : c'est la place du père dans la procréation, le rôle qu'il y joue et surtout la part d'à jamais inconnaissable que recèle notre propre origine. L'inconnu, l'incertain voire l'énigmatique, source de toutes nos interrogations, de nos recherches et de nos découvertes me paraît le fondement de la culture humaine, qui exige constamment un acte de « reconnaissance » : reconnaissance du lien qui a uni un homme et une femme, avec toutes les différences sexuées et sexuelles que cela comporte. Reconnaissance de n'y avoir été pour rien et d'en être à jamais exclu et étranger. Car il ne pourrait y avoir rencontre qu'entre deux êtres différents et qui ne se connaîtraient pas : autrement, il s'agit d'une duplication et non de la confrontation à un autre. C'est pourquoi, il n'y a pas « rencontre » entre les deux déportées et leurs SS, et pas transmission non plus : c'est un « contact » de pure forme où peut se constater une similarité (même pas une ressemblance). Une rencontre amènerait la contrainte à prendre en compte et à examiner les différences qui les opposent et les rendent ennemis, pour les exacerber ou au contraire tenter d'y échapper. Mais cela alors déboucherait sur un véritable travail de pensée : une pensée qui peut se contredire, se renverser en son contraire ou revenir sur elle-même pour se modifier. Ceci sous la contrainte non pas de la répétition d'une règle (celle-ci fusse-t-elle juste), mais sous les auspices toujours interrogeables et discutables de l'expérience. L'expérience suppose une durée, une continuité, et une discontinuité des espoirs et des déceptions, exactement comme la transmission de la vie.

La rencontre ne donne alors pas lieu à la manie de l'allégresse groupale mais à la nécessité de reconnaître ses propres limites et celle de l'autre, ce qui ne va pas parfois sans amertume. Freud pensait que l'homme, au fond, ne cherche pas tant le bonheur que la consolation. L'analyse n'apporte certes pas le bonheur, mais qu'en est-il de la consolation ? Et de quoi la « culture » analytique pourrait-elle consoler l'homme que ne ferait pas la culture scientifique ou artistique ?

Peut-être, après tout, que le véritable Sur-Moi culturel analytique serait seulement de renoncer à apporter à nos patients autre chose que cet Idéal de Freud : leur permettre de ne pas ajouter quelque chose de plus aux « dures nécessités de la vie ».

Marie-Lise Roux
137, boulevard Saint-Michel
75005 Paris

Avancer sur les crêtes ou la culture en abysse

Ellen CORIN

Comment penser le rapport entre la psychanalyse et les champs qui la bordent autrement que dans le plein (des savoirs sur soi, sur l'autre) ? Comment saisir, sans la figer, la marque dans le psychisme de logiques qui lui sont étrangères mais n'en participent pas moins intimement à la trame que dessinent le jeu des pulsions et de leur mise en représentation, le rapport au désir et à la loi, le travail de la mort et du négatif, le jeu des identifications dans le rapport à l'origine ? La notion de surmoi culturel me semble porteuse ici de toutes les ambiguïtés, de toutes les embûches et de tous les leurres au sens où elle risque de rabattre sur l'illusion d'un déjà su, d'un familier ce qui, du collectif, aurait pu nous déplacer et nous interroger dans notre travail d'analyste.

La notion d'étranger, que font jouer dans leur texte Jacques Mauger et Lise Monette en contrepoint à celle de pureté, me paraît à la fois plus féconde et plus déroutante, et donc plus intéressante lorsqu'il s'agit de repérer au cœur du travail clinique une sorte de redoublement, sur un autre plan, de l'étrangeté inhérente au travail de la pulsion.

Leur texte m'a rejointe dans mon identité d'analyste ou plutôt dans son mouvement, en en rappelant l'instabilité essentielle. Les rapporteurs à la fois rappellent le caractère profondément perturbateur de la psychanalyse dans ses différentes dimensions, et repèrent la gamme des modes de recouvrement auxquels nous tendons toujours à recourir face à cette perturbation. Leur texte dessine les courants et les zones de concentration de cette perturbation et de nos tentatives pour la circonscrire, jusque dans le travail clinique lui-même à travers ce qu'ils désignent comme la haine du transfert. Je n'ai donc pas compris leur rapport comme présentant un nouveau modèle de la psychanalyse, dont les auteurs devraient s'expliquer, ni comme se donnant comme le portrait d'une « réalité » dont on pourrait toujours dire qu'elle est moins sombre que celle qu'ils évoquent. Leur réflexion nous/leur rappelle la nécessité d'un travail continu de reprise, d'analyse et de critique indissociable d'une position d'analyste. C'est un texte que l'on pourrait qualifier de « sur les crêtes », qui déstabilise.

Dans ce contexte, les rapporteurs utilisent la notion de pureté comme une sorte d'élément traceur privilégié qui suit et révèle l'une des facettes de ce qui à la fois résiste en nous à notre insu et cependant insiste dans notre travail clinique et dans notre travail de pensée, dans notre rapport à l'autre qui résiste à notre savoir sur lui. La pureté, notion qui interroge ce qui, en nous, tend à rabattre l'autre sur le déjà su, le déjà connu. Par le tranchant de leur questionnement, on peut dire que les rapporteurs n'échappent pas à leur tour à une tentation de pureté, lorsque leur texte semble parfois privilégier essentiellement une pratique aux sommets, tout en en dénonçant les leurres. Si leur texte semble ne pas prendre parti entre une position de pureté et une autre de compromis ou, plutôt, si les rapporteurs prônent une tension non résoluble entre ces deux positions (invitant à établir « les conditions d'un espace, d'une marge où peuvent coexister les opposés : sacré et impur, interdit et impur, sans que l'un délimite l'autre »), c'est que chacune d'elles comporte ses propres pièges et que le texte vise moins à rassurer en indiquant la bonne manière de faire, qu'à relancer une position auto-analytique. Le fait de rappeler, comme l'a fait Jacques Mauger lors du Congrès, le double rôle de la résistance, à la fois obstacle et condition nécessaire au travail clinique, ouvre une voie permettant de se dégager de l'impasse ou de l'ambiguïté inscrits dans le « pur », invitant à le mettre au travail.

J'ai été particulièrement sensible à la manière dont les rapporteurs font jouer en contrepoint de la pureté la notion d'étranger, et à la façon dont ils en suivent les enjeux à partir de ce qui déborde le « propre » de la pureté dans le double sens de ce terme : le « propre » (qui appartient à) du narcissisme que vient déstabiliser l'étranger ou le non-semblable dans l'autre, et le « propre » (non souillé), le non-contaminé par ce qui nous échappe et que met en péril l'impureté-étrangeté de l'étranger.

Le fait que « l'autre » que l'on est tenté de laisser à l'écart ou de mettre de côté ne soit pas clairement identifié me paraît ainsi essentiel au projet des rapporteurs, si l'on considère leur texte comme un principe général de questionnement. Le nommer et en dessiner les contours permettrait de se débarrasser à bon compte de la question posée puisque c'est notre propre mouvement intérieur qui se trouve interrogé dans leur texte, tel qu'il opère dans le champ de la psychanalyse tout comme à sa bordure. Un autre qui décrit non une situation ou un état dont on pourrait nous accuser mais plutôt une tentation dont nul n'est indemne. L'autre, la figure de ce qui échappe, une notion limite plutôt qu'un objet ; l'évocation de l'autre, un appel à une position de pensée qui accepte de se laisser interroger par ce que l'on ne peut intégrer, que ce soit du dedans ou du dehors de nous.

Déployant dans leur texte quelques-unes des figures de l'altérité qui parcourent la clinique et le travail de pensée qu'elle suscite, les rapporteurs évoquent un Autre préhistorique fonctionnant au-delà du Moi individuel aussi bien que collectif et qu'ils situent du côté de l'espèce. Ils le présentent comme irréductible au surmoi individuel aussi bien qu'au surmoi culturel. Je voudrais à mon tour les interpeller sur un niveau d'altérité dont leur texte me semble faire l'économie, tout comme aussi, de façon plus paradoxale, en fait l'économie le texte de Gilbert Diatkine avec sa notion de surmoi culturel. Je veux parler ici de l'Autre de la culture dont la notion de surmoi culturel me paraît éluder le tranchant en le rabattant trop vite sur une notion qui nous est « propre », élaborée dans le champ de notre discipline pour penser des dynamiques psychiques individuelles. Je ne parle pas ici uniquement des autres cultures, même si la différence culturelle peut en servir de révélateur, mais de la culture comme Autre, au sens où elle constitue pour la psychanalyse un concept limite.

Dans le rapport de Gilbert Diatkine, la notion de surmoi culturel, et la culture dans ce surmoi, se trouvent en effet soit approchées en termes d'intergénérationnel (mais n'est-ce pas un trait propre à tout surmoi ?) ; soit rabattues sur un certain nombre de traits distinctifs permettant de caractériser le manifeste de l'autre (comme la « politesse orientale » identifiée comme un élément du surmoi culturel d'Arnaud ou encore les valeurs de l'analyste concernant l'homosexualité) ; soit encore présentées comme essentiellement animées par un archaïque dont il s'agirait de se dégager (« Lorsque le surmoi culturel a prédominé dans le développement d'un sujet... un moi idéal important se constitue... », p. 141) : comme si le mouvement même de dégagement singulier dans lequel se constitue le sujet pouvait se faire autrement que porté, animé par la culture qui en constitue la matrice. Ainsi, non seulement la notion de surmoi culturel n'apporte-t-elle rien de vraiment neuf mais, fait plus grave, elle donne l'illusion de prendre en compte la culture quand elle risque de n'en saisir qu'une construction imaginaire à laquelle nous participons par notre regard sur l'autre. Risque d'essentialisation et d'objectivation de l'autre dans l'analysant, alors que nous tentions d'y échapper à travers l'analyse des enjeux du transfert et du contre-transfert. Si c'est de cela qu'il est question, on comprend la méfiance de nombreux analystes à prendre en compte toute référence à la culture dans le travail clinique.

L'Autre de la culture me paraît d'un autre ordre, à la fois plus hétérogène et plus profondément structurant ou contraignant. Un Autre qui imprègne la formation des représentations de chose et de mots, qui les inscrit d'emblée dans des trames signifiantes plus larges dont la clinique recueille à la fois le bruissement, le jeu et les exigences. Un Autre que l'on ne peut saisir, de notre lieu de psychanalyste, que de manière asymptotique mais qui n'en est pas moins au travail dans la psyché individuelle, dans le rapport au désir et à l'interdit. Un Autre de la culture constitué d'un ensemble de chaînes signifiantes qui convergent dans des représentations et des symboles selon des configurations propres à des langues et à des cultures particulières, chaînes qui se recomposent de manière toujours singulière au fil des histoires personnelles et trangénérationnelles. Dès lors que la psychanalyse s'intéresse aux représentants psychiques de la pulsion, comment ignorer que ces représentants sont d'emblée inscrits dans des chaînes signifiantes plus larges qui surdéterminent, délimitent et orientent le jeu du pulsionnel ?

Dans son article sur l'inquiétante étrangeté, Freud prend ainsi appui sur l'évolution du mot allemand *heimlich* pour élucider ce qui sous-tend le sentiment d'inquiétante étrangeté qui, selon ses termes, signe le surgissement d'une variété particulière de l'effrayant au sein de l'angoisse. Il montre comment, au cours de l'histoire, ce terme en vient à condenser deux ensembles de représentations fortement étrangères l'une à l'autre, qui tournent autour du familier et autour du caché en un tissage qui inscrit une dimension d'ambivalence au cœur même de l'*heimlich*. Freud suit alors à travers des contes, des balades et des symboles culturels les diverses figures que prend cette inquiétante étrangeté. C'est sur cet arrière-plan qu'il formule son hypothèse qui rattache l'expérience d'inquiétante étrangeté à des complexes infantiles refoulés ravivés par une impression ou une perception qui fait retour dans la réalité. La note liminaire à la traduction française de l'essai remarque que « l'idée même de cet essai ainsi que sa problématique spécifique n'auraient sans doute jamais pu germer dans la tête d'un non-germanophone, tant la matière se trouve ici éminemment déterminée par un signifiant » (S. Freud, 1985, p. 212).

D'autres langues effectuent d'autres condensations qui tracent la voie à des confluences et à des recouvrements de significations qui auraient pu demeurer distincts dans d'autres contextes. Ainsi, Jean Pouillon (1993) évoque les significations contradictoires associées en français au terme « croire » qui peut exprimer, selon le contexte, la certitude ou le doute. Il serait possible de traduire chacune des significations associées à un tel mot, sauf l'ambiguïté même de leur association. On peut penser que de tels carrefours de significations, inscrits dans la structure même d'une langue, viennent cristalliser et relancer des associations particulières entre chaînes signifiantes et qu'elles contribuent à déployer des liens tissés à même la problématique singulière de certains analysants. Chaque langue comporte ainsi ce que l'on pourrait appeler des mots carrefours inscrits dans l'épaisseur de la langue, qui y font leur trace et qui peuvent participer à une étrangeté par rapport au langage commun et à l'ébranlement d'une discursivité secondarisée. « Responsabilité, un drôle de mot » commente une analysante qui réalise que ce mot exprime à la fois une chose (être coupable) et son contraire (prendre ses responsabilités), une observation qui ouvre sur un ensemble d'images et de souvenirs proches et lointains parlant d'un naufrage des repères sur lesquels on pensait pouvoir compter, avec le sentiment que tout bascule : « Je n'arrive plus à penser. » Une polysémie des mots qui peut aussi se situer au plus près du corps. Ainsi, parlant d'un retard de ses règles, une autre analysante commente : « Alors que normalement je suis réglée comme une horloge... cela me fait voir à quel point je suis affectée. Tout est déréglé. »

On peut aussi évoquer les repères qui, dans une culture particulière, indiquent ce qu'il en est de la différence entre les sexes et les générations, ce qu'il en est des rapports de transmission et de filiation, de la nomination, de la temporalité, de la naissance et de la mort, de la pureté même et du rapport à l'autre. Repères relayés, déplacés ou subvertis par les premiers porte-parole de la culture dans le monde de l'enfant, mais sur fond d'une trame symbolique qui déborde le singulier tout en y inscrivant sa marque.

Plus profondément, les premières perceptions et les représentations liées au désir s'ancrent aussi dans des expériences sensorielles plus vastes dont on peut penser qu'elles imprègnent de leur marque les modes d'expression et de transformation des pulsions. Guy Rosolato parle du poids d'imprégnation qu'ont les signifiants, avant même qu'ils prennent leur valeur de signe par fixation à un signifié donné. Il parle ici de signifiants de démarcation énigmatiques qui « permettent la mise en mémoire d'impressions, de sensations, d'éprouvés même encore indistincts, encore mal identifiés » (G. Rosolato, 1985, p. 9), des signifiants qui fonctionnent selon une logique analogique plutôt que digitale, au plus près de représentations de chose. On peut penser ici à l'importance d'une mobilisation de divers registres de la sensorialité dans les premières relations mère-enfant en fonction des cultures et à leur écho dans les premières mises en représentation de la pulsion. On peut aussi évoquer la façon dont des cultures particulières favorisent un déploiement de divers registres sensoriels en un véritable chatoiement à la fois au plus proche des corps et au sommet d'élaborations culturelles des plus sophistiquées. Une sensorialité qui vient habiter le langage, donner aux mots une aura particulière... possibilité d'une matrice culturelle qui favoriserait la mobilité des investissements au plus proche du préconscient et des pulsions. Si, comme le suggère Michel de M'Uzan (1994), les interprétations mutatives sont celles qui sont susceptibles d'opérer un remaniement économique des systèmes CS/PCS et se caractérisent par leur fluidité énergétique, on peut penser qu'une plus grande proximité par rapport à la dimension sensorielle des représentations peut permettre plus facilement le jeu des processus primaires. On peut sans doute évoquer ici le degré de familiarité des membres de cultures particulières avec des formes mythiques mobilisables pour l'expression, la mise en représentation et l'élaboration de conflits psychiques, ou encore la place réservée, au sein du langage ordinaire, à un langage mythopoétique dont André Green relève l'analogie avec le fonctionnement mental de l'analyste (A. Green, 1992).

Sur un plan plus général, on peut aussi évoquer ici les commentaires de Jean-Michel Hirt (1993) sur la manière dont les cultures musulmanes d'Afrique du Nord découpent le visible et l'invisible selon une organisation spécifique de la vue, du regard et du reflet et sur le rôle qu'y joue une imagination créatrice qui « rend sensible un monde autre, qui sans elle resterait innommable, ne pourrait devenir objet du désir, absence d'objet » (J.-M. Hirt, 1993, p. 58). L'auteur, psychanalyste, y décrit l'importance d'un dédoublement de la vue et la place qu'y revêt « la semblance, soit une présomption visuelle qui, par la faille qu'elle pratique dans chaque regard, ouvre sur la multiplicité des interprétations » (p. 56). Jean-Michel Hirt en décrit les implications dans certaines situations cliniques, en contexte d'immigration notamment, et explore les façons de remettre en mouvement, et de laisser se transformer, ces registres identificatoires symboliques premiers.

Si l'on se tourne vers les représentations de mots, on peut se demander quelle est l'empreinte de systèmes culturels qui ont un rapport différent aux notions de limite, de démarcation et d'opposition, par rapport à l'organisation digitale des signifiants verbaux (G. Rosolato, 1985) ; se demander aussi ce qu'il en est dans ce contexte de la possibilité de dégagement d'une parole singulière. Je pense à la façon dont A. K. Ramanujan (1989) parle d'un « style indien de pensée » caractérisé par une sensibilité au contexte et dont il repère les traces, notamment dans la linguistique, la poésie, la philosophie. Un style de pensée qui implique un brouillage des catégories à travers lesquelles nous pensons le soi et le monde, une contiguïté entre agents humains et non humains, entre l'intérieur et l'extérieur : « Le microcosme est à la fois dans et comme le macrocosme, et paradoxalement, il le contient » (p. 50). Ou encore, comment penser le rapport au désir dans un contexte où l'idéal de l'accomplissement passe par le détachement et l'effacement du désir, par le détachement et l'effacement du soi ? Un contexte où le tranchant de l'ascétisme traverse une élaboration particulièrement riche de la sensorialité sous tous ses registres. Comment penser la remémoration et la perlaboration dans une culture qui distingue entre deux types de mémoire : l'une qui implique le souvenir et le rappel du passé, essentiellement leurrée, et l'autre qui opère par une attention intérieure, par une pénétration qui dégage de la contingence du souvenir. Comment les représentations, les figures et les symboles particuliers à travers lesquels sont visés, de manière toujours tangentielle, l'inconnu de l'objet et le réel de la perte initiale influencent-ils le jeu du désir et de la mort dans la vie psychique ? Se référant particulièrement à l'hindouisme, André Green (1995) observe que certaines cultures se caractérisent par une élaboration particulièrement riche de l'idée d'un travail du négatif. On en comprend cependant mal les implications quant au jeu de la liaison et de la déliaison, aux possibilités d'élaboration de la pulsion sexuelle et de la pulsion de mort.

Cet Autre de la culture, qui se donne comme une trame polysémique, texturée, symbolique mais aussi matricielle, on pourrait dire qu'il ne concerne pas directement la psychanalyse, qu'il n'entre pas dans le champ de ce qu'elle peut connaître ou reconnaître. Mais il n'en est pas moins au travail dans la psyché individuelle, qu'il s'agisse d'analysants de notre culture ou de cultures autres. Dans ce domaine, le rapport à l'autre culture a un pouvoir révélateur par rapport à ce qui nous demeure insu lorsque nous pensons être « entre nous » et pouvoir faire l'économie de ce qu'il en est du travail de la culture en nous, dans l'analysant et dans l'espace qui s'élabore entre nous. Le travail de la culture dans le jeu du transfert et celui du contre-transfert, comme un brouillage ou un surplus dont nous ne savons que faire (si toutefois nous en repérons les traces). Autant on ne peut que souscrire à l'idée que nous ne pouvons parler valablement que de notre pratique, autant il faut réaliser que ce que l'on entend dans sa pratique dépend de ce que l'on y écoute. La question posée ici est celle de la portée de ce travail de la culture au sein de la vie psychique et celle de la possibilité de laisser jouer ce travail sans le rabattre sur le « propre » de nos systèmes de référence personnels. Il ne s'agit pas de produire un discours sur la culture à partir de la pratique, même en termes de surmoi culturel, en une démarche qui risquerait de transformer l'analysant en informateur culturel ; mais plutôt de soutenir la remise en mouvement des articulations signifiantes de l'Autre de la culture selon sa propre logique ; de ne pas capter l'Autre dans nos propres représentations implicites de ce qu'il en est de l'humain et de ses points de certitude essentiels à la vie psychique (Aulagnier, 1979).

Je rejoins Gilbert Diatkine dans l'idée qu'il est essentiel de disposer de représentations intermédiaires, frontières permettant de penser le travail de la culture dans la psyché individuelle, afin de ne pas réduire le collectif au singulier pas plus que le singulier au collectif, deux risques aussi problématiques l'un que l'autre. Ces représentations intermédiaires significatives pour un analysant particulier, ce sont cependant sa parole et ses silences qui nous les présentent et il s'agit de les saisir dans leur double articulation : d'une part, sur ses conflits psychiques et sur ses désirs et, de l'autre, sur un champ symbolique plus large qui leur imprime son propre mouvement ; de pouvoir déployer dans le champ clinique une double écoute qui cherche à entendre dans la parole ce qui la déborde doublement, du côté de l'inconscient et du côté de la culture, sans rabattre trop vite l'un sur l'autre. Il ne s'agit donc pas, comme semble parfois en avoir la tentation Gilbert Diatkine, d'identifier tel ou tel élément de la parole de l'analysant comme renvoyant à un « trait » de son surmoi culturel, mais de permettre au patient d'évoquer lui-même, et de faire jouer, les chaînes associatives culturelles qui se déploient par exemple autour de la notion de père mort et d'autel familial, qui habitent une discursivité où les choses se diraient de biais, dans l'évocation plutôt que dans leur plein, sans y voir d'emblée un déni de la conflictualité psychique. D'être attentif au déploiement des associations libres le long de chaînes signifiantes culturelles multiples et parfois paradoxales ou contradictoires afin de permettre à l'analysant de se situer au plus près d'un champ symbolique qui l'habite et de l'habiter de manière singulière. Accepter que l'Autre de la culture fasse son travail dans la cure, partiellement en dehors de nous et de ce que nous pouvons en saisir, dans le cadre de la séance mais aussi en d'autres lieux, des lieux de transferts latéraux animés par un mouvement que nous contribuons sans doute à relancer et à orienter mais qui se déploie aussi ailleurs, d'une manière qui nous demeure insue.

Cela amène à reposer autrement la question du rapport entre la psychanalyse et les champs qui la bordent, non seulement en termes d'arrachement comme le propose le rapport de Lise Monette et de Jacques Mauger, mais aussi en termes de décentration mutuelle et de dialogue conflictuel. Si la « guérison psychanalytique », telle que l'abordent les auteurs du rapport « Pure culture... », consiste à réouvrir des significations bloquées et figées, à les déployer selon des réseaux de sens qui progressent dans un mouvement centrifuge, pour reprendre une image de Nathalie Zaltzman (1998), on peut se demander dans quelle mesure ce travail peut, ou doit, prendre appui sur ce travail de la culture qui nous habite et nous échappe sans cesse.

Ellen Corin
3461 Jeanne-Mance
Montréal, Qué H2X.2J7
(Canada)

RÉFÉRENCES BIBLIOGRAPHIQUES

Aulagnier P. (1979), *Les destins du plaisir : aliénation, amour, passion*, Paris, PUF, 268 p.

Freud S. (1919), *Das Unheimliche,* trad. franç. par B. Féron, L'inquiétante étrangeté, in *L'inquiétante étrangeté et autres essais*, Paris, Gallimard, « Folio-Essais », 1985, 342 p.

Green A. (1992), Œdipe, Freud et nous, in *La déliaison*, Paris, Les Belles Lettres, 388 p.
Green A. (1995), *La causalité psychique entre nature et culture*, Paris, Éd. Odile Jacob, 332 p.
Hirt J.-M. (1993), *Le miroir du prophète. Psychanalyse et Islam,* Paris, Grasset, 278 p.
M'Uzan M. de (1994), *La bouche de l'inconscient*, Paris, NRF, Gallimard, 202 p.
Pouillon J. (1993), *Le cru et le su*, Paris, Le Seuil, 170 p.
Ramanujan A. K. (1989), Is there an Indian way of thinking ? An informal essay, *Contributions to Indian Sociology* (n.s.), 23, 1, 41-58.
Rosolato G. (1985), *Éléments de l'interprétation*, Paris, NRF, Gallimard, 338 p.
Zaltzman N. (1998), *De la guérison psychanalytique*, Paris, PUF, 206 p.

« *Femme, enfant malade et douze fois impure* »

Anne-Marie Pons

Cette lamentation lancée au ciel par le poète Alfred de Vigny me servira de prétexte pour ramener à la réflexion ce fantasme de la pureté/impureté féminine, thème qui me semble avoir été à peine effleuré pendant le Congrès. Manque d'intérêt ? lassitude ? ignorance ? crainte ou mépris des femmes ? À chacun probablement ses raisons.

Un article de Freud, « Le tabou de la virginité », qu'aussi bien G. Diatkine que L. Monette et J. Mauger citent dans leurs rapports, pourrait permettre de relancer la discussion. Dans ce court article de 1918, Freud s'interroge sur une coutume des peuples dits primitifs qui paraît pour le moins étrange aux yeux de l'homme civilisé pour qui la virginité, la pureté de la jeune fiancée, et le droit de possession exclusive d'une femme semble aller de soi.

Dans plusieurs peuplades d'Australie, d'Afrique, de Malaisie, il est de rigueur que la jeune femme perde sa virginité en dehors du mariage et avant tout rapport sexuel avec son époux. La défloration de la fiancée représente un danger, une menace pour le futur mari que l'on veut à tout prix lui éviter. L'accomplissement de cet acte, devenu objet d'un tabou, est donc confié à un autre homme, soit le père de la fiancée, soit le prêtre, soit même une vieille femme qui perforera l'hymen à l'aide d'instruments divers.

En fait, dit Freud : « Ce n'est pas seulement le premier coït avec la femme qui est tabou. Tous les rapports sexuels le sont. » Et il ajoute : « On pourrait presque dire que c'est la femme dans son entier qui est tabou » (S. Freud, 1918, p. 71).

Les raisons invoquées pour déclarer tabou une chose, un animal, une personne sont que cette chose, cet animal, cette personne est soit sacré, soit impur. Chez la femme, ces deux aspects du tabou se retrouvent réunis. Elle est à la fois sacrée et impure : sacrée, quand elle est la mère, la madone ; et impure quand elle est femme, de ses premières menstruations jusqu'à sa ménopause, c'est-à-dire tout le temps de sa vie sexuelle, femme sexuée, souillée, corrompue.

Que ce soit par vénération (la madone) ou par dégoût (la putain), par crainte d'un châtiment ou crainte d'être contaminé, le fait d'être sacrée et impure rend donc la femme doublement tabou, doublement intouchable. Le tabou est là pour préserver d'un danger terrifiant. Violer ce tabou, c'est s'exposer à la mort.

Si l'on comprend aisément la terreur qu'ont pu susciter les morts, celle qu'inspirent les femmes est plus énigmatique. Encore plus surprenante est-elle quand on met en parallèle le peu de pouvoir qu'ont les femmes dans la réalité et l'incroyable puissance dont elles sont dotées dans le fantasme. Pourtant, et les morts et les femmes, objets tabous, sont perçus comme des réservoirs de forces redoutables dont le contact peut être foudroyant et qu'il faut donc à tout prix éviter.

Comment expliquer une telle construction ? Qu'est-ce qui est si redoutable chez la femme ? À quoi est due son impureté et par voie de conséquence, d'où sont issus le mépris et l'asservissement dont elle est encore bien souvent l'objet ?

L'analyse des mythes, du folklore, des fantasmes laisse entrevoir le sexe de la femme comme un lieu mystérieux et terrifiant. Soit son vagin est denté et, telle une bouche vorace, il sectionne et dévore le pénis qui ose le pénétrer. Soit son clitoris est une flèche acérée et l'on comprendra qu'il est plus prudent de l'exciser. Soit des serpents logent dans son ventre et les hommes qui ont des rapports sexuels avec elle se font mordre cruellement. L'utérus est un animal sauvage qui guette avec voracité la semence de l'homme. Démocrite en son temps avait d'ailleurs mis en garde Hippocrate : plus de 600 démons et d'innombrables catastrophes sont sortis de l'utérus des femmes. Quand l'utérus est insatisfait, il se déplace : c'est l'utérus voyageur qui peut remonter jusqu'à la gorge. Pour le faire redescendre, on fait respirer à la femme des vapeurs nauséabondes ou on la suspend par les pieds.

Son appétit sexuel est insatiable. Seule la copulation avec le diable peut parvenir à satisfaire cette sorcière. De ce commerce avec les démons vont découler les premières menstruations dues à la morsure d'un animal surnaturel. Ce sang ne peut être qu'impur et maléfique. La femme menstruée, véritable nuisance, amène dans son sillage quantité de calamités. Sur son passage, les animaux meurent, les récoltes se dessèchent, le vin devient aigre, les chiens enragés, les fruits tombent des arbres, les miroirs s'obscurcissent, la nourriture se transforme en poison, la chasse, la pêche, les expéditions guerrières sont vouées à l'échec, les hommes enfin à son contact s'affaiblissent et succombent.

Les femmes qui perdent leur sang ne sont pas les seules à être tabou. Les bourreaux et les guerriers qui ont tué un ennemi le sont aussi. Et comme les femmes, ils doivent se soumettre à de longs rituels de purification. Derrière le tabou du sang se cache donc la crainte inspirée par les forces obscures de la vie et de la mort. Que les femmes menstruées ou qui viennent d'accoucher soient à ce point dangereuses renvoie à l'époque lointaine où, dans la compréhension qu'en avaient les êtres humains, la femme seule décidait de procréer. Soit elle retenait son sang pour en faire un enfant, soit elle le laissait couler, ce qui à toutes fins pratiques était associé à un meurtre.

Avant de découvrir le rôle de l'homme dans la procréation, il y eut donc une très longue époque dans l'histoire de l'humanité où la femme seule détenait le phallus. Le phallus, emblème de la fécondité et de la puissance reproductrice de la nature, était associé au ventre fécond des femmes et non pas au pénis des hommes. Et si ce fantasme de toute-puissance féminine garde une telle force dans l'inconscient, c'est qu'invariablement chaque enfant remet en scène les mêmes théories sexuelles dans lesquelles la mère, sans aucune relation sexuelle et sans l'intervention du père, engendre seule les enfants.

Celle qui se cache derrière la femme dangereuse et terrifiante, celle que vise le tabou, c'est donc la mère toute-puissante, étouffante, dévorante, celle qui possède le droit exclusif de donner la vie et donc de la reprendre. Cette omnipotence maternelle doit être à ce point blessante narcissiquement pour le garçon qu'elle a ardemment besoin d'être combattue. La fille, contrairement à lui, peut au moins se consoler en s'imaginant un jour pourvue des mêmes attributs que sa mère.

Voir la femme comme châtrée, inférieure, infantile, surinvestir son pénis de façon maniaque, en faire le seul signifiant du phallus, remplacer la grande déesse des origines par un dieu unique et mâle, seul créateur de l'univers, Dieu le père, proclamer que la femme est issue du corps de l'homme et non l'inverse, autant de tentatives pour ravir le pouvoir à celle qui en fait le détient et le garde jalousement.

Le triomphe sur la mère omnipotente semble cependant loin d'être gagné, maints exemples sont là pour nous prouver que le combat continue à faire rage. On en trouve même des échos au cœur de la métapsychologie freudienne dont tout l'édifice psychanalytique repose sur le pénis, seul équivalent symbolique du phallus. Évacuée là aussi la toute-puissance féminine. L'envie qu'éprouve le garçon vis-à-vis de l'omnipotence créatrice de sa mère a été retournée en envie de la femme vis-à-vis du pénis de l'homme.

Revenons à ce sujet au tabou de la virginité et à l'interprétation qu'élabore Freud quant à cette coutume qui évite au fiancé la première relation sexuelle de la jeune femme. En fait, dit Freud, c'est de l'hostilité et de la rage de la femme découvrant dans ces premiers moments d'intimité sexuelle qu'elle est un être castré que l'on veut protéger le fiancé. Il n'est pas rare, ajoute Freud, de rencontrer des femmes qui « expriment ouvertement l'hostilité envers l'homme après le premier rapport et même à chaque nouveau rapport sexuel en l'injuriant, en levant la main sur lui ou en le battant pour de bon » (S. Freud, 1918, p. 74).

Cette protestation virile explique aux yeux du père de la psychanalyse pourquoi quantité de femmes restent frigides et malheureuses dans un premier mariage tandis qu'après la rupture de celui-ci, elles deviennent pour leur second mari des épouses heureuses et tendres. Le « venin de la pucelle » s'est en quelque sorte épuisé sur le premier objet.

Freud termine sa réflexion en constatant que le premier rapport sexuel ne signifie très souvent pour la femme qu'une déception. Elle reste froide et insatisfaite. Pour lui, cependant, ce n'est pas le pénis de l'homme qui déçoit la femme, mais bien plutôt le fait d'en être elle-même privée.

La femme hostile, castrante, dévorante est donc déclarée tabou, comme les rois, les prêtres, les morts, investis eux aussi d'une puissance tout autant redoutable. Et si ce tabou attaché à ces personnes est si impératif, c'est que le désir de le transgresser est tout aussi vif. Tuer le roi qui nous domine, se venger des morts qui nous font souffrir, ravir à la mère sa toute-puissance, son phallus, ces désirs-là se doivent d'être refoulés. Seul subsiste l'interdit.

Le sens aujourd'hui courant du mot tabou, « ce sur quoi on fait silence par crainte, par pudeur », évoque l'idée même de refoulement. Un danger clairement perçu n'a pas besoin d'être tabou. Dès son jeune âge, l'être humain est conscient du danger de se brûler ou de se noyer. Le feu et l'eau n'ont donc jamais été objet de tabou.

Le danger que représente la femme, danger que l'on veut éviter à l'homme par le tabou de la virginité et le tabou de l'inceste notamment, reste pour une large part dissimulé à la conscience. Freud chercha toute sa vie, en vain, à découvrir ce continent noir. On pourrait dire que sa curiosité vis-à-vis des divinités maternelles s'est enlisée dans le sable, reprenant en cela l'image qu'il évoque en parlant de l'enfant qui se heurte au mystère de la scène primitive.

Je le cite dans *Totem et tabou* : « Nous ignorons l'origine de la peur de l'inceste et nous ne savons même pas dans quelle direction nous devons la chercher. Aucune des solutions de l'énigme jusque-là proposées ne nous paraît satisfaisante » (S. Freud, 1912-1913, p. 145). Et plus loin, faisant référence à la horde primitive et à la mort du père, il se demande : « Où se trouve dans cette évolution la place des divinités maternelles qui ont peut-être précédé partout les dieux-pères ? Je ne saurais le dire » (*Ibid.*, p. 171).

L'ambivalence du mot *tabou,* à la fois sacré/impur, se retrouve dans l'ambivalence affective au sujet de la personne tabou. Si le roi est à la fois adoré et craint, les morts aimés et haïs, la mère, elle, est à la fois objet de convoitise, d'envie : lui ravir les bonnes choses qu'elle possède, et objet de désir : retrouver son sein chaleureux, nourrissant, l'enveloppe protectrice de son ventre.

Se pourrait-il donc que derrière la génitalisation de l'inceste se dissimule un désir beaucoup plus archaïque de retour à la fusion, à l'union perdue avec la mère, au paradis d'antan ? Le fait de dissimuler ce désir infantile en inceste sauvegarderait-il une fois de plus le narcissisme du garçon ? J'ai envie de pénétrer ma mère comme un homme et de la faire jouir avec mon pénis plutôt que d'avouer que j'ai envie de redevenir un bébé dans son ventre, en entier dépendant d'elle et en entier, une fois encore, à sa merci.

Mais ce désir de retour au sein maternel est tout aussi fort que la terreur qu'il inspire. Le tabou se doit donc d'être inviolable. Peut-être faudrait-il renverser l'énoncé : « La femme est tabou parce qu'elle est sacrée et impure », et dire à la place : « Nous la déclarons sacrée et impure pour la rendre tabou, pour que nul ne s'en approche. »

Présenter la femme comme terrifiante, c'est en faire un objet de crainte, de dégoût, de mépris pour dissimuler le désir de fusionner à nouveau avec elle et pour s'en préserver. Le tabou de l'inceste devient la Loi, la seule loi universelle qui en barrant l'accès à la mère fait de l'enfant, garçon ou fille, un adulte et un être social.

Cet idéal transmis de pureté, de chasteté, idéal que l'on a longtemps imposé aux femmes, incarné dans la figure emblématique de Marie, qui a enfanté tout en restant vierge et pure, va de pair avec la dévalorisation et le mépris de la femme sexuelle. L'une comme l'autre, la vierge pure et la femme douze fois impure, traduisent la rage et le dépit qu'éprouve le petit garçon lorsqu'il découvre que sa mère accorde à un autre homme les faveurs qu'elle lui refuse.

Se pourrait-il que beaucoup d'hommes ne puissent surmonter cette blessure narcissique et restent accrochés à ces théories sexuelles infantiles de la femme pure, vierge et mère en même temps ? Une utopie que même un scientifique comme Auguste Comte, père du positivisme et de la sociologie scientifique, appelle de ces vœux.

« Un jour, se prend-il à rêver, grâce aux progrès de la science, la femme sera capable de concevoir un enfant en dehors de toute relation sexuelle. La procréation sera ennoblie par la chasteté continue. Ainsi purifié, le lien conjugal éprouvera une amélioration prononcée. On réalisera l'utopie du Moyen Âge où maternité se concilie avec virginité » (A. Comte, 1851-1854, p. 240).

Ce qui semblait utopie il y a quelque cent soixante-dix ans pourrait bien devenir réalité aujourd'hui. Avec les nouvelles techniques de reproduction, et autre clonage, la femme risque de se retrouver à nouveau seule détentrice du pouvoir de procréer. Délivrée de la contrainte d'avoir besoin de l'homme pour enfanter, elle deviendra la vierge mère dont rêvaient Auguste Comte et bien d'autres hommes avant et après lui.

Et pour contrer ce pouvoir, non plus seulement fantasmatique mais bien réel, il est fort probable que triomphera encore la survalorisation narcissique du pénis et toutes les manifestations misogynes qu'elle entraîne dans son sillage au plus grand détriment d'une entente harmonieuse entre les hommes et les femmes.

Anne-Marie Pons
5515 Queen Mary
Montréal, Qc H3X IV4
(Canada)

BIBLIOGRAPHIE

A. Comte (1851-1854), *Système de politique positive*, t. IV, cité par S. Reinach, in *Cultes, mythes et religions* (1894), Paris, Robert Laffont, 1996.

S. Freud (1912-1913), *Totem et tabou,* trad. franç. S. Jankélévitch, Paris, Payot, 1947.

S. Freud (1918), Le tabou de la virginité, trad. franç. J. Laplanche, in *Contributions à la psychologie de la vie amoureuse*, in *La vie sexuelle*, Paris, PUF, 1969.

Évolution du Surmoi culturel : Femme, Mère et Transmission

Marie-Thérèse Khair Badawi

Aujourd'hui les filles s'émancipent
Et vous parlent de leurs grands principes
Puis elles font comme leur maman
En vertu des grands sentiments.

(Guy Béart, *Les grands sentiments,*
cité de mémoire).

Depuis plus de vingt ans je réfléchis aux problèmes liés à la sexualité, plus particulièrement à ceux de la femme, dans le contexte traditionnel libanais. La majorité de mes observations m'avait conduit à privilégier le rapport individu/société dans mes différentes tentatives de compréhension. En partant de la pression de ce que j'ai appelé les « outils » du social que sont la famille, l'école, le mariage..., dans une société comme la mienne où l'encadrement par le religieux est incontournable, j'avais découvert à quel point, dans la sexualité en particulier, ces outils constituaient des forces collectives du refoulement et contribuaient à la formation d'un Surmoi tyrannique et culpabilisant.

Du fait de l'importance que j'accordais à la relation entre le culturel global et un vécu subjectif qui semble en apparence toucher uniquement à l'intimité individuelle, j'ai pensé pendant longtemps à « un fourvoiement » dans les explications socioculturelles.

Mais encore... je pressentais que mon interprétation n'était pas suffisante.

C'est là que, en écoutant les échanges de nos collègues, j'ai entendu comme un langage nouveau. J'avais travaillé sur le Surmoi culturel sans le savoir, j'avais essayé de cerner les agents de la transmission, mais sans trouver les référents métapsychologiques et sans parler de la conflictualisation intrapsychique. C'est ce que je vais essayer de réintégrer aujourd'hui à ma réflexion, à partir des rapports présentés à ce congrès – notamment celui de Gilbert Diatkine – et des discussions qui s'ensuivirent.

Si le Surmoi culturel évolue, comme le précise Gilbert Diatkine, et si l'agent principal de la transmission est la femme, en tant que mère, comme on l'a répété tout au long de ces quelques jours sans vraiment s'y attarder, j'aimerais introduire dans notre débat trois aspects de la question que semble poser le problème de cette transmission par rapport à l'évolution du Surmoi culturel :

1 / Freud, la femme et l'évolution du Surmoi culturel.

2 / La femme, la mère et la rupture avec le Surmoi culturel.

3 / Le degré de dépendance entre Surmoi individuel et Surmoi culturel.

1 – FREUD, LA FEMME ET L'ÉVOLUTION DU SURMOI CULTUREL

Les idées de Freud sur la femme s'inscrivent, sans nul doute, dans un contexte social déterminé qui fait qu'il a toujours insisté sur l'aspect contraignant et sacrificiel que la condition de la femme suppose, autant que sur l'aspect douloureux et anesthésié que sa sexualité implique.

Dans ses correspondances, parlant de sa future belle-mère, il dit : « En tant que mère, elle devrait être heureuse de voir que ses trois enfants sont à peu près heureux et sacrifier ses désirs à leurs besoins » (S. Freud [2], lettre du 21 février 1883, p. 47). La même année il écrit encore à sa fiancée Martha : « Je te laisserai gouverner la maison comme tu le désireras et tu m'en récompenseras par un amour profond » (*Ibid.,* lettre du 23 octobre 1883, p. 81), et dix ans plus tard : « Nous sommes d'accord, je crois, toi et moi, pour estimer que la tenue du ménage, l'éducation des enfants et les soins à leur donner excluent à peu près toute possibilité de gagner de l'argent... Il est tout à fait impensable de vouloir lancer les femmes dans la lutte pour la vie à la manière des hommes... Je (t)'attribue pour domaine exclusif la paisible activité de mon foyer » (*Ibid.,* lettre du 15 janvier 1893, p. 86-87).

Jusqu'à la fin de sa vie, dans un de ses derniers articles sur la féminité (le dernier ?) il décrit la femme comme « ne possédant pas à un haut degré le sens de la justice... et encore moins d'intérêts sociaux que les hommes » (S. Freud [9], p. 176). Mais on sait que Freud ramène cet état de choses à la répression sexuelle que subissent les femmes et à leur condition physiologique et anatomique.

En effet, bien que le renoncement à une grande partie des pulsions libidinales soit le prix à payer à la culture par les hommes et les femmes civilisés, comme il le développe dans *Malaise dans la civilisation* (S. Freud [8]), il précise aussi que nous vivons dans une société où existe une double morale sexuelle qui rend ce renoncement plus grand du côté féminin (S. Freud [4]). L'ignorance dans laquelle on maintient la femme pour éloigner toute tentation sexuelle et ajourner constamment sa sexualité afin de garantir sa virginité jusqu'au mariage, va la conduire à devenir sexuellement frigide et anesthésiée (*Ibid.,* p. 41 et S. Freud [6], p. 62) et à « une infériorité intellectuelle... une inhibition de la pensée... ce qui est une réalité indiscutable » (S. Freud [4], p. 42), idées qu'il reprendra trois ans plus tard dans une réunion du mercredi : « Le secret de l'imbécillité physiologique des femmes réside dans le fait qu'elle est une conséquence du refoulement sexuel. Comme on leur a interdit de penser à ce qu'il y a de plus valable pour elles, l'activité de la pensée en général n'a plus de valeur du tout » (S. Freud [5], réunion du 3 mai 1911, p. 245).

Quant à l'anesthésie sexuelle, elle va être parachevée par les contraintes physiologiques que la femme va affronter quand va être enfin permise l'activité sexuelle dans le mariage : l'obligation de se contenter d'un nombre réduit de procréations impose des restrictions sexuelles et une peur du risque de conception, en l'absence de contraception efficace (S. Freud [4], p. 38-39). D'ailleurs, il ajoute à tous ces facteurs que si la fréquence de la frigidité sexuelle de la femme est parfois psychogène et peut donc être traitée, « ... d'autres fois elle laisse supposer l'existence de quelque facteur constitutionnel, voire anatomique » (S. Freud [9], p. 173). On n'oublie pas qu'il a même conseillé des opérations multiples à Marie Bonaparte qui souffrait de frigidité afin de rapprocher « le gland clitoridien » de l'orifice vaginal.

Je vais m'arrêter là dans ce rapide survol des textes de Freud, car il est impossible d'en faire l'inventaire pour ce qui touche à notre sujet, l'essentiel étant d'avoir compris que les contraintes dont nous parlons, qui sont imposées à la femme civilisée, constituent ce que nous avons défini comme étant le Surmoi culturel, puisqu'elles imposent un renoncement progressif aux pulsions.

Or, on sait combien depuis Freud le Surmoi culturel a évolué, notamment en ce qui concerne les femmes, timidement dans ce coin d'Orient qui est le mien, de manière plus spectaculaire en Occident. Pour reprendre ses propres termes, la tenue du ménage, l'éducation des enfants et les soins à leur donner n'excluent plus la possibilité de gagner de l'argent ; beaucoup de femmes sont lancées dans la lutte pour la vie à la manière des hommes et n'ont plus pour domaine exclusif la paisible activité du foyer. Les femmes s'occupent de justice, ont des intérêts sociaux multiples, ont prouvé qu'elles n'ont pas d'infériorité intellectuelle, ni une imbécillité physiologique, ni une inhibition de la pensée, et depuis l'avènement de la contraception, la répression sexuelle n'est plus ce qu'elle était et on ne peut plus parler d'anesthésie sexuelle liée aux restrictions imposées par la peur de la conception en l'absence de contraception efficace, ni de frigidité constitutionnelle et/ou anatomique.

Sans vouloir évacuer l'intrapsychique, il m'arrive souvent de rêver : que dirait Freud aujourd'hui de la femme et de sa sexualité face à ce qu'elle a acquis comme maîtrise de son destin physiologique, lui qui, déjà en 1898, en véritable précurseur, pressentait ce que pouvait représenter comme bouleversement pour l'ensemble de l'humanité la séparation entre l'acte de procréer et le plaisir sexuel ? « Ce serait théoriquement l'un des plus grands triomphes de l'humanité, l'une des libérations les plus tangibles à l'égard de la contrainte naturelle à laquelle est soumise notre espèce, si l'on parvenait à élever l'acte responsable de la procréation au rang d'une action volontaire et intentionnelle et à le dégager de son intrication avec la satisfaction nécessaire d'un besoin naturel » (S. Freud [3], p. 89). Que dirait Freud aujourd'hui de la femme et de sa sexualité face à l'évolution de la science, de la condition des femmes et du Surmoi culturel les concernant, lui qui, dans toute l'humilité de son génie reconnaissait, en 1926, que « la vie sexuelle de la femme adulte est encore un *dark continent* pour la psychologie » (S. Freud [7], p. 133) et, en 1932, que son discours sur la féminité était incomplet, fragmentaire et peu réjouissant, laissant la porte ouverte à l'expérience personnelle, aux poètes et aux hommes de science, pour en apprendre davantage sur le sujet et découvrir ce qu'il n'a pu trouver lui-même ? (S. Freud [9], p. 177-178).

2 – LA FEMME, LA MÈRE ET LA RUPTURE AVEC LE SURMOI CULTUREL

Revenons à la conflictualisation intrapsychique. Si depuis Freud le Surmoi culturel a changé, plus particulièrement en ce qui concerne les femmes – et on sait combien les femmes elles-mêmes ont contribué à ce changement –, comment est vécue par la femme la rupture avec le Surmoi culturel ? Si la femme dans la mère est en rupture avec le Surmoi culturel, qu'advient-il de ce qu'elle transmet puisqu'elle est l'agent principal de la transmission comme on l'a précisé dans notre congrès ?

Rania, jeune mère de 24 ans, raconte : « Je ne veux pas allaiter mon bébé pour ne pas abîmer ma poitrine... Ma mère m'a dit que Dieu allait me punir et mon mari me le reproche tous les jours... Cela me tourmente mais il n'y a plus de retour en arrière possible ; heureusement, sinon j'aurais peut-être flanché. »

Nada, 38 ans, demande à ses enfants garçons et filles de participer aux travaux ménagers : « J'ai beaucoup souffert, mes sœurs aussi, de l'inégalité de traitement entre nous et nos frères. Je veux obtenir de mes enfants des deux sexes les mêmes exigences... Ma mère me dit que je vais faire de mes garçons des homosexuels et de mes filles des “hommasses” qui ne pourront plus se marier... J’angoisse très souvent en me disant qu’elle a peut-être raison. »

De la rupture avec le Surmoi culturel – entre la femme, la mère en elle et sa propre mère comme véhicule premier du Surmoi culturel – naîtra une douleur psychique comme en témoignent nos exemples, comme ils nous montrent aussi combien est grande l’emprise transgénérationnelle des mères et combien la femme, en tant que mère, va ressentir de la culpabilité pour avoir rompu avec les idéaux sociaux et entrer en conflit interne.

Qu’est-ce qu’il en résultera ? Il est certain que ce conflit va « passer » dans les soins maternels, l’enfant étant branché sur l’inconscient de sa mère... Mais dire à ce moment-là, comme on l’a dit au congrès, que parce qu’il y a conflit il y a transmission, serait un raccourci trop commode. Car nous remarquons que dès que le corps de l’enfant – fille ou garçon – arrive à maturité sexuelle à la puberté et commence à présenter des attributs spécifiques de féminité ou de masculinité, les mères, en conflit interne causé par la rupture douloureuse avec le Surmoi culturel, apparaissent comme si elles réintégraient les idéaux en vigueur et vont essayer de les transmettre avec toutes les contraintes qu’ils supposent, alors qu’elles s’y étaient opposées de toute leur force au départ. « Je gronde mon fils de douze ans, quand il pleure, en lui disant qu’un homme ne pleure pas, alors qu’avant cet âge je veillais ardemment à l’expression des ses émotions que d’habitude on réprime chez les hommes dans nos sociétés... Je sens comme une peur, comme si je ne pouvais plus jouer avec ça parce qu’il a grandi », dit Joëlle, 40 ans. « J’exige de ma fille de 19 ans de rentrer avant minuit alors que mon fils de 18 ans peut rentrer à l’heure qu’il veut. Ma fille proteste et ne comprend pas pourquoi j’ai changé, car envers et contre tous je les ai éduqués avec un souci d’égalité... Je ne comprends pas pourquoi j’ai tellement changé ! », avoue Maya, 41 ans, en pleurant.

La rupture avec le Surmoi culturel et son lot de culpabilité, d’angoisse et de peur, ne va-t-elle pas faire en sorte que la mère va effectuer un va-et-vient constant entre l’admis et le défendu et transmettre un message contradictoire qui va prendre l’allure d’un message paradoxal, une sorte de *double bind* : permettre et interdire à la fois ? Qu’advient-il de sa fonction de messagère de la castration ? Qu’advient-il alors de la transmission du Surmoi culturel et des idéaux ? Et en conséquence, qu’advient-il de l’équilibre intrapsychique de l’enfant ?

Les questions qui se posent sont multiples. Mais il me semble que se profile en filigrane derrière les exemples précités la question du rapport entre Surmoi individuel et Surmoi culturel. Est-ce que l’un suit l’autre ? Comment s’articule la dépendance entre l’un et l’autre ?

3 – LE DEGRÉ DE DÉPENDANCE ENTRE SURMOI INDIVIDUEL ET SURMOI CULTUREL

Dans les exemples cités plus haut apparaît donc le conflit entre Surmoi individuel et Surmoi culturel : opposition entre l'impératif d'allaiter, idéal valorisé socialement et le refus de s'y soumettre par désir individuel dans le premier, exigences sociales bien définies du masculin et du féminin marquant l'emprise du collectif sur l'individuel dans les autres, le conflit semble incontournable.

Une quantité innombrable d'autres exemples me viennent encore à l'esprit. J'en retiendrai un qui semble illustrer plus particulièrement ce conflit. Il s'agit du problème posé par la transgression du tabou de la virginité dans des sociétés comme la mienne qui y tiennent encore.

En effet, alors qu'il y a transgression du tabou, j'ai constaté que celles-là mêmes qui ont transgressé l'interdit ont souvent recours à des stratagèmes pour masquer la perte de leur virginité. Je signalerai à ce propos que j'ai observé plusieurs types de ruses ingénieuses : de l'opération de réparation de l'hymen, à la manœuvre qui consiste à casser une fiole qui contient un mélange à base de blanc de baleine, d'éther sulfurique et de colorant rouge, tous les expédients sont bons pour simuler un écoulement sanguin témoin de la première pénétration et travestir la perte de la virginité. (Je signalerai au passage, pour l'intérêt anthropologique, que cette formule m'a été livrée jalousement il y a quelques années par un ami pharmacien, qui m'avoue que cette dernière est connue et fabriquée dans ce but par beaucoup de gens du métier. Quant à la pratique qui consiste à étendre, devant témoins, le drap parsemé de taches de sang de la première nuit nuptiale ou bien à l'envoyer à la belle-famille, elle existe encore ; je l'ai repérée dans certains groupes ethniques et dans des milieux plutôt défavorisés. J'ai aussi rencontré des femmes qui n'ont pas perdu de sang lors de leur première nuit nuptiale alors qu'elles étaient vierges, ce qui a été l'occasion de conflits inextricables avec leur mari qui ne les croyait pas sur parole.)

C'est une histoire de tous les jours. Lara, 22 ans, va faire un bon mariage. Elle a eu une expérience sexuelle avec un garçon à l'Université et elle n'est plus vierge. « Je ne peux pas dire à mon fiancé que je ne suis plus vierge... S'il le disait à nos parents respectifs ?... S'il me quittait ?... Je préfère faire une opération chez un gynécologue plutôt que faire un scandale. »

Bien que l'on postule que le Surmoi individuel ne change pas, ne peut-on pas dire qu'il y a eu dans un premier temps modification du Surmoi individuel puis, dans un deuxième temps, retour aux exigences du Surmoi culturel ? Sans rentrer dans les spécificités cliniques des différents discours de Joëlle, Maya, Lara..., ne peut-on pas relever qu'ils se recoupent autour de cette articulation commune ? Mais alors, comment se fait le passage de l'un à l'autre ?

Dans son rapport, Gilbert Diatkine souligne que Sigmund Freud tient à la coïncidence du Surmoi individuel et du Surmoi culturel (G. Diatkine [1], p. 97), alors que lui conclut que « les commandements du Surmoi culturel ne coïncident pas toujours avec ceux du Surmoi individuel » (*Ibid.,* p. 148). Les exemples cliniques présentés semblent corroborer son point de vue et pourraient même montrer que nous pouvons lire sa conclusion dans les deux sens : les commandements du Surmoi individuel ne coïncident pas toujours avec ceux du Surmoi culturel. La sévérité vient du Surmoi du sujet, mais aussi de l'intériorisation des figures interdictrices du Surmoi culturel. Le conflit interne créé par la rupture avec les idéaux sociaux est source de souffrance et de culpabilité, ce qui fait que le Surmoi culturel est aussitôt « rattrapé » par les exigences du Surmoi individuel auxquelles le sujet n'échappe pas. C'est ce qui crée un passage en interaction permanente entre les interdits du Surmoi culturel et les exigences du Surmoi individuel, c'est ce qui produit ce va-et-vient constant entre l'interdit et le permis chez les mères que nous avons évoquées plus haut, c'est ce qui explique le retour aux idéaux sociaux chez les femmes qui ont essayé de transgresser les interdits.

Voilà que nous sommes « rattrapés » nous aussi par le problème de la transmission. Si nous admettons que la femme, en tant que mère, est un des véhicules premiers de la transmission du Surmoi culturel et des idéaux, il faudra admettre aussi, à la lumière de nos développements, qu'il y a malaise dans la transmission. Si le Surmoi est constitué par identification au Surmoi des parents (S. Freud [10], p. 91) et dépend de la manière dont les idéaux culturels sont investis et transmis par le premier objet qui est la mère, il faudra peut-être attendre deux ou trois générations pour que le conflit interne – bien que constamment alimenté – créé par la rupture avec le Surmoi culturel soit moins douloureux et que, en conséquence, la transmission soit moins paradoxale.

Alors ?... Dans cent ans... Rendez-vous, à Beyrouth, des futurs psychanalystes pour une mise au point, au cours d'un nouveau congrès sur « Le Surmoi culturel et la transmission » ?

Marie-Thérèse Khair Badawi
Université Saint-Joseph, FLSH
BP 175-208
Beyrouth, Liban

RÉFÉRENCES BIBLIOGRAPHIQUES

[1] Diatkine G. (2000), Surmoi culturel, in *Revue française de psychanalyse,* n° 5, 1389-1460.

[2] Freud S. (1873-1939), *Correspondances, 1873-1939,* Paris, Gallimard, 1991.

[3] Freud S. (1898), La sexualité dans l'étiologie des névroses, in *Résultats, idées, problèmes,* I : *1890-1920,* Paris, PUF, 1984.

[4] Freud S. (1908), La morale sexuelle civilisée et la maladie nerveuse des temps modernes, in *La vie sexuelle,* Paris, PUF, 1972.

[5] Freud S. (1910-1911), *Les premiers psychanalystes, Minutes de la société psychanalytique de Vienne,* III : *1910-1911,* Paris, Gallimard, 1979.

[6] Freud S. (1912), Sur le plus général des rabaissements de la vie amoureuse in Contributions à la psychologie de la vie amoureuse, in *La vie sexuelle,* Paris, PUF, 1972.

[7] Freud S. (1926), Psychanalyse et médecine, in *Ma vie et la psychanalyse,* Paris, Gallimard, « Idées », 1968.

[8] Freud S. (1929), *Malaise dans la civilisation,* Paris, PUF, 1978.

[9] Freud, S. (1932), La féminité, in *Nouvelles conférences sur la psychanalyse,* Paris, Gallimard, « Idées », 1975.

[10] Freud S. (1933), La personnalité psychique, in *Nouvelles conférences sur la psychanalyse,* Paris, Gallimard, « Idées », 1975.

Saint-Denys-Garneau : les solitudes de l'absolu

Augustin JEANNEAU

Le plus tourmenté, le plus tragique des poètes québécois. Qui dira jamais ce qu'il en fut d'une loyauté de la pensée qui, poussée jusqu'au bout d'elle-même, ne peut rencontrer que la mort – et sans idée, pour nous, d'en savoir plus sur la place que prit celle-ci dans la réalité, et sa manière de s'annoncer et de venir à lui –, ou bien d'une intenable lucidité, renversée par les forces qui submergent la fragilité de l'être, quand le regard sur soi prétend atteindre à l'impossible transparence ? Exigeante et fière liberté ? Ou risque de tout perdre dans l'authenticité ? Fût-ce aux confins d'une « pure culture d'instinct de mort », qui dira la part du sublime, et de quelle inconnue surgie dans la désolation ?

Plus de cinquante années après sa disparition, la vivante et ardente figure de Saint-Denys-Garneau se tient au-dessus de nos questions, accompagnant l'intéressante problématique, posée par les rapporteurs de notre Congrès, de toute l'ombre de son mystère. Et plutôt qu'à trop mêler la théorie psychanalytique et le destin du poète, et sans vouloir non plus les séparer comme le pur et l'impur – dont nous savons mieux ce que le cœur voudrait y partager entre le bon et le mauvais et comment l'esprit peut s'y perdre à rechercher l'essence de l'être –, nous situerons d'abord quelques-uns de nos problèmes, pour mieux entendre ensuite, dans son plus simple dénuement, l'appel venu des profondeurs.

Et ce sera d'abord pour rappeler qu'à côté du jeu des instances, il y a entre le surmoi et l'idéal du moi un échange constitutif, qui enracine limites et obligations dans l'histoire conflictuelle, donnant au surmoi et sa forme et sa force ; mais qui l'institue, par ailleurs, dans l'absolu de l'impératif, lequel n'est catégorique qu'à s'inspirer d'un idéal dont l'origine narcissique indique un au-delà de soi qui fait la raison de l'être, transmise sans explication d'une génération à l'autre. Entre « le clos » et « l'ouvert » bergsonien, entre les prescriptions locales et les aspirations célestes, entre morale et religion, la liaison se fait, dans l'histoire, jusqu'à l'assimilation. C'est dans ce même équilibre que les valeurs se définissent et que le devoir s'impose, avec cette qualité impersonnelle, inspirée de l'infini pour se ramasser dans l'étroit immédiat.

Mais le Bien et le Mal peuvent aussi bien redevenir le bon et le mauvais des relations originaires. Le surmoi se déprend alors de l'introjection, en rétablissant les craintes initiales et en reportant au-dehors la voix de la conscience, qui peut se faire, on le sait, un voisinage persécuteur. Moins intérieur, en appelant davantage aux images dont « le flou artistique », au sens exact du terme, tend et oriente sa virtualité, l'idéal peut également en revenir aux premiers temps de « Sa Majesté l'enfant », généreusement restituée aux figures parentales ; et ce sera pour le meilleur et pour le pire, de l'amour-passion à la fascination d'une foule à deux ou à plusieurs. L'exemple de Goncourt et Drumont, proposé par Gilbert Diatkine, nous en apporte une subtile et évocatrice illustration. La relation s'y rétablit d'une manière exclusive et aveugle ; la morale n'y a plus de place ; l'individu s'y restaure *au détriment de tout jugement...*

Mais il arrive, en sens inverse – et nous rejoignons ici une perspective plus proche de celle évoquée par nos collègues québécois –, il peut se faire que le jeu entre surmoi et idéal, qui conférait sa qualité aux échanges relationnels, ne se perde plus dans l'idéalisation mais donne, au contraire, une priorité écrasante au surmoi. C'est alors que celui-ci se prend à fonctionner sans repère ni mesure et *condamne avant d'agir,* parce qu'il ne s'inspire plus d'aucune image idéale, toute trace d'amour perdue dans une histoire dévaluée. Un surmoi sans figure, disait F. Pasche, et qui tourne en circuit fermé dans la folie mélancolique d'une double contradiction où, en se faisant objet, le sujet devient ainsi le manque de ce qui lui manque et, se confondant aussi bien avec le surmoi d'une exclusive fonction critique, se retrouve être, sans décalage, le censeur et le coupable. Pure culture d'instinct de mort, parce que la mort y « vit » un recommencement qui n'en finit pas, et que l'être s'épuise à se chercher dans le regard qui l'anéantit. Car avant même d'être capable de rassembler contre lui-même les énergies de la haine, le moi était « tombé » malade, dans l'impuissance et la douleur, pour avoir voulu connaître « à son sujet » une vérité contre nature. Oublions tout cela, ou presque...

Ah ! quel voyage nous allons faire
Mon âme et moi, quel lent voyage

Et quel pays nous allons voir
Quel long pays, pays d'ennui... (1 *c*)

C'est le poète, maintenant, que nous entendons. Quel voyage, en effet, aussi long que la tristesse, au trajet plus court que la mort ! Hector de Saint-Denys-Garneau disparaît en 1943. Il a 31 ans. C'est comme soulevé par l'ardeur même d'une adolescence qui n'aurait pas tout dit qu'il atteint aux extrêmes rigueurs de la lucidité. C'est à peine sur quelques années (1935-1938) qu'il s'exprime dans sa plénitude. Deux recueils de poèmes, un journal, quelques articles. Des écrits d'une saisissante densité, où les hauteurs de la pensée, l'intensité de l'émotion, une si totale sincérité nous font obligation de nous y tenir exclusivement, pour comprendre le sens de cette aventure intérieure.

Regards et jeux dans l'espace, les tout premiers poèmes seront, en effet, pour l'enfance, à ce point d'incertitude et de virtualité qui contient tous les possibles.

L'enfant sérieux, tout-puissant et gonflé de promesses :

> Ne me dérangez pas je suis profondément occupé... (1 *a*)

L'enfant grave, quelquefois triste :

> Il y en a qui sont restés
> Quand les autres sont partis jouer...
>
> Il en est qui sont allés
> Jusqu'au bout de la grande allée... (1 *b*)

Cet enfant qui échappe à l'adulte et, plus tard, aperçu de loin. Narcissisme destitué.

> À propos de cet enfant qui n'a pas voulu mourir
> Et dont on a voulu choyer au moins l'image
>   comme un portrait dans un cadre dans un salon...
> Il n'était peut-être pas fait pour le haut sacerdoce
>   qu'on a cru
> Il n'était peut-être qu'un enfant comme les autres... (2 *h*)

Et pourtant, rien n'a été étouffé de cet essor prêt à bondir, et qui parlera de l'amour en toute lumière de l'existence de l'autre, fût-ce brièvement, et dans la vivante expression de sa nostalgie, à la manière d'un regret :

> Moi ce n'est que pour vous aimer
> Pour vous voir
> Et pour aimer vous voir...
>
> C'est pour savoir que vous êtes
> Pour aimer que vous soyez...
> Je suis la colline attentive
> Autour de la vallée...
>
> Et Dieu sait que vous repartirez...
>
> Mais la vallée sera déserte
> Et qui me parlera de vous ? (1 *f*)

Le piège n'en est pas moins déjà refermé, sans qu'on sache qui tient l'autre, et où se tient le sujet, de l'enfant prisonnier dans sa cage ou de la mort qui l'habite, pour s'être identifié aux inéluctables réalités qui le dévorent de l'intérieur :

Je suis une cage d'oiseau
Une cage d'os
Avec un oiseau

L'oiseau dans ma cage d'os
C'est la mort qui fait son nid...

Il ne pourra s'en aller
Qu'après avoir tout mangé...

Il aura mon âme au bec (1 *g*)

L'existence est ainsi inscrite dans un drame définitif. Les mots seuls seront capables de l'élever au-dessus du néant. Ils diront *Les solitudes*, selon le titre choisi par les amis de l'écrivain, pour rassembler, après sa mort, les poèmes inédits. *Attente* ou *Lassitude* en sont d'autres, qui nous apprennent comment la tristesse s'est insinuée dans la place, à la façon d'un accompagnement presque amical :

Je marche à côté d'une joie
D'une joie qui n'est pas à moi...

J'entends mon pas en joie qui marche à côté de moi... (1 *h*)

C'est aussi une voix qui appelle, qui s'émeut, puis désespère :

Qu'est-ce qu'on peut pour notre ami
au loin là-bas
à longueur de notre bras

Qu'est-ce qu'on peut pour notre ami
Qui souffre une douleur infinie... (1 *e*)

Qui me verra sous tant de cendres,
Et soufflera, et ranimera l'étincelle ?
Et m'emportera de moi-même,
Jusqu'au loin, ah ! au loin, loin !...

Quels yeux de femme au fond des miens... (2 *a*)

Et quand le grand hiver intérieur sera là, l'obscurité se fera d'autant plus profonde que le rayon d'une lumière froide portera sur tout ce qui est sa redoutable exactitude.

Ma solitude au bord de la nuit
N'a pas été bonne...

Ma solitude au bord de la nuit
N'a pas été cette amie...

Elle est venue comme une folie par surprise
Comme une eau qui monte... (2 *e*)

La surprise, c'est qu'en découvrant les limites qui font l'existence, celle-ci n'est alors plus rien de n'être pas infinie, et que s'y écroulent les raisons de vivre, quand le temps ne reconduit plus qu'à son recommencement, que la terre est un espace clos, quand s'effondre l'immense ambition de l'adolescent, au moment et à l'endroit où il va se réaliser :

L'avenir nous met en retard
Demain c'est comme hier...

On se perd pas à pas
On perd ses pas un à un...

Voici la terre sous nos pieds... (2 *f*)

Alors la pauvre tâche
De pousser le périmètre à sa limite... (1 *d*)

Quelle perte fondamentale annulait donc sans espoir les promesses d'un bonheur qui s'arrêtait net ? Peut-être est-ce le moment d'interroger la notion de surmoi culturel, qui intéresse notre Congrès, et ce qu'elle peut en partie nous apprendre ? Surtout quand s'est alourdie plus qu'ailleurs l'invisible intuition, inégalement partagée, que le bonheur ne va pas de soi, que le plaisir et la joie gardent une arrière-pensée. Persistance d'un sentiment d'exil venu de loin, de n'être pas encore chez soi ni en soi-même ? Et plus encore si l'expansion de l'être est marquée d'un interdit, qu'on ne peut franchir sans manquer au climat moral qui entoure les origines. Et ce n'est ni trahison ni faute. L'idée même du péché, qui déborde celle de culpabilité, ne recouvre pas suffisamment ce sentiment d'abandon et ce danger de tout perdre, de s'isoler à jamais, en voulant tout simplement vivre.

La contradiction douloureuse de cet empêchement de l'âme n'atteint pas, néanmoins, chez Saint-Denys-Garneau, au grand vide laissé par la disparition des figures idéalisées. La détresse ne s'abîme pas dans la grande Nuit des mystiques, où l'immensité de l'Absence exprime le désespoir de la Présence attendue.

Et si l'on croit approcher, dans cet élan qui reste sur lui-même, d'un étouffement de l'idéal par le surmoi, celui-ci n'apparaît pas, non plus, dans ses écrits, sous les traits du grand Justicier. Aucun implacable jugement ne se précipite durablement dans cette haine de soi à soi, qui fait l'acharnement du discours mélancolique. Encore que la violence de l'hostilité extérieure soit quelquefois évoquée avec l'accent d'effroi dû aux grands périls impersonnels. Mais contre ce qui le menace de le réduire à la matière, l'être trouve dans le minéral une ultime dignité, qui le protège de la destruction :

C'est eux qui m'ont tué
Sont tombés sur mon dos avec leurs armes, m'ont tué
Sont tombés sur mon cœur avec leur haine m'ont tué...

C'est eux en avalanche m'ont écrasé
Cassé en éclats comme du bois... (2 *i*)

Nous avons attendu de la douleur
Qu'elle modèle notre figure à la dureté magnifique de nos os
Au silence irréductible et certain de nos os... (2 *j*)

Ramène ton manteau, pèlerin sans espoir
Ramène ton manteau contre tes os... (2 *k*)

Ce qu'inspirent, en fait, au poète le moindre atome d'existence et l'infime initiative se tient, avec plus de pureté, au lieu même de l'être et du non-être, au point exact de nullité où le moi disparaît au regard, entre infini et néant, sans l'orgueil de l'humilité ni la mégalomanie des défigurations négatives, quand le moi n'a plus de sens à être examiné en dehors de sa fonction. Mais si c'est bien le sentiment d'incapacité que Freud attribuait au mélancolique comme l'essentiel de ses auto-reproches, avant de se dévoyer dans les pires accusations, Saint-Denys-Garneau tire de son extrême dénuement la clarté de son message : « Peut-être deviendrai-je assez simple pour me donner moi-même ne possédant rien. Une simple parole d'homme, l'aveu au moins d'une existence amie » (*Correspondance,* 1935).

Tel se précise alors l'essentiel de notre question : quelle force secrète soutint l'homme au-dessus de lui-même ? Et puisque c'est l'œuvre que nous avons résolument décidé d'interroger, par quelle vertu le rien en fut-il la cause, comment l'infinie tristesse devint-elle la vivante inspiration dont la vérité tient en un seul mot : *la ferveur ?*

Car la douleur s'exprima plus souvent dans l'impossibilité de sa nature contradictoire qu'elle ne s'échappa, pour s'y fixer, dans les duretés masochiques, qui semblaient alors redonner la force et le sens, et des accents plus pathétiques que jamais :

Et je prierai ta grâce de me crucifier
Et de clouer mes pieds à ta montagne sainte...
Et que mes bras aussi soient tenus grands ouverts
À l'amour par des clous solides, et mes mains... (2 *l*)

À moins que, plus durablement que dans ces fulgurances, le malheur partagé ou quelque marche collective vers d'insaisissables promesses ne se fassent la raison d'une tonifiante épreuve :

Il nous est arrivé des aventures du bout du monde...
Il nous est arrivé des départs impérieux
Depuis le premier jusqu'à n'en plus finir... (2 *g*)

Mais quand, toute attache défaite, ni la faute, ni la honte, ni le mépris n'ont pouvoir d'animer la relation, ni de porter l'idée de l'être, c'est, plus loin que l'isolement, la solitude de soi à soi qui, cette fois, fait le désespoir. Le corps décentré de toute chose et de lui-même, le cœur ailleurs qu'en son âme, où se tient la ligne d'horizon ?

> Mon sang distribué aux quatre points cardinaux...
>
> Et nos bras sont à nos côtés
> Comme des rames inutiles...
>
> Qu'est-ce qu'on peut pour notre cœur... (1 *e*)

À moins que la défaite ne soit la véritable noblesse de l'homme, seule comptant « la lutte conte l'écrasement », disait le poète dès 1930, à partir d'une de ses peintures. Comme si l'austérité et le dépouillement en appelaient à un humanisme qui dépassait misères et fiertés, pour s'offrir comme la valeur sans faille qui, au bout du chemin, viendrait sauver le narcissisme. Un humanisme qui s'exprimait précocement dans l'ambition de l'écrivain, pour son pays, d'une culture originale, mais dont le génie particulier ne prendrait sens que dans la perspective universelle de cet idéal (*Journal,* 30 janvier 1938).

Mais, chez Saint-Denys-Garneau, cette hauteur de vue peut-elle se séparer de l'aspiration à une transcendance qui se tenait, pour lui, dans une exigeante fidélité à sa conviction chrétienne ? Et nous n'avons alors ni droit ni compétence à en dire plus, sinon que, là encore, le tourment s'était installé entre les angoissantes inconnues de l'absolu et l'unique raison de salut. Car si la fièvre de l'expérience intérieure transporte au-delà d'eux-mêmes les mystiques sans Dieu que nous ne manquons pas de rencontrer, Saint-Denys-Garneau dut, à l'inverse, s'interroger à la lumière d'une foi privée de toute chaleur mystique. Que peut y ajouter la théorie psychanalytique, libre de s'appliquer, par d'autres voies que sa pratique habituelle, à une analyse générale du contenu des croyances, mais sans pouvoir se dérober à en inscrire l'importance éventuelle et la résonance personnelle dans un appareil métapsychogique qui se trouve alors dépassé par cela même qu'il contient ?

Sauf à reconnaître, toute philosophie mise à part, que les mots, dont la fonction scientifique se veut toujours plus sûre, s'éloignent en proportion d'une autre réalité. Un monde où le poète transporte sa recherche, pour que, par le langage, le mystère s'offre à chacun. Tout entier dans son œuvre, sans pourtant renier, comme d'autres, la valeur de l'écriture littéraire ; sans prétention à déifier le Beau, dont il ne se sentait pas digne, quelle fut la nature du partage dans l'obscure simplicité de l'émotion esthétique ?

Il s'agit, en effet, de cette autre face des mots, de cette réalité invisible qu'ils nous indiquent par leur infime décalage. Cette réalité invisible des *Regards et jeux dans l'espace*, qui n'habite pas un autre monde que celui qui est sous nos yeux et qui pourtant vient d'ailleurs. Une vérité insaisissable, que la poésie appréhende à travers le jeu polysémique des mots, toujours ailleurs que ce qu'ils disent : « J'ai entendu l'appel des mots... Pauvres beaux mots assassinés par nous aussi... Et malgré tout, le mot conserve sa figure intacte et comme divine. Étant en haut placé, on ne lui fait pas tort en ne l'atteignant pas » (4).

Mais les mots vont-ils, eux aussi, le trahir ?

> Allez-vous me quitter vous toutes les voix
> Vais-je vous perdre aussi chacune et toutes... (2 *b*)

Vont-ils se refermer sur lui, comme une précieuse substance qui se déferait au-dehors ?

> Toutes paroles me deviennent intérieures
> Et ma bouche se ferme comme un coffre qui contient des trésors...
> Hors l'atteinte du temps salissant, du temps passager... (2 *c*)
>
> Parole sur ma lèvre déjà prends ton vol, tu n'es plus à moi
>
> Va-t'en extérieure, puisque tu l'es déjà ennemie... (2 *d*)

Et ce sera le silence... Et le respect qu'on lui doit nous gardera des questions. Sans savoir s'il voulut gagner les hauteurs de l'accomplissement pour se faire l'ultime message, ou s'il annonçait le retour à l'apaisement désiré d'une enfance enfin retrouvée, et que semblaient évoquer les tout derniers poèmes :

> Après tant et tant de fatigue
> Espoir d'un sommeil d'enfant... (2 *m*)
>
> Le jour, les hymnes furent pauvres
>
> Il leur a fallu le crépuscule, la venue de la nuit...
>
> Et lorsque nous sortons la tête de sous notre toit
> Nous voyons...
> Comme une grande femme en repos
> la terre respirante qui dort...
>
> Quand l'horizon est monté s'étendre au bord du ciel
> comme un bon chien...
>
> Toute la terre s'est détendue avec ses épaules
> et ses vallées
> Et sa respiration maintenant n'a plus besoin
> de voix pour chanter (2 *n*).

Augustin Jeanneau
19, La Roseraie
108, avenue de Paris
78000 Versailles

BIBLIOGRAPHIE

Saint-Denys-Garneau :

1 / Regards et jeux dans l'espace, *Poésies*, Introduction de Robert Élie, Montréal, Fides, coll. du « Nénuphar », 1972 :

a) Le jeu, p. 33.
b) Enfants, p. 44.
c) Spleen, p. 65.
d) Commencement perpétuel, p. 73.
e) Sans titre, p. 81.
f) Accueil, p. 89.
g) Sans titre, p. 92.
h) Accompagnement, p. 97.

2 / Les solitudes, *Poésies, op. cit.* :

a) Lassitude, p. 104.
b) Allez-vous me quitter, p. 113.
c) Silence, p. 118.
d) Parole sur ma lèvre, p. 119.
e) Ma solitude n'a pas été bonne, p. 143.
f) L'avenir nous met en retard, p. 150.
g) Il nous est arrivé des aventures, p. 172.
h) À propos de cet enfant, p. 176.
i) C'est eux qui m'ont tué, p. 197.
j) Nous avons attendu de la douleur, p. 203.
k) Quitte le monticule, p. 209.
l) Et je prierai ta grâce, p. 213.
m) Après tant et tant de fatigue, p. 214.
n) Le jour, les hymnes, p. 231.

3 / *Journal*, Montréal, Beauchemin, préface de Gilles Marcotte, 1954.
4 / Monologue fantaisiste sur le mot, *La Relève*, vol. III, 3, p. 71-73.
5 / *Lettres à ses amis*, Montréal, éd. HMH, 1970.
6 / *Œuvres*, texte établi, annoté et présenté par Jacques Brault et Benoît Lacroix, Montréal, Les Presses de l'Université de Montréal, 1971, 1 320 p.

Eva Kushner, *Saint-Denys-Garneau*, Paris, Éd. Pierre Seghers, « Poètes d'aujourd'hui », 1967.
Pierre Vadeboncœur, *Les deux réponses*, Montréal, L'Hexagone, 1978.

Surmoi culturel et groupes

Alain GIBEAULT

Le grand mérite du rapport de Gilbert Diatkine aura été de nous permettre de réfléchir davantage sur les enjeux de l'individuel et du collectif dans la vie psychique car, ainsi qu'il le rappelait lui-même à une table ronde, le concept de surmoi culturel articule l'individuel et le collectif car le surmoi est collectif.

Dans ses remarques à cette même table ronde, Nicole Minazio ajoutait que le concept de surmoi culturel est un *concept charnière* entre l'individuel et le collectif, voire un *concept limite,* au carrefour de l'inter- et de l'intrapsychique.

Je voudrais faire quelques remarques sur cette question en évoquant l'importance des groupes dans la vie psychique selon leurs rapports avec ces instances.

Adolescence, groupe et Weltanschauung

Gilbert Diatkine a consacré un chapitre à la question de l'adolescence et du surmoi culturel et évoqué le travail analytique avec deux adolescents, Arnaud et Marc. On sait à quel point cette période de la vie correspond à une remise en cause de certaines fonctions du surmoi, qui sont alors reprises à leur compte par l'Idéal du Moi infantile essentiellement narcissique, ou Moi Idéal. La fonction de l'Idéal du Moi est alors de cacher la dépression dans ce qu'elle a d'insupportable et de retrouver ainsi le narcissisme perdu de l'enfance. C'est aussi l'époque de la construction d'une *Weltanschauung,* d'une vision du monde qui pourra ou non favoriser le mouvement d'investissement d'un groupe.

Ce mouvement antidépresseur est *progrédient* quand il permet de constituer une solution au conflit de l'adolescence en favorisant un dégagement des objets parentaux. Il peut en revanche dresser un obstacle devant une évolution favorable quand il conduit l'adolescent à sacrifier les objectifs dont la réalisation était jusque-là assurée par le Surmoi œdipien, en particulier, au cours de la période de latence.

De ce point de vue, la référence au surmoi culturel a l'avantage de nous permettre d'évaluer les modalités d'investissement des idéaux d'un groupe déterminé, selon qu'il favorise la régression narcissique suscitée par le conflit Idéal du Moi/Surmoi, ou qu'il encourage le mouvement de réconciliation de ces instances, correspondant au destin même de cette période. Ainsi, un adolescent en échec scolaire, déprimé et solitaire, a trouvé momentanément une solution progrédiente à ses conflits psychiques en s'engageant dans un parti d'extrême droite, mouvement positif quant à l'évolution de son fonctionnement psychique, mais difficile à supporter sur un plan contre-transférentiel.

La possibilité de réconcilier Idéal du Moi/Surmoi est, on le sait, dépendante de la capacité pour l'adolescent de désexualiser le lien narcissique au parent du même sexe et d'élaborer les enjeux de l'œdipe négatif. La qualité d'investissement des groupes dans leurs aspects narcissiques et objectaux est un paramètre essentiel dans l'*évolution* de la vie psychique et dans son *évaluation.*

Transmission de la psychanalyse et groupes psychanalytiques

S'il peut être intéressant de s'attacher à évaluer le choix d'un groupe par un patient, il est également important de réfléchir sur les *façons différentes d'investir un même groupe.* C'est le cas, en particulier, lorsqu'on prend en considération l'investissement d'un groupe psychanalytique, lors de la demande de formation. L'intérêt du rapport de Jacques Mauger et Lise Monette est d'avoir attiré notre attention sur les enjeux du devenir analyste. Dans cette situation, l'analyste peut être sollicité dans son contre-transfert de deux façons :

1 / Si la problématique narcissique est prévalente, le désir de devenir analyste peut s'inscrire dans un mouvement de lutte contre la dépendance et l'impuissance infantiles et un espoir de faire cesser la souffrance des conflits inhérents à l'altérité. Dans cette perspective, le devenir analyste est alors confondu avec une acquisition d'identité professionnelle tenant lieu d'une conquête de soi non réalisée dans la relation aux objets infantiles.

Il n'y a pas de névrose de transfert car le but même de l'analyse revient paradoxalement à acquérir un pouvoir permettant de ne jamais revivre l'impuissance infantile. Les enjeux du transfert négatif et du contre-transfert négatif sont ici majeurs.

2 / Si l'analysant témoigne au contraire de capacités à s'engager dans un processus analytique créatif, l'analyste dans son contre-transfert positif peut être contraint, consciemment et/ou inconsciemment, à sortir de sa neutralité technique lors d'une demande de formation et favoriser ainsi une collusion narcissique qui, là encore, rendrait difficile l'élaboration du transfert négatif.

C'est là, je crois, tout l'intérêt des réflexions de Jacques Mauger et Lise Monette sur « la tentation mélancolique » de l'analyste, et l'enfermement dans une logique du paradoxe propre à toute relation narcissique accentuée cette fois par la *réalité matérielle* de l'institution. Moins pessimiste qu'eux, je pense toutefois que le travail de l'analyste est ici de favoriser l'engagement dans une *logique de la contradiction,* plutôt que du paradoxe, à condition que l'institution analytique puisse jouer un rôle de « tiers » favorisant la clarification des enjeux narcissiques, et que l'analyste ne soit pas lui-même victime de ces enjeux et puisse également s'appuyer sur la dimension tierce du cadre analytique.

Développement des nouveaux groupes psychanalytiques

Ces enjeux narcissiques et objectaux participent également au développement des nouveaux groupes psychanalytiques. Michael Sebek, un analyste de Prague, a introduit l'idée de l'importance d'élaborer l'investissement d'un *objet post-totalitaire* satisfaisant les besoins du Moi idéal, pour faire face aux changements de valeur importants survenus dans les États post-totalitaires en Europe depuis la chute du mur de Berlin : l'élaboration de cet objet post-totalitaire concerne autant la cure individuelle que la vie d'un *groupe psychanalytique* qui peut ressentir les propositions d'éducation psychanalytique (surmoi analytique) par les instances internationales comme une reviviscence des intrusions totalitaires.

De ce point de vue, les enjeux de pouvoir peuvent se développer au détriment du développement de la psychanalyse. Dans une conférence de la Fédération européenne de psychanalyse, Ronald Britton remarquait que la société britannique ne s'était pas scindée en de multiples sociétés, car les enjeux de pouvoir avaient été moins importants que les débats d'idées. Dans ces nouveaux groupes, en particulier en Europe de l'Est où l'identité analytique peut être mal ou pas encore assurée, le risque est que les conflits autour du pouvoir soient plus importants que l'intérêt pour la psychanalyse. C'est le cas en Russie où la promotion d'une pratique psychanalytique sans analyse personnelle a contribué au développement de l'analyse sauvage, favorisant ainsi une référence à un Moi idéal visant à recouvrer une omnipotence perdue, reliée au passé glorieux de la psychanalyse russe dans les années 1920. Par ailleurs, cette même référence narcissique a pu faire envisager une psychanalyse nationale au détriment de l'intention freudienne d'une psychanalyse internationale, seule susceptible de protéger les groupes psychanalytiques d'une perspective idéalisante, voire fasciste.

Le mérite des rapports présentés au Congrès aura été de rappeler la nécessité d'une articulation entre Moi Idéal et Surmoi, afin d'éviter les dérives autant dans la pratique individuelle que dans la vie des groupes psychanalytiques.

Alain Gibeault
28, place Jeanne-d'Arc
75013 Paris

V — Pure clinique ?

Psychosomatique et pureté

Jacques GAUTHIER

Comment le psychosomaticien peut-il se sentir interpellé par les textes des rapporteurs, entre autres, par cette idée d'un recours à l'idéalisation pour tenter d'exclure de la psyché ce qui rendrait autrement la confrontation à la perte inévitable, par cette idée d'une tentation purificatrice qui guetterait tout analyste devant l'épreuve et le travail du deuil ? De prime abord, on pourrait croire ce psychosomaticien presque immunisé face à une telle tentation puisque la psychosomatique se présente d'emblée comme le domaine de l'impur, des mélanges aux limites floues dont nous parlent les rapporteurs (J. Mauger et L. Monette, 1999, p. 37). Domaine de l'impur d'abord par sa référence à un corps jamais réductible aux représentations que s'en donne une psyché dont il demeure néanmoins le fondement incontournable. Le corps peut certes être longtemps oublié, pris pour acquis, tant qu'il reste silencieux, conforme à l'image qu'on veut bien se faire de lui. Même si la jouissance – jamais loin de l'impureté dans la tradition judéo-chrétienne – vient troubler cette quiétude, l'expérience du plaisir fait en sorte que le moi s'en réapproprie rapidement et se vit à la fois comme source et lieu de cette expérience. Mais que surviennent une douleur, une perte de fonction somatique, une maladie et se brise alors cette illusion d'un corps domestiqué, d'un corps « purifié ». C'est le rappel brutal de l'inéluctable dépendance de la psyché vis-à-vis d'un objet, le corps, dont le caractère d'étrangeté face au moi se révèle à nouveau. Corps à la fois étranger, mais si intimement lié à cette psyché qui voudrait alors s'en libérer, s'en purifier un peu à la façon du narcissique qui désire abolir toute dépendance d'un objet dont le contrôle lui échappe, d'un objet « autre ».

La psychosomatique est aussi le domaine des constructions théoriques impures, parfois paradoxales, risquant facilement de devenir contradictoires. On a souvent rappelé ce caractère paradoxal du mot psychosomatique lui-même, séparant la psyché du soma alors qu'il cherche justement à signifier le caractère fondamentalement indissociable des deux. L'élaboration de théories cohérentes en psychosomatique a toujours été difficile. Comment arriver à rendre compte de phénomènes aussi inextricablement liés que la vie psychique et celle de ses assises corporelles, à rendre compte de ce mystérieux saut du corps à la psyché sans utiliser côte à côte des concepts appartenant à des registres différents ? Registre de la dimension subjective de l'expérience telle qu'éprouvée dans le transfert / contre-transfert et registre de la description médicale, physiologique des phénomènes. Comment ne pas trop sacrifier la complexité de l'événement somatique à la cohérence d'un discours qui risque alors de perdre sa pertinence ? Ou comment éviter que ce discours soit tant porteur de nuances et de réserves qu'il deviendra quasi impossible de les réunir en un tout cohérent ? La référence au corps telle que quotidiennement rencontrée dans la clinique met constamment à mal l'idéal de rigueur qu'on voudrait quand même garder en psychosomatique.

Enfin, les pratiques psychosomatiques s'écartent souvent d'une cure type qui fournit néanmoins un terrain d'observation irremplaçable des résonances somatiques du travail psychique. Le cadre est fréquemment bousculé par l'impact de la maladie et des traitements : des rendez-vous sont manqués, l'hospitalisation modifie la fréquence ou la durée des rencontres. Lorsque l'analyste peut se rendre au chevet du malade, le degré d'intimité souhaitable pour un travail tant soit peu analytique n'est pas toujours respecté.

Le deuil est tout aussi omniprésent en psychosomatique que l'impur. La psychosomatique constitue une façon de se mettre à l'écoute des répercussions corporelles de la souffrance psychique mais aussi de ce qu'impose à la psyché son ancrage à un corps souffrant. L'objet du deuil en psychosomatique peut être aussi une fonction du corps propre, une partie du corps, ou la vie même dont le caractère éphémère devient criant lorsque le pronostic vital est en jeu. Le corps est alors l'objet du deuil, un objet qui ne peut pas être désinvesti au profit d'un nouvel investissement à la manière dont Freud l'envisage dans « Deuil et mélancolie » (S. Freud, 1917) lorsqu'il tente de cerner les mécanismes de résolution du deuil. Deuil aussi, du côté de l'analyste, de l'insuffisance de sa compréhension et des limites du pouvoir de cette compréhension devant la maladie de son patient, surtout si cette même compréhension est tant soit peu porteuse d'une idéalisation défensive face à d'autres deuils rencontrés par l'analyste.

Face à tous ces deuils, la tentation purificatrice décrite par les rapporteurs risque de se faire insistante. Songeons par exemple à une patiente en traitement analytique depuis plusieurs années. Une patiente dont la mentalisation est assez bien assurée. Les rêves sont fréquents, les associations riches, permettant l'élaboration et une meilleure compréhension d'un transfert complexe dont peu d'affects paraissent clivés. Alors que le travail analytique semble bien évoluer survient un cancer du sein. Surgissent aussitôt chez la patiente – mais aussi chez l'analyste – la question de la responsabilité et de la culpabilité face à l'existence de ce cancer. La patiente reproche à l'analyste de ne pas avoir été capable de prévenir l'éclosion d'un cancer (qu'elle avait de plus toujours craint et auquel elle s'était toujours sentie éventuellement condamnée). Pour elle, ce cancer signe l'échec du travail analytique – du moins dans un premier temps. L'analyste aussi est porté à s'engager dans une autocritique sévère : qu'aurait-il pu mieux entendre ou entendre autrement dans le discours de cette analysante, comment aurait-il pu intervenir autrement pour prévenir l'éclosion de ce cancer ? Cancer dont l'éclosion ne peut qu'induire un travail psychique intense, tant chez la patiente que chez l'analyste. Ce travail prendra justement, entre autres, la forme de cette lutte purificatrice, de ce recours au clivage idéalisant décrit par les rapporteurs, surtout lorsque le corps est sérieusement atteint, surtout lorsque le pronostic vital est engagé.

La lutte pour la pureté

Cette lutte ou tentation purificatrice, on la retrouve d'abord du côté du patient. Comme le décrit bien P. Aulagnier dans « La filiation persécutive » (Aulagnier, 1980), la souffrance pourra être attribuée à l'œuvre d'un persécuteur extérieur pour se protéger des risques de désinvestissement d'un corps perçu autrement comme la source de ses misères. Ceci rejoint encore l'idée d'un moi-plaisir purifié où toute cause de déplaisir est rejetée à l'extérieur des limites du moi. Parfois ainsi, on fera porter aux traitants, analystes ou personnel hospitalier, l'odieux de la maladie. On reprochera alors avec amertume à l'analyste de ne pas avoir su prévenir l'émergence d'une maladie en cours d'analyse. Autant l'analyste pourra-t-il être perçu comme un persécuteur, autant pourra-t-on voir en lui ou en la psychanalyse les dépositaires d'une toute-puissance cruellement démentie par l'atteinte somatique. On se bercera alors de l'illusion d'une psychanalyse seule à même de renverser le cours d'une maladie grave.

Une autre réaction souvent rencontrée à l'annonce d'une pathologie sévère ou d'un cancer pourrait être qualifiée de solution masochiste. Au lieu d'attribuer sa maladie aux malversations d'autrui, le patient la comprendra comme la conséquence d'une négligence ou d'une faute personnelle, gardant là intact l'espoir de retrouver la santé en faisant amende honorable, en faisant pénitence disait-on dans un autre contexte, en s'imposant les rites de purification appropriés, comme si on pouvait s'attirer ainsi à nouveau les bonnes grâces de quelque divinité tutélaire à même d'infléchir le destin. Fait amplement écho à ces manœuvres une littérature pseudo-scientifique foisonnante affirmant qu'il suffit de se reprendre en main pour guérir, comme si les réactions immunitaires de l'organisme étaient facilement mobilisables pour les remettre au service d'une psyché à laquelle elles auraient servi un sérieux avertissement par leur défaillance. À une autre époque, on mettait en scène un Job cherchant en vain la cause des maux dont il était soudainement affligé et à qui de sages amis venaient suggérer qu'il avait sans doute commis une faute, peut-être même sans le réaliser, inconsciemment serait-on porté à dire aujourd'hui. Pour conserver l'investissement d'un corps souffrant, l'hostilité contre ce dernier est donc défléchie sur le moi, comme Freud nous le montre dans « Deuil et mélancolie » (Freud, 1917) à propos de l'investissement de l'objet perdu, et cette attaque contre le moi prendra les traits de la fureur purificatrice. Ces réactions à la brusque révélation du caractère autre, étranger, irréductible du corps à la psyché et donc à la démarche analytique, se refléteront aussi dans la psyché de l'analyste.

À la limite, l'apparition de la maladie chez l'analysant pourra susciter chez l'analyste le fantasme d'un agir somatique hostile à son endroit, à l'endroit du travail analytique. Un peu à la façon des médecins se surprenant parfois à songer, par exemple, qu'un patient « leur a fait un infarctus » ! On doit alors se défier d'un certain acharnement thérapeutique, d'un forcing interprétatif recouvrant mal ce qu'une certaine idéalisation des interventions de l'analyste peut cacher de haine d'un corps se dérobant à l'action curatrice. Cette haine peut parfois se manifester aussi par une méfiance vis-à-vis toute tentative de soulagement d'une souffrance, surtout physique ici et capable de paralyser le travail psychique au-delà d'un certain seuil, justement sous prétexte qu'on évacuerait alors toute possibilité d'un travail psychique.

Mais la « solution masochiste », si fréquente chez nos patients, constitue aussi la réaction la plus susceptible d'accaparer la psyché de l'analyste face à ses analysants les plus gravement atteints. C'est alors l'envahissement par des sentiments de culpabilité, d'autodépréciation devant l'échec du travail analytique à infléchir les destins du corps dans un sens plus favorable. D'autant plus qu'il ne s'agit pas seulement de l'échec d'une analyse mais bien de celui de la psychanalyse dans la mesure, bien sûr, où la vocation psychanalytique est demeurée porteuse de cette idéalisation visant à colmater la perte, chez l'analyste aussi. On se rappelle ici la question posée par G. Diatkine dans son rapport lorsqu'il se demande si « l'analyste n'est pas lui-même soumis à un surmoi culturel analytique qui pourrait peser sur sa pratique à son insu ». Surmoi culturel – nous préférerions parler d'idéal quant à nous – voulant ici que tout accident somatique soit réductible à l'interprétation ou au travail analytique tout comme on serait porté à faire de cet accident somatique la conséquence des ratés de la vie psychique.

La menace qui se profile derrière toutes ces manœuvres défensives, c'est celle du désinvestissement. Désinvestissement de son propre corps par le patient avec le risque d'accélérer une issue possiblement fatale, désinvestissement aussi par l'analyste d'un analysant évoquant trop les limites mal tolérées de l'expérience analytique. Désinvestir le patient pour éviter de désinvestir la psychanalyse, avant que les jeux ne soient complètement faits, pour l'analysant.

Et l'idéal analytique en psychosomatique ?

Revenons à notre patiente... Après un moment d'accablement masochiste chez la patiente et de perplexité sinon de sidération chez l'analyste, commence à prendre forme l'idée que voir en l'apparition de la maladie le signe de l'échec du travail analytique correspondait justement à faire sienne, dans un mouvement contre-transférentiel, la conviction de longue date de notre patiente de n'être vouée qu'à une vie triste et moche, conviction que tout dégagement des impasses qui l'avaient paralysée jusque-là ne serait qu'illusoire – ce que la maladie ne viendrait ici que confirmer –, alors qu'elle commençait justement à se sentir plus vivante, plus maître de sa destinée, à prendre plaisir à mieux comprendre sa vie psychique, à prendre enfin plaisir à vivre. Risque, donc, de collusion avec la tentation de notre patiente de mettre au service d'une réaction thérapeutique négative la survenue de son cancer.

Le travail analytique se veut un travail de pensée visant, dans le meilleur des cas, la reprise et l'élaboration du travail de deuil. Travail du deuil toujours à poursuivre pour éviter que l'ombre des pertes passées ne tombe sur le présent, que le possible du présent ne soit sacrifié à l'impossible du passé ou du futur, à ce qui n'a pas été ou ne pourra pas être. Encore une fois, on le voit bien, travail cherchant avant tout à préserver la psyché de la tentation purificatrice extrême, celle du désinvestissement complet de ce qui ne s'avère pas conforme à l'idéal, de ce corps par lequel l'expérience de la perte et de la douleur vient à nouveau faire irruption dans la psyché. Travail d'abord, en psychosomatique, d'investissement par l'analyste d'une parole encore marquée, chez l'analysant, par l'inévitable repli narcissique associé à une atteinte somatique. Investissement contribuant à garder vivante cette dimension relationnelle d'un corps d'abord investi et parlé par la mère, corps maintenant investi et écouté, parfois parlé, par l'analyste. Travail favorisant aussi la réinsertion de la souffrance dans la trame de sa propre histoire au lieu de s'épuiser dans une quête vaine d'explication et de réordonner le récit qu'on se donne de cette histoire autour de l'événement somatique. Travail encore d'élaboration de conflits psychiques recrutés afin de donner sens aux déboires du corps, quand ces déboires ne servent pas de prétexte à refermer toute voie de dégagement d'impasses présentes depuis longtemps. Travail de deuil, enfin, cherchant à préserver la capacité du sujet souffrant à investir ce qui peut encore l'être, à continuer de vivre en attendant que la nécessité y mette fin définitivement, mais pas avant.

À la fin de son texte, l'auteur du livre de Job fait condamner par Yahvé les propos de ceux qui affirmaient que la souffrance de Job s'expliquait par ses fautes. La réponse de Yahvé, toute énigmatique qu'elle demeure, replace Job devant son statut d'être vulnérable et mortel sans l'humilier toutefois. Je fais ici miens les propos d'André Lussier (1998) qui faisait du livre de Job le livre de l'humilité et non celui de la culpabilité et de la toute-puissance. L'exercice de la psychosomatique rend humble mais sans avoir à s'en sentir humilié, coupable ou inadéquat. Il n'y a pas de honte à être vivant, à chercher à comprendre, à éprouver encore le plaisir de découvrir du nouveau en soi et dans l'autre même si, ultimement, la mort finit toujours par nous rattraper.

Jacques Gauthier
170 Berkley
Saint-Lambert, Québec J4P. 3E1
(Canada)

BIBLIOGRAPHIE

Aulagnier P. (1980), La filiation persécutive, *Psychanalyse à l'Université*, 18, 213-222.

Diatkine G. (2000), Surmoi culturel, in *Revue française de psychanalyse,* n° 5-2000, 1523-1588.

Freud S. (1917), Deuil et mélancolie, *OCF,* XIII, Paris, PUF, 1988, 259-278.

Lussier A. (1998), Discussion sur « Le destin : fatalité ou quête de sens ? », conférence du Dr M. Balsamo, CHUM-Notre-Dame, 2 octobre 1998.

Mauger J., Monette L. (2000), Pure culture..., in *Revue française de psychanalyse,* n° 5-2000, 1391-1460.

Identité féminine et idéal du moi : quand une fille n'est qu'une « pisseuse »...

Denise Bouchet-Kervella

Dans son excellent rapport, qui examine avec une clarté et une pertinence remarquables la complexité des voies de la transmission des idéaux collectifs, Gilbert Diatkine ne manque pas d'attirer notre attention sur l'inévitable risque d'imposer inconsciemment à nos patients nos propres préjugés et idéaux issus de l'héritage culturel analytique. De ce point de vue, un passage de son rapport, concernant non plus la pratique mais la théorie de ce qui fonde le sentiment d'identité, m'a laissée perplexe : s'il admet que parmi les ancêtres désignés comme idéaux à l'enfant par sa mère figurent « aussi la mère de celle-ci et bien d'autres femmes », il se rallie en fin de compte à l'idée freudienne première exprimée dans « Le Moi et le Ça » (et ce en dépit de la célèbre petite note en bas de page où Freud évoque la probabilité d'une identification aux deux parents) d'une identification primaire au seul père, conçu ici comme « père de la préhistoire personnelle de la mère, ancêtre mythique unique, auto-engendré, dont le sujet est issu ». L'identification primordiale à cet ancêtre unique « impliquerait toujours un déni de la scène primitive », donc un déni des processus d'identifications croisées concernant les deux objets sexuels œdipiens.

Cette position, que j'ai peut-être mal comprise mais qui m'a paru fort surprenante, ne révélerait-elle pas la force de l'empreinte de la transmission théorique freudienne, qui nous entraîne à considérer la signification de la différence des sexes davantage dans le registre de l'opposition phallique/châtré, idéalisant le pénis confondu avec le phallus, que dans celui d'une complémentarité des sexes et des désirs ? Si nous ne disposions que d'un seul ancêtre, et seulement paternel, auquel ressembler pour fonder notre identité et notre système moi idéal / idéal du moi, comment pourrait alors se construire l'identité sexuée chez les femmes, et la bisexualité psychique dans les deux sexes ?

Ce questionnement m'a évoqué le cas d'une patiente, dont j'avais d'abord pensé la problématique en termes « classiques » d'envie du pénis, jusqu'à ce que j'en vienne à entendre que ses difficultés à assumer son identité et sa sexualité féminines, et l'achoppement chez elle de la symbolisation de la différence des sexes, étaient en rapport étroit avec un regard maternel incapable d'investir libidinalement et narcissiquement un être dépourvu de pénis (à part sa propre personne, fantasmatiquement pourvue d'un phallus ambisexué tout-puissant).

Une représentation fécalisée de l'identité féminine

Je l'appellerai Marcelle, car son prénom évoque la féminisation tardive, à l'arrivée décevante d'une fille, d'un prénom masculin. Elle a une cinquantaine d'années, c'est une femme plutôt belle, avec une chevelure rousse abondante, habillée avec un goût discret. Elle m'est adressée car elle souffre depuis plus d'un an de troubles urinaires, dont l'origine a été qualifiée de psychosomatique après des examens médicaux approfondis. Elle est très embarrassée d'avoir à parler d'elle, elle n'en a pas l'habitude : « Je ne m'intéresse pas à moi », me déclare-t-elle calmement.

Elle me décrit des crises de cystite à répétitions et de vives douleurs à la vessie, qui la contraignent à rester au lit : « Ça se déclenche souvent quand je suis invitée à une soirée où les autres sont en couple, mais encore plus s'il y a quelqu'un qui me fait la cour. » Car depuis la mort de son mari, il y a une dizaine d'années, elle a appris à apprécier l'indépendance et y tient beaucoup. À propos de ses symptômes, elle en vient à me dire qu'au fond elle a toujours été une « pisseuse », elle se rappelle qu'enfant il fallait faire couler les robinets pour l'aider à uriner. *« D'ailleurs, nous les femmes, on est toutes des pisseuses, il n'y a qu'à regarder la queue devant les toilettes des femmes au théâtre, elle est bien plus longue que chez les hommes... c'est un problème de femme, de bas-ventre... encore qu'être un vieux prostatique c'est pareil... je ne voudrais tout de même pas me retrouver avec des couches-culottes comme les vieilles femmes. »* La vieille femme la renvoie à l'affaiblissement physique récent de sa mère, qui n'est pas du tout incontinente, mais qui a beaucoup changé depuis quelque temps. Jusque-là, elle ne paraissait pas son âge, toujours très élégante, très belle, bien coiffée et bien habillée, elle était la reine de toutes les fêtes et tout le monde l'admirait « comme une Diva ». Mais elle est encore très active, c'est une maîtresse femme, « un roc », qui en plus de son propre travail indépendant a toujours su « assurer » dans les situations difficiles. Jamais la patiente n'a eu le moindre conflit avec elle, et c'est avec empressement qu'elle lui consacre la majeure partie de ses vacances.

Je suis impressionnée par l'ampleur de la dévalorisation de sa propre féminité, qui glisse vers la fécalisation, mais qui s'accompagne défensivement d'un déni de la différence des sexes appuyé sur une imago maternelle phallicisée. Le recours narcissique à une position d'autosuffisance (« l'idéal, c'est de n'avoir besoin de personne ») semble protéger contre une dépression sous-jacente d'abord déniée (« à part ce petit problème urinaire, ça va très bien »), qui s'avouera par la suite (un douloureux sentiment d'être nulle, *d'être rien*). L'attrait érotique pour les hommes est lui aussi énergiquement dénié et clivé, mais néanmoins présent sous forme négative (elle a peur, d'emblée, que la psychothérapie puisse faire apparaître un sentiment de solitude, qu'elle « n'éprouve pas du tout »). Et le symptôme, quoique somatique, est localisé sur un « choix d'organe » qui pourrait correspondre à une ébauche de symbolisation et de conflictualisation de l'ensemble de cette problématique, en même temps que la peur d'en perdre le contrôle. Il a par ailleurs, la suite nous l'apprendra, une fonction de décharge évacuatrice par rapport à des affects farouchement réprimés de jalousie envers un frère cadet adulé par la mère et de haine pour celle-ci.

Le rejet maternel du féminin

Ce qu'elle sait de sa propre naissance, c'est que l'accouchement a été très douloureux pour sa mère, et que celle-ci n'a pas pu l'allaiter, car « elle lui faisait mal aux seins ». Son frère est né cinq ans après elle. Elle affirme n'avoir pas du tout souffert de son arrivée et n'en avoir aucun souvenir, sinon que, pour lui, sa mère a engagé une gouvernante, et qu'elle-même a été reléguée dans une chambre tout en haut de la maison. *Sa mère n'a toujours eu d'yeux que pour son fils, qu'elle admire aveuglément sur tous les plans.* Il était en grande difficulté scolaire, mais c'est lui qu'elle vouait à des études de haut niveau, alors que pour sa fille, très brillante en classe, elle trouvait qu'un bon mariage était le meilleur sort. C'est grâce au soutien de son père que Marcelle a pu faire des études universitaires, qui lui ont valu ce qu'elle appelle « un petit métier » par comparaison avec les professions libérales exercées par son père, son mari et son frère. Vis-à-vis de celui-ci, elle s'est toujours située en « bonne grande sœur protectrice », sauvegarde narcissique ultime qui l'a toutefois figée dans une attitude de « petite fille très sage ». Dans la famille, la mère faisait couple avec son fils, préférant rester avec lui plutôt que partir en vacances avec son mari. C'est donc Marcelle qui accompagnait son père, lequel de son côté a su investir sa fille au double plan narcissique et libidinal : il a beaucoup partagé avec elle son insatiable curiosité intellectuelle et culturelle, et l'a accompagnée avec tendresse dans les moments forts de son existence, par exemple, il est venu immédiatement, toutes affaires cessantes, lorsqu'elle a accouché de son premier enfant, alors que sa mère s'en est abstenue car « elle n'aime pas les voyages ». Toute idée d'érotisation dans cette proximité avec son père est énergiquement repoussée par Marcelle, qui a toujours soigneusement évité toute position de rivalité féminine avec sa mère. Adolescente, elle ne se maquillait jamais et portait des jeans, elle appartenait à une bande de copains où « garçons et filles étaient tous pareils, des "intellos" qui n'aimaient pas danser ». Elle a épousé un homme admiré pour son intelligence et sa culture, mais qui ne l'aimait pas vraiment et la trompait beaucoup, y compris – si l'on peut dire – avec sa mère car c'est avec celle-ci qu'il passait ses vacances après la mort du père, sans que cela ait jamais suscité en elle la moindre jalousie. Devenue veuve comme sa mère, elle n'envisage pas de nouer une relation avec un autre homme, elle se trouve trop vieille, et pense sérieusement à chercher dès maintenant une maison de retraite. Cette identification massive à la mère vieillissante privée de son pouvoir de séduction, qui maintient Marcelle dans l'ombre de son éclat passé, semble le lourd tribut à payer pour préserver une relation idéalisée avec elle et tenter désespérément de garder une place auprès d'elle, si modeste soit-elle.

Car sa mère a noué avec son fils une relation passionnelle et exclusive depuis toujours évidente. Mais cela n'a jamais fait souffrir Marcelle, ça la fait plutôt rire de voir sa mère tellement amoureuse de son frère, et elle plaint ce dernier d'avoir à subir ce poids qui obère lourdement ses relations avec les autres femmes. C'est comme s'il devait la pareille à sa mère, qui dit ouvertement qu'elle ne s'est pas remariée à cause de lui, « pour qu'il puisse venir chez elle à toute heure sans être gêné ». Marcelle me raconte avec humour comment, lorsqu'elles sont ensemble, sa mère ne lui parle que des problèmes de son frère, ou bien des cadeaux mirifiques qu'elle envisage de lui faire, sans jamais avoir l'air de penser à elle. Cela lui est égal, elle en a l'habitude, et de toute façon elle n'a besoin de rien. Toutefois une défaillance du cadre va permettre l'émergence dans le transfert des affects déniés : un jour où j'ai, sans y prendre garde, prolongé sa séance de quelques minutes, nous sommes interrompues par l'arrivée du jeune homme qui vient après elle. À la séance suivante, elle m'apprend qu'elle a eu le soir même une violente crise de douleur urinaire, qu'elle s'est sentie toute la semaine d'une humeur détestable, et qu'elle enrage d'avoir complètement oublié les choses importantes dont nous avons parlé. Cet incident nous a permis d'aborder dans le transfert l'ampleur de la douleur, de la colère et de la détresse jusque-là désespérément déniées, issues de la *perception devenue représentable d'être littéralement oubliée par sa mère, d'avoir psychiquement disparu pour elle depuis l'arrivée de son frère*, ce qui peut expliquer sa propre amnésie infantile totale jusqu'à l'âge de 5 ans. Il faudra beaucoup de temps encore à Marcelle pour intégrer psychiquement ces affects violents, et transformer en représentations les sensations douloureuses. Longtemps, elle continuera à me rapporter des comportements maternels d'une révoltante injustice sur un mode descriptif dénué d'émotion, auquel s'adjoint toutefois un mouvement transférentiel projectif qui témoigne d'un passage progressif du déni à la dénégation : « Vous allez sans doute penser que... » Pendant cette période, c'est moi qui dois d'abord éprouver et verbaliser à sa place, avant qu'elle puisse se les réapproprier, des vécus émotionnels incompatibles pour elle avec son idéal d'autocontrôle absolu et de « fille bien, qui ne doit pas critiquer sa mère ». Elle craint de se détacher de celle-ci, car alors qui d'autre, à part ses enfants, lui restera-t-il à aimer ?

L'enjeu narcissique du désir érotique féminin

Au fil de la cure, il apparaîtra qu'au-delà de l'aspect ouvertement incestueux de l'investissement du frère par la mère, il s'agit pour celle-ci de maintenir une relation en double narcissique qui dénie la différence des sexes et des générations : « Ils sont comme des jumeaux, comme des clones... peut-être qu'au fond ma mère aurait voulu être un homme ? » Sa mère a en quelque sorte capturé narcissiquement tous les hommes de la famille, y compris son propre père et le mari de Marcelle, afin d'alimenter un moi idéal fantasmatiquement ambisexué et tout-puissant, qui répudie sa propre féminité en même temps que celle de sa fille. Marcelle semble avoir tenté, elle aussi, de court-circuiter la castration symbolique[1]. Il lui faudra un long chemin pour en arriver à investir sa féminité, non plus comme une infériorité congénitale à compenser par une position phallique de femme active et indépendante, mais comme lieu de désir érotique et de complétude réciproque.

Sa position première de renoncement ascétique à la sexualité, pour rester

1. Au sens de Piera Aulagnier, pour qui la castration symbolique correspond à la psychisation de la différence des sexes comme signifiante du désir. La perversion comme structure, in *L'inconscient*, 1966, p. 11-41.

en quelque sorte fusionnée avec sa mère, cédera peu à peu. Elle s'autorisera une aventure sexuellement satisfaisante mais passagère, qui lui permettra de se sentir « déverrouillée et rajeunie, comme si elle avait quitté les 80 ans de sa mère ». Elle qui n'a jamais de conflit avec personne, elle est stupéfaite de l'apparition d'un premier rêve mettant en scène une violente dispute avec une femme qui lui rappelle sa mère. Mais son intense peur d'être utilisée, comme par sa mère, en objet utilitaire inférieur au service des besoins de l'autre, l'amène à durcir sa position phallique de « femme indépendante, qui n'épouse pas mais s'envoie en l'air de temps en temps ».

Cette sorte de clivage entre reconnaissance du désir sexuel et déni du manque deviendra intense conflit, lorsqu'elle rencontre un homme qui se déclare amoureux d'elle, qui ne cherche ni à la dominer ni à l'inférioriser, et la présente à ses amis avec fierté. Elle a du mal à y croire, elle n'aurait jamais pensé que quiconque puisse l'apprécier vraiment et la désirer, au-delà du sexuel, pour l'ensemble de ce qu'elle est. Elle sent là « la chance de sa vie », mais en même temps une force obscure en elle qui la pousse à fuir et tout gâcher. Apparaissent de nouveaux malaises, « des vertiges d'angoisse paralysante », liés à l'émergence du besoin de l'autre. *Être amoureuse entraîne un sentiment de déchéance, « je me croyais mieux que ça, c'est ridicule, infantile... plutôt me jeter du 8*e *étage que lui dire que je désire être avec lui ».* Elle rêve qu'elle est hospitalisée dans un service de grands brûlés, rêve qui condense l'attrait brûlant pour cet homme et la menace narcissique consécutive. En effet cette relation, qui lui apporte de grandes satisfactions libidinales et narcissiques, la met en danger de perdre le contrôle pulsionnel et l'autosuffisance qui faisaient sa fierté. Pour la première fois, elle évoque une complicité d'enfance avec une autre femme, sa grand-mère maternelle, qui écoutait avec bienveillance ses premières confidences amoureuses, contrairement à sa mère qui ne s'y intéressait pas du tout. Le mouvement identificatoire à la féminité de cette grand-mère, jusque-là barré par le mépris où la tient sa propre fille, trouve alors à se déployer dans le transfert. Marcelle accepte peu à peu de se laisser aller aux plaisirs de l'amour, et d'écouter les projets à long terme qui lui sont proposés. Elle peut maintenant me dire, et dire à son amant, qu'elle a terriblement besoin de lui. Après beaucoup de tergiversations, elle s'est décidée à partir avec lui en vacances et à ne consacrer cette fois qu'une brève visite à sa mère. Aussitôt montée dans le train pour quitter celle-ci, elle a senti éclore sur sa lèvre un bouton d'herpès, expression certes encore corporelle mais signifiante d'un sentiment nouveau pour elle : la culpabilité, devenue représentable, à avoir quelque chose que sa mère n'a pas.

Conclusion

Il semble que la mère de Marcelle, elle-même prisonnière d'un moi idéal mégalomaniaque sans faille ni manque, ait tenté d'évacuer, en la projetant sur sa fille, l'intolérable blessure narcissique de sa propre sexuation féminine vécue comme « castration réelle ». Faute d'être porteuse du précieux pénis-miroir fétichisé, la place « idéale » assignée à Marcelle est réduite à celle d'un faire-valoir asexué, destiné à refléter l'imaginaire perfection maternelle. Lorsque cette patiente est venue me voir, elle tentait, pour obéir au désir de sa mère, d'adopter la solution qu'A. Green a appelée « le genre neutre : une recherche d'autosuffisance et d'effacement des désirs sexuels en même temps que de son identité sexuée ». Et on peut sans doute évoquer à son propos l'hypothèse selon laquelle « le fantasme de neutralité pourrait être construit sur la perception du fantasme maternel qui désire que son enfant ne soit pas – ni sexué, ni vivant »[1].

Si Marcelle semble parvenue, après un long travail, à accepter le manque inhérent à la différence des sexes, devenue signifiante de désir réciproque, et à assumer positivement son identité féminine, c'est non seulement grâce au nécessaire investissement contre-œdipien de son père, mais aussi grâce à l'appui identificatoire d'un ancêtre féminin qui a su lui transmettre les possibles plaisirs d'être femme sans pour autant être castrat.

Denise Bouchet-Kervella
191, rue d'Alésia
75014 Paris

1. André Green, Le genre neutre, in *Nouvelle revue de psychanalyse*, n° 7, 1973, intitulé « Bisexualité et différence des sexes », p. 251-262.

Idéal transmis et couple violent

Maurice NETTER

La répétition de scènes violentes en paroles et même en actions dans certains couples, même après de nombreuses années d'analyse de l'un ou des deux partenaires cesse lorsque chacun finit par se rendre compte qu'il transpose ainsi une tension entre des composants de l'idéal transmis par ses parents et leur entourage, composants qu'il a réarrangés à sa façon au cours de son évolution. Dans mon expérience, cette transformation s'est produite à travers une reviviscence du transfert sur l'analyste et le site analytique, elle-même, postérieure à une, voire deux interruptions des séances.

L'analyse semble s'achever, des interprétations et des élaborations ont entraîné des modifications libérantes dans le fonctionnement psychique et la vie sociale du patient. Celui-ci entame alors une série de récriminations sur le dernier en date de ses partenaires. Je sens monter en moi, de plus en plus souvent, une exaspération, certes en réaction à l'exhibition devant moi de décharges pulsionnelles intenses et inaccessibles à toute tempérance, au moment où se décide la fin des séances, mais je réalise peu à peu que son partenaire, comme moi, sommes soumis à la résistance ultime à la séparation vécue comme un deuil dont le travail est indispensable et infaisable en même temps. Augustin Jeanneau (1985) a décrit ce moment en une phrase très expressive : « Le deuil c'est bien cette contracture hallucinatoire qui soutient l'impossible contre toute réalité et réclame la douleur pour éviter le vide. » Le patient tente de mettre l'analyste dans une situation paradoxale : « Dites-moi comment changer cette personne qui exige de moi ce que je ne puis lui donner, moi je ne peux pas la quitter car alors je perdrais ce qui me fait vivre. » Il s'agit, en fait, du retournement et de la projection d'un réseau d'exigences dont le patient a le sentiment d'être l'objet. Dans ma pratique ce transfert n'a pu être dénoué qu'après une séparation, un temps de latence et surtout le détour par le « réel-collectif », ce qui évoque la phrase de Freud dans « Moïse » : « Le contenu de l'inconscient est toujours collectif. » Effectivement je me sens, dans cette période de leur analyse, impuissant devant les choix paradoxaux qu'ils veulent m'inciter à faire.

Voici l'hypothèse qui me guide pour approcher cette conjonction de la violence et de l'idéal incarné dans ces couples :

Des tensions paradoxales se nouent au sein de l'idéal « transmis »

« Un paradoxe est une formation psychique liant indissociablement entre elles et renvoyant l'une à l'autre deux propositions ou injonctions, inconciliables et cependant non opposables » (Racamier, 1980).

Formation qui lie indissociablement des injonctions inconciliables et cependant non opposables, tel est l'idéal. C'est un condensé d'attentes attribuées à divers personnages ou imagos fragmentés et recomposés (les identifications sont toujours partielles). Je préciserai que les injonctions « tu dois » de ce Surmoi qui indique au Moi son idéal, conduisent, ici, à des actions qui mettent le sujet dans l'impossibilité de satisfaire ses exigences ; l'obéissance amène à contrarier celui qui la demande : « Fais-moi plaisir en travaillant à fond ta musique et occupe-toi de ton petit frère et de ta mère malade pendant que je serai en voyage. » En passant beaucoup de temps à ses exercices, la patiente tente de réaliser l'idéal dont son père a été frustré lui-même dans sa propre fratrie mais elle ne peut se détourner de la mission de chef de famille que ce père lui confie et qui renforce son identité mise en péril par son incapacité à satisfaire tout ce monde. Cette emprise par le moyen du paradoxe, rejoint en effet, celles qu'exercent les autres sources d'injonctions – les représentations d'autres personnages ont au moins deux facettes – le père et l'antipère, par exemple, qui tissent des liens entre elles mais aussi avec les diverses facettes des imagos maternelles et grand-parentales. Ces injonctions rencontrent les poussées internes, pulsions à aimer et haïr, connaître et se développer soi-même, il en résulte un mixage *(mischung)* qui brouille les pistes. Dans les cas auxquels je pense, il n'y a pas de recroquevillement narcissique, pas forcément d'ambition sociale concrétisée ; le patient ne se vit pas comme isolé ou magnifique mais comme devant toujours satisfaire une entité indiscernable, insatiable et dont la compagnie est permanente.

Gilbert Diatkine, dans le complément à son rapport exposé à Montréal, souligne l'unification des idéaux qui se livrent à une dure bataille par la figure du père de la préhistoire personnelle. Celui-ci est sans doute le père indiqué comme idéal par la mère, père parfois supplanté par l'amant inconnu et glorifié de celle-ci, mais il se compose ou se coagule avec le père de la grand-mère maternelle éventuellement idéalisé à l'envers : alcoolique, psychotique. Tous ces éléments se combinent avec la mère du père qui se tient aussi près du berceau pour prédire l'avenir. Ces premières condensations se recouvrent des identifications secondaires à des « éducateurs » et à leur « Surmoi culturel ».

La transposition de ces tensions dans les couples violents

Plusieurs années après m'avoir quitté apparemment satisfaits (!), ces patients reviennent me demander quelques entretiens. Ils ont une situation professionnelle qui leur convient, mais ils ont continué obstinément à établir des relations affectives et sexuelles avec des partenaires qui toutes perpétuent un scénario violent. Celui-ci se déclenche à propos de « riens ». Ces riens, ne se présentent pas comme des conflits d'intérêt ni de domination, mais comme les signifiants d'une mise en demeure par un « collectif intériorisé » mais non figuré, ils deviennent les déclencheurs de crises de violence plus même que d'agressivité, selon la distinction de Jean Bergeret (1984). Ils activent le réseau de paradoxes, ce qui suscite une grande angoisse, celle de se sentir impuissant lorsqu'un « on » pluriel vous demande d'être tout-puissant alors que ce « on » vous a mis dans un état de dépendance. La défense immédiate est l'identification projective : le patient « voit » dans le partenaire, à ce moment précis, ce « on », la colère explose.

L'angoisse insupportable engendrée par ces pressions idéalisantes cherche une figuration et un sens, spécialement lorsque le partenaire montre une aptitude particulière à endosser les personnages que le sujet lui impose de jouer par la pression de cette identification projective : le père à conquérir, garder et abattre, la mère à soigner, dominer et rejeter, la grand-mère à égaler et dépasser, etc. La réunion de ces figures en des personnages composites évoque ceux que décrit Freud, dès 1900, comme manifestant le travail du rêve. Le partenaire devient rapidement le porteur présumé de la pression du Surmoi vers l'Idéal et la source supposée de la déception de ne point y parvenir. Il suscite la haine qui envahit le patient et augmente sa culpabilité, laquelle nourrit la violence comme on sait, ce qui relance le cycle à la première occasion. La déception est reprochée à l'autre sur deux versants non opposables : d'une part, en tant qu'il n'apporte pas la transformation obscurément attendue de lui (on retrouve cela dans certaines réactions thérapeutiques négatives), et, d'autre part, en tant qu'il refuse de se laisser lui-même modifier selon un modèle imaginaire qu'il semblait lors de la rencontre, propre à reproduire. Mais souvent cette déception « consciente » n'est qu'un prétexte ; au fil des ans, l'essentiel se passe dans la décharge violente pour elle-même, pour l'impression qu'elle donne de vivre intensément ses propres sentiments et de triompher de ses imagos.

Même si tout le monde peu ou prou connaît ces surdéterminations inhérentes au Surmoi persécutant le Moi avec ses idéaux, ces personnes subissent plus que d'autres la dureté et la fixité de la condensation des sources de l'Idéal, ce qui se traduit par une difficulté particulière à symboliser, à faire aller ensemble, simplement dans une rencontre et non pas dans un amalgame serré, des représentions et des projets. Elles sont soumises au double *bind* décrit ainsi par Racamier : « Il consiste à soumettre un individu à deux injonctions inconciliables de telle sorte qu'il soit impossible d'obéir à l'une sans désobéir à l'autre, formulées à des niveaux différents, de telle sorte que leur incompatibilité reste secrète ; et avec une interdiction complémentaire d'apercevoir le paradoxe ou de s'y soustraire, de telle sorte que la "victime ne puisse d'aucune façon s'en sortir". »

Ces processus, injonction, interdiction de concilier et de penser, amalgame de différents niveaux, sont purement et simplement transposés dans la relation avec le « conjoint », au moment des crises.

Une progression, cependant, d'un homme à l'autre ou d'une femme à une autre, peut se discerner, amenant finalement à un retour vers l'analyste. La difficulté venant de la condensation de plusieurs fragments d'idéal d'origines différentes longtemps présentées comme opposées, il fallait trouver le chemin qui parviendrait au nœud de ce réseau de plusieurs systèmes de défense. Il importe de démasquer l'enchantement primordial c'est-à-dire la séduction narcissique exercée par l'objet primaire : « Tu es ma source de vie », redoublée par celles des objets secondaires : « Sans toi la famille ne peut continuer à exister, tu es notre lien. » Il faut un désenchantement sur plusieurs fronts et pas seulement une séparation vis-à-vis de chaque personnage du roman familial, un renoncement à ce que ce roman mettait en scène comme objectifs concentrés (professions, soins, réparations, cultures, enfants, etc.), et pas seulement le meurtre du père de la préhistoire personnelle.

Jacques Caïn et Brigitte Anselme (1997) définissent le désenchantement :

« Être désenchanté c'est vivre la dépossession d'un monde où se projetait la magie du Moi, entraînant celui-ci dans une espèce d'auto-allumage où l'insatisfaction devient elle-même satisfaction, à la limite même mégalomaniaque, s'entretenant dans un mouvement centrifuge. D'un point de vue dynamique en effet, le mouvement loin de se faire à vide entraîne une régression narcissique renvoyant une image ternie, détériorée qui trahit l'Idéal du Moi antérieur. »

Ici l'auto-allumage ne se fait qu'au contact de l'autre, miroir d'un idéal du moi toujours prêt à s'imposer malgré son anachronisme.

Le passage par le collectif,
après un temps d'analyse personnelle, rend accessible ce désenchantement

Ce désenchantement s'opère au cours d'une série d'expériences dans le collectif, c'est-à-dire dans un espace et une histoire qui ne soient pas seulement intrapsychiques. Déjà raffermi par le temps premier d'analyse et l'accès à une objectalité encore relative, le sujet peut supporter des mouvements d'une plus grande intensité que le transfert direct sur l'analyste, trop facilement dénié comme « trop feutré et trop imaginaire pour bousculer suffisamment l'édifice des idéalisations ». « Au-dehors » il peut faire l'apprentissage du caractère non dangereux pour le narcissisme profond, de l'acceptation de n'être pas celui qui peut tout et son contraire pour son partenaire.

L'analyste aussi connaît cette route, de l'irritation d'être mis en position d'enfant sollicité par l'excitation de parents-combinés, ceux que lui présente l'analysant, conjugués avec ceux qui lui restent de l'idéalisation de sa société, vers l'élaboration de sa position fondamentale d'étranger. On se rappellera que le paradoxe type est d'exiger une et une seule réponse à cette question : « Qui aimes-tu le plus, ton père ou ta mère ? » Dans sa communication prépubliée Jacques Dufour (2000) résume ainsi ce parcours :

« La démarche de l'analyste chemine donc d'une position où un idéal paraît lui imposer de prendre parti, à celle où il lui appartient de se composer son propre point de vue. Cette démarche va construire son travail d'analyste autour d'un double décalage, du groupe au couple, d'une part, et du couple à l'individuel subjectif, d'autre part. »

Quelque temps plus tard, ces mêmes patients reviennent de nouveau en me reprochant de ne pas avoir insisté suffisamment sur la pression mise sur eux par le parent dont ils avaient parlé le moins (tout est relatif) : le père. Justement, dans tous ces cas, il aurait orienté les études et certains choix conjugaux : l'homme qui correspondait à ses critères pour sa fille, ou la jeune fille qu'aurait dû épouser son fils... Ils rappellent, bien sûr, qu'ils ont commencé à réaliser cet idéal paternel mais ont rapidement pris un tournant en sens opposé, par exemple, en faisant une école de police, après avoir réussi un concours d'entrée dans une grande école. Ils se sont ainsi conformés à une mission idéale de défenseurs des faibles et de poursuite des délinquants, reproduisant une demande de ce même père de prendre en charge deux malades au sein de la famille dès le début de leur adolescence ; d'autres ruptures de parcours provoquées par des exigences identitaires paradoxales ont suivi.

L'élaboration du désenchantement dont je parlais plus haut, c'est-à-dire la capacité de vivre sans références automatiques et réactions répétitives (ce que Paul Denis (1996) appelle le fonctionnement en imago), se déroule au sein de rencontres avec des êtres « réels », dans le choix d'étapes professionnelles qui divergent des attentes analysées sur le divan. Ainsi, ce désenchantement n'est-il pas mélancolique, comme le craint Claudette Lafond dans sa communication prépubliée, mais, au contraire, il marque une naissance à soi-même hors de l'appui des sorciers et des fées. Cette émergence d'un moi plus autonome prend du temps, car elle suppose d'avoir connu et intégré des déceptions vécues. Ces passages par « le réalisé » permettent, grâce à la présence, même simplement virtuelle de l'analyste qui joue comme tiers, de décondenser les « attentes supposées-crées » de ses objets internes. Le fonctionnement symbolique s'instaure ainsi dans le cheminement inverse de celui qui conduit à incarner les tensions en des comportements. Le patient peut alors s'identifier lui-même, ainsi que son partenaire, comme être humain limité et capable de création ; les crises de violence cèdent alors le pas à des conflits ordinaires.

Maurice Netter
Lieu-dit « Le Colonel » CD6
13170 Les Pennes Mirabeau

RÉFÉRENCES

Bergeret J. (1984), *La violence fondamentale*, Paris, Dunod, p. 141 et s.
Caïn J. et Anselme B. (1997), *Hier matin la lune a disparu. Court traité du désenchantement,* Paris, La Pensée sauvage, p. 30.
Denis P. (1996), D'imagos en instances : un aspect de la morphologie du changement, *Revue française de psychanalyse,* 60, 4.
Dufour J. (2000), Surmoi pur, culture d'idéal. Surmois impurs, culture d'analyse, *Bulletin SPP,* n° 57, p. 64.
Jeanneau A. (1985), Présentation du rapport sur L'hystérie. Unité et diversité, *Revue française de psychanalyse,* t. 49, 1, p. 126.
Freud S. (1900), *L'interprétation des rêves*, Paris, PUF, 1976, p. 276.
Freud S. (1939), *Moïse et le monothéisme,* Paris, NRF, 1948, p. 177.
Racamier P. C. (1980), *Les schizophrènes,* Paris, Payot, coll. « PBP », p. 145 et 146.

La haine du *transfert*

Michel GIGUÈRE

Il est bon en tout cas de savoir sur quel sol tourmenté se dressent fièrement nos vertus.

Freud, *L'interprétation des rêves.*

Depuis plusieurs années, Samuel se présente fidèlement à ses rendez-vous avec moi. Terrorisé par d'intenses fantasmes d'infanticide *in utero* depuis l'annonce de la grossesse de sa conjointe, il a été à cette époque brièvement hospitalisé avec pour conséquence, entre autres, de voir confirmée sa perception d'être un dangereux meurtrier. Longtemps, dans l'organisation fantasmatique de Samuel, j'incarnerai l'agent de probation chargé de la mission d'évaluer, à période fixe, son potentiel criminel ; au point, dans son fantasme, de procéder à une « réincarcération hospitalière » préventive au moment jugé, par moi, opportun. Habité par le sentiment d'être en liberté conditionnelle, Samuel vivra ses séances dans l'obligation de montrer patte blanche, de me démontrer qu'il devient un criminel réhabilité.

Comment exprimer l'impact, sur *moi,* de ce scénario transférentiel ? Excédé, l'envie répétée d'interrompre tout à coup la séance *me* gagne : « Mais je ne suis pas le gardien de prison que vous croyez, pour qui me prenez-vous ? » Plus encore, combien de fois ai-je tué ce patient pour échapper à cette aliénation. Pour retrouver la paix, c'était à mon tour maintenant d'être l' « assassin » ! Action d'une identification projective ? Logique des vases communicants ? Identification à l'agresseur ? Négation de l'étranger ? On pourrait, bien sûr, s'interroger sur le contenu de cette illustration, ou de n'importe quelle autre, afin de mettre à jour la trame inconsciente transférentielle de cette relation décrite ici de façon trop schématique.

Mais au-delà de la forme particulière que prendra toute relation analytique dans ses diverses métamorphoses, ne se glisse-t-il pas ultimement au cœur de chacune d'entre elles, et quoi qu'on en pense, une paradoxale fin de non recevoir de notre part, un ultime refus des multiples rôles ou positions, *toujours* insupportables sur le plan moïque, que nous assignent nos patients qui, de leur côté, ne font rien d'autre, pourrait-on dire, que répondre à notre offre d'être utilisé comme surface d'inscription de leurs projections ? Freud a bien montré, et ce dès l'*Esquisse,* la propension du moi à la quiétude homéostatique et comment toute sa complexification ne visera toujours qu'à tenir hors de ses murs l'excitation maudite, menace d'une mise en échec de son organisation. Préséance de l'économique sur le topique.

Au cours du congrès de Montréal, plusieurs aspects du rapport présenté par Lise Monette et Jacques Mauger ont soulevé de nombreuses questions et critiques et alimenté de ce fait une riche discussion. Tout ceci étant à porter au crédit de la qualité du rapport et de la générosité des rapporteurs. Curieusement, un thème, fondamental à mes yeux, ne fut à aucun moment l'objet de la discussion. Il s'agit de la haine *du* transfert. Une « ... haine de ce qui, dans le transfert, révèle l'existence de l' "ob-jectus" (Quignard), en jetant devant les yeux ce qui de l'objet excède le moi et le dépossède de ce qu'il croit être "son" objet à son image et à sa ressemblance. Haine de l'inattendu, de l'inconnu » (Mauger et Monette, 1999, p. 41). Une haine inconsciente suscitée non pas par une présentation transférentielle particulière, mais à considérer plutôt comme étant chevillée au cœur de *tout* mouvement transférentiel. Une haine inconsciente visant à abolir, sinon à maintenir à distance, l'étrangeté de l'objet ou, dans l'esprit de l'*Esquisse,* l'étrangeté foncière de toute excitation. En ce sens, la nature nouvelle et étrangère de cette notion de haine *du* transfert aurait-elle pu agir comme déclencheur de sa propre mise à l'écart de la discussion durant le congrès ? La haine *du* transfert ne pourrait-elle être qu'infiniment prisonnière d'un mouvement identique à celui qu'elle tente de rendre compte ? L'exemple étant ici la chose même.

Rétrospectivement, pouvons-nous déceler l'action de cette haine *du* transfert dans certains récits cliniques ou propos informels parvenus jusqu'à nous à travers la littérature psychanalytique ? Des indices de cette haine inconsciente ne sont-ils pas déjà repérables dans l'œuvre de Freud ? Cette notion nous permet-elle de réinterpréter ce que nous montre Freud à plusieurs reprises de sa *réaction*, étonnante pour qui fut le premier à débusquer les effets souterrains du transfert, aux différentes positions que lui assignaient des patients dont on ne peut dire qu'ils partageaient telle problématique ou tel diagnostic particuliers ?

« Je ne suis pas le capitaine cruel que vous croyez », a-t-on l'impression d'entendre s'exclamer Freud (1909), cédant à l'exaspération face à son patient : l'Homme aux rats. Comme s'il tentait de se dégager d'une assignation transférentielle ressentie comme insupportable. Comme s'il cherchait à se dédire d'un mouvement affectif potentialisé par un dispositif thérapeutique d'une redoutable efficacité. N'y a-t-il pas quelques molécules haineuses en jeu lorsque Freud, visiblement affecté, renchérit d'une négation : « ... et que je n'avais pas l'intention de le tourmenter inutilement » (p. 209).

Octobre 1928, Freud, embarrassé, écrit à Hollos, psychiatre hongrois, à propos des « fous » que ce dernier accueille à la Maison Jaune : « ... je me trouvais pourtant dans une sorte d'opposition qui n'était pas facile à comprendre. Je dus finalement m'avouer que la raison en était que je n'aimais pas ces malades ; en effet, ils me mettent *en colère, je m'irrite* (je souligne) de les sentir si loin de moi et de tout ce qui est humain. Une intolérance surprenante, qui fait de moi plutôt un mauvais psychiatre » (p. 9).

Quelques années plus tard, le 9 mars 1933, Freud se confesse à Hilda Doolittle (1956) : « Et... il faut que je vous dise (vous avez été franche avec moi, je le serai donc avec vous) je n'aime *pas* être la mère dans un transfert. Cela me surprend et me choque toujours un peu. Je me sens tellement masculin » (p. 65). Il s'agit là d'une déclaration surprenante pour qui évoquait sans réticence, dans sa correspondance avec Fliess, son « feminium », la présence de « menstruation féminine dans sa forme la plus développée, avec sécrétion nasale sanguinolente », le désir d'unir avec Fliess « nos contributions, jusqu'à la méconnaissance de notre propriété... nos théories bientôt fusionnées », ceci quelques jours après avoir comparé la métapsychologie à laquelle il travaille à son « enfant de l'idéal et de la douleur » (cf. Lussier, 1999). Mouvance du refoulement ? Quoi qu'il en soit, cette autoreprésentation de lui-même, ce fantasme identitaire « tellement masculin » se posait-il comme résistance à l'exploration d'une « fausse connexion » intolérable ?

À propos d'un tout autre « type » de patient, Ferenczi (1932), dans son journal, interprète l'origine du désenchantement clinique de Freud comme étant fondé sur la découverte que les hystériques mentent. À partir de ce moment, d'après Ferenczi, « Freud n'aime plus les malades » (p. 148), qu'il considère comme de la « racaille » (p. 148), utiles seulement en vertu de leur apport financier et en tant que source de matériel.

Serait-il vraisemblable que Freud ne fut pas, comme on a l'habitude de le présenter platement, allergique à un type de transfert, maternel ou autre, mais que s'exprimait chez lui, soit par colère, irritation ou négation, quelque « sursaut moïque » d'opposition à toute assignation identitaire par trop étrangère ? Sursaut défensif d'un moi menacé par quelques dissemblances outrageantes du fait de l'impossibilité de les investir narcissiquement, un moi débordé par quelques différences blessantes devant être impérativement réduites. Comme en médecine on réduit une fracture.

Du côté férenczien, « l'insensibilité et l'hypocrisie professionnelle » tapies sous le masque de la bienveillance, s'offrent-elles comme des manifestations de cette haine inconsciente portée par tout psychanalyste du fait même de son offre intenable, mais pourtant convenue, d'une disponibilité à l'écoute de ce qui ne pourra inévitablement que le replonger, avec son patient, au cœur de l'énigme du sexuel et de sa charge traumatique ?

Plus près de nous dans le temps, de Carufel (1993) avec la notion de contre-tranfert de base animé de pulsions sadiques-anales ayant pour cible le patient, Gantheret (1986) faisant état d'une haine essentielle reliée à l'inévitable discontinuité introduite par l'objet et Rosolato (1987) décrivant la « place d'autorité invisible, muette et insensible » que peut occuper l'analyste, évoquent-ils, chacun selon sa voie propre, ce qu'il en serait des réponses haineuses, sadiques de l'analyste, générées par ce qui, dans la rencontre analytique ou encore dans le dispositif même de l'analyse, confronte l'analyste à son propre étranger ?

Nul besoin de multiplier à outrance ces exemples qui soulèvent au moins cette question : « Hainons-nous » le transfert des uns et des autres au point d'avoir collectivement investi un fantasme meurtrier spécifique selon lequel le transfert doit être liquidé ? Un peu à l'image des avis de recherche du Far West. Ne manquerait que le montant de la récompense promise à qui parviendrait à éliminer cette nuisance que Freud avait longtemps considérée comme étant l'ennemie numéro 1 de l'entreprise analytique ! Comment ne pas céder à cette « haine liquidatrice » ? Et surtout, que nous faudrait-il, au fond, mettre à mort ?

Après avoir fait état de sa « colère » suscitée par les patients psychotiques, Freud, dans sa lettre à Hollos, poursuit : « Mon attitude serait-elle la conséquence d'une prise de position de plus en plus nette dans le sens d'une primauté de l'intellect, l'expression de mon *hostilité du ça* (je souligne) » (p. 9) ? Primauté de l'intellect sur l'affectif, primauté du moi sur le ça, comment dès lors se prêter au jeu transférentiel, incarnation d'un péril pour la cohésion du moi en vertu de sa capacité à remettre en scène la discontinuité, l'insaisissable, l'étranger dans l'analyste ? Une remobilisation dont Cournut (1990) a bien décrit la trajectoire en identifiant avec à propos que derrière tout patient « difficile » se trouve en fait l'analyste lui-même. Ainsi, la haine du transfert en recouvrirait-elle une autre plus insidieuse ? Avec Freud, pouvons-nous avancer une haine *du* ça ? Un passage du transfert au ça autorisé en fonction d'une particularité commune aux deux ; celle de se poser comme étranger en regard d'un moi qui, n'aspirant qu'à la stabilité et à la quiétude de son organisation, ne pourra qu'être enclin à surinvestir ses frontières, à se replier narcissiquement sur lui-même ? De ce point de vue, cette haine pourrait-elle jouer un rôle de premier plan dans le déclenchement de la mystérieuse « nouvelle action psychique », fondatrice du moi (Freud, 1914) ou encore dans l'établissement d'une délimitation plus (trop ?) affirmée de ses frontières ? Éventuelle ligne de partage entre dépersonnalisation, curiosité et xénophobie ?

Une autre question qui se pose concerne les voies de dégagement de cet enfermement ou risque d'enfermement moïque. Plusieurs axes de réflexion ont déjà été proposés au cours du congrès ; travail d'Éros, sublimation, masochisme intégrateur, objet secourable, etc. À cette liste pourraient s'ajouter l'importante question de la résistance en tant que phénomène intrinsèquement lié à l'analyse de même que sa prise en compte dans ses diverses déclinaisons : résistance du moi, du surmoi, du ça, résistance *de* transfert, *au* transfert et *du* transfert, etc., dont on peut penser qu'elles constituent le lieu privilégié et incontournable du travail de l'analyse. Une indication qui marque toute l'œuvre de Freud depuis les *Études sur l'hystérie* : « Une fois cette tâche accomplie *(la remémoration des souvenirs pathogènes)*, le médecin n'a plus rien à corriger ou à supprimer... Le cas peut se comparer à celui d'une porte verrouillée. Une fois le verrou ouvert, le déclenchement du loquet n'offre aucune difficulté » (1895, p. 229) jusqu'à « L'analyse avec fin et l'analyse sans fin » : « Au lieu d'examiner comment la guérison advient par l'analyse, ce que je tiens pour suffisamment élucidé, la question à poser devrait être : quels obstacles se trouvent sur le chemin de la guérison analytique ? » (1937, p. 236). Comme si la « guérison » constituait un processus naturel, spontané à partir du moment où les obstacles à son avènement étaient surmontés.

Mais la haine *du* transfert doit-elle être considérée comme une résistance parmi d'autres ou se pose-t-elle au contraire comme phénomène irréductible, limite infranchissable de l'entreprise analytique ?

À suivre.

Michel Giguère
5515 Queen Mary, 201
Montréal, Qué. H3X-1V4
(Canada)

BIBLIOGRAPHIE

Cournut J. (1990), La taupe ou le cas difficile d'un contre-transfert passionnel, *Revue française de psychanalyse*, 329-342.

De Carufel F. (1993), Le contre-transfert de base, *in* Jean Laplanche et coll., *Colloque international de psychanalyse,* Paris, PUF.

Doolittle H. (1956), *Visage de Freud avec des lettres inédites de Sigmund Freud,* Paris, Denoël, 1977.

Ferenczi S. (1932), Qui est fou, nous ou les patients, in *Journal clinique*, Paris, Payot, 1985, 147-150.

Freud S. (1895), Psychothérapie de l'hystérie, *in* J. Breuer, S. Freud, *Études sur l'hystérie*, Paris, PUF, 1973, 205-247.

Freud S. (1909), Remarques sur un cas de névrose obsessionnelle (l'Homme aux rats), in *Cinq psychanalyses*, Paris, PUF, 1979, 199-261.

Freud S. (1914), Pour introduire le narcissisme, in *La vie sexuelle,* Paris, PUF, 1977, 81-105.

Freud S. (1928), Lettre à Hollos, *in* I. Hollos, *Mes adieux à la maison Jaune,* Paris, Édition du Coq-Héron, 1986.

Freud S. (1937), L'analyse avec fin et l'analyse sans fin, in *Résultats, idées, problèmes,* II : *1921-1938,* Paris, PUF, 1985, 231-268.

Gantheret F. (1986), La haine en son principe, *Nouvelle Revue de psychanalyse*, *33*, 63-73.

Lussier M. (1999), L'érotisme et la langue, *Évolution psychiatrique*, *64*, 29-41.

Mauger J., Monette L. (2000), Pure culture..., in *Revue française de Psychanalyse,* n° 5, 1391-1460.

Rosolato G. (1987), La pratique : son cadre, ses interdits, *Psychanalyse à l'Université*, *12*, 474-485.

Mélancolie maniaque : quelle issue ?

Jean-Michel QUINODOZ

Polarisation de la pensée et polarisation des affects

Si je partage avec Jacques Mauger et Lise Monette (2000) l'idée qu'une polarisation excessive du fonctionnement psychique tant individuel que collectif constitue un danger pour la psychanalyse aujourd'hui, et que ce danger a affaire avec l'idéal et la mélancolie, je diverge quant à la nature de la polarisation qu'ils décrivent et quant à son issue. En effet, je pense que l'on peut concevoir cette problématique non seulement en termes de *processus de pensée*, tel qu'ils la décrivent, mais également en termes de *processus affectifs.* Dans cette dernière perspective, cette polarisation peut alors être comprise comme l'expression d'une exacerbation des conflits amour/haine qui prennent la forme simultanée d'une idéalisation et d'un dénigrement excessifs des objets et du moi, où l'on peut reconnaître les caractéristiques de la bipolarité des affects qui préside à la structure maniaco-dépressive. Ce point de vue permet de proposer une issue aux conflits liés aux vicissitudes de l'amour et de la haine : en effet, ces affects sont susceptibles d'être repris dans la relation de transfert en tant que mouvements libidinaux et agressifs de manière à être interprétés et élaborés, sans pour autant écarter les processus de pensée qui y sont étroitement impliqués.

À la recherche de repères

Tout au long des débats qui ont eu lieu à Montréal, j'attendais une clarification de la part des auteurs quant à la manière dont ils conçoivent la notion de « mélancolie » dont ils font grand usage, de même que celle de « pureté ». Mais Lise Monette ne m'a pas éclairé, par exemple, lorsqu'elle a déclaré que pour elle le terme de mélancolie n'avait pas de lien avec la notion de dépression, telle que nous l'utilisons habituellement en psychanalyse. Quant à la notion de défense maniaque, pourtant si essentielle par rapport à la dépression, elle n'a été mentionnée par aucun intervenant. Pourquoi ces zones d'ombre, me suis-je demandé ? Cette interrogation m'a conduit à effectuer un travail psychique d'élaboration qui m'a permis peu à peu de retrouver mes propres repères. J'ai alors réalisé que ce travail intérieur me rappelait celui que j'avais effectué au cours de ma formation – et que j'effectue encore aujourd'hui – lorsque je suis confronté à des courants psychanalytiques qui ont tenu à l'écart de leur théorie et de leur pratique le rôle joué par les affects d'amour et de haine dans leurs relations aux objets et au moi, notamment sous l'influence de J. Lacan. Pourtant plus que jamais, une meilleure connaissance du rôle joué par les affects me semble essentielle si nous voulons répondre à la demande de nombreux patients d'aujourd'hui, car nous sommes de plus en plus confrontés à la dimension négative du transfert ainsi qu'à des défenses primitives, comme les défenses maniaques et mélancoliques, et de moins en moins à des « purs » névrosés. Selon moi, une approche psychanalytique qui tient compte de la dimension affective du transfert constitue un facteur déterminant pour que nous, psychanalystes aujourd'hui, puissions répondre à l'attente des nombreux patients pour lesquels l'approche psychanalytique reste encore incontournable à l'heure actuelle.

De l'analyse des névroses à l'analyse des « névroses narcissiques »

C'est à la lumière de ce travail psychique personnel à la fois passé et présent que j'aimerais discuter « Pure culture » qui a été pour moi autant provoquant que stimulant. Comme jeune psychanalyste, en effet, je m'étais trouvé en contact avec des courants psychanalytiques de langue française pour qui la névrose constituait – et constitue encore aujourd'hui – le champ de prédilection de la psychanalyse, et j'ai beaucoup appris dans ce domaine. L'accent était surtout mis sur le refoulement comme mécanisme de défense et sur le jeu des représentations dans le contexte de la première topique, ainsi que sur les vicissitudes du désir libidinal et de l'angoisse de castration dans l'élaboration du complexe d'Œdipe (avec des objets totaux, dirais-je aujourd'hui). Les apports lacaniens concernant le rôle du polysémisme du langage dans le fonctionnement psychique au sein des organisations névrotiques étaient au centre des préoccupations, et l'influence qu'exerçait J. Lacan sur les conceptualisations psychanalytiques qui prévalaient contrastait avec les désaccords avec lui sur les questions de technique, comme sa pratique des séances courtes. Dans ce contexte, la *Métapsychologie* (Freud, 1915) était considérée comme un aboutissement de l'œuvre freudienne et ses travaux postérieurs relégués dans l'ombre, notamment ceux qui portaient sur la dépression, les vicissitudes de l'amour et de la haine, ainsi que ceux concernant la seconde topique et la révision de la théorie de l'angoisse attribuée par lui dorénavant à la crainte de la séparation et de la perte d'objet, sans parler de la notion de clivage du moi. Par exemple, je me suis souvent entendu dire – et récemment encore – que la problématique qui était décrite dans « Deuil et mélancolie » (Freud, 1917) concernait uniquement le rapport avec la réalité externe, du fait du déni de la réalité de la perte, et ne concernait pas la réalité psychique, de sorte qu'on ne saurait considérer ce texte comme psychanalytique mais plutôt comme psychiatrique. De même, le surmoi tendait à être présenté uniquement sous l'angle d'une instance sévère, voire sadique, peu différenciée de sa fonction protectrice envers le moi.

Une lecture « polarisée » de l'œuvre de Freud ?

Peu à peu, j'ai réalisé que l'on pouvait avoir une lecture d'ensemble de Freud autre que celle qui privilégie ses travaux initiaux sur la névrose et qu'une continuité rigoureuse habite l'ensemble de ses travaux, démarches instructives que je poursuis régulièrement dans le cadre d'un séminaire destiné aux candidats de notre société, au cours de cycles de trois ans (J.-M. Quinodoz, 1997). J'ai ainsi pu constater que les travaux de Freud postérieurs à 1915, en particulier ceux consacrés à la dépression – appelée « mélancolie » du temps de Freud – ne contredisent en rien ses découvertes antérieures sur la névrose, mais au contraire les poursuivent et les complètent. J'ai réalisé du même coup que le « retour à Freud » prôné par Lacan n'était pas un retour à l'ensemble de l'œuvre de Freud, mais essentiellement un retour à ses travaux du début, ce qui eut pour conséquence d'induire une lecture polarisée de l'œuvre freudienne vue dans son ensemble, polarisation qui continue à se répercuter sur bien des travaux psychanalytiques contemporains.

Freud explique l'entrée dans la « mélancolie », mais pas la sortie ?

Par ailleurs, la lecture de Freud à la lumière des contributions psychanalytiques postérieures, notamment celles provenant des psychanalystes britanniques et argentins, m'a permis de mieux repérer les enjeux complexes posés par une conception psychanalytique de la dépression et de la manie, et par la question de leur issue. Par exemple, nous pouvons constater que si Freud a décrit magistralement l'entrée dans la dépression (« Deuil et mélancolie », 1917), il n'est cependant pas parvenu à rendre compte de manière satisfaisante des phénomènes intrapsychiques qui président à la sortie de la dépression, ni à attribuer une véritable place à la manie par rapport à la mélancolie, ce dont il était lui-même conscient. Ainsi, Freud considère la « guérison » de la dépression essentiellement sous l'angle de l'acceptation par le moi de la réalité de la perte, processus qui permet le réinvestissement d'un nouvel objet à l'extérieur. Quant aux processus intrapsychiques qui sont impliqués dans la guérison, Freud (1923) se demande si celle-ci provient de ce que l'objet a été « rabaissé » jusqu'à être « abandonné » comme sans valeur, ou si la guérison passe par la voie de la manie. Après coup, nous pouvons aussi constater que Freud ne disposait pas d'une théorie des affects suffisante susceptible de résoudre la question de l'élaboration des affects de deuil applicable au transfert. Ainsi, il utilise le même terme « ambivalence » dans deux sens différents sans avoir explicité ce qui les distingue, selon D. Quinodoz (1987), de sorte qu'il ne parvint pas à distinguer clairement, d'une part, une liaison des affects d'amour et de haine et, d'autre part, une liaison des pulsions de vie et de mort. C'est probablement des lacunes de cet ordre – et peut-être aussi l'absence d'exemples cliniques fournis par lui – qui a pu confirmer certains psychanalystes dans l'idée qu'il s'agissait d'une œuvre essentiellement théorique, sans application clinique.

Pourtant, si nous sommes attentifs à ce qu'expriment nos patients en psychanalyse, nous réalisons la justesse de l'intuition de Freud (1917) lorsqu'il découvrit que les *auto-accusations* du dépressif sont en fait des *hétéro-accusations* dirigées contre un objet introjecté confondu avec soi-même dans une partie de moi. J'en présenterai une brève illustration clinique pour montrer comment nous pouvons reprendre ce mouvement dans le transfert, et l'interpréter à la lumière des contributions freudiennes et postfreudiennes.

De la « névrose narcissique » au transfert négatif et à son élaboration

C'est surtout à K. Abraham (1924) et M. Klein (1935, 1940) que nous devons les hypothèses les plus cohérentes concernant la nature des conflits intrapsychiques qui règnent au sein de l'organisation maniaco-dépressive et sur la possibilité de les appliquer en clinique dans l'analyse du transfert. Tant Abraham que Klein nous ont permis de comprendre le rapport étroit qui existe entre la dépression – l'ombre de l'objet tombée sur le moi (Freud 1917) – et la manie – l'éclat de l'objet tombé sur le moi (K. Abraham, 1924). Si la position dépressive – point de fixation infantile de la dépression – est constituée par l'identification à un objet ressenti comme détruit à l'intérieur ainsi qu'à l'extérieur, comme résultat de la haine mortifère du moi envers l'objet, de même la défense maniaque est constituée par le triomphe omnipotent du moi sur l'objet méprisé, avec fuite vers l'objet interne idéalisé, afin de dénier tout sentiment de perte. C'est ainsi que, sous l'influence de la déliaison entre pulsion de vie et pulsion de mort, la défense maniaque s'associe à la défense dépressive. Mais alors comment se dégager du sentiment désespérant et persécuteur que le monde idéalisé, interne et externe, est perdu et réduit en morceaux, ainsi que le moi ? Si l'on suit M. Klein, c'est à travers une succession de transformations au niveau des processus affectifs que le patient parvient progressivement à prendre conscience que ses auto-accusations correspondent en fait à des hétéro-accusations qui peuvent être projetées sur la personne de l'analyste lorsque celle-ci devient perçue comme séparée et différente. La possibilité pour le psychanalyste d'interpréter ce retournement, puis d'accepter les projections libidinales et agressives du patient et les contenir, favorise la sortie du narcissime et rétablit les investissements objectaux libidinaux et agressifs du patient, comme je le montre dans mon exemple clinique. Par ailleurs, la prise en compte des affects transférentiels permet peu à peu au patient d'effectuer un tri dans la confusion qui résulte de l'ambivalence et de différencier les aspects idéalisés des aspects dénigrés de ses objets et de lui-même, distinction qui constitue le préalable pour parvenir à les lier. C'est de ces processus affectifs complexes et des angoisses qui y sont associées que rendent compte les concepts d'oscillation entre position schizoparanoïde et position dépressive élaborés par M. Klein.

L'ouverture aux contributions postfreudiennes, kleiniennes et postkleiniennes concernant la dépression et la manie – ainsi que leur possible analysabilité – ne s'est effectuée que lentement au sein du courant psychanalytique de langue française. Ici encore, je pense que les positions ambiguës de J. Lacan par rapport à M. Klein ont joué un rôle, car si celui-ci a ouvertement écarté M. Klein, il s'en est parfois inspiré, comme l'a rappelé récemment J. Kristeva (2000). Ces positions tranchées ont eu pour conséquence de polariser à long terme les courants psychanalytiques au détriment d'une meilleure connaissance scientifique mutuelle.

La « mélancolie » des psychanalystes a-t-elle un fondement psychanalytique ?

J'aimerais maintenant revenir au rapport présenté par J. Mauger et L. Monette et en commenter certains aspects à la lumière de mes propres repères. À sa lecture je me suis senti d'abord entraîné dans un monde psychanalytique idéalisé perdu, réduit en pièces, et pressentant que nous – psychanalystes et patients – étions coupables de l'avoir nous-mêmes détruit, sans espoir de le reconstruire. Je me demandais *qui* perdait *qui*, et *qui* perdait *quoi,* pensée qui me rappela que Freud, à propos de la mélancolie, avait dit que l'on ne sait parfois pas *qui* a été perdu, ni *ce* qui a été perdu. Je retrouvais alors un fil rouge : n'étais-je pas en train de me laisser contaminer par le fantasme destructeur central qui constitue le point de fixation de la dépression sous son aspect à la fois maniaque et mélancolique ? J'avais trouvé un semblable constat mélancolique sous la plume de M. Moscovici (1991) qui attribuait également le déclin de la psychanalyse contemporaine aux psychanalystes eux-mêmes déclarés « artisans ou complices de leur propre perte de tenue » (p. 12). Si je reconnaissais un processus mélancolique dans l'état des lieux décrit par cet auteur, j'en voyais mal l'issue dans la mesure où M. Moscovici dénie la valeur psychanalytique de la notion de relation d'objet qu'elle qualifie de « notion descriptive prélevée dans la réalité observable des sentiments manifestes des patients » (p. 132).

Quelle issue à quelle polarisation ?

En ce qui concerne « Pure culture... » c'est parce que je me suis senti personnellement interpellé par le constat « mélancolique » dressé par J. Mauger et L. Monette que je me suis demandé quelle était l'issue psychanalytique qu'ils envisageaient à ce dilemme. Or, l'issue suggérée dans leurs conclusions me semble essentiellement faire appel à un *processus de pensée*. Par exemple, ils soulignent explicitement la nécessité de trouver un *mode de pensée* qui unit liaison et déliaison : « Cette prise en compte ne peut s'accomplir que par une expérience de pensée qui n'aurait pas à prendre parti pour différencier ce qui d'un champ n'appartient pas à l'autre champ, mode de pensée qui conjoint liaison et déliaison » (*ibid.,* p. 1456). C'est essentiellement en termes idéiques que les rapporteurs conceptualisent la polarisation qu'ils décrivent et c'est également en termes de *pensée* qu'ils recherchent une issue, sans se référer à une conception psychanalytique des affects, et l'on voit difficilement comment reprendre ces processus de pensée dans le transfert. Quant à la « tentation mélancolique », les auteurs reprennent ce thème dans leurs conclusions à la lumière d'éléments qui me paraissent une juxtaposition des notions avancées par Freud dans ses tentatives d'expliquer la « guérison » de la mélancolie, sans parvenir à les intégrer véritablement. J. Mauger et L. Monette mentionnent la notion de déni de la réalité, qui s'oppose à ce que le deuil se fasse, mais de quelle réalité s'agit-il pour eux ? Ils semblent se référer uniquement au déni de la réalité concrète – « l'inaltérable réel » (p. 1457) – sans que soit évoqué le déni de la réalité psychique contre laquelle s'érigent tant les défenses maniaques que mélancoliques. Enfin, qu'en est-il de la place des affects d'amour et de haine ? Personnellement, comme je l'ai dit plus haut, je peux partager en partie certains points de vue de J. Mauger et L. Monette, mais je perçois mal comment ils conceptualisent le processus d'élaboration du deuil auquel ils font allusion, pas plus que je n'avais perçu comment M. Moscovici conçoit l'issue de la mélancolie qu'elle dénonce chez les psychanalystes.

Pour une conception psychanalytique cohérente des processus affectifs

Pour moi, si l'on considère les hypothèses avancées par J. Mauger et L. Monette à la lumière d'une théorie psychanalytique des affects et leurs rapports avec le moi et les objets, je pense que nous pouvons en esquisser une issue possible élargie, applicable au transfert. Ainsi, les « pôles opposés » auxquels les auteurs se réfèrent me semblent correspondre au clivage du moi et des objets, avec dissociation des affects : d'une part, j'y verrais une idéalisation excessive de l'objet et du moi – « pureté » persécutrice du fait qu'elle constitue une exigence impossible à atteindre – et, d'autre part, une attaque destructrice de l'objet et du moi – « tentation mélancolique » qui entraîne à la fois Freud et des psychanalystes dans une mort idéalisée. Dans cette perspective, défense maniaque et défense mélancolique s'allient comme les deux faces indissociables de l'organisation dépressive. Comment se dégager de ce dilemme mortifère ? J'en conçois l'issue dans la différenciation progressive des affects d'amour et de haine dans le transfert, qui permet d'effectuer un processus de liaison et d'intégration. Ces processus ont été conceptualisés par M. Klein en termes de passage de la position schizoparanoïde – où dominent le déni, la projection, et le clivage du moi et des affects – vers la position dépressive et son élaboration, dans laquelle le déni, les clivages et l'identification projective pathologique diminuent, de sorte que l'amour se lie à la haine envers un objet perçu comme total, processus situés au cœur de la relation transférentielle.

Un exemple clinique :
lorsque « Je m'en veux... » signifie « Je vous en veux... »

Plutôt que résumer les processus complexes qui y sont impliqués, je vais maintenant présenter un bref exemple clinique qui illustre à la fois le processus d'entrée dans la dépression, tel que Freud l'a décrit en 1917, ainsi que le processus de sortie, tel que nous pouvons le vivre dans la relation de transfert, grâce, en particulier, aux apports de K. Abraham et M. Klein mentionnés plus haut.

Mona parvint à acquérir un début de conscience des sentiments ambivalents qu'elle éprouvait envers moi lorsqu'elle réalisa au cours d'une séance que les auto-accusations qu'elle dirigeait contre elle-même étaient en fait des hétéro-accusations qui s'adressaient inconsciemment à moi dans le transfert, confirmant la justesse clinique des observations faites par Freud (1917) concernant l'origine des sentiments dépressifs. À ce moment, Mona est en psychanalyse depuis plusieurs années à raison de quatre séances hebdomadaires.

Quelques semaines avant la séance que je rapporterai avec davantage de détails, j'avais annoncé à Mona que je m'absenterais durant une dizaine de jours et, au cours des séances qui suivirent, je remarquai qu'elle se refermait de plus en plus et se déprimait. La patiente ne fit aucune allusion à notre prochaine séparation et aux sentiments que cela pouvait éveiller chez elle, mais elle avait évoqué le départ de ses enfants de la maison : « Le temps est proche où mes enfants vont me quitter... je favorise tout ce qu'ils font pour les rendre indépendants. » Considérant ses propos comme un déplacement transférentiel, je me hasardai à lui dire que « le temps était proche où j'allais la quitter » et qu'elle se refermait peut-être ainsi afin de ne pas ressentir les émotions qu'éveillait en elle notre prochaine séparation. Mona accepta l'idée qu'elle se refermait : « Parfois, sans savoir pourquoi, je me referme comme une huître et je me déprime. » Mais elle se défendit aussitôt : « Tout ça n'a rien à voir avec vous, j'entends bien, ajouta-t-elle, mais je n'entre pas là-dedans ! »

À la séance suivante, Mona commença par me dire qu'elle était en train de se faire du mal, parce que la veille au soir elle avait avalé impulsivement un paquet entier de biscuits : « Je ne sais pas ce qui m'a pris hier soir, j'ai soudain eu envie de manger un paquet entier de biscuits ! Ça m'arrive quand j'ai une déception. Pourtant, je savais que je me faisais du mal, mais c'est instinctif, je remplis un vide ! » Elle ne fit cependant aucune mention de mon interprétation de la séance précédente, malgré ses allusions au vide qu'elle avait ressenti dans son corps, puis elle se referma à nouveau et je remarquai qu'elle se déprimait. Mona commença à se faire des reproches à propos de sa fille et me déclara : « La semaine prochaine ma fille aura besoin de moi, mais je ne serai pas disponible et je m'en veux... » Elle resta silencieuse un instant puis reprit : « Je m'en veux de ne pas être là au moment où je suis indispensable. » Sur ces mots, mon attention s'éveilla, car je sentis que Mona m'impliquait inconsciemment dans ses propos. Je compris que les auto-accusations qu'elle exprimait étaient en fait des hétéro-accusations qui s'adressaient à moi dans le transfert, et qu'en déclarant : « Je *m*'en veux de ne pas être là au moment où *je* suis indispensable ! » Mona me signifiait : « Je *vous* en veux de ne pas être là au moment où *vous* m'êtes indispensable ! »

Je lui dis alors : « Devant mon absence qui approche, n'avez-vous pas ressenti un vide dans votre corps que vous avez rempli de biscuits ? Est-ce une façon de me dire indirectement à la fois combien vous tenez à moi et combien je vous fais mal parfois ? C'est pourquoi, en me disant : “Je *m*'en veux de ne pas être là au moment où *je* suis indispensable”, n'est-ce pas plutôt que vous me dites : “Je *vous* en veux de ne pas être là au moment où *vous* m'êtes indispensable” ? » Mona ne répondit rien, mais je perçus un soulagement immédiat chez elle. Je pense en effet que mon interprétation avait permis de retourner la situation, et qu'en lui montrant que le mouvement libidinal et agressif qu'elle avait dirigé contre elle-même s'adressait en fait à moi, il lui avait permis d'effectuer une différenciation immédiate entre moi et objet, de sorte que ses affects d'amour et de haine devenus conscients, au lieu d'être dirigés contre son propre moi confondu avec l'objet, pouvaient à nouveau être projetés sur moi en tant qu'objet perçu comme séparé et différent dans le transfert. L'introjection de l'objet perdu qui entraînait la régression de l'amour vers l'identification narcissique et le retournement de la haine contre soi, confondu avec l'objet – entrée dans la dépression si bien décrite par Freud – trouvait une issue à travers la déflexion de l'investissement libidinal et agressif à nouveau dirigé vers un objet externe perçu comme différent de soi. Ce fut indirectement que Mona répondit à mon interprétation en me disant qu'elle pensait au rôle que l' « analyse » joue pour elle : « L'analyse, c'est le rôle de la parole qui met de l'ordre dans le chaos de la création », ce que je ressentis comme une expression indirecte de gratitude de sa part envers moi, mon interprétation ayant apporté de l'ordre dans le désordre de ses affects et de ses relations avec elle-même et avec moi. Puis elle associa sur un souvenir de la veille, me racontant qu'un ancien camarade de classe qu'elle aimait bien et qu'elle n'avait pas revu depuis longtemps avait repris contact avec elle : « Je suis contente, mais j'ai peur de me sentir prise dans une histoire qui risque d'être ambiguë, alors j'ai coupé et je me suis refermée comme une huître ! » Je lui rappelai qu'avec moi, ces derniers jours, elle s'était aussi refermée comme une huître : « Était-ce en rapport avec l'approche de notre séparation, et que la crainte de me perdre pourrait avoir renforcé le sentiment que je compte dans votre existence, de sorte que vous redoutez avec moi d'être “prise dans une histoire qui risque d'être ambiguë” ? » Mona me répondit : « C'est vrai, je ressens que si je suis trop attachée à quelqu'un, ça fait trop mal. Je crains les liaisons trop fortes, ressentir trop d'attente ça me fait fuir. J'ai autant peur de me passionner pour quelqu'un que d'être trop déçue par la même personne, c'est pourquoi je me referme et je préfère couper immédiatement la relation. » Puis elle ajouta : « Je reconnais que j'ai eu peur de me laisser aller avec vous, je redoute autant de me passionner que d'être déçue par vous, alors je fais comme si je vous ignorais. Mais je vous garde à l'intérieur de moi, et tout se passe en secret et c'est ce qui me déprime. Aujourd'hui, vous m'avez fait sentir qu'il vaut mieux que nous en parlions. »

J'interromps ici le récit de cette séance où j'ai tenté de montrer comment l'interprétation des auto-accusations de Mona lui a permis un réinvestissement libidinal et agressif de l'analyste en tant qu'objet transférentiel perçu comme séparé et différent, réveillant chez elle, non seulement la crainte de me perdre à l'approche de notre séparation, mais réveillant également ses désirs incestueux œdipiens envers moi, représentant son père, ainsi que les angoisses et les défenses correspondantes.

Dépolariser les relations entre psychanalystes ?

Les propos de J. Mauger et L. Monette m'ont conduit à réagir en mettant en évidence le rôle majeur que jouent les affects dans les « polarisations » qui sont une source de clivages et caractérisent les formes primitives de l'amour et de la haine, non seulement au niveau individuel, mais également au niveau collectif. Projetés dans les groupes, de tels clivages affectent trop souvent les relations entre psychanalystes appartenant à des courants différents, ce qui se traduit par une idéalisation des connaissances dans certains secteurs de la théorie et de la pratique, et par un dénigrement d'autres secteurs qui ont pourtant démontré leur valeur clinique. Phénomène analogue à celui du « retour du refoulé », le rejet par les psychanalystes eux-mêmes de secteurs précieux de notre savoir peut avoir pour résultat un « retour du dénié » symptomatique qui se constitue comme une tache aveugle pouvant occulter des secteurs fondamentaux de la théorie et de la technique. Par exemple, que se passe-t-il si l'on dénie la valeur des apports kleiniens et postkleiniens sur le rôle joué par les affects d'amour et de haine, aussi bien dans la pathologie des organisations maniaco-dépressives que dans la névrose ? Ne se prive-t-on pas, par un effet de clivage, des richesses que ces conceptualisations ont apportées à la théorie et à la technique psychanalytiques, alors qu'en les intégrant on s'offre la possibilité de les critiquer positivement ?

À partir de là, serait-il utopique d'imaginer qu'une meilleure connaissance des mécanismes primitifs au niveau individuel puisse déboucher sur une meilleure prise de conscience par les psychanalystes eux-mêmes des fonctionnements primitifs qui animent le mouvement psychanalytique en tant que groupe ? Par exemple, serait-il utopique d'imaginer qu'une conscience accrue du rôle joué par les affects dans le clivage du moi et dans le clivage des objets au niveau individuel – idéalisant le familier et dénigrant l'étranger – puisse conduire à une diminution des tendances à polariser les relations entre collègues et aboutir à un désir de mieux connaître autrui à travers une meilleure connaissance de soi-même ?

Jean-Michel Quinodoz
53 A, chemin des Fourches
1223 Cologny
(Suisse)

BIBLIOGRAPHIE

Abraham K. (1924), Esquisse d'une histoire du développement de la libido basée sur la psychanalyse des troubles mentaux, in *Œuvres complètes*, t. 2, Paris, Payot, 1966, p. 255-313.

Freud S. (1915), *Métapsychologie, Œuvres complètes*, XIII, Paris, PUF.

— (1917), Deuil et mélancolie, *Œuvres complètes*, XIII, Paris, PUF.

Klein M. (1935), Contribution à la psychogenèse des états maniaco-dépressifs, in *Essais de psychanalyse*, Paris, Payot, 1967.

— (1940), Le deuil et ses rapports avec les états maniaco-dépressifs, in *Essais de psychanalyse*, Paris, Payot, 1967.

Kristeva J. (2000), *Le génie féminin*, t. II : *Melanie Klein*, Paris, Fayard.

Mauger J., Monette L. (2000), « Pure culture... », *Revue française de psychanalyse*, 64, n° 5, 1391-1460.

Moscovici M. (1990), *L'ombre de l'objet. Sur l'inactualité de la psychanalyse*, Paris, Le Seuil.

Quinodoz D. (1987 *b*), J'ai peur de tuer mon enfant ou Œdipe abandonné, Œdipe adopté, *Revue franç. de psychanal.*, 51, 1579-1593.

Quinodoz J.-M. (1991), *La solitude apprivoisée. L'angoisse de séparation en psychanalyse*, Paris, PUF.

— (1997), « A Child is Being Beaten ». A Seminar with Candidates from the Perspective of Contemporary Psychoanalysis, in *On Freud's « A Child is Being Beaten »*, IPA Monography, Edited by E. Spector Person, New Haven and London, Yale University Press.

VI — Idéal et croyances

Psychanalyse et limites de la philosophie et de la religion chez Francis Pasche

Daniel Rosé

L'originalité de F. Pasche à propos de la philosophie et de la religion

F. Pasche avait été philosophe avant d'être médecin et psychanalyste. Dès 1949 et 1953 on trouve donc des traces philosophiques à propos de la psychopathologie et de la théorie de l'angoisse où il cite Kierkegaard[1], et les références philosophiques et religieuses iront croissantes dans ses textes, même où il est question de clinique, et cela en parallèle avec son intérêt croissant pour la psychose, ce qui évidemment appelle réflexion comme nous le verrons par la suite.

Mais il convient d'abord de souligner le courage philosophique et méta-psychologique de F. Pasche quand il publie, moins d'un an après mai 1968, *À partir de Freud* où, à une époque dominée idéologiquement par la déconstruction, la dissémination, la structure et la mort du sujet, il défend tranquillement l'existence du Je singulier, unique et doté de liberté qui « taille et recoud dans l'étoffe des représentations », qui « n'est pas dissout dans le procès dont il est l'agent », qui reste « irréductiblement sujet », dont « la confection des illusions suppose un Moi suffisamment investi et rassemblé », dont « le ça est une répudiation du sujet par lui-même », ce qui veut dire que « le dogme contemporain selon lequel la structure est l'essence même de la psyché est faux »[2] : c'est que F. Pasche n'a jamais été sensible aux sirènes de la mode, non qu'il fut fermé à ce qui lui était étranger car il était même gourmand de ce qu'il ne

1. Kierkegaard et la psychopathologie, *Évolution psychiatrique*, 1949, 1, 61-70 ; L'angoisse et la théorie freudienne des instincts, *À partir de Freud*, Payot, 1969, p. 21-51.

2. Respectivement : *À partir de Freud*, p. 14, 17, 185 ; *Le sens de la psychanalyse*, PUF, 1988, p. 14 ; *À partir de Freud*, p. 14, 263.

connaissait pas encore, mais ce qui le guidait toujours c'était à la fois l'esprit de l'analyse et la cohérence.

Ainsi sa défense du Je n'est nullement une défense *a priori* de l'humanisme qui est plutôt un aboutissement logique de l'expérience analytique et de la métapsychologie qui en rend compte. En effet, le Je visible au sein de la cure n'est pas un Je abstrait ou coupé du monde – telle une monade sans porte ni fenêtre – c'est un Je profondément enraciné dans un corps, comme on le verra plus loin, et aux prises avec les questions existentielles provoquant naturellement de l'angoisse et qui sont les questions de tout être humain se posant « d'emblée au petit d'homme » : si ces questions existentielles sont plus visibles dans la psychose à cause de la relation perturbée à la réalité, elles n'en ont pas moins été relayées par la mythologie, la religion et la métaphysique, ce qui veut dire que la psychose n'est pas seulement un aspect de la métaphysique mais qu'il y a du « métaphysique au sein de toute psychose » et qu'il convient donc de s'interroger sur le statut économique et la fonction psychique de cet *extérieur* à l'humain défini par la religion et la philosophie[1].

De la sorte s'est peu à peu confirmé pour F. Pasche son intérêt pour « les confins de la psychanalyse » (argument pour les Journées d'Aix où il a présenté « Le vase d'étain »), car si les objets mythologiques, religieux et philosophiques sont une « émergence de l'inconscient projeté » qu'il convient, par l'analyse, de « faire rentrer » dans le cœur humain d'où ils étaient sortis, ils en « favorisent (pourtant) un mouvement progrédient qui est naturel à l'inconscient »[2], puisque ainsi ils désignent un *extérieur* à l'humain. Peut-on avancer que cet extérieur est semblable à une voix venue d'ailleurs ? C'est bien la question du statut, métapsychologique et ontologique, de cet ailleurs qui va fortement mobiliser la pensée de F. Pasche et auquel il donnera la réponse que nous examinerons *in fine* mais vers laquelle il s'acheminera avec beaucoup de rigueur en s'appuyant sur les acquis de l'œuvre de Freud et sur les richesses de la cure.

Nous parlions à l'instant d'une voix venue d'ailleurs ; or, schématiquement dans la culture grecque le muthos (parole soufflée) se différencie du logos (parole raisonnable) comme ce qui se dit en moi malgré moi et en s'opposant à ce qui se dit en moi mais venant de moi essayant d'en rester le maître. On sait bien comment la philosophie grecque a essayé d'étendre le règne du logos aux dépens du muthos ou du moins de *circonscrire* celui-ci ; de Platon aux Stoïciens en passant naturellement par Aristote et même Hippo-

1. *Le sens de la psychanalyse,* p. 214, 217, 252.
2. *Ibid.,* p. 8, 253-254.

crate, tous ont tenté d'arracher les prérogatives aux prêtres et à la religion. Ce sera là un des fils directeurs, profondément grec donc, de F. Pasche. J'en profite au passage pour régler une question de vocabulaire : quand je parlerai ici de religion, j'engloberai la mythologie en étant ainsi fidèle à l'esprit de Nietzsche qui a fort bien montré, dans *La naissance de la tragédie*[1] comment les Grecs de l'époque héroïque étaient des croyants en leurs Dieux qu'ils vivaient présents à leurs côtés dans les combats de *L'Iliade* par exemple et comment, pour les comprendre, il fallait être « physiquement grec ».

Nul doute en tout cas, pour en revenir à cette question de l'extériorité, que Levinas, jamais cité à ma connaissance par F. Pasche et dont le grand livre *Totalité et infini* est sous-titré « Essai sur l'extériorité », non seulement était connu de F. Pasche comme il me l'a confirmé, mais encore a peut-être joué un certain rôle adjacent de confirmation, tellement leurs pensées étaient proches quant à cette redoutable question de l'extériorité. F. Pasche cite par contre F. Rosenzweig (grâce au livre de S. Mosès sur Rosenzweig, *Système et révélation*) dont Levinas dit qu'il est tellement présent chez lui qu'il ne peut le citer[2].

On comprend donc aisément que si F. Pasche traite des confins de la psychanalyse et de la question de l'extériorité, au sens religieux et philosophique, c'est en étant profondément enraciné dans l'expérience analytique.

Mais si cette question reçoit chez lui un traitement typiquement « grec » (circonscrire l'extérieur par le logos psychanalytique), il n'en montre pas moins les composantes judéo-chrétiennes tellement ces deux traditions sont, comme des racines sous terre, intimement mêlées dans notre culture.

F. Pasche a en effet montré très tôt (1959), dans « Freud et l'orthodoxie judéo-chrétienne »[3], article fort rarement cité par nos collègues habituellement mais pourtant courageux et lumineux, que la psychanalyse était, dans ses présupposés métapsychologiques – son esprit –, « une version laïque » du judéo-christianisme, thème sur lequel il reviendra constamment ; nous laisserons ici de côté le dialogue possible avec Béla Grunberger à ce sujet[4]. Que nous dit-il en allant à l'essentiel ? F. Pasche examine d'abord le judéo-christianisme comme une pensée, de la finitude et de la culpabilité, enracinée dans la liberté couplée avec la loi : la reconnaissance du corps comme chair, seule réalité humaine singulière dont on ne saurait séparer une âme en la privilégiant, et l'importance

1. Livre qu'il convient de lire en parallèle avec *L'innocence du devenir* et les autres écrits de jeunesse comme « Homère et les Grecs » par exemple, *Œuvres complètes,* Gallimard, 1975, t. 1.

2. E. Levinas, *Totalité et infini,* Kluwer Academic, 1994, p. 14.

3. *À partir de Freud,* p. 129-156.

4. B. Grunberger, *Narcissisme, christianisme, antisémitisme,* Hébraïca Actes Sud, 1997, où l'auteur ne croise d'ailleurs pas directement le fer avec F. Pasche.

des traces historiques et *matérielles* en font un anti-idéalisme absolu. Puis F. Pasche étudie, par contraste, la gnose comme une pensée mégalomane déniant la culpabilité et cachant mal la dépression, ce qui en fait un idéalisme qui irréalise le monde et l'humain tels qu'ils sont en les coupant en deux dans la prétention à participer au divin. Enfin, et de là, F. Pasche montre comment Freud et la psychanalyse sont un développement athée du judéo-christianisme au sens où culpabilité et liberté, corps et psyché sont intimement liés. Plus tard dans « Freud et la mystique » (1990)[1], il fera un parallèle entre le judaïsme, religion de la lettre, et le christianisme, religion de l'icône, en avançant, qu'avec Freud, elles se complètent. Mais tout cela ne constitue point, tant s'en faut, des extrapolations philosophiques étrangères à la psychanalyse car c'est bien le fruit de sa patiente lecture de Freud toute articulée à l'esprit de la cure.

Fidélité de F. Pasche à la lettre de l'œuvre de Freud

Ce thème – fort bien illustré par le titre *À partir de Freud* – est récurrent dans tous les écrits de F. Pasche concernant les textes de Freud car il considère que ces textes ne sont en rien une rhapsodie mais une œuvre, au sens plein du terme, possédant donc une cohérence interne semblable à un organisme vivant où l'on peut déceler un Je à l'œuvre et qu'il faut prendre comme un *tout* sous peine d'en rater l'essentiel car c'est souvent dans les détails que se jouent les choses... comme avec le discours d'un patient. Non bien sûr que Freud ait partout et toujours raison – son texte n'est pas celui de la Torah psychanalytique ! – mais parce que les lacunes, les tâtonnements, les errements et les erreurs *éclairent* l'esprit de l'ensemble[2]. Du coup, F. Pasche a durement

1. Colloque de Cerisy, 1990, texte ronéoté.

2. « Véracité du système freudien. Notre pratique et notre réflexion sur la théorie nous en convainquent chaque jour davantage, mais certitude que le système n'est vrai que pris dans sa totalité, qu'il ne se détaille pas... Un système, mais un vrai, à la façon d'un organisme vivant dont les éléments ne sont pas mis en ordre comme les pièces d'un puzzle mais entretiennent activement entre eux de constantes relations qui les font solidaires, au point qu'on ne puisse en enlever un, ou même le diminuer ou l'augmenter sans que la forme et la structure interne de l'ensemble n'en soient altérées parfois jusqu'à la décomposition totale. Ce risque n'est pas imaginaire puisqu'il est couru tous les jours sous nos yeux, car c'est, avouons-le, notre perpétuelle tentation... Ainsi dans cette œuvre, au moins pour l'essentiel, il semble que tout se tient, que tout conspire et se répond... Si les travaux de Freud s'additionnaient simplement les uns aux autres, on pourrait en rejeter d'importants sans s'exposer à détruire l'ordonnance du tout ; mais il n'en est rien. Une œuvre de cette sorte n'est pas un agrégat de découvertes à juger séparément (...) : elle est une... Dans ce système multipolaire où tout est lié par des rapports de filiation, de conjugaison et d'opposition, où tout converge, on ne peut distraire ou surcharger, ou réduire un seul élément sans risquer d'altérer la physionomie du tout et d'en perturber l'économie interne... On ne détaille pas une œuvre de génie, on l'émonde tout au plus ; on ne la change pas, on la prolonge ; on ne la remplace pas, on en élève une autre, à côté, si l'on peut » (*À partir de Freud,* p. 10, 64, 67, 79, 83, 94).

ferraillé avec Lacan contre Nacht qui refusait de prendre au sérieux les textes d'après 1920, avec Nacht contre Lacan cette fois qui laissait de côté des pans entiers des textes de Freud (comme la théorie des stades par exemple) et faisait autre chose en introduisant des thèmes étrangers au freudisme, contre Hartmann et son énergie neutre, contre Laplanche et Leclaire enfin qui réifiaient l'inconscient, réduisaient le conflit au conflit entre le latent et la conscience et détachaient les représentations des affects qui les portent[1].

Mais prendre l'œuvre de Freud comme un tout jusque dans le moindre détail ne signifie pas pour autant que cette œuvre soit un système totalisant, au sens philosophique, même si F. Pasche utilise malheureusement le mot de système. Si tout est en relation, tout n'est pas dans tout et il n'y a jamais dans l'œuvre de Freud le point à partir duquel tout découle ou se déroule explicativement comme dans bien des systèmes philosophiques, certes géniaux et monuments de la culture humaine, qui sont alors des systèmes par excellence c'est-à-dire clos sur eux-mêmes, autrement dit abstraits au sens littéral du terme, et déniant la rugosité du réel, la finitude, bref la castration. Un contre-exemple métapsychologique fera bien comprendre l'absence de synthèse possible chez Freud : les trois points de vue ne convergent nullement, ils sont l'un après l'autre, sans jamais que l'un ne subsume les deux autres[2]. Ainsi également la table des catégories chez Aristote. L'œuvre de Freud est donc foncièrement *ouverte* non seulement par cette absence de synthèse dialectique et par ses lacunes, ou ses ruptures (les deux Topiques), mais surtout parce qu'elle est issue de la cure et de ses aléa[3].

Je dirais volontiers la même chose de l'œuvre de F. Pasche : c'est une œuvre, pleine de ramifications mais foncièrement cohérente *et* ouverte parce que justement elle est pleinement enracinée dans la cure – même sans aucun exemple clinique – jusque dans les textes apparemment fort éloignés de la cure comme ceux consacrés à la religion et à la philosophie. Certes ses textes sont parfois difficiles mais ils sont rigoureux et toujours parlants cliniquement de sorte que, si l'on accepte de les lire vraiment, on en sort enrichi sans jamais être admiratif devant l'abscons parce que l'écriture de F. Pasche est rugueuse – comme la réalité – et sans emphase. Mais il se plaignait lui-même de ne pouvoir être plus explicite en développant plus par exemple : « C'est que, me disait-il un jour plein de compassion envers lui-même, je ne peux faire long... même pour les rapports des Congrès de langues romanes ! »

Je vais donc reprendre quelques grands thèmes (sans vouloir être exhaus-

1. Une énergie non instinctuelle ?, Quelques péripéties d'un retour à Freud, *À partir de Freud,* p. 249-257, 259-284.
2. *Le sens de la psychanalyse,* p. 218.
3. *Ibid.,* p. 251.

tif) de la pensée de F. Pasche en me centrant sur la cure d'où tout naît et sur les aspects religieux et philosophiques qui en découlent, mais je voudrais auparavant esquisser la trajectoire de cette œuvre en fonction de notre sujet pour lui donner plus de relief. On peut ainsi distinguer schématiquement, c'est-à-dire de façon un peu arbitraire négligeant certains textes, trois étapes logiques, même si chronologiquement il y a des aller et retour.

D'abord les travaux[1] centrés sur l'objet et la réalité extérieure : « Réalité de l'objet et point de vue économique » (1955), « Réactions pathologiques à la réalité » (1958), « L'antinarcissisme » (1964), « Le passé recomposé » (1973).

Puis ceux centrés sur la cure où apparaît un sujet libérable : « Essai sur la situation analytique et le processus de guérison » (1957), « L'ascèse psychanalytique » (1963), « La réalité du psychanalyste » (1975), « Poésie et vérité dans la cure » (1981), « Cure type et réalité » (1982), « L'image zéro » (1983), « Entretien avec D. Ribas : la fonction parentale de l'analyste et sa castration symbolique » (1992), « Du surmoi ambivalent au surmoi impersonnel » (1993).

Enfin les textes centrés sur l'angoisse, la religion et la philosophie : « L'angoisse et la théorie freudienne des instincts » (1953), « Le bouclier de Persée ou psychose et réalité » (1971), « Réalités psychiques et réalité matérielle » (1975), « L'aporie ou l'angoisse et la première défense contre » (1978), « Le Prométhée d'Eschyle » (1979), « L'angoisse niée » (1979), « Métaphysique et inconscient » (1981), « Aspects de la mère archaïque dans la mythologie » (1982), « Le vase d'étain » (1984), « Projections et constructions comme défenses » (1984), « Des concepts métapsychologiques de base » (1985), « L'ordre de l'inconscient » (1988).

Fidélité de F. Pasche à l'esprit de la cure

La cure ancre et éclaire toute la réflexion métapsychologique de F. Pasche qui ne la quitte jamais des yeux, si l'on peut dire. Ainsi est-ce à partir de l'expérience même de la cure qu'il a pu avancer cette hypothèse, surprenante sans doute pour certains d'entre nous, que la psychanalyse était « une version laïque » ou « athée » de l'anthropologie judéo-chrétienne. Cela veut dire que Freud, sans se le formuler clairement, aurait puisé dans le judéo-

1. Respectivement : *À partir de Freud,* p. 53-60, 115-127, 227-242 ; *Revue française de psychanalyse,* 2-3/1974, p. 171-182 ; *À partir de Freud,* p. 201-205 ; *Topique,* 16/1975, p. 59-64 ; *Nouvelle Revue de psychanalyse,* 23/1981, p. 251-262 ; *Le sens de la psychanalyse,* p. 121-143, 145-159 ; *Revue française de psychanalyse,* 3/1992, p. 751-763 ; *Bulletin méditerranéen de la SPP,* 1/1994, p. 7-19 ; *Le sens de la psychanalyse,* p. 27-41, 55-59, 61-69 ; *Revue française de psychanalyse,* 1/1979, p. 5-18 ; *Le sens de la psychanalyse,* p. 71-97, 107-120, 161-197, 199-214, 215-230, 231-249.

christianisme plus que dans la Grèce, une certaine conception de l'être-homme et certains aspects « techniques » de ce qu'on appelle la direction ou l'accompagnement spirituels.

F. Pasche affirme de nombreuses fois[1] que cette relation humaine paradoxale, mise en œuvre par la relation analytique, est l'affinement rigoureux et donc rendu plus efficient d'une pratique ancestrale plongeant même en deçà du judéo-christianisme, quoique celui-ci l'ait particulièrement développée à cause du statut de personne (unique et singulière) et d'image de Dieu qu'est tout être humain pour lui. Mais en Mésopotamie par exemple il y avait des gens qui s'étaient spécialisés dans l'écoute des rêves et de la libre parole, sans interprétation, à la différence de Joseph ou Daniel dans la Bible et à la différence des pratiques delphiques[2] sans compter ceux qu'on appelait les « thérapeutes » du Désert dans l'Égypte du Ier siècle et ceux bien sûr qui pratiquaient l'entretien philosophique érigé en maïeutique par Socrate. Par ailleurs, il convient de noter aussi les intuitions extraordinaires des hommes de littérature que F. Pasche admirait beaucoup pour leur perspicacité quant aux processus inconscients mais sans qu'une efficience clinique ait pu être mise en œuvre, sauf peut-être pour la catharsis grecque. Voilà en quoi la psychanalyse *relaie,* dans la pratique selon F. Pasche, la religion et la philosophie mais elle les affine considérablement dans la mesure où, sans insister ici sur l'importance pour nous du cadre et des règles techniques qui mettent en œuvre *la* règle, Freud a mis en évidence les phénomènes de transfert et de contre-transfert (en parallèle avec les processus inconscients) qui sont les points aveugles et donc les raisons des limites de ces pratiques ancestrales alors que Freud en fait le levier même.

Ainsi lorsque F. Pasche définit la relation analytique comme « une relation de non-dialogue » et qu'il la relie à « l'imago-zéro », « apogée du dogme des grandes religions monothéistes *et* pierre angulaire de notre praxis »[3] apparaissent à la fois la continuité avec ces traditions et l'affinement puisqu'il montre alors comment, sans le savoir, la psychanalyse traduit un dogme abstrait (le retrait de Dieu dans la théologie négative) en moyen technique. L'envers positif et fécond de « l'imago-zéro » est bien sûr l'association libre et la possibilité alors *ouverte* de l'interprétation indéfinie par la nécessité de l'attention conjuguée (patient et analyste) aux moindres détails du discours et de la vie réelle, comme dans le Talmud vis-à-vis de l'Écriture[4].

1. *Le sens de la psychanalyse,* p. 121-122, 159, 251 ; « Freud et la mystique », Cerisy 1990, texte ronéoté.
2. Communication orale de J. Bottéro.
3. *Le sens de la psychanalyse,* p. 145.
4. « Freud et la mystique. »

Mais bien évidemment la parenté pratique avec la religion et la philosophie reste le désir de « changement », de « métamorphose » et au moins de « remise en route d'une histoire » parce que, avec la psychanalyse, le Je, organisateur de sens, n'est jamais réductible à des « mécanismes » pourtant visibles, et qu'un coup d'arrêt est mis à « la mécanisation en psychologie ». En outre le but ultime, de l'analyse, est que le « ça (puisse) changer de forme », plus qu'être simplement remplacé par le moi selon la célèbre formule de Freud[1]. Définissant ainsi l'aventure analytique, on ne peut pas ne pas avoir à l'esprit les échos lointains de la *téchouvah,* de la *métanoïa* et de la conversion qui toutes, au-delà du retour à Dieu et du repentir constituant l'enveloppe, désignent essentiellement le retour sur soi et la réponse. Nous pourrions ajouter, ce que ne fait pas F. Pasche, que le travail de deuil pourrait être pensé comme une laïcisation du pardon et une réconciliation *(Versöhnung),* libérateurs vis-à-vis de soi, d'autrui et du passé, dans la mesure où le travail de deuil correspond à une réorganisation et une nouvelle distribution des investissements tournées vers l'a-venir, dans une sorte de *New Deal* intérieur ; mais la cure y intègre aussi le moment négatif de la dépression (avec son allure psychotique), ainsi que la reconnaissance de la haine et de la révolte, seul levier de la fécondité du travail de deuil que le vrai pardon suppose également.

Il nous faut maintenant entrer plus directement dans ce qu'on peut observer au sein des processus de la cure pour mettre en évidence à la fois l'enracinement matériel de la psyché et la direction qui l'habite. Je prendrai pour fil conducteur le grand et bel article « Cure type et réalité, théorie et praxis »[2] qui développe et anticipe bien des thèmes chers à F. Pasche.

La situation de la cure remet, par la régression, le patient au giron maternel et sur les genoux paternels dans une dissymétrie essentielle qui instaure une *verticalité* rappelant et répétant l'admiration primaire du bébé, ce sur quoi butent précisément les psychotiques, incapables de verticaliser leur investissement des images parentales[3]. La philosophie est ici implicitement convoquée avec l'admiration, première et fondamentale passion selon Descartes, et avec la verticalité qui, en des termes aristotéliciens, dessine très précocement un espace psychique orienté indiquant « une vocation ascendante » et imprévisible du moi. L'enjeu de l'analyse ne sera pas seulement par conséquent de plonger dans l'archaïque, mais de parcourir cet espace psychique dans les deux sens selon « une échelle de Jacob intérieure »[4].

1. *Le sens de la psychanalyse,* p. 7 ; *À partir de Freud,* p. 12, 17, 69, 72, 201, 263.
2. *Le sens de la psychanalyse,* p. 121-143. Par commodité, je ne citerai plus loin que les passages étrangers à ce texte pour seulement le compléter.
3. *Le sens de la psychanalyse,* p. 13, 229.
4. *Ibid.,* p. 8-9, 241 ; « Du surmoi ambivalent au surmoi impersonnel », p. 2.

L'admiration primaire se révèle ainsi beaucoup plus féconde encore que le stade du miroir ou le miroir maternel décrit par Winnicott car, en plus de se « lire » dans l'autre, elle permet d'être tirée vers le haut par l'objet qui est un autre sujet[1]. Mais c'est là que, tant dans la vie naissante et tout court que dans la cure, tout risque de basculer dans l'horreur d'être aspiré et englobé par l'autre dans une fusion mortifère. Si le bébé, comme aime à le dire F. Pasche, est « enté » sur la mère, c'est qu'elle est son premier objet qui certes le nourrit, matériellement et de toute sa réalité psychique le tirant vers le haut (Éros le complexificateur), mais qui, aussi et tout essentiellement de façon conjuguée, lui *résiste* (Thanatos le séparateur) physiquement par son corps (avec l'importance des phanères) faisant obstacle à la fusion et les rendant tous deux impénétrables l'un à l'autre ; le pervers fécalise et réduit l'autre à une chose pour lutter contre la fusion. C'est là, on l'aura reconnu, le thème central chez F. Pasche de *L'antinarcissisme* qui *ouvre* à l'altérité par sa dynamique centrifuge conjuguée avec le nécessaire masochisme primaire érogène permettant de supporter cette situation et rendant possible l'amour[2]. Ainsi avons-nous besoin de la réalité psychique de l'autre et luttons-nous (parfois en la déniant) toujours contre elle : le but de toute cure étant alors de rétablir et de reconnaître la réalité en général et la réalité psychique de l'autre, limitée et circonscrite par sa réalité matérielle. D'où l'insistance, on le comprend bien, de F. Pasche sur les événements réels de l'histoire du patient.

L'article « Réalités psychiques et réalité matérielle »[3] précise cette notion essentiellement complexe par nature qu'est l'être humain. Il est un *mixte* somatopsychique qu'on ne saurait jamais séparer en deux, c'est une âme incarnée (non une âme descendue dans un corps), un complexe âme-corps qui va se complexifiant et tendu entre le plus concret de la matière et le plus abstrait des processus sublimatoires par exemple : c'est une *chair* au sens biblique du terme[4], de sorte que la matérialité du corps fait intégralement partie de la réalité psychique ainsi *limitée* et située dans le temps et l'espace. La réalité psychique n'est donc pas synonyme de réalité intérieure car elle possède une forme, une densité et une couleur qui sont celles de sa *corporéité.*

Ce premier parcours, au sein de ce qui se joue dans la cure, nous fait donc toucher du doigt en quoi est déjà visible une première forme d'*ouverture* vers l'*extériorité* inhérente au cœur même de l'humain.

1. *Ibid.*, p. 222.
2. *Ibid.*, p. 10, 223-224, 228 ; *À partir de Freud*, p. 227-242.
3. *Le sens de la psychanalyse*, p. 43-54.
4. Comme d'ailleurs l'être corporel individuel d'Aristote appelé *ousia*, c'est-à-dire substance, faite de deux principes (matière et forme) qu'on ne peut pas plus séparer que le tranchant de la hache.

Si l'admiration primaire, investissant une idole, est bien le prototype du surmoi qui protège et condamne, se produit normalement, par la vie ou par la cure, une *évolution* de ce surmoi ambivalent du début qui est tout à la fois un bourgeonnement du moi et qui atteste la force du ça, vers ce que F. Pasche appelle le surmoi impersonnel ou anonymisé mais jamais complètement : c'est la tension vers une limite[1]. Au minimum, on assiste à une sorte d'extériorisation du surmoi qui n'écrase plus le moi mais qui permet la resexualisation des investissements. Cela n'est possible dans la cure, on le devine aisément, que par la *nature* de la présence de l'analyste qui ne saurait lui, s'identifier au surmoi et à ses avatars projetés sur sa personne, mais qui doit anticiper le surmoi impersonnel, surplombé qu'il est, comme le patient, par la Règle tierce entre eux. De là les formules célèbres de F. Pasche parlant du « bloc de silence », de « l'analyste sans plumage ni ramage », de l'analyste sorte de père et mère « châtrés » qui visent toutes à cerner la fameuse neutralité bienveillante qu'il distingue cependant très bien du pur silence et du mutisme rigide, cela étant encore plus vrai pour les psychotiques dont le fantasme est d'être aspiré par l'autre et pour lesquels un plus de présence est requis pour arrêter quasi physiquement (rappelons-nous les phanères pour le bébé) l'hémorragie psychique et libidinale. « Il faut qu'il croisse et que je diminue », dit F. Pasche, paraphrasant Jean le Baptiste à propos de Jésus[2].

Voilà le *sens* de la psychanalyse[3] ! Ce qui suppose qu'elle n'est en rien une maïeutique ou un travail de sculpture dont l'analyste serait l'agent (selon la regrettable formule de Freud) et le patient la matière, mais une *praxis* que F. Pasche différencie, rigoureusement en suivant Aristote, de la *poïesis*[4] : pour la première, l'agent est interne au processus et est à lui-même sa propre fin, alors que dans la seconde, l'agent est extérieur comme le potier. Tout cela parce que le patient est une *« personne »* vis-à-vis de qui l'analyste, comme Freud le prescrivait, doit avoir un « amour secret de non-agir » que F. Pasche compare à la tendresse qui est un amour dégénitalisé mais non désexualisé : en miroir, l'analyse ouvre le patient à l'amour objectal[5].

Le but de la cure se dessine peu à peu : c'est la liberté du patient, la liberté du Je dont nous parlions au début et dont « L'avant-propos » de *À partir de Freud* constitue une sorte d'hymne. L'analyse révèle un sujet singu-

1. « Du Surmoi ambivalent au Surmoi impersonnel » ; texte qui rappelle partiellement « Le silence, facteur d'intégration », de Nacht, in *Guérir avec Freud,* Payot, 1971, p. 225-235.

2. « La fonction parentale de l'analyste et sa castration symbolique », entretien avec D. Ribas, *Revue française de psychanalyse,* 3/1992, p. 754.

3. *Le sens de la psychanalyse,* p. 7-25, 251-255.

4. Outre, comme pour tout ce qui précède, Cure type et réalité, théorie et praxis, *Le sens de la psychanalyse,* p. 163, 194-195.

5. *Ibid.,* p. 23, 158.

lier, personnel dans son symbolisme, aléatoire, imprévisible (dans la séance même), unique et à l'œuvre, au sein de ses aliénations dont il est coauteur, parce que sous l'être « coupable » gît l'être « capable » et que la cure vise à « une conscience de soi accrue » et à « un affranchissement, de virtualités entravées », qui permet alors de « choisir »[1].

Ainsi la psychanalyse est-elle, non pas un nouvel humanisme, mais « une propédeutique » à l'humanisme, par la mise en œuvre des conditions de la liberté, et finalement une propédeutique à la vie même dont l'essentiel est d'aimer et de travailler selon la sobre formule de Freud[2]. Voilà la deuxième forme d'*ouverture* vers l'*extériorité* révélée par la cure. Mais il y a plus car jusqu'à présent il s'agissait d'ouvertures *internes,* c'est-à-dire inhérentes au cœur humain, vers le dehors. Or, il y a ce que F. Pasche appelle « le reste » de l'analyse qui, à moins d'être victime de « terrorisme intellectuel », certes peut être l'objet de tentatives interprétatives mais demeure comme « surplombant » le patient. Ce peut être « la vertu, la beauté, la vérité, le sujet incomparable et libre », « l'angoisse du bien », « le sentiment de l'infini », « l'Inconnu »[3], qu'il faut soigneusement distinguer de la relation économique, toujours *analysable,* à ces « objets » qui eux ne le sont pas : bref, il y a de l'inanalysable, qu'il ne faut donc pas confondre avec l'inanalysé (ça c'est la relation à), et donc des limites à la psychanalyse. C'est, de façon éclatante, une troisième forme d'*ouverture* vers une *extériorité* cette fois *externe.* Mais on peut ajouter qu'à cette limite, si l'on peut dire supérieure, à la psychanalyse, s'ajoute une limite inférieure qui touche au mixte somatopsychique : les microbes et le processus de vieillissement ne s'analysent pas, les conditions pour lesquelles on tombe malade oui.

Si nos plus hautes activités humaines s'enracinent dans les pulsions, comme Freud nous l'a appris et c'est son immense mérite, celui-ci n'ignorait pas, en grand lecteur de Goethe qu'il était, que « l'esprit est tout », selon une remarque faite à Binswanger l'interrogeant sur la spiritualité et stupéfait de la réponse de Freud[4].

Reste cependant que tout ce que nous avons relaté et « extrait » de l'aventure de la cure demeure un idéal vers lequel on tend seulement sans jamais l'atteindre tout à fait, car l'analyse virerait aussitôt au système et à l'idéologie qui, par définition sont clos sur eux-mêmes et ne supportent pas

1. *À partir de Freud,* « Le symbole personnel », p. 157-179 ; *Le sens de la psychanalyse,* p. 20, 21, 251 (note).
2. *À partir de Freud,* p. 9, 18-19, 77, 154.
3. *Ibid.,* p. 9-10, 204 ; *Le sens de la psychanalyse,* p. 16, 163, 244 ; « Freud et la mystique » ; « Du Surmoi ambivalent au Surmoi impersonnel ».
4. *À partir de Freud,* p. 142-143, 155.

cette extériorité dont nous n'avons cessé de parler. C'est précisément cette fidélité à l'*esprit* de l'analyse qui va maintenant nous autoriser, avec F. Pasche, à examiner en quoi la psychanalyse possède de solides arguments pour *limiter,* dans une certaine mesure, la religion et la philosophie.

Perspicacité de F. Pasche vis-à-vis de la religion et de la philosophie

Je ne vais pas revenir ici sur les points de convergence entre la psychanalyse et l'anthropologie judéo-chrétienne esquissés plus haut et qui sautent au yeux après tout ce que nous venons de voir sur la cure qui rend donc plus rigoureuses les pratiques du changement. Ce qui intéresse F. Pasche, en effet, c'est « le trésor des dogmes » qui donnent un contenu *négatif* et donc paradoxal au divin. Je me réglerai sur « Du Surmoi ambivalent au Surmoi impersonnel », sur « Freud et la mystique » et sur ses textes directement philosophiques ou mythologiques.

Si de fait le surmoi impersonnel ne l'est jamais tout à fait dans la cure, les théologiens de la théologie négative (Denys l'Aéropagite par exemple) ont posé eux un Dieu dit apophatique, c'est-à-dire au sujet duquel on ne peut, dans la meilleure tradition biblique[1], que nier ce qu'il est ou ce qu'il a comme attributs. C'est « une réalisation hallucinatoire négative du désir » qui, « laïcisée », peut faire comprendre l' « aimantation » de la « vocation ascendante » du moi et la vectorialisation de l'espace psychique car « la métapsychologie ne peut se passer de la notion de transcendance »[2]. On retrouve cette approche-là du divin avec le Premier Moteur d'Aristote, qui reste absolument *séparé* de l'être humain, ou avec « l'auto-castration de Zeus » dans le *Prométhée* d'Eschyle.

Le Dieu apophatique est donc un pur Rien[3] (à soigneusement distinguer du néant) et « un antinarcissisme absolu », et du coup F. Pasche s'intéresse beaucoup au Tsimtsum des Talmudistes et à la Kénose des pères grecs qui sont autant de conditions pour la liberté humaine parce que le Divin n'est pas susceptible de venir intruser (angoisse psychotique) l'humain. Non qu'il soit

1. Exode, 3, 14, 20, 33 ; Jean, 1, 18.

2. *Le sens de la psychanalyse,* p. 24 ; « Du Surmoi ambivalent au Surmoi impersonnel », « Une réalité est transcendante par rapport à une autre quand elle réunit les deux caractères : 1 / de lui être supérieure, d'appartenir à un degré plus élevé dans une hiérarchie et... 2 / de ne plus pouvoir être atteinte à partir de la première par un mouvement *continu* (je souligne, dit F. Pasche) », n. 21 de la page 14 du texte ronéoté.

3. *Apophasis* signifie en grec négation ; le Dieu apophatique est un pur Rien ou vide comme l'était la Tente de la Réunion où Moïse rencontrait Dieu (Exode, 33, 7-12) et devant laquelle la Nuée se tenait *sans* la remplir.

seulement étranger à l'humain comme le Dieu d'Aristote, mais parce que justement, dans cette sorte « d'*antinarcissisme* absolu », il ne nous laisse que des *traces* matérielles et historiques fragiles[1] qu'on ne saurait idolâtrer mais tout au plus considérer comme des icônes, c'est-à-dire renvoyant toujours, dans une certaine profondeur, à un « ailleurs » signe d'un amour in-fini. C'est d'ailleurs tout le travail de la cure que de passer des idoles aux icônes que sont nos représentations[2].

Ainsi sont définies des conditions *négatives* du croire, acte dont la fonction peut être analysée mais non l'objet sur lequel la psychanalyse ne saurait se prononcer. En ce sens, on le sait, Freud n'était pas croyant et encore moins mystique, même s'il s'est lui aussi intéressé à la foi et à la vie spirituelle. F. Pasche non plus n'était pas croyant et il faut lever ici une ambiguïté et lui rendre justice car, à cause de son intérêt pour la religion, beaucoup le pensaient croyant[3]. Il aurait sans doute aimé mais il ne le pouvait pas car il ne sentait rien et il a, au fond, été un ascète du croire : sa seule croyance était sans doute la liberté dont il voyait tous les jours les *petits* effets déchiffrables au ras de l'humain sans être ébloui par elle, donc un mi-chemin entre la pure absence et la pure présence qui sont les vraies conditions d'un croire.

Si l'être humain a besoin d'être tiré vers le haut par le croire *négatif* ou négativant, ce n'est pas pour se prémunir contre le pessimisme et le désespoir par une pure illusion comme le pensait Freud, mais c'est essentiellement pour *éloigner* (Thanatos) et *circonscrire* le sacré qui peut être terrifiant comme idolâtré. Il faut en effet distinguer la croyance qui est une projection inconsciente du ça, de l'idéalisation qui est une erreur, et de l'idéal du moi qui est un programme indéfiniment modifiable et souple comme l'horizon se modifie insensiblement quand on avance, à la différence de l'étoile qui demeure identique à elle-même et qui peut être le symbole du moi idéal rigide par contraste avec la plasticité de l'idéal du moi[4].

Ah si la religion n'était que cela, semble dire F. Pasche ! Elle serait hautement fonctionnelle ! S'il n'a pas ferraillé avec les innombrables textes religieux contestables du point de vue psychanalytique, et du point de vue religieux tout court d'ailleurs, en se contentant de travailler les plus nobles, il a pu par contre choisir certains philosophes et certains textes pour exercer une fonction

1. Fragiles comme le sont les parchemins, les histoires vécues et Jésus qui fut pleinement un homme, avec sa physiologie par exemple, et non une apparence (docétisme) humaine de Dieu.

2. *Ibid.*, p. 24-25, 53, 130, 154-155, 248, 254-255. Cette présence de l'absence est parfaitement illustrée par certaines pages de R. Cahn, *L'adolescent dans la psychanalyse, l'aventure de la subjectivation,* PUF, 1998, p. 169-171, 200-201.

3. Ce qui est aussi absurde que de penser Nietzsche croyant parce qu'il s'est beaucoup intéressé à la religion, alors qu'il a peut-être été l'athée le plus radical des Temps modernes.

4. *Ibid.*, p. 17, 21-23.

critique (au sens étymologique) de discernement, car psychanalyse et philosophie « sont au fond du même bord »[1].

Ainsi F. Pasche peut-il s'autoriser, selon une intuition bergsonienne pourtant non revendiquée, à distinguer les philosophies *ouvertes* des philosophies *closes,* toutes étant à la fois des projections inconscientes et des aides individuelles et collectives au vivre, c'est-à-dire traitant et travaillant l'angoisse, mais de façon *différenciée.* Dans les premières la condition humaine, avec ses paramètres essentiels de castration, de séparation et de différence, d'aspect lacunaire, voire d'aporie, bref, de finitude, est hautement reconnue ; dans les deuxièmes au contraire ces paramètres sont bien évidemment là aussi, mais tellement source d'angoisse qu'ils sont déniés, de sorte que sont élaborés des systèmes se voulant totalisants et dominés par l'Un qui suture tout. Schématiquement, car tout ne saurait être coupé au couteau, dans un cas on assiste à une *élaboration* de l'angoisse, dans l'autre à la mise en place d'un système de *défenses contre* l'angoisse[2].

Descartes a de la sorte vécu et mis en forme à travers sa philosophie, selon F. Pasche, « un itinéraire spirituel »[3] fécond sans que cette lecture interprétante de Descartes disqualifie ses textes et empêche les autres types de lecture, même si, il faut bien l'avouer, les philosophes peuvent être surpris de cette façon d'aborder la philosophie. L'essentiel en effet, pour F. Pasche, est ici que, après une sorte de vertige d'allure psychotique et témoignant à la fois d'un attrait et d'une terreur, l'Œdipe est affronté et la mère archaïque remise à une juste place qui lui permet justement de ne plus être niée : c'est le fameux passage, dans *La Méditation II,* concernant le morceau de cire qui est une rare page de poésie en philosophie sur la couleur, l'odeur et les formes de l'objet concret[4] que nous appelons, en psychanalyse, primaire.

De la même façon, quoique que dans un tout autre contexte et avec d'autres instruments théoriques, Aristote apparaît comme le chantre de la réalité[5], que F. Pasche oppose sans aucune difficulté et avec raison à Platon, et comme celui qui ose, par le logos philosophique même, montrer l'aporie du discours, du réel et de l'âme connaissante (au moins) avec sa théorie de l'homonymie de l'être que la Scolastique (non directement Thomas d'Aquin) a verrouillée[6]. Mais en contrepoint F. Pasche se plaît à mettre en évidence chez

1. *Ibid.,* p. 163.
2. *Ibid.,* p. 119 (note), 151-152, 218.
3. *Ibid.,* p. 96. Sur Descartes : « Métaphysique et inconscient », « L'ordre de l'inconscient » (p. 71-97, 231-249) à comparer avec « L'angoisse niée » (sur Descartes et Spinoza), *Revue française de psychanalyse,* 1/1979, p. 5-18.
4. Voir aussi *À partir de Freud,* p. 170.
5. Le vase d'étain, *Le sens de la psychanalyse,* p. 161-197.
6. P. Aubenque, *Le problème de l'être chez Arisiote,* PUF, 1966.

Aristote tous les efforts déployés pour instaurer des *séparations* et des médiations entre Dieu et l'homme, et entre l'homme et le monde, comme dans sa superbe théorie de la perception.

La métapsychologie freudienne, en tant qu'elle est *tout entière* issue de l'expérience de la cure dont elle est justement l'*élaboration,* relaie la philosophie et la religion en retrouvant et *creusant* (particulièrement les apories) leurs intuitions et inventions car il faut prendre très au sérieux la double affirmation de Freud selon laquelle il veut transformer la métaphysique en métapsychologie qui reste pourtant notre mythologie... et notre sorcière[1]. Mais la métapsychologie n'est pas pour autant à l'abri de la dérive idéologisante et de l'esprit de système, voire de la scolastique, si elle prétend tout expliquer, tout analyser et tout réduire à des mécanismes économiques et psychiques même très subtils selon des concepts érigés en réalité active car l'Œdipe, la Mère archaïque, l'Oralité, l'Objet, le Narcissisme, la Pulsion de mort, la Pensée opératoire, Éros, etc., ne se rencontrent pas et *n'existent pas* en tant que tels : ce sont seulement des concepts *heuristiques* et des « figurations » beaucoup plus que des « descriptions imagées » de la réalité toujours fuyante et surtout *imprévisible* de la personne unique et concrète du patient. Il est utile de rappeler ces évidences car leur oubli conduit à la pernicieuse et redoutable transgression des genres propres à tout idéalisme, comme Aristote l'a si justement établi et démontré, certes dans un tout autre contexte que celui de la psychanalyse.

À partir des modes, différents en philosophie et en métapsychologie, de l'élaboration, on aperçoit clairement son contraire : la *défense* et son objet qui est le rapport à la réalité et dont le noyau est la relation, dans ses vicissitudes mêmes, à la mère archaïque. « Le bouclier de Persée ou psychose et réalité » en présente un admirable condensé et développe cette idée, récurrente dans la pensée de F. Pasche, selon laquelle « si le monde extérieur est refoulé dans les cas extrêmes, c'est qu'il n'a tout d'abord que trop existé »[2]. Il s'agit donc de *circonscrire* l'angoisse d'envahissement fascinant et son objet, par de multiples figures démoniaques, certes illusoires mais derrière lesquelles Nietzsche, le pourfendeur des illusions, a cru découvrir « l'horreur de l'existence » et « l'abîme de la mort » ; au mieux l'analyse réussira-t-elle à faire rentrer ces monstres et ces Dieux d'où ils étaient sortis, c'est-à-dire de nous-mêmes[3]. Mais si cette tentative *projective* échoue, le pas suivant consiste dans la scission « gnostique » du monde en deux, sa *dé-réalisation* et sa reconstruction selon une néo-réalité homogène et dominée par l'Un : ce qui correspond bien évi-

1. *Le sens de la psychanalyse,* p. 217-219, 253-255, « Freud et la mystique ».
2. *Ibid.,* p. 27-41, 199-202, *À partir de Freud,* p. 127.
3. *Le sens de la psychanalyse,* p. 13, 232, 247, 253-254.

demment au déni des pulsions et de leur ambivalence, au déni de l'autre, de la différence des sexes et de la réalité du monde dans sa rugosité pas tout à fait assimilable et dans son aspect inextricable (la question du mal par exemple), bref, au déni de la castration. Cela se voit assez bien chez Platon comme chez Hegel ou Spinoza.

Sans schématiser à outrance, on peut finalement avancer que toutes ces tentatives défensives résultent d'une mise à l'écart du père, premier séparateur protecteur, auquel il faudrait au contraire laisser (mais encore faut-il qu'il soit là) et confier la mère archaïque, source de tant de fantasmes toujours élaborés à partir de bribes de *réalité* (la psychose n'existe pas en soi), selon l'argument implicite de « Aspects de la mère archaïque dans la mythologie »[1]. Ce qui revient à forcément réintroduire la scène primitive, pierre centrale d'achoppement.

Mais, même si la métaphysique (et la religion) peut contenir un traitement psychotique de la réalité, elle ne saurait simplement se *réduire* à cela comme le pensait Freud, quoique qu'il fût très ambivalent par rapport à la philosophie depuis sa jeunesse, quand il la jugeait comme un ensemble de systèmes délirants paranoïdes, parce que le psychotique touche aux questions métaphysiques inhérentes au cœur humain depuis l'enfance : tout dépend donc, on l'aura compris, de la façon de les traiter[2].

L'ambiguïté volontaire de mon titre « Psychanalyse et limites de la philosophie et de la religion chez F. Pasche », apparaît sans doute maintenant dans toute sa lumière, à la fois par le pluriel de *limites* qui renvoie à la double limite (inférieure et supérieure) de la psychanalyse et à l'ouverture (en trois sens) du dedans vers le dehors, et par le double génitif (subjectif et objectif) imputé à limites *de,* où est indiqué que c'est, tour à tour, la psychanalyse qui est limitée par la philosophie et la religion, et qui limite la philosophie et la religion.

Trois brèves remarques cliniques et théoriques pour conclure enfin.

Il n'est pas rare, mais pas nécessaire, qu'en fin d'analyse ou dans des reprises d'analyse, apparaisse peu à peu, et au-delà des figures parentales et des conflits infantiles analysés, un conflit, semble-t-il, d'une autre nature mais *aigu*[3], entre d'un côté une sorte d'exigence et d'appel vers ce que F. Pasche aurait peut-être appelé « les valeurs » et qui apparaît au patient comme indissolublement lié à son être profond, et d'un autre côté la voix d'un surmoi pas tout à fait impersonnel lui demandant pour qui il se prend.

1. *Ibid.,* p. 107-120.
2. *Ibid.,* p. 164, 213-214.
3. À la différence de ce que dit Nacht, dans son « flirt » avec la théorie du moi autonome de Hartmann : *Guérir avec Freud,* Payot, 1971, p. 220-224.

P. Luquet, dans une communication orale à Bordeaux[1], parlait de ces patients qui, ou découvraient la foi religieuse (ou maçonnique par exemple) en cours d'analyse à la grande surprise de l'analyste, ou l'avaient découverte ou redécouverte sans trop en parler, malgré le jeu de l'association libre respecté, parce qu'au fond, disait-il, cela ne s'imbriquait pas de façon trop serrée dans les rets de la névrose.

Très récemment[2] de son côté, M. de M'Uzan, réfléchissant sur l'identité, couplait, avec beaucoup de finesse et de perspicacité clinique, la liberté, l'authenticité et la fidélité à soi comme la part à la fois la plus intime, la plus inconnaissable et la plus étrangère *interne* qu'il distinguait de la part psychotique ou archaïque.

Ces trois brèves remarques ne sont-elles pas là l'illustration de ce que F. Pasche en citant Freud, avance à propos du « symbole personnel » : « En psychanalyse c'est peu à peu notre symbole personnel (notre vie représentée) qui se découvre à nos yeux, et s'agrandit à mesure des désirs et des souvenirs ensevelis, mais non sans que la lumière de la conscience dissipe à mesure la force usurpée de ces désirs et de ces souvenirs. Alors au centre idéal de ce symbole jamais achevé se dessinent de plus en plus nettement, et en nombre de plus en plus réduit, les grandes lignes de force, concurrentes et opposées, de nos inclinations et de nos aspirations en face de nos objets essentiels avec, à leur racine, “ce par quoi, dit Freud, nous communiquons avec l'Inconnu”, “ce nœud, dit-il encore, qu'on ne peut défaire”. C'est-à-dire, selon nous, notre être même, non représentable, mais condition de toute représentation, ce sur quoi nous ne pouvons prendre aucun point de vue, aucun recul, notre être sous les lois suprêmes du cœur, en face des autres êtres et de la mort. »[3]

Plus sobrement, en raison de son génie poétique, Goethe ne dit-il pas la même chose dans ces vers du *Premier Faust* que nous sommes nombreux à aimer : « Ce que tes pères t'ont légué en héritage, conquiers-le afin de le posséder ; ce qu'on *n'utilise pas* est un pesant fardeau.[4] »

Daniel Rosé
9, boulevard Deltour
31500 Toulouse

1. Novembre 1976.
2. Mars 1998 dans une conférence à Toulouse.
3. *À partir de Freud,* p. 204. Notons ici le langage typiquement kantien de la *Critique de la raison pure* où le « Je pense » doit accompagner toutes mes représentations mais reste pourtant égal à un *x*.
4. *Faust I,* vers 682-684 ; c'est moi qui souligne naturellement.

Résumés et mots clés

Résumés

Jacques MAUGER, Lise MONETTE. — *« Pure culture... »*

Résumé — En quoi la figure de la peste fait-elle partie de notre mythologie de transmission de la psychanalyse ? Cette question introductive nous permet d'ouvrir l'inventaire de la question de l'idéal de pureté et de ses registres individuels et collectifs, telle qu'elle peut se poser tant dans la fonction psychanalytique proprement dite que dans la transmission de celle-ci.

La fonction « psy » purifiée ne répond-elle pas à la tentation idéalisante d'éviter certains passages obligés du processus de deuil inhérent à l'expérience psychanalytique personnelle du futur analyste ? La vocation en cause devient alors la disposition identificatoire qui enferme l'idéal mélancolique pour le conserver à jamais, à l'abri de la haine inconsciente de ce que le transfert suscite inévitablement.

Mots clés — Idéal de pureté. Transmission. Fonction idéalisée. Illusions. Épreuve de réalité.

Jean-Luc DONNET. — *« Ils ne mouraient pas tous... »*

Résumé — L'auteur tente de rendre compte de son malaise de lecteur, écho de celui des rapporteurs, émanation du « Malaise dans la Psychanalyse ».

Il est d'accord pour reconnaître avec eux que la Psychanalyse a une affinité particulière avec la maladie d'idéalité. Il discute l'impact du purisme dans la situation analytique.

Mots clés — Situation analytique. Idéalisation fétichique. Déni de réalité. Deuxième règle fondamentale.

Paul LALLO. — *Malaise dans la transmission... « Immaculée perception »*

Résumé — Les psychanalystes seraient malades de pureté et cela influence tout autant leur pratique que la formation des candidats. C'est aussi au nom de la pureté que certains débats se déploient en congrès où il arrive que l'impureté prenne figure de l'impuissance.

Mots clés — Pureté. Perceptions mélancoliques. Immaculée Perception. Formation. Impuissance.

André LUSSIER. — *Réflexions d'un pur impur*

Résumé — Rapport pessimiste qui provoque une réaction déprimante qui rend difficile de se valoriser en tant que psychanalyste. L'accent est mis sur le leurre de l'analyste quant à sa Fonction, victime qu'il est de son contre-transfert. La collusion entre « psy » sauvegarde leur Narcissisme archaïque en évitant l'analyse du désir d'être analyste.

Mots clés — Leurre. Collusion. Contre-transfert. Désir. Narcissisme.

Roger DUFRESNE. — *L'eau vive de la psychanalyse : le plaisir d'analyser l'autre*

Résumé — L'auteur s'interroge sur certaines généralisations de la position mélancolique du psychanalyste dans le rapport de J. Mauger et L. Monette. Il considère que, pour qu'une analyse soit vivante, il importe que l'analyste soit abstinent par rapport à ses aspirations idéalisantes et éprouve le désir et le plaisir d'écouter l'analysant dans son altérité.

Mots clés — Analyse vivante. Abstinence de l'analyste. Priorité à l'analysant. Plaisir de l'analyste.

Danielle QUINODOZ. — *La psychanalyse est vivante*

Résumé — Pour transmettre une psychanalyse vivante, saurons-nous accepter avec gratitude l'héritage de Freud, tout en l'utilisant de manière créative pour analyser les patients d'aujourd'hui ? Souvent ceux-ci utilisent les mécanismes de la névrose mais aussi le déni, l'identification projective ou le clivage et ont besoin que nous découvrions un langage qui les touche.

Mots clés — Transmission de la psychanalyse. Identification projective. États limites.

André GREEN. — *Transmission d'un malaise*

Résumé — L'auteur discute divers problèmes soulevés par le rapport : l'opposition entre le thérapeutique et l'analytique qui impliquerait que ce dernier serait dépourvu de valeur thérapeutique. La référence au Moi-plaisir purifié est, à l'examen, survalorisée, sans que soient étudiés ses fondements et son destin dans l'œuvre freudienne.

L'axe du rapport : la pureté lui semble fondée sur un amalgame entre la position reflétée par le Moi-plaisir purifié et celle qui est visée par l'expression « pure culture » (de pulsions de mort, non nommées). La conception de la mélancolie exposée par les rapporteurs est contestée. L'occultation par le rapport des auteurs anglais affaiblit la théorisation de la soi-disant méconnaissance par les autres de la « branche haineuse du transfert », de même que leur refus de réfléchir sur l'enseignement tiré de l'expérience des cas limites.

Mots clés — Analytique. Thérapeutique. Moi-plaisir purifié. Mélancolie. Haine. Transfert.

Daniel WIDLÖCHER. — *Entre l'espace et le temps pour sortir de sa réserve*

Résumé — Le temps est venu d'aborder en psychanalyste l'histoire de ses propres pratiques institutionnelles. Le rapport de Lise Monette et Jacques Mauger est discuté dans ses références métapsychologiques, en particulier à propos des rapports entre introject surmoïque et moi-idéal. L'importance qu'ils accordent aux effets de transmission liés aux contraintes sociales actuelles doit être reconnue, en particulier à propos des effets négatifs de l' « endogamie » institutionnelle et de la place de l'interprétation.

Mots clés — Moi idéal et transmission. Introject surmoïque et transmission. Interprétation. Endogamie institutionnelle.

Gilbert DIATKINE. — *Surmoi culturel*

Résumé — Les idéaux se transmettent de génération en génération, et le surmoi se construit par identifications secondaires successives aux meneurs des groupes dans lesquels vit le sujet. Inversement, le surmoi peut être paralysé dans certaines conditions de groupe. Le surmoi peut donc être dit « collectif », ou « culturel ». La notion de « surmoi culturel », mentionnée seulement dans « Malaise dans la civilisation », parcourt en fait toute l'œuvre anthropologique de Freud, depuis « Morale sexuelle civilisée... », jusqu'à « Moïse et le monothéisme ». Elle rend bien compte du caractère collectif du surmoi, mais elle repose sur l'hypothèse controversée du meurtre du père de la horde primitive, que nous ne pouvons plus accepter aujourd'hui. On propose dans ce rapport d'expliquer la nature culturelle du surmoi en s'appuyant sur les idées de Michel Fain et Denise Braunschweig : en projetant sur l'*infans* sa propre angoisse de castration due au réinvestissement érotique de son partenaire sexuel, la mère indique à l'enfant les idéaux qu'il doit faire siens pour qu'elle puisse le considérer comme identifié à l'idéal collectif de sa famille, et de son groupe. L'ensemble de ces idéaux constitue l'idéal du moi du sujet. Des dispositifs narcissiques présents à des degrés divers chez chacun permettent au moi de se donner l'illusion qu'il est identique à son idéal. Ils constituent le moi idéal, qui n'est donc pas une formation plus archaïque que l'idéal du moi.

Mots clés — Surmoi. Idéal du moi. Meurtre du père de la horde primitive. Civilisation. Antisémitisme. Violence. Narcissisme des petites différences. Moi idéal. Surmoi culturel.

Dominique SCARFONE. — *Formation d'idéal et Surmoi culturel*

Résumé — Un siècle après *Pour introduire le narcissisme,* Moi idéal, Idéal du moi et Surmoi sont encore insuffisamment différenciés conceptuellement dans la pensée psychanalytique. L'auteur propose de considérer ceux-ci dans leur mouvement, plutôt que de façon statique, en donnant la priorité à ce que Freud a nommé « formation d'idéal ». L'auteur critique également le statut trop personnalisé que donne Diatkine au Surmoi culturel et insiste pour le situer en tant qu'héritage commun aux membres d'une même culture, le Surmoi individuel venant s'y imbriquer selon des modalités individuelles. Résidu, parmi d'autres, de l'irruption du processus de civilisation dans la constitution de la psyché individuelle à travers la mère dans son rôle de porte-parole (Aulagnier), le Surmoi se conçoit dès lors comme ce dans la psyché pense *littéralement,* et constitue par là une enclave irréductible, représentant *actuel* – c'est-à-dire à la fois *hors chronologie* et *en acte* – des exigences du processus de civilisation.

Mots clés — Surmoi culturel. Surmoi. Formation d'idéal. Processus de civilisation.

Paul DENIS. — *Idéal et objets culturels*

Résumé — La notion de Surmoi culturel renvoie en fait à des phénomènes qui sont plus du registre des idéaux et des objets culturels. Comme tels ils se situent dans l'espace transitionnel et non au cœur même du psychisme. La construction des liens sociaux s'appuie davantage sur les mécanismes de la « sympathie », tels que les a décrits Adam Smith, plutôt que sur le fonctionnement d'un Surmoi collectif.

Mots clés — Culture. Imagos. Instances. Lien social. Morale. Adam Smith. Surmoi. Sympathie.

Lucio SARNO. — *Quelques considérations sur l'idéal transmis et le Surmoi culturel*

Résumé — À partir du rapport présenté par G. Diatkine, l'auteur se propose de développer quelques réflexions concernant le Surmoi culturel et ses possibles extensions (de Freud à la psychanalyse contemporaine). Après avoir réenvisagé le Surmoi culturel en relation aux notions freudiennes de moi idéal et idéal du moi, la notion est utilisée pour reconsidérer les liens entre psychologie individuelle et psychologie sociale. Se référant aux écrits de Freud, et en particulier à sa conceptualisation du narcissisme des petites différences, on introduit les théorisations de Bion relatives au narciss-isme, au social-isme et au sens commun. De tels concepts sont utilisés pour une revision de la théorie des pulsions, de la théorie des relations individu-groupe et pour une actualisation du concept de Surmoi culturel utile à la théorie et à la clinique des cas graves.

Mots clés — Surmoi culturel. Idéal du moi. Moi idéal. Narciss-isme. Social-isme. Sens commun.

Martine LUSSIER. — *Deuil et surmoi culturel*

Résumé — Cet article propose une esquisse de l'évolution historique des pratiques de deuil, montre l'intériorisation progressive du travail de deuil et les effets psychiques de la désocialisation actuelle du deuil dans les sociétés occidentales.

Mots clés — Psychogenèse. Travail de deuil. Surmoi.

Marilia AISENSTEIN. — *Entre le sur-moi culturel et « une pure culture d'instinct de mort »*

Résumé — La dissolution du sur-moi dans le collectif reste énigmatique. Ne faut-il pas y songer en relation à l'extrême complexité de la pensée de Freud face à la Connaissance et à l'Éthique ?

Mots Clés — Sur-moi. Pulsion de mort. Mélancolie. Éthique.

Denys RIBAS. — *L'idéal désintriqué*

Résumé — L'articulation des deux rapports peut se faire en considérant le risque mortifère de la désintrication pulsionnelle dans l'idéalisation pathologique, à laquelle on relie le moi-idéal.

Mots clés — Moi-idéal. Idéal du moi. Narcissisme. Adhésivité. Désintrication pulsionnelle.

Jean-Claude ARFOUILLOUX. — *Le divan mélancolique*

Résumé — Un usage quelque peu « romantique » du terme de mélancolie, facilité par sa polysémie et ses sources philosophiques, tend à se répandre dans un certain nombre de travaux et de publications de langue française. Dans ce court commentaire du rapport présenté au Congrès de Montréal, l'auteur rappelle que la mélancolie, dans l'élaboration proposée par Freud, est considérée avant tout comme une souffrance mortelle de la psyché et non comme une figure poétique. Ses rapports étroits avec le deuil sont bien connus et renvoient également au thème de la séparation.

Mots clés — Affect. Deuil. Mélancolie. Séparation. Théorie des humeurs.

Wilfrid REID. — *Un miroir quelque peu embué*

Résumé — « Pure culture... » décrit une problématique mélancolique de l'analysant qui veut devenir analyste. Cette problématique, selon les rapporteurs, serait source d'un certain malaise dans la transmission de la psychanalyse. L'auteur introduit une hypothèse en deux volets, une hypothèse qui tente de rendre compte du malaise apparu dans la transmission de ce rapport sur la transmission et qui simultanément cherche à souligner la grande pertinence de cette problématique mélancolique en regard de l'évolution de la psychanalyse.

Mots clés — Problématique mélancolique. Deuil. Objet idéalisé. Idéalisation de la fonction analytique. Transmission de la psychanalyse.

Annette FRÉJAVILLE. — *Tentations chez le psychanalyste*

Résumé — Dans notre pratique, et ceci dès les entretiens préliminaires, nous sommes tentés d'investir narcissiquement nos patients et de répondre en fonction des liens, narcissiques aussi, qui nous unissent au groupe d'analystes auquel nous appartenons. Telles sont les mises en garde consécutives aux deux rapports. Tout comme les parents pensent tout faire « pour le bien de leurs enfants », n'avons-nous pas parfois la tentation de défendre nos positions analytiques « pour le bien de nos patients » ? Le repérage des influences culturelles dans nos idéaux et nos convictions éthiques intéresse le contre-transfert.

Mots clés — Investissement narcissique. Parentalité. Entretiens préliminaires. Contre-transfert.

Pierre DRAPEAU. — *L'infantile et les idéaux*

Résumé — Les idéaux prennent leur source dans l'infantile de ce territoire de l'inconscient résultant de la rencontre du pulsionnel et de l'histoire singulière du sujet.

Le désir d'interpréter dériverait de la curiosité sexuelle, de l'angoisse et du désir de maîtrise qui ont amené Hans à élaborer les théories sexuelles infantiles. L'histoire de Léonard de Vinci illustre le rôle de la sublimation dans la formation de l'idéal d'interprète.

Les origines du désir de soigner se retrouvent chez le « nourrisson savant » et chez l'enfant kleinien de la position dépressive. L'identification empathique et la réparation symbolique seraient sources de l'idéal thérapeutique.

Par-delà le narcissisme, l'idéal de pureté pourrait prendre racine dans des étapes plus évoluées du développement, en particulier dans le monde de l'analité.

Mais de la rencontre de l'infantile de l'analyste et de l'infantile de l'analysant face à la douleur de la perte, peuvent naître de bien étranges alliances qui viennent insidieusement infiltrer les idéaux les plus nobles.

Mots clés — Infantile. Sujet autothéorisant. Réparation. Sublimation. Idéalisation.

Lewis KIRSHNER. — *La psychanalyse à la marge*

Résumé — Les textes de Mauger/Monette et Diatkine posent le problème de l'identité du psychanalyste dans la situation postmoderne, qui implique une perte des limites fixes et l'impossibilité d'établir des catégories pures. Le moi, chez nous et chez nos patients, se révèle plus morcelé peut-être que l'on pensait. Dans ce sens, la problématique des cas limites dépasse le DSM-IV ou la clinique. L'hybridisation de la psychanalyse américaine représente un autre symptôme de cette perte d'identité. Au lieu d'un idéal du moi « bien équilibré », la psychanalyse doit se concilier avec la vulnérabilité d'une identité impure, « à la marge ».

Mots clés — Identité. Postmodernisme. Hybride. Moi. « Anti-idéal ».

Janine CHASSEGUET-SMIRGEL. — *Voie courte, voie longue*

Résumé — L'auteur argumente le travail de Gilbert Diatkine. L'identification primaire au père n'est, pour Freud, qu'un précurseur des identifications secondaires qui culmineront dans l'Œdipe. On ne peut comprendre le texte de 1923 où Freud introduit le Surmoi (et la seconde topique) qu'en considérant qu'à partir de cette date le concept de narcissisme est quasiment évacué de la théorie. Ainsi Idéal du Moi et Surmoi deviennent synonymes et l'Idéal, identifié à l'instance morale, perd pour ainsi dire, son origine narcissique primaire pour n'être plus que l'héritier du complexe d'Œdipe. Une véritable *objectalisation* de la théorie a pris place.

Elle rappelle que l'étude des rêves d'examen l'ont conduite à distinguer plutôt *la voie courte et la voie longue.* Ces deux voies correspondent à des organisations psychiques différentes. Il s'agit dans la voie courte d'échapper aux douloureux sentiments d'insuffisance, résultant de la *Hilflosigkeit* primaire et de l'inadéquation de l'enfant à l'adulte.

Mots clés — Voie courte. Voie longue. Objectalisation. Narcissisme. Perversion. Temporalité.

Claudette LAFOND. — *Le matricide ou l'interdit d'altérité*

Résumé — L'auteur présente l'hypothèse que le texte « Pure culture... » laisse entendre un matricide refoulé. Matricide qui pourrait être la base d'un processus civilisateur dont le contenu manifeste serait l'interdit d'altérité.

Mots clés — Matricide. Altérité. Impur. Relation d'objet.

Bernard CHERVET. — *Culture, idéal et érotisme*

Résumé — La notion de culture, présente dans les deux rapports, est abordée ici dans cet article, dans le sens d'un travail psychique œuvrant la vie mentale et la civilisation Une culture de l'érotisme peut aussi être envisagée, comme l'ont fait certaines civilisations. Mais, à la différence de la culture de la symbolisation, elle ne peut se référer à un idéal. L'idéal du moi est en effet inhérent à la voie progrédiente. Il représente la tendance extensive d'Éros qui, par le biais du travail psychique, s'oppose à la tendance extinctive de la pulsion de mort. L'impureté est alors associée au travail psychique, la pureté à sa suppression mais aussi à son aboutissement. Une visée régressive peut ainsi emprunter les valeurs de l'idéal en cherchant à leur faire atteindre la pureté.

Les bases organiques de l'idéal du moi, son rôle quant à la finalité des activités psychiques sont examinés ainsi que la réaction antitraumatique aboutissant par potentialisation à la constitution de conglomérats, de masses.

Mots clés — Culture. Symbolisation. Érotisme. Idéal du moi. Potentialisation. Conglomérat.

Henri VERMOREL. — *Transitionnalité du surmoi et de l'idéal du moi*

Résumé — Le surmoi et l'idéal du moi, qui font le lien entre le sujet et la culture collective, sont des formations transitionnelles, ce qui implique le caractère paradoxal du sujet qui inclut une part de non-Je. Cela jette quelque lumière sur la soumission de bien des individus aux idéaux violents guerriers ou totalitaires. Suivent quelques réflexions sur le narcissisme des petites différences et sur l'héritage spinozien de la psychanalyse.

Mots clés — Idéal du moi. Espace transitionnel. Culture Surmoi. Violence. Narcissisme des petites différences.

Michel SANCHEZ-CARDENAS. — *Surmoi groupal dans les situations d'exclusion*

Résumé — L'identité d'un groupe résulte, du moins en partie, des contraintes extérieures qu'il subit de la part d'autres groupes. Certaines caractéristiques psychologiques du groupe des premiers psychanalystes réunis autour de Freud, peuvent être comprises de cette façon. Une certaine conscience d'une mission à accomplir et d'une éthique à faire valoir peut s'entendre comme la constitution d'un surmoi groupal protecteur par rapport à l'antisémitisme virulent de l'époque.

Mots clés — Freud. Antisémitisme. Racisme. Surmoi. Idéal. Psychanalyse groupale.

Jean COURNUT. — *La mère messagère*

Résumé — En plus de transmettre le message de castration, la mère est chargée de dire à l'enfant sa filiation paternelle, ce qui l'oblige à refouler le propos de sa filiation à elle. La situation est donc conflictuelle dès l'origine, du fait même de l'alliance.

Mots clés — Message de castration. Alliance. Filiation. Conflit.

Roger PERRON. — *L'enfer de la pureté*

Résumé — L'idéal de pureté conduit tout droit aux flammes de l'enfer. Ce qu'implique le rapport de Jacques Mauger et Lise Monette n'est pas sans évoquer la triste histoire des Cathares.

Mots clés — Idéal. Idéalisation. Institutions psychanalytiques. Pureté. Cathares.

Pérel WILGOWICZ. — *Ôter la vie, ôter la mort*

Résumé — Les termes de civilisation et de culture sont à réexaminer à la lumière des événements historiques du XXe siècle. Des chercheurs qui ont travaillé sur la Grande

Guerre 1914-1918 aboutissent à définir la notion de « culture de guerre ». Celle de « culture d'extermination » paraît féconde pour tenter une réflexion sur le génocide mis au point par les nazis pendant la Shoah, sur les « épurations ethniques », les massacres de masse et « les crimes contre l'humanité » qui n'ont cessé de se perpétrer jusqu'à nos jours. Que devient le « Surmoi culturel » lorsque droits de l'homme et démocratie n'ont plus droit de cité, lorsque la culture elle-même est pervertie, que prévaut une double régression, individuelle et collective, qui se déchaîne en « vampirisme de masse » ?

Mots clés — Culture de guerre. Génocide. Culture d'extermination. Vampirisme de masse. Asubjectivation. Désubjectivation.

Ruth MENAHEM. — *La femme, trublion de l'ordre social*

Résumé — Le surmoi des femmes, leur moi idéal et leur idéal du moi diffèrent-ils de ceux des hommes ? Est-ce la raison pour laquelle elles sont déclarées impures par les rituels religieux et écartées de la vie publique ? Les situations évoquées constatent ces faits mais n'en offrent pas de réponse.

Mots clés — Différence des sexes. Pureté. Politique. Peur des femmes.

Martin GAUTHIER. — *Théorisation psychanalytique et surmoi culturel*

Résumé — L'individu est irrémédiablement en conflit avec le groupe. La culture groupale pèse sur la pratique et les théorisations de l'analyste. Ces théorisations participent au travail d'autoreprésentation et de construction des origines du groupe ; elles s'avèrent nécessairement symptomatiques, plus ou moins héroïques ou soumises à la culture groupale selon la capacité de l'auteur à élaborer son transfert sur le groupe.

Mots clés — Théorisation. Groupe. Surmoi culturel. Société psychanalytique.

Nicole MINAZIO. — *Penser le surmoi culturel aujourd'hui*

Résumé — L'auteur interroge le concept de surmoi culturel comme concept limite au carrefour de l'intra- et de l'interpsychique. Le rôle des processus identificatoires de nature différente en fonction des étapes successives de la constitution de l'appareil psychique est fondamental. Certaines situations cliniques révèlent particulièrement l'importance de l'objet maternel primaire comme objet transformationnel et porte-parole d'un autre et de plus d'un autre au fondement de la vie psychique et de la transmission des idéaux.

Mots clés — L'espace interpsychique. L'environnement symbolisant. Les transformations psychiques. L'identification primaire.

Marie-Lise ROUX. — *La « compassion » du SS*

Résumé — À partir de deux exemples extrêmes de « transgression » d'un Sur-Moi collectif, on mettra en évidence un double aspect du Sur-Moi collectif : prescriptions transmissibles, sans modifications ou transmission d'une capacité à se modifier au travers des doutes et des interrogations sur les différences et les similarités.

Mots clés — Sur-Moi collectif. Prescriptions. Modifications. Interrogations.

Ellen CORIN. — *L'autre de la culture ou la culture en abysse*

Résumé — Les notions de pureté et d'étranger que fait jouer le rapport de J. Mauger et L. Monette font ressortir à la fois le caractère profondément perturbateur de la psychanalyse comme pratique et comme mode de pensée et la gamme des modes de recouvrement face à ces perturbations. Plus que la notion de surmoi culturel, elles permettent d'approcher sans le réduire au « propre » le travail de l'Autre de la culture dans la psyché individuelle et dans la clinique psychanalytique. Ce travail est médiatisé par la structure de la langue, les mises en forme de l'énigme des origines et de la différence entre les sexes, les façons de penser la filiation et la transmission et la formation de signifiants de type analogique. L'auteur suggère son importance pour le travail clinique, même si la psychanalyse n'y a accès que de ma manière asymptotique.

Mots clés — Étranger. Pureté. Travail de la culture. Figures de l'altérité. Décentration. Surmoi culturel.

Anne-Marie PONS. — *« Femme, enfant malade et douze fois impure »*

Résumé — Le texte repart de l'article de Freud, *Le tabou de la virginité,* pour reprendre le thème, à peine abordé pendant le Congrès, de l'impureté féminine. D'où vient que la femme a de tout temps été perçue comme à la fois sacrée, et à la fois impure, et par voie de conséquence, comme doublement tabou, doublement dangereuse ? Comment associer le peu de pouvoir qu'elle a eu, et qu'elle a encore bien souvent dans la réalité, avec l'incroyable puissance maléfique dont elle est dotée dans le fantasme ? Ceci expliquerait-il cela ?

Mots clés — Impureté féminine. Tabou. Omnipotence maternelle.

Marie-Thérèse KHAIR-BADAWI. — *Évolution du surmoi culturel : femme, mère et transmission*

Résumé — Les questions que pose l'auteur tournent autour de l'évolution du Surmoi culturel et de la transmission des idéaux par la femme en tant que mère : que dirait Freud aujourd'hui de la femme et de sa sexualité face à l'évolution du Surmoi culturel touchant aux femmes ? Comment est vécue, par la femme en tant que mère, la rupture avec le Surmoi culturel et qu'advient-il de la transmission puisqu'elle en est l'agent principal ? Comment s'articule la dépendance entre Surmoi individuel et Surmoi culturel ? Autant de questions auxquelles l'auteur tente de trouver des réponses.

Mots clés — Surmoi culturel. Surmoi individuel. Femme. Mère. Transmission. Freud/Femme.

Augustin JEANNEAU. — *Saint-Denys-Garneau : les solitudes de l'absolu*

Résumé — L'œuvre du poète Saint-Denys-Garneau (1912-1943) est proposée, dans ce texte, comme une voix en contrepoint des thèmes du Congrès 2000, et une interrogation sur l'inconnue des profondeurs qui, aux extrémités de la détresse, inspire la création poétique et lui confère une vivante intensité.

Mots clés — Absolu. Poésie. Création. Saint-Denys-Garneau.

Alain GIBEAULT. — *Surmoi culturel et groupes*

Résumé — La référence au surmoi culturel permet d'articuler le rapport Moi idéal / Surmoi dans l'investissement des groupes à l'adolescence dans la transmission de la psychanalyse et le développement des nouveaux groupes psychanalytiques.

Mots clés — Surmoi culturel. Le groupe à l'adolescence. Transmission de la psychanalyse.

Jacques GAUTHIER. — *Psychosomatique et pureté*

Résumé — L'auteur montre comment la psychosomatique peut constituer un terrain propice à la « tentation purificatrice » évoquée par J. Mauger et L. Monette dans leur rapport, au recours à l'idéalisation pour tenter d'exclure de la psyché ce qui rendrait autrement inévitable la confrontation à la perte et au deuil. Face à une atteinte somatique, l'objet sera parfois investi comme un persécuteur, parfois comme un sauveur. Parfois aussi, le sujet recourra à ce que l'auteur appelle une « solution masochiste », alors que la maladie dont on espère guérir en faisant amende honorable sera attribuée à une négligence ou une faute personnelle. Certains mouvements contre-transférentiels suscités par la rencontre d'un analysant atteint dans son corps sont aussi présentés.

Mots clés — Atteinte somatique. Deuil. Idéalisation. Masochisme. Contre-transfert.

Denise BOUCHET-KERVELLA. — *Identité féminine et idéal du moi : quand une fille n'est qu'une « pisseuse »*

Résumé — L'auteur s'interroge sur les conséquences psychiques de la transmission, dans les idéaux familiaux comme dans l'héritage freudien, d'une conception de la différence des sexes basée sur la surestimation excessive du pénis confondu avec le phallus, plutôt que sur la réciprocité des désirs. Chez une patiente, on voit comment le rejet massif de son propre sexe par sa mère a entravé l'élaboration de la castration symbolique, et favorisé l'accrochage défensif à un idéal narcissique asexué d'autosuffisance fondé sur le déni du manque, le renoncement pulsionnel et la répression des affects. Peu à peu, grâce à l'appui identificatoire sur un ancêtre féminin bienveillant, ce système moi idéal / idéal du moi tyrannique a pu se dégager de l'emprise maternelle et autoriser, en même temps que l'avènement du désir génital, l'intégration de l'identité sexuée féminine.

Mots clés — Phallus. Identifications. Féminité. Castration symbolique. Déni. Auto-suffisance.

Maurice NETTER. — *Idéal transmis et couple violent*

Résumé — La répétition du récit de scènes de violence conjugale, vers la fin d'une analyse, constitue une résistance à la séparation, transposée sur le partenaire. Il ne s'agit pas de conflits, mais d'explosions périodiques de la tension provoquée par l'activation brusque, à propos de petits riens, de l'ensemble des paradoxes qui fixent, chez ces personnes, l'idéal transmis. Un passage par le « collectif » semble parfois nécessaire pour analyser cet « enchantement ».

Mots clés — Idéal. Injonction paradoxale. Violence. Couple.

Michel GIGUÈRE. — *La haine* du *transfert*

Résumé — De la pratique analytique de Freud à celle d'aujourd'hui, nombre de situations cliniques peuvent être réexaminées à la lumière de ce que Mauger et Monette (1999) ont nommé « haine *du* transfert ». Dans la position singulière qu'il occupe, l'analyste est directement confronté, voire soumis, à l'inconnu, à l'étrangeté de *tout* transfert et à la menace que ce dernier fait peser sur son propre fantasme d'identité. Une haine *du* transfert manque alors rarement de se manifester à travers diverses réactions moïques visant à niveler toutes différences. Le désir de « liquider » le transfert peut en être une illustration. Une hypothèse est proposée à l'effet qu'au cœur de cette haine s'en trouve une autre ; une haine de l'objet étranger par excellence vécue comme menace permanente aux prétentions autonomiste et homéostatique du moi : une haine *du* ça.

Mots clés — Haine. Transfert. Psychanalyste. Résistance. Ça.

Jean-Michel QUINODOZ. — *Mélancolie maniaque : quelle issue ?*

Résumé — Selon l'auteur, s'il existe une polarisation excessive dans la « tentation mélancolique » chez les psychanalystes, cette polarisation ressortit davantage de processus *affectifs,* et pas seulement de processus de *pensée* comme le suggèrent J. Mauger et L. Monette. Dans cette optique l'opposition « pur-impur » peut être considérée comme résultant d'un clivage du moi et d'un clivage de l'objet – en partie idéalisé, en partie dénigré –, clivages qui s'inscrivent dans le cadre d'une conception psychanalytique des affects éclairant la structure maniaco-dépressive. Une telle perspective permet de reprendre ces affects dans le transfert en tant qu'expression des vicissitudes de l'amour et de la haine, afin de les élaborer, comme le montre un exemple clinique.

Mots clés — Affects. Amour. Haine. Dépression. Manie.

Daniel Rosé. — *Psychanalyse et limites de la philosophie et de la religion chez Francis Pasche*

Résumé — À propos du surmoi, l'intérêt central des travaux de F. Pasche est de s'appuyer sur la distinction, non freudienne, entre moi idéal et idéal du moi pour montrer comment, dans la cure, le surmoi s'épure progressivement pour devenir peu à peu impersonnel, c'est-à-dire, négativant : le registre de l'idéal et de la transcendance recule ainsi pour laisser place à la liberté du Je aux prises avec l'élaboration de l'angoisse, mais sans que ce registre disparaisse totalement, ce qui contribue à aimanter et à vectorialiser l'espace psychique.

Mots clés — Admiration primaire. Amour. Angoisse. Antinarcissisme. Apophatisme. Croyance. Culture. Cure. Idéal du moi. Idéalisation. Inconnu. Liberté. Moi idéal. Pasche F. Philosophie. Religion. Surmoi. Transcendance.

Summaries

Jacques MAUGER, Lise MONETTE. — *« Pure culture »*

Summary — To what extent is the image of the plague a part of our mythology of the transmission of psychoanalysis ? This introductory question allows us to open up the inventory constituted by the question of the ideal of purity and its individual and collective dimensions, in so far as it can be posed with regard to both the psychoanalytical function itself and transmission of the latter.

Does not the purified « shrink » function correspond to the idealising temptation to avoid certain compulsory aspects of the process of mourning inherent in the personal psychoanalytic experience of a future analyst ? The vocation in question thus becomes an identificatory requirement that contains the melancholic ideal in order to preserve it for good, well away from the unconscious hate of what the transference inevitably provokes.

Key-words — Ideal of purity. Transmission. Idealising function. Illusions. Reality test.

Jean-Luc DONNET. — *« They didn't all die »*

Summary — The author tries to explain his discontent as a reader, which, as a consequence of Discontent in Psychoanalysis, echoes that of the other speakers.

He is ready to agree with the other speakers that Psychoanalysis has a particular affinity with the sickness of idealism. He discusses the impact of purism within the analytic setting.

Key-words — Analytic setting. Fetishistic idealisation. Denial of reality. Second fundamental rule.

Paul LALLO. — *Discontent in transmission... « Immaculate perception »*

Summary — Psychoanalysts are apparently obsessed with purity and this influences both their practice and the training of candidates. It is also in the name of purity that certain debates take place in congress form, and that impurity becomes a figure of powerlessness.

Key-words — Purity. Melancholic perceptions. Immaculate perception. Training. Powerlessness.

André LUSSIER. — *Thoughts of an impure pure man*

Summary — A pessimistic account that provokes a depressing reaction that makes it difficult to respect oneself as a psychoanalyst. The stress is put on the trap laid for the psychoanalyst, in so far as he is a victim of his own counter-transference. The collusion between « shrinks » safeguards their archaic narcissism by avoiding analysis of the desire to be an analyst.

Key-words — Trap. Collusion. Counter-transference. Desire. Narcissism.

Roger DUFRESNE. — *The running water of psychoanalysis : the pleasure of analysing others*

Summary — The author considers certain generalisations regarding the melancolic position of the psychoanalyst in J. Mauger et L. Monette's paper. He believes that for an analysis to be lively, the analyst must remain abstinent with regard to his idealising aspirations and feel desire and pleasure in listening to the analysand in his otherness.

Key-words — Lively analysis. The analyst's abstinence. Priority to the analysand. The analyst's pleasure.

Danielle QUINODOZ. — *Psychoanalysis lives*

Summary — Can we, in order to transmit a living practice of psychoanalysis, gratefully accept Freud's heritage and also use it creatively to analyse today's patients ? Patients often use the mechanisms of neurosis, but also those of denial, projective identification or splitting, and need us to discover a language that is relevant to them.

Key-words — Transmission of psychoanalysis. Projective identification. Borderline-states.

André GREEN. — *The transmission of discontent*

Summary — The author discusses various problems discussed in the report : for instance, the opposition between therapy and analysis which implies that the latter has no therapeutic value. The reference to a purified pleasure-Ego seems, on closer observation, to be given too much importance, whilst its foundations and development in Freud's work are not touched on.

The theme of the report is as follows : purity seems to him to be founded on an amalgamation between the position of the purified pleasure-Ego, and that aimed at in the expression « pure culture » (of unnamed death drives). The speakers' conception of melancholy is debated. Glossing over by the English authors undermines the argument that there is an apparent misunderstanding by others of the « aspect of hate in the transference », as does also their refusal to consider what can be learnt from the experience of borderline cases.

Key-words — Analysis. Therapy. Purified pleasure-Ego. Melancholy. Hate. Transference.

Daniel WIDLÖCHER. — *Time and space. In order to come out of hiding*

Summary — It is high time that the history of institutional practice be considered in psychoanalytical terms. Lise Monette and Jacques Mauger's paper is discussed with regard to its metapsychological references, in particular concerning the relation between superego introjection and ideal ego. The importance they attribute to the effects of transmission linked to current social constraints must be acknowledged, in particular with regard to the negative effects of institutional « endogamy » and the role of interpretation.

Key-words — Ideal ego and transmission. Superego introjection and transmission. Interpretation. Institutional endogamy.

Gilbert DIATKINE. — *The cultural superego*

Summary — Ideals are transmitted from one generation to the next, and the superego is constructed from successive secondary identifications with the leaders of the groups in which the subject lives. The superego can, however, become paralysed in certain group conditions. The superego can therefore be called « collective » or « cultural ». The notion of « cultural superego », mentioned only in « Civilisation and its discontents », in fact runs through the whole of Freud's anthropological work from « "Civilised" sexual morality » to « Moses and monotheism ». It accounts for the collective character of the superego, but is based on the controversial hypothesis of the murder of the father of the primitive horde, that we are no longer able to accept today. In this paper, we attempt to explain the cultural nature of the superego with reference to the ideas of Michel Fain and Denise Braunschweig : in projecting onto the *infans* her own castration anxiety due to the erotic reinvestment of her sexual partner, the mother indicates to the child the ideals that he must appropriate in order for her to be able to consider him as identified to the collective ideal of her family and group. The set of these ideals constitutes the subject's ego ideal. Narcissistic configurations present to some degree in everybody, enable the ego to have the illusion that it is identical to its ideal. They constitute the ideal ego, that is therefore not an older formation than the ideal ego.

Key-words — Superego. Ego ideal. Murder of the father of the primitive horde. Civilisation. Anti-Semitism. Violence. Narcissism of small differences. Ideal ego. Cultural superego.

Dominique SCARFONE. — *The formation of an ideal and the cultural Superego*

Summary — A century after *An introduction to narcissism*, the ideal Ego, ideal Ego and Superego are still not conceptually well enough differentiated in psychoanalytical theory. The author proposes to consider the latter according to how they evolve, rather than statically, by giving priority to what Freud called the « formation of an ideal ». The author also criticises the far too personal status given to the cultural Superego by Diatkine and insists that it should be considered as the common heritage of a given culture, whilst the individual Superego integrates itself according to individual modes. In so far as it is a residue, amongst others, of the irruption of the process of civilisation in the constitution of the individual psyche, via the mother, in her role of spokesperson (Aulagnier), the Superego should be considered as what in the psyche *literally* thinks, thereby constituting an irreducible enclave, a present representative, that is to say, both *outside chronology* and as *an act*, of the demands of the process of civilisation.

Key-words — Cultural Superego. Superego. Formation of an ideal. Process of civilisation.

Paul DENIS. — *The cultural ideal and « sympathy »*

Summary — The notion of a cultural Superego in fact refers to phenomena that belong, rather, to the register of ideals and cultural objects. As such, they are in a transitional space and not at the heart of the psyche. The construction of social links rests more on mechanisms of « sympathy » such as those described by Adam Smith, than on the functioning of a communal Superego.

Key-words — Culture. Imagos. Instances. Social bond. Moral. Adam Smith. Superego. Sympathy.

Lucio SARNO. — *Thoughts on the transmitted ideal and the cultural superego*

Summary — On the basis of the report presented by G. Diatkine, the Author wishes to consider a number of points concerning the cultural Superego and its possible extensions (from Freud to contemporary psychoanalysis). After reconsidering the cultural Superego in relation to the Freudian notions of the ideal ego and ego ideal, the term is used to reconsider the links between individual psychology and social psychology. With reference to Freud's work and in particular to his conceptualisation of the narcissism of small differences, we introduce Bion's theories regarding narciss-ism, social-ism and common meaning. These concepts are used to revise the theory of the drive, the theory of individual-group relations and to bring up-to-date the concept of the cultural Superego, of use to the theory and clinic of serious cases.

Key-words — Cultural Superego. Ego ideal. Ideal ego narciss-ism. Social-ism. Common meaning.

Martine LUSSIER. — *Mourning and the cultural Superego*

Summary — This article attempts to outline the historical development of practices of mourning ; it shows the progressive interiorisation of the work of mourning and the psychic effects of the current desocialisation of mourning in western societies.

Key-words — Psychogenesis. Work of mourning. Superego.

Marilia AISENSTEIN. — *Between the cultural superego and « a pure culture of the death drive »*

Summary — The dissolution of the superego within the community is something that remains enigmatic. Should we not consider it in relation to the extreme complexity of Freud's thought regarding Knowledge and Ethics ?

Key-words — Superego. Death drive. Melancholy. Ethics.

Denys RIBAS. — *The defused ideal*

Summary — A connection between the two papers can be made by considering the fatal risk of defusion of the drive in pathological idealisation, to which the ideal ego is linked.

Key-words — Ego ideal. Ideal ego. Narcissism. Capacity to adhere. Defusion of the drive.

Jean-Claude ARFOUILLOUX. — *The melancholic couch*

Summary — A somewhat « romantic » use of the term of melancholy, rendered possible by its polysemy and philosophical sources, seems to be gaining popularity in a number of French works and publications. In this short commentary on the report presented during the Montreal Congress, the author reminds us that, according to Freud, melancholy is above all considered as fatal suffering of the psyche and not as a poetic image. Its close relation to mourning is well known, which also refers us to the theme of separation.

Key-words — Affect. Mourning. Melancholy. Separation. Theory of humours.

Wilfrid REID. — *« A somewhat misted up mirror »*

Summary — « Pure culture... » describes the melancholic problematic of an analysand who wished to become an analyst. This problematic is, according to the speakers, the source of a certain discontent in the transmission of psychoanalysis. The author presents a two-part hypothesis that attempts to account for the discontent appearing in the transmission of this paper on transmission, and that simultaneously seeks to underline the extreme pertinence of the question of melancholy with regard to the development of psychoanalysis.

Key-words — Question of melancholy. Mourning idealised object. Idealisation of the analytic function. Transmission of psychoanalysis.

Annette FRÉJAVILLE. — *Temptation at the psychoanalyst's*

Summary — As from our very first meetings with patients, we are tempted to invest them narcissistically and answer in terms of our bond, also narcissistic, with the group of analysts to which we belong. This is the warning that follows the two papers. Just as parents think they do everything « for the good of their children », are we not also sometimes tempted to defend our analytic position « for the good of our patients » ? The identification of cultural influences in our ideals and ethical convictions is relevant to the counter-transference.

Key-words — Narcissistic investment. Parental status. Preliminary meetings. Counter-transference.

Pierre Drapeau. — *The infantile dimension and its ideals*

Summary — Ideals take their source from the infantile dimension of the unconscious territory that results form the encounter of the drive and the subject's unique history.

The desire to interpret derives from sexual curiosity, anxiety and the desire for mastery that led Hans to construct his infantile sexual theories. Leonardo de Vinci's history illustrates the role of sublimation in the formation of the ideal of interpretation.

The origins of the desire to heal can be found in the « knowing baby » and in the Kleinian child of the depressive position. Empathic identification and symbolic reparation are the sources of the therapeutic ideal.

Beyond narcissism, the ideal of purity perhaps takes root in the higher stages of development, particularly in the domain of anality.

The encounter of the analyst's infantile dimension and the analysand's infantile dimension confronted with pain or loss, can lead to strange combinations that insidiously infiltrate the noblest of ideals.

Key-words — Infantile. Self-theorising subject. Reparation. Sublimation. Idealisation.

Lewis Kirshner. — *Psychoanalysis on the fringe*

Summary — Mauger/Monette and Diatkine's texts pose the problem of the identity of psychoanalysis in the postmodern situation, which implies a loss of fixed limits and the impossibility of obtaining pure categories. The ego, in our own and in our patients' case, reveals itself as more fragmented than first thought. Consequently, the problematics of borderline cases lie outside the scope of the DSM-IV or the clinic. The hybridisation of American psychoanalysis is another symptom of this loss of identity. Instead of a « well-balanced » ego ideal, psychoanalysis must be reconciled with the vulnerable image of an impure, « fringe », identity.

Key-words — Identity. Postmodernism. Hybrid. Ego. « Anti-ideal ».

Janine Chasseguet-Smirgel. — *The short or the long road*

Summary — The author discusses the work of Gilbert Diatkine. Primary identification with the father is, according to Freud, only the precursor to secondary identifications that culminate in the Œdipus complex. Freud's 1923 text, in which he introduces the Superego (and the second topic), can only be understood if we consider that from this date onwards the concept of narcissism almost completely disappears from the theory. Thus, the Ego Ideal and Superego become synonymous, and the Ideal, which is identified with the moral function, loses, so to speak, its primary narcissistic basis, in order to become solely the inheritor of the Œdipus complex. A true *objectalisation* of the theory has taken place. The status of the Ego Ideal, 1914 style, is subsequently examined. Can it be called a function ?

Is it pertinent to introduce the concept of the ideal ego ?

The author reminds us that in her work on the Ego Ideal *(The Illness of Ideality)* she herself refused to do so, in order not to increase the number of concepts and risk losing sight that that the Ego Ideal as well as the ideal ego concerns the destiny of narcissism.

She reminds us that the study of dreams has led her rather to distinguish *the short road and the long road.* These two paths correspond to different psychic modes of organisation. The short road implies escaping from painful feelings of inadequacy, resulting from primary *Hilflosigkeit* and the child's inadequation with the adult.

Finally, the question of intellectual and moral courage is considered in relation with the need to be loved.

Key-words — Short road. Long road. Objectalisation. Narcissism. Perversion. Temporality.

Claudette LAFOND. — *Matricide or the interdiction of otherness*

Summary — The author presents the hypothesis that the text « Pure culture » implies a repressed matricide. This matricide could be at the basis of a process of civilisation and its institutions whose manifest content is an obsession with purity linked to the interdiction of otherness.

Key-words — Matricide. Otherness. Impure. Object relation.

Bernard CHERVET. — *Culture, Ideal and Eroticism*

Summary — The notion of culture given in the two papers is considered in this article in the sense of psychic work operating in mental life and civilisation. A culture of erotism can also be envisaged, as a number of civilisations have done. In contrast to the culture of symbolisation it cannot, however, be referred to an ideal. The ego ideal is indeed inherent to the way forward. It represents Eros' tendency to extension that, via psychic work counters the tendency to extinction by the death drive. Impurity is subsequently associated with psychic work ; purity with its suppression but also with its outcome. A regressive aim can therefore borrow the ideals of the ideal by attempting to make them pure.

The organic bases of the ego ideal and its role with regard to the aim of psychic activities are examined here, as are anti-traumatic reactions resulting, via potentialisation, in the constitution of conglomerations and groups.

Key-words — Culture. Symbolisation. Erotism. Ego ideal. Potentialisation. Conglomeration.

Henri VERMOREL. — *Transitionnality of the superego and of the ego ideal*

Summary — The superego and ego ideal that constitute the link between the subject and mass culture, are transitional formations. This implies a paradoxical character of the subject, thus comprising an aspect of not-I. This sheds some light on why many people subject themselves to violent warlike or totalitarian ideals. There follow a number of considerations on the narcissism of small differences and on what psychoanalysis has inherited from Spinoza.

Key-words — Ego Ideal. Transitional Space. Culture. Superego. Violence. Narcissism.

Michel SANCHEZ-CARDENAS. — *The group superego in situations of exclusion*

Summary — The identity of a group results, at least in part, from the external constraints that other groups subject it to. Certain psychological characteristics of the group formed by the first psychoanalysts who gathered round Freud can be understood in this way. A certain awareness of a mission to be accomplished and an ethic to promote can be understood as constituting a protective group superego in the face of the virulent anti Semitism of the time.

Key-words — Freud. Anti-Semitism. Racism. Superego. Ideal. Group psychoanalysis.

Jean COURNUT. — *The mother as a messenger*

Summary — As well as transmitting the message of castration, the mother has the responsibility of explaining his paternal filiation to her child, which forces the latter to repress the question of his filiation with her. The situation, due to the very fact of this bond, is thus conflictual from the start.

Key-words — The message of castration. Bond. Filiation. Conflict.

Roger PERRON. — *« Purity is hell »*

Summary — The ideal of purity leads straight to the flames of hell. The implications of Jacques Mauger and Lise Monette's paper cannot fail to evoke the sad history of the Cathares.

Key-words — Ideal. Idealisation. Psychoanalytical institutions. Purity. Cathares.

Pérel WILGOWICZ. — *Taking away life, taking away death*

Summary — The terms of civilisation and culture must be reexamined in the light of the historical events of the twentieth century. Researchers who have worked on the 1914-1918 World War have succeeded in defining the notion of a « war culture ». That of a « culture of extermination » seems useful if one wants to discuss the genocide perfected by the Nazis during the Shoah, the « ethnic purging », the mass massacres and the « crimes against humanity » that have not ceased to be perpetrated to the present day. What does the « cultural Superego » become once the rights of man and democracy are no longer established, when culture itself is perverted, when a double regression, both individual and communal, prevails, when « mass vampirism » is unleashed ?

Key-words — War culture. Genocide. Culture of extermination. Mass vampirism. Asubjectivisation. Desubjectivisation.

Ruth MENAHEM. — *Woman, the cause of havoc in the social order*

Summary — Do women's superegos, their ideal egos and their ego ideals differ from those of men ? Is this the reason they are declared impure by religious rituals and set apart from public life ? The situations evoked point to this but offer no answer.

Key-words — Difference of the sexes. Purity. Policy. Fear of women.

Martin GAUTHIER. — *Psychoanalytic theorisation and the cultural Superego*

Summary — The individual is in irremediable conflict with the group. Group culture weighs on the analyst's practice and theorisations. These theorisations play a role in the work of self-representation and construction of the origins of the group : they are necessarily symptomatic, more or less heroic or subjected to group culture depending on the author's capacity to elaborate his transference on the group.

Key-words — Theorisation. Group. Cultural Superego. Psychoanalytical society.

Nicole MINAZIO. — *The cultural Superego today*

Summary — The author questions the concept of the cultural Superego as a borderline concept at the intersection of intra- and interpsychic activity. The role of identificatory processes of a different nature with regard to the successive stages of the constitution of the psychic apparatus is fundamental. Certain clinical situations particularly reveal the importance of the primary maternal object as a transformational object and representative of another and more than one at the foundation of psychic life and of the transmission of ideals.

Key-words — Interpsychic space. Symbolising environment. Psychic transformations. Primary identification.

Marie-Lise ROUX. — *The « compassion » of the SS*

Summary — On the basis of two extreme examples of the « transgression » of a communal Super-Ego, we highlight two facets of the communal Super-Ego : prescriptions can either be transmitted without modification, or there can be a transmission of the capacity for change, via doubts and a questioning of differences and similarities.

Key-words — Communal Super-Ego. Prescriptions. Modifications. Questioning.

Ellen Corin. — *The other of culture or culture in an abyss*

Summary — The notions of purity and foreignness expressed in J. Mauger and L. Monette's paper highlight both the profoundly perturbing character of psychoanalysis as a practice and as a mode of thought, and the range of modes of recovery in the face of these perturbances. Over and above their role in the notion of cultural Superego, they enable us to broach the work carried out by the Other of culture in the individual psyche and in the psychoanalytical clinic, without blindly reducing it to one's own work. This work is mediated by the structure of language, the structuring of the enigma of origins and the difference between the sexes, and the different ways of considering filiation and the transmission and formation of signifiers of an analogical type. The author underlines its importance for clinical work, even if psychoanalysis only has access to it in an asymptotic manner.

Key-words — Foreign. Purity. Work of culture. Figures of otherness. Decentration. Cultural Superego.

Anne-Marie Pons. — *« Woman, a sick child and twelve fold impure »*

Summary — Our text, inspired by Freud's text *The taboo of virginity,* takes up once more the theme, hardly referred to in the Congress, of feminine impurity. Why is it that woman has always been perceived as both sacred and impure, and consequently doubly taboo and doubly dangerous ? How can one reconcile the very little power attributed to her in the past and that she often still only has in reality, with the incredibly evil power she is attributed in the fantasy ? Can the latter explain the former ?

Key-words — Feminine impurity. Taboo. Maternal omnipotence.

Marie-Thérèse Khair Badawi. — *The evolution of the cultural Superego : Women, Mothers and Transmission*

Summary — The author's questions concern the evolution of the cultural Superego and the transmission of ideals by women in so far as they are mothers. What would Freud say today of women and their sexuality in the face of the evolution of the cultural Superego with regard to women ? How do women, in so far as mothers, experience the break with the cultural Superego, and what becomes of transmission, since they are its principle agents ? What form does the interdependence between the individual Superego and the cultural Superego take ? The author attempts to answer these questions.

Key-words — Cultural Superego. Individual Superego. Woman. Mother. Transmission. Freud/woman.

Augustin Jeanneau. — *Saint-Denys-Garneau : The solitudes of the absolute*

Summary — The work of the poet Saint-Denys-Garneau (1912-1943), is, in this paper, considered as a voice in counterpoint with the themes of the Congress 2000, and as concerned with the unknown depths that, in situations of extreme distress, inspire poetic creation and confer it with vibrant intensity.

Key-words — Absolute. Poetry. Creation. Saint-Denys-Garneau.

Alain GIBEAULT. — *The cultural Superego and groups*

Summary — The reference to the cultural Superego enables us to associate the ideal Ego / Superego relation in the investment of groups during adolescence with regard to the transmission of psychoanalysis, and the development of new psychoanalytic groups.

Key-words — Cultural Superego. The group during adolescence. Transmission of psychoanalysis.

Jacques GAUTHIER. — *Psychosomatics and purity*

Summary — The author shows how psychosomatics can constitute a basis for the « temptation to purify » evoked by J. Mauger and L. Monette, for the recourse to idealisation, to try to exclude from the psyche what would otherwise make a confrontation with loss and mourning inevitable. In the face of a somatic attack, the object is sometimes invested as a persecutor, sometimes as a saviour. Sometimes also, the subject has recourse to what the author calls a « masochistic solution », whilst the illness from which one hopes to be cured by making honourable amends is attributed to personal negligence or error. Certain counter transferential episodes prompted by the encounter with an analysand suffering from an attack in his body are also discussed.

Key-words — Somatic attack. Mourning. Idealisation. Masochism. Counter transference.

Denise BOUCHET-KERVELLA. — *Feminine identity and the ego ideal : When a girl is just someone who « pisses »*

Summary — The author considers the psychic consequences of the transmission, in both family ideals and in Freud's legacy, of a conception of the difference of the sexes based on excessive overestimation of the penis confused with the phallus, rather than on the reciprocity of desire. We see how, in a particular patient, the total rejection of her own sex by her mother hindered the working over of symbolic castration, and favoured defensive clinging to an asexuated narcissistic ideal of self-sufficiency founded on the denial of lack, renunciation of the drive and the repression of affects. Little by little, thanks to identificatory dependence on a well-meaning feminine ancestor, this ideal ego / tyrannical ego ideal system was able to escape the maternal hold and, with the onset of genital desire, enable the integration of feminine sexuated identity.

Key-words — Phallus. Identifications. Femininity. Symbolic castration. Denial. Self-sufficiency.

Maurice NETTER. — *The transmission of an ideal and a violent couple*

Summary — The repeated account of violent conjugal scenes, towards the end of an analysis, constitutes resistance to separation transposed onto the partner. There is no question here of a conflict but rather of periodic explosions of the tension provoked by the sudden activation, with regard to minor incidents, of the set of paradoxes that, in such persons, fix the transmitted ideal. A detour via the « communal » is sometimes necessary in order to analyse this « captivation ».

Key-words — Ideal. Paradoxical injunction. Violence. Couple.

Michel GIGUÈRE. — *Transference hate*

Summary — With regard to analytic practice from Freud to the present day, a number of clinical situations can be reexamined in the light of what Mauger and Monette (1999) called « transference hate » (« haine *du* transfert »). The analyst is, due to his unique position, directly confronted, even subjected to the unknown, to the strangeness of *any* transference and to the threat which the latter poses for his own fantasy of identity. Transference hate rarely fails to manifest itself in various reactions of the ego seeking to level out differences. This is illustrated by the desire to « liquidate » the transference. We put forward the hypothesis that at the heart of this particular hate there resides another, the hate for the foreign object *per se*, experienced as a permanent threat to the ego's aspirations for autonomy and homeostasis : hate for the *id*.

Key-words — Hate. Transference. Psychoanalyst. Resistance. *Id.*

Jean-Michel QUINODOZ. — *The outcome of manic melancholia*

Summary — If, with regard to « melancholic temptation » among psychoanalysts, there is excessive polarisation, the latter is, according to the author, based on affective rather than thinking processes as J. Mauger and L. Monette suggest. With regard to affects, we can consider the opposition « pure-impure » to be the result of both a splitting of the ego and of a splitting of the object – in part idealised and in part denigrated. This splitting belongs to the psychoanalytical conception of affects that is able to shed light on the structure of manic-depression. This perspective enables us to integrate these affects in the transference as an expression of the vicissitudes of love and hate in order to work through them, as is shown in a clinical example.

Key-words — Affects. Love. Hate. Depression. Mania.

Daniel ROSE. — *Psychoanalysis and the limits of philosophy and religion according to Francis Pasche*

Summary — The main interest of F. Pasche's works, with regard to the superego, is that it depends on the non-Freudian distinction between the ideal ego and the ego ideal to show how, in the treatment, the superego is progressively refined until it becomes impersonal, that is to say, a negativising function : the register of the ideal and transcendence thus recedes in order to be replaced by the freedom of the I at grips with the working over of anxiety, whilst the latter never completely disappears. This contributes to the orientation and vectorisation of psychic space.

Key-words — Primary admiration. Love. Anxiety. Anti-Narcissism. Apophatism. Belief. Culture. Treatment. Ego ideal. Idealisation. Unknown. Freedom. Ideal ego. Pasche F. Philosophy. Religion. Superego. Transcendence.

(Traduction de Danielle Goldstein.)

Zusammenfassungen

Jacques MAUGER, Lise MONETTE. — *« Reine Kultur.... »*

Zusammenfassung — Inwiefern gehört die Figur der Pest zu unserer Übermittlungsmythologie der Psychoanalyse ? Diese einführende Frage erlaubt uns, das Inventarium der Frage des Reinheitsideals und seinen individuellen und kollektiven Registern zu eröffnen, so wie sie sich sowohl in der psychoanalytischen Funktion als auch in der Übermittlung dieser Funktion stellt.

Antwortet die « gereinigte Psy-Funktion » nicht auf die idealisierende Versuchung, gewisse unumgehbare Passagen des Trauerprozesses zu vermeiden, welcher der persönlichen psychoanalytischen Erfahrung des späteren Analytikers innewohnt ?

Die Berufung wird dann zur identifikatorischen Disposition, welche das melancholische Ideal einschliesst, um es für immer zu bewahren, geschützt vom unbewussten Hass dessen, was die Übertragung unvermeidlich hervorruft.

Schlüsselworte — Reinheitsideal. Übermittlung. Idealisierte Funktion. Illusionen. Realitätsprüfung.

Jean-Luc DONNET. — *« Nicht alle würden sterben... »*

Zusammenfassung — Der Autor versucht, sein Unbehagen als Leser wiederzugeben, Echo des Unbehagens der Referenten, Emanation des Unbehagens in der Psychoanalyse.

Er ist einverstanden, mit den Referenten zu erkennen, dass die Psychoanalyse eine spezielle Affinität mit der Idealitätskrankheit enthält. Er diskutiert den Einfluss des Purismus in der analytischen Situation.

Schlüsselworte — Analytische Situation. Fetischistische Idealisierung. Verleugnung der Realität. Zweite Grundregel.

Paul LALLO. — *Unbehagen in der Übermittlung... « Unbefleckte Wahrnehmung »*

Zusammenfassung — Die Psychoanalytiker wären krank vor Reinheit und das beeinflusst sowohl ihre Praxis als auch die Ausbildung der Kandidaten. Gewisse Debatten entwickeln sich auf den Kongressen ebenfalls im Namen der Reinheit und es kommt vor, dass Unreinheit als Impotenz angesehen wird.

Schlüsselworte — Reinheit. Melancholische Wahrnehmungen. Unbefleckte Wahrnehmung. Ausbildung. Impotenz.

André LUSSIER. — *Überlegungen eines unreinen Reinen*

Zusammenfassung — Pessimistisches Referat, welches eine deprimierende Reaktion auslöst, die es schwierig macht, sich als Psychoanalytiker einen Wert zuzusprechen. Der Akzent wird auf den Analytiker in seiner Funktion als Lockvogel gelegt, Opfer seiner Gegenübertragung. Die Kollusion zwischen « Psy » behütet ihren archaïschen Narzissmus, indem sie die Analyse des Wunsches, Analytiker zu sein, vermeidet.

Schlüsselworte — Lockvogel. Kollusion. Gegenübertragung. Wunsch. Narzissmus.

Roger DUFRESNE. — *Belebendes Wasser der Psychoanalyse : das Vergnügen, den andern zu analysieren*

Zusammenfassung — Der Autor stellt sich Fragen über gewisse Verallgemeinerungen der melancholischen Position des Psychoanalytikers im Referat von J. Mauger und L. Monette. Er denkt, dass es notwendig ist, um eine Analyse lebendig werden zu lassen, dass der Analytiker auf seine idealisierenden Aspirationen verzichtet und den Wunsch und die Lust empfindet, seinem Analysanden in seiner Verschiedenheit zuzuhören.

Schlüsselworte — Lebendige Analyse. Abstinenz des Analytikers. Priorität des Analysanden. Vergnügen des Analytikers.

Danielle QUINODOZ. — *Die Psychoanalyse lebt*

Zusammenfassung — Um eine lebendige Psychoanalyse zu übermitteln, werden wir mit Dankbarkeit das Erbe Freuds akzeptieren, indem wir es auf eine kreative Weise benützen, um die Patienten von heute zu analysieren. Letztere benützen oft die Mechanismen der Neurose, aber auch die Verleugnung, die projektive Identifizierung sowie auch die Spaltung und sie haben es nötig, dass wir eine Sprache finden, welche sie berührt.

Schlüsselworte — Übermittlung der Psychoanalyse. Projektive Identifizierung, Grenzfälle.

André GREEN. — *Übermittlung eines Unbehagens*

Zusammenfassung — Der Autor diskutiert verschiedene vom Referat aufgeworfene Probleme : die Opposition zwischen der Therapeutik und dem Analytischen, was voraussetzen würde, dass das Analytische keinen therapeutischen Wert enthält. Die Referenz auf das reine Lust-Ich ist, wenn man es näher betrachtet, überbewertet, ohne dass seine Fundamente und sein Schicksal im freudschen Werk untersucht werden.

Die Achse des Referates : die Reinheit scheint auf einem Amalgam zwischen der vom reinen Lust-Ich wiedergespiegelten Position und der Position, die im Ausdruck « reine Kultur » (der Todestriebe, nicht genannt) enthalten ist. Die von den Referenten aufgeführte Konzeption der Melancholie wird bestritten. Die Verdeckung im Referat der englischen Autoren verschwächt die Theorisierung der sogenannten Verkennung des « hassvollen Astes der Übertragung » – sowie auch die Weigerung, das, was wir aus der Erfahrung mit den Grenzfällen gelernt haben, zu überdenken.

Schlüsselworte — Analytisch. Therapeutisch. Reines Lust-Ich. Melancholie. Hass. Übertragung.

Daniel WIDLÖCHER. — *Zwischen dem Raum und der Zeit, um aus seiner Reserve hinauszutreten*

Zusammenfassung — Der Moment ist gekommen, um in der Psychoanalyse die Geschichte ihrer eigenen institutionellen Praxis zu erwägen. Das Referat von Lise Monette und Jacques Mauger wird in seinen metapsychologischen Referenzen diskutiert, vor allem die Beziehungen zwischen Introjekt des Überich und Ideal-Ich. Die Wichtigkeit der Auswirkungen der Übermittlung, an den aktuellen sozialen Zwang gebunden, muss erkannt werden, vor allem die negativen Wirkungen der institutionellen « Endogamie » und der Platz der Deutung.

Schlüsselworte — Ideal-Ich und Übermittlung. Introjekt des Überich und Übermittlung. Deutung. Institutionelle Endogamie.

Gilbert DIATKINE. — *Kulturelles Überich*

Zusammenfassung — Die Ideale werden von Generation zu Generation übermittelt und das Überich konstruiert sich durch aufeinanderfolgende Identifizierungen mit den Führern der Gruppen, in welchen das Subjekt lebt. Umgekehrt kann das Überich in gewissen Gruppenkonditionen gelähmt werden. Das Überich kann folglich « kollektiv » oder « kulturell » genannt werden. Der Begriff « Kulturelles Überich », welcher nur in « Unbehagen in der Kultur » erwähnt wird, durchschreitet jedoch das ganze anthropologische Werk Freuds, von der « kulturellen Sexualmoral »... bis zu « Der Mann Moses und die monotheistische Religion ». Er zeigt klar den kollektiven Charakter des Überich, aber er stützt sich auf die umstrittene Hypothese des Vatermordes der primitiven Horde, welche wir heute nicht mehr annehmen können. Wir versuchenin diesem Referat die kulturelle Natur des Überich zu erklären, aufgrund der Ideen von Michel Fain und Denise Braunschweig : indem sie auf das *infans* ihre eigene Kastrationsangst, welche an die erotische Reinvestierung des Sexualpartners gebunden ist, zeigt die Mutter dem Kind die Ideale, welche es sich aneignen muss, damit sie es als mit dem kollektiven Überich ihrer Familie und ihrer Gruppe identifiziert ansehen kann. Das Ganze dieser Ideale bidet das Ichideal des Subjekts. Narzisstische Anlagen, welche in verschiedenen Graden bei jedem vorhanden sind erlauben dem Ich, sich die Illusion zu geben, dass es seinem Ideal identisch ist. Sie bilden das Idealich, welches also keine archaïschere Bildung ist als das Ichideal.

Schlüsselworte — Überich. Ichideal. Mord des Vaters der primitiven Horde. Zivilisation. Antisemitismus. Gewalt. Narzissmus der kleinen Unterschiede. Idealich. Kulturelles Überich.

Dominique SCARFONE. — *Idealbildung und Kulturelles Überich*

Zusammenfassung — Ein Jahrhundert nach « Zur Einführung des Narzissmus », sind Idealich, Ichideal und Überich konzeptuell ungenügend differenziert im psychoanalytischen Denken. Der Autor schlägt vor, diese Konzepte in ihrer Bewegung und nicht statisch zu erfassen, mit einer Priorität für das, was Freud eine « Idealbildung » nannte. Der Autor kritisiert auch die zu stark personnalisierte Stellung, welche Diatkine dem kulturellen Überich gibt und insistiert, um es als gemeinsames Erbe der Mitglieder einer gleichen Kultur anzusehen ; das individuelle Überich wird sich dann damit vermischen, je nach den individuellen Modalitäten. Rest, unter anderen, des Einbruchs des Zivilisationsprozesses in die Konstitution der individuellen Psyche durch die Mutter in ihrer Rolle als Sprecherin (porte-parole) (Aulagnier) ; von da an kann man das Überich als das, was in der Psyche *wirklich* gedacht wird, ansehen und somit bildet das Überich eine unreduzierbare Enklave, *aktuelle* Darstellung – das heisst sowohl *ausserhalb der Chronologie* und *als Akt* – der Forderungen des Zivilisationsprozesses.

Schlüsselworte — Kulturelles Überich. Überich. Idealbildung. Zivilisationsprozess.

Paul DENIS. — *Kulturelles Ideal und « Sympathie »*

Zusammenfassung — Der Ausdruck des kulturellen Ideals führt im Grund auf Phänomene zurück, welche eher zum Bereich der Ideale und der kulturellen Objekte gehören. So gesehen, befinden sie sich im Übergangsraum und nicht im Mittelpunkt der Psyche. Die Konstruktion der sozialen Beziehungen stützt sich eher auf die Mechanismen der « Sympathie », so wie sie Adam Smith beschreibt, als auf das Geschehen eines kollektiven Überichs.

Schlüsselworte — Kultur. Imagos. Instanzen. Soziale Beziehung. Moral. Adam Smith. Überich. Sympathie.

Lucio SARNO. — *Einige Überlegungen bettreffs des übermittelten Ideals und das kulturelle Überich*

Zusammenfassung — Vom Referat von Gilbert Diatkine ausgehend, schlägt der Autor vor, einige Überlegungen betreffs des kulturellen Überich und dessen möglichen Ausweitungen (von Freud bis zur heutigen Psychoanalyse) zu entwickeln. Nachdem er das kulturelle Überich in Bezug auf die freudschen Begriffe wie Idealich und Ichideal neu untersucht hat, wird der Begriff dazu benützt, um die Beziehungen zwischen der individuellen und der sozialen Psychologie wieder anzugehen. Indem er sich auf das Werk von Freud bezieht, vor allem seine Konzeptualisierung des Narzissmus der kleinen Unterschiede, führt er die Theorisierungen von Bion über den Narziss-mus ein, auch über den Sozialis-mus und den gesunden Menschenverstand. Solche Konzepte werden dazu verwendet, um eine Revision der Triebtheorie, der Theorie der Beziehung Individuum-Gruppe aufzustellen sowie auch für eine Aktualisierung des Begriffs « kulturelles Überich », welcher für die Theorie und die Klinik der schweren Fälle nützlich ist.

Schlüsselworte — Kulturelles Überich. Ichideal. Idealich. Narziss-mus. Sozialis-mus. Gesunder Menschenverstand.

Martine Lussier. — *Trauer und kulturelles Überich*

Zusammenfassung — Dieser Artikel schlägt einen Entwurf der historischen Entwicklung der Trauerbräuche Vor. Er zeigt die progressive Interiorisierung der Trauerarbeit und die psychischen Wirkungen der aktuellen Desozialisierung der Trauer in den westlichen Gesellschaften.

Schlüsselworte — Psychogenese. Trauerarbeit. Überich.

Marilia Aisenstein. — *Zwischen dem kulturellen Überich und einer « reinen Kultur des Todestriebs »*

Zusammenfassung — Die Dissolution des Überich im Kollektiven bleibt rätselhaft. Sollte man nicht daran denken, in Bezug auf die extreme Komplexität des Denkens von Freud, was die Kenntnis und die Ethik anbetrifft ?

Schlüsselworte — Über-Ich. Todestrieb. Melancholie. Ethik.

Denys Ribas. — *Das entmischte Ideal*

Zusammenfassung — Die Artikulation der beiden Referate kann gemacht werden, indem man das tödliche Risiko der Triebentmischung in der pathologischen Idealisierung, mit welcher man das Ideal-Ich verbindet, in Betracht zieht.

Schlüsselworte — Ideal-Ich. Ich-Ideal. Narzissmus. Klebrigkeit (adhésivité). Triebentmischung.

Jean-Claude Arfouilloux. — *Die melancholische Couch*

Zusammenfassung — Ein etwas « romantischer » Gebrauch des Begriffs der Melancholie, der durch seine Polysemie und seine philosophischen Quellen erleichtert wird, tritt mehr und mehr in einer gewissen Anzahl von Arbeiten und Veröffentlichungen in der französischen Sprache auf. In diesem kurzen Kommentar des auf dem Kongress in Montréal vorgeführten Referats, erinnert uns der Autor daran, dass in der Ausarbeitung Freuds die Melancholie vor allem als ein tödliches Leiden der Psyche angesehen wird und nicht als eine poetische Figur. Ihre engen Beziehungen zur Trauer sind bekannt und verweisen auch auf das Thema der Trennung.

Schlüsselworte — Affekt. Trauer. Melancholie. Trennung. Theorie der Stimmung.

Wilfrid Reid. — *Ein leicht beschlagener Spiegel*

Zusammenfassung — « Reine Kultur » beschreibt eine melancholische Problematik des Analysanden, der Analytiker werden will. Diese Problematik wäre, nach der Ansicht der Referenten, Quelle eines gewissen Unbehagens in der Übermittlung der Psychoanalyse. Der Autor führt eine Hypothese in zwei Teilen ein, eine Hypothese, welche versucht, das

Unbehagen, welches in der Übermittlung dieses Referates über die Übermittlung aufgetreten ist, zu erfassen und welche gleichzeitig versucht, die Richtigkeit dieser melancholischen Problematik im Hinblick auf die Entwicklung der Psychoanalyse zu unterstreichen.

Schlüsselworte — Melancholische Problematik. Trauer. Idealisiertes Objekt. Idealisierung der analytischen Funktion. Übermittlung der Psychoanalyse.

Annette FRÉJAVILLE. — *Versuchungen beim Psychoanalytiker*

Zusammenfassung — In unserer Praxis erleben wir, und das schon seit den Vorgesprächen, dass wir in Veruchung geraten, unsere Patienten narzisstisch zu investieren und aufgrund der Bindungen, ebenfalls narzisstisch, welche uns mit der Analytikergruppe, der wir angehören, zu vereinigen. Dies sind die Warnungen, welche aus den zwei Referaten hervorgehen. So wie die Eltern denken, dass sie alles für das « Gute ihrer Kinder » tun, haben wir nicht manchmal die Versuchung, unsere analytischen Positionen zu verteidigen, für das « Gute unserer Patienten » ? Die Erkenntnis der kulturellen Einflüsse in unseren Idealen und in unseren ethischen Überzeugungen betreffen die Gegenübertragung.

Schlüsselworte — Narzisstische Investition. Elternschaft (Parentalität). Vorgespräche. Gegenübertragung.

Pierre DRAPEAU. — *Das Infantile und die Ideale*

Zusammenfassung — Die Ideale haben ihre Quelle im Infantilen dieses Territoriums des Unbewussten, welches aus der Begegnung des Trieblebens und der einzigartigen Geschichte des Subjekts hervorgeht.

Der Wunsch der Deutung könnte von der sexuellen Negierde ausgehen, von der Angst und dem Beherrschungswunsch, welche Hans dazu gebracht haben, die infantilen Sexualtheorien auszuarbeiten. Die Geschichte von Leonard da Vinci illustriert die Rolle der Sublimierung in der Formung des Deutungsideals. Die Grundlagen des Wunsches, zu heilen finden sich beim « gelehrten Säugling » und beim Kind der depressiven Position, nach Melanie Klein. Die empathische Identifizierung und die symbolische Reparation wären Quellen des therapeutischen Ideals.

Hinter dem Narzissmus, könnte das Reinheitsideal seine Wurzeln in den entwickleteren Etapen der Entwicklung finden, speziell in der Welt der Analität.

Aus der Begegnung des Infantilen des Analytikers und dem Infantilen des Analysanden gegenüber dem Schmerz des Verlustes, können recht seltsame Allianzen hervorgehen, welche sich heimtückisch in die edelsten Ideale einschleichen.

Schlüsselworte — Infantil. Autotheorisierendes Subjekt. Reparation. Sublimierung. Idealisierung.

Lewis KIRSHNER. — *Die Psychoanalyse am Rand*

Zusammenfassung — Die Texte von Mauger/Monette und Diatkine stellen das Problem der Identität des Psychoanalytikers in der post-modernen Situation, welche den Verlust der fixen Grenzen voraussetzt sowie auch die Unmöglichkeit, reine Kategorien aufzustellen.

Das Ich, bei uns und bei unseren Patienten, stellt sich vielleicht als zerstückelter heraus als wir es dachten. In diesem Sinn geht die Problematik der grenzfälle über den DSM-IV oder die Klinik hinaus. Die Hybridisation der amerikanischen Psychoanalyse stellt ein anderes Symptom dieses Identitätsverlustes dar. An Stelle eines « gut ausgeglichenen » Ichideal, muss die Psychoanalyse sich mit der Verletzlichkeit einer unreinen, « am Rande liegenden » Identität in Einklang bringen.

Schlüsselworte — Identität. Post-Modernismus. Hybrid. Ich. « Anti-Ideal ».

Janine CHASSEGUET-SMIRGEL. — *Kurzer Weg, langer Weg*

Zusammenfassung — Die Autorin argumentiert die Arbeit von Gilbert Diatkine. Die primäre Identifizierung mit dem Vater ist für Freud nur ein Wegbereiter der sekundären Identifizierungen, welche im Oedipus gipfeln. Man kann den Text von 1923, in welchem Freud das Überich (und die zweite Topik) einführt, nur verstehen, wenn man bedenkt, dass von da an der Konzept des Narzissmus aus der Theorie quasi ausgeschlossen ist. Somit werden Ich-Ideal und Überich synonym und das Ideal, mit der moralischen Instanz identifiziert, verliert seine Grundlage des primären Narzissmus und wird nur noch zum Erben des Ödipuskomplexes. Eine wirkliche Objektalisierung der Theorie hat sich eingestellt.

Die Autorin erinnert uns daran, dass das Studium der Examensträume träume sie dazu geführt hat, eher einen kurzen Weg und einen langen Weg zu unterscheiden. Diese beiden Wege ensprechen verschiedenen psychischen Organisationen.

Auf dem kurzen Weg geht es darum, dem schmerzhaften Gefühl, ungenügend zu sein, zu entrinnen, welches aus der primären *Hifflösigkeit* hervorgeht sowie auch aus der Tatsache, dass das Kind dem Erwachsenen Inadäquat ist.

Schlüsselworte — Kurzer Weg. Langer Weg. Objektalisierung. Narzissmus. Perversion. Zeitlichkeit.

Claudette LAFOND. — *Der Muttermord oder das Verbot der Andersheit*

Zusammenfassung — Die Autorin stellt die Hypothese auf, dass der Text « Reine Kultur » einen verdrängten Muttermord andeutet. Muttermord, der an der Basis eines Zivilisationsprozesses und dessen Institutionen, liegen könnte. Der manifeste Inhalt wäre der Reinheitszwang, der dem Verbot der Andersheit eingeräumt wird.

Schlüsselworte — Muttermord. Andersheit. Unrein. Objektbeziehung.

Bernard CHERVET. — *Kultur, Ideal und Erotik*

Zusammenfassung — In diesem Artikel wird der Begriff der Kultur, in den beiden Referaten präsent, angegangen, im Sinn eines psychischen Lebens, welches auf das Geistesleben und die Zivilisation einwirkt. Eine Kultur der Erotik kann auch in Betracht gezogen werden, wie sie in gewissen Zivilisationen existiert. Jedoch, im Gegensatz zur Kultur der

Symbolisierung, kann diese sich nicht auf ein Ideal beziehen. Das Ichideal befindet sich auf dem fortschreitenden Weg. Es stellt die extensive Tendenz von Eros dar, welche sich, durch die psychische Arbeit, der auslöschenden Tendenz des Todestriebes entgegenstellt. Die Unreinheit wird somit mit der psychischen Arbeit assoziert, die Reinheit mit deren Beseitigung, jedoch auch mit ihrem Endpunkt.

Die organischen Grundlagen des Ichideals, seine Rolle in der Finalität der psychischen Aktivitäten, werden untersucht, sowie auch die anti-traumatische Reaktion, welche durch Potentialisierung zum Aufbau von Konglomeraten, zu Massenbildungen führen.

Schlüsselworte — Kultur. Symbolisierung. Erotik. Ichideal. Potentialisierung. Konglomerat.

Henri Vermorel. — *Übergangsform des Überich und des Ichideals*

Zusammenfassung — Das Überich und das Ichideal, welche das Subjekt und die kollektive Kultur verbinden, sind Übergangsformen, was den paradoxalen Charakter des Subjekts voraussetzt, der einen Teil von Nicht-Ich einbezieht. Das wirft etwas Licht auf die Unterwerfung von so vielen Individuen unter die gewaltsamen Kriegsideale oder den Totalitarismus. Folgen einige Überlegungen über den Narzissmus der kleinen Unterschiede und über die Erbschaft von Spinoza in der Psychoanalyse.

Schlüsselworte — Ichideal. Übergangsraum. Kultur. Überich Gewalt. Narzissmus der Kleiner. Unterschiede..

Michel Sanchez-Cardenas. — *Gruppenüberich in den Ausschliessungssituationen*

Zusammenfassung — Die Identität einer Gruppe ist, zum mindesten teilweise, das Resultat von äusseren Zwängen, welche sie von anderen Gruppen erleidet. Einige psychologische Charakterstiken der ersten Psychoanalytiker, welche sich um Freud scharten, können auf diese Art verstanden werden. Ein gewisses Bewusstsein einer auszuführenden Mission und einer Ethik, die geltend gemacht werden sollte, kann als Aufbau eines beschützenden Gruppenüberich betrachtet werden, in Bezug auf den heftigen Antisemitismus der Epoche.

Schlüsselworte — Freud. Antisemitismus. Rassismus. Überich. Ideal. Gruppenpsychoanalyse.

Jean Cournut. — *Die Mutter als Botin*

Zusammenfassung — Die Mutter muss sowohl die Botschaft der Kastration übernitteln, als auch dem Kind seine väterliche Abstammung mitteilen, was sie dazu zwingt, ihre eigene Abstammung zu verdrängen. Die Situation ist somit konfliktuell, von Anfang an, der Allianz wegen.

Schlüsselworte — Kastrationsbotschaft. Allianz. Abstammung. Konflikt.

Roger PERRON. — *« Die Hölle der Reinheit »*

Zusammenfassung — Das Ideal der Reinheit führt direkt in die Flammen der Hölle. Was das Referat von Jacques Maugé und Lise Monette voraussetzt, erinnert an die traurige Geschichte der Katharer.

Schlüsselworte — Ideal. Idealisierung. Psychoanalytische Institutionen. Reinheit. Katharer.

Pérel WILGOWICZ. — *Das Leben nehmen, den Tod nehmen*

Zusammenfassung — Die Begriffe der Zivilisation und der Kultur müssen neu untersucht werden, aus der Ansicht der historischen Ereignisse des XX. Jahrhunderts. Forscher, welche den Krieg 1914-1918 bearbeitet haben, kommen dazu, den Begriff « Kriegskultur » zu definieren. Der Begriff « Exterminationskultur » scheint fruchtbar, um eine Überlegung zu versuchen, über den Genozid, welchen die Nazis während der Shoah unternommen haben, über die « ethnischen Säuberungen », über die Massenmassaker und die « Verbrechen gegen die Humanität », welche bis heute weiterdauern. Was wird aus dem « kulturellen Überich », insofern Menschenrechte und Demokratie kein Recht mehr haben, insofern die Kultur selber pervertiert ist und eine doppelte Regression, individuell und kollektiv, Überhand nimmt, welche sich « als Massenvampirismus » entfesselt ?

Schlüsselworte — Kriegskultur. Genozid. Exterminationskultur. Massenvampirismus. Asubjektivation. Entsubjektivation.

Ruth MENAHEM. — *Die Frau, Unruhestifterin der sozialen Ordnung*

Zusammenfassung — Sind das Überich der Frauen, ihr Idealich und ihr Ichideal, verschieden von denen der Männer ? Ist das der Grund, warum sie unrein genannt werden in den religiösen Ritualen und von der politischen Welt ausgeschlossen werden ? Die aufgeführten Situationen konstatieren diese Tatsachen, können jedoch keine Antwort geben.

Schlüsselworte — Unterschied der Geschlechter. Reinheit. Politik. Angst vor den Frauen.

Martin GAUTHIER. — *Psychoanalytische Theorisierung und kulturelles Überich*

Zusammenfassung — Das Individuum ist auswegslos mit der Gruppe in Konflikt. Die Gruppenkultur wiegt schwer in der Praxis und den Theorisierungen des Analytikers. Diese Theorisierungen nehmen an der Arbeit der Selbstvorstellung und der Konstruktion des Ursprungs der Gruppe teil ; sie stellen sich nötigerweise als symptomatisch heraus, mehr oder weniger heroisch oder der Gruppenkultur unterlegen, je nach der Fähigkeit des Autors, seine Übertragung auf die Gruppe zu analysieren.

Schlüsselworte — Theorisierung. Gruppe. Kulturelles Überich. Psychoanalytische Gesellschaft.

Nicole MINAZIO. — *Gedanken über das Überich, heute*

Zusammenfassung — Der Autor befragt den Konzept des kulturellen Überich als Grenzkonzept am Kreuzpunkt des Intra- und des Interpsychischen. Die Rolle der Identifizierungsprozesse, von verschiedener Natur je nach der Etape der Konstitution des psychischen Apparates, ist grundlegend. Gewisse klinische Situationen heben speziell die Wichtigkeit des primären Mutterobjekts hervor, als Veränderungsobjekt und Wortführer eines andern, eines andern, welcher dazu noch ein Grundstein des psychischen Lebens und der Übermittlung der Ideale ist.

Schlüsselworte — Der interpsychische Raum. Symbolisierende Umwelt. Die psychischen Veränderungen. Die primäre Identifizierung.

Marie-Lise ROUX. — *Das « Mitleid » des SS*

Zusammenfassung — Ausgehend von zwei extremen Beispielen von « Transgression » eines kollektiven Überich, wird ein doppelter Aspekt des kollektiven Überich hervorgehoben : Übertragbare Vorschriften, ohne Veränderungen oder Vermittlung einer Fähigkeit, sich zu verändern anhand der Zweifel und den Befragungen über die Unterschiede und die Ähnlichkeiten.

Schlüsselworte — Kollektives Überich. Vorschriften. Veränderungen. Befragungen.

Ellen CORIN. — *Der andere der Kultur oder die Kultur als Abgrund*

Zusammenfassung — Die Begriffe von Reinheit und Fremdheit, welche das Referat von J. Mauger und L. Monette benützt, heben sowohl den schwer störenden Charakter der Psychoanalyse als Praxis und Denkart hervor sowie auch die Bedeckungsarten diesen Störungen gegenüber. Sie erlauben, besser als der Begriff des kulturellen Überich, die Arbeit des Andern der Kultur in der individuellen Psyche und in der psychoanalytischen Klinik anzugehen, ohne sie auf das « Reine » zu reduzieren. Diese Arbeit wird mediatisiert durch die Struktur der Sprache, die Formung des Rätsels der Ursprünge und des Geschlechtsunterschieds, die Arten, die Abstammung zu überdenken sowie auch die Übermittlung und den Aufbau von Signifikanten des analogischen Typus. Der Autor suggeriert die Wichtigkeit dieser Überlegungen für die klinische Arbeit, auch wenn die Psychoanalyse sie nur auf asymptotische Weise angehen kann.

Schlüsselworte — Fremdheit. Reinheit, Kulturarbeit. Figuren der Andersheit. Dezentration. Kulturelles Überich.

Anne-Marie PONS. — *« Frau, krankes Kind und zwölf mal unrein »*

Zusammenfassung — Der Text geht von Freuds Artikel « Tabu der Virginität » aus, um das während des Kongresses kaum aufgenommene Thema der weiblichen Unreinigkeit wieder aufzunehmen. Woher kommt es, dass die Frau schon seit immer als sowohl heilig als auch unrein angesehen wurde und folglich als doppelt tabu, doppelt gefährlich ? Wie kann man die wenige Macht, welche sie besass und noch heute oft in der Realität besitzt, mit der unglaublichen bösartigen Macht, welche sie im Fantasma einnimmt, in Einklang bringen ? Könnte dieses jenes erklären ?

Schlusselworte — Weibliche Unreinigkeit. Tabu. Mütterliche Omnipotenz.

Marie-Thérèse KHAIR-BADAWI. — *Entwicklung des kulturellen Überich : Frau, Mutter und Übermittlung*

Zusammenfassung — Die Fragen, welche die Autorin stellt, betreffen die Entwicklung des kulturellen Überich und die Übermittlung der Ideale durch die Frau als Mutter : Was würde Freud heute von der Frau und ihrer Sexualität sagen in Bezug auf die Entwicklung des kulturellen Überich, die Frauen betreffend ? Wie wird der Riss mit dem kulturellen Überich von der Frau als Mutter erlebt und was wird aus der Übermittlung, da sie dabei die Hauptagentin ist ? Wie artikuliert sich die Abhängigkeit zwischen dem individuellen Überich und dem kulturellen Überich ? Auf alle diese Fragen versucht die Autorin, eine Antwort zu finden.

Schlüsselworte — Kulturelles Überich. Individuelles Überich. Frau. Mutter. Übermittlung. Freud/Frau.

Augustin JEANNEAU. — *Saint-Denys-Garneau : die Einsamkeiten des Absoluten*

Zusammenfassung — Das Werk des Poeten Saint-Denys-Garneau (1912-1943) wird in diesem Text als eine Stimme im Hintergrund der Themen des Kongresses 2000 vorgeschlagen, und als eine Befragung des Unbekannten der Tiefen, welche in den Extremen der Hilflosigkeit, die poetische Schöpfung inspirieren und ihr eine lebendige Intensität geben.

Schlüsselworte — Absolut. Poesie. Schöpfung. Saint-Denys-Garneau.

Alain GIBEAULT. — *Kulturelles Überich und Gruppen*

Zusammenfassung — Die Beziehung auf das kulturelle Überich erlaubt uns, die Beziehung Ideal-Ich/Überich in der Investierung der Gruppen in der Adoleszenz mit der Übermittlung der Psychoanalyse und der Entwicklung der neuen psychoanalytischen Gruppen zu artikulieren.

Schlüsselworte — Kulturelles Überich. Die Gruppe in der Adoleszenz. Übermittlung der Psychoanalyse.

Jacques GAUTHIER. — *Psychosomatik und Reinheit*

Zusammenfassung — Der Autor zeigt, wie die Psychosomatik zu einem günstigen Gebiet für die « Reinigende Versuchung », welche J. Mauger und L. Monette in ihrem Referat erwähnen, werden kann, als Hilfsmittel der Idealisierung, um zu versuchen, aus der Psyche auszuschliessen, was sonst die Konfrontation mit dem Verlust und der Trauer unvermeidlich werden liesse. Mit einer somatischen Schädigung konfrontiert, wird das Objekt manchmal als Verfolger investiert, manchmal als Retter. Manchmal greift des Subjekt auf das, was der Autor als « masochistische Lösung » bezeichnet zurück, indem man sich für die Krankheit, von welcher man geheilt zu werden hofft, schuldig fühlt und die Krankheit einer Nachlässigkeit oder einem persönlichen Fehler zuschreibt. Einige Gegenübertragungsbewegungen, welche in der Begegnung mit einem in seinem Körper betroffenen Patienten hervortreten, werden auch unterstrichen.

Schlüsselworte — Somatische Schädigung. Trauer. Idealisierung. Masochismus. Gegenübertragung.

Denise BOUCHET-KERVELLA. — *Weibliche Identität und Ichideal : wenn ein Mädchen nur eine Rotzgöre ist*

Zusammenfassung — Die Autorin stellt sich Fragen über die psychischen Konsequenzen der Übermittlung, in den Familienidealen wie im freudschen Erbe, einer Konzeption des Geschlechtsunterschieds, die auf der exzessiven Überbewertung des Penis beruht, mit dem Phallus verwechselt, anstatt auf einer Gegenseitigkeit des Wunsches. Bei einer Patientin sieht man, wie die massive Abweisung ihres eigenen Geschlechts durch ihre Mutter die Ausarbeitung der symbolischen Kastration behindert hat und das Anhängen als Abwehr an ein narzisstisches asexuelles Ideal von Selbstgefälligkeit favorisiert hat, basiert auf der Verleugnung des Mangels, das Aufgeben der Triebwelt und die Unterdrückung der Affekte. Nach und nach, dank der identifikatorischen Stützung auf eine weibliche wohlwollende Ahnin, konnte dieses System Ideal/tyrannisches Ichideal sich von der mütterlichen Beherrschung freimachen und gleichzeitig mit dem Aufkommen des genitalen Wunsches, die Integrierung der femininen sexuellen Identität autorisieren.

Schlüsselworte — Phallus. Identifizierungen. Feminität. Symbolische Kastration. Verleugnung. Selbstgefälligkeit.

Maurice NETTER. — *Übermitteltes Ideal und Gewalt*

Zusammenfassung — Die Repetition des Berichts von gewaltsamen Eheszenen, gegen das Ende der Analyse, bedeutet einen Widerstand gegen die Trennung, auf den Partner übertragen. Es handelt sich nicht um Konflikte, sondern um periodische Explosionen der Spannung, durch die plötzliche Aktivierung, anhand von Kleinigkeiten, von allen Paradoxen, welche bei diesen Personen, das übermittelte Ideal fixieren. Ein Abstecher ins « Kollektive » scheint manchmal nötig, um dieses « Verzauberung » zu analysieren.

Schlüsselworte — Ideal. Paradoxaler Befehl. Gewalt. Paar.

Michel GIGUÈRE. — *Der Hass* der *Übertragung*

Zusammenfassung — Von der Praxis Freuds bis zur heutigen Praxis, können viele klinische Situationen neu untersucht werden, aus dem Gesichtspunkt dessen, was Mauger und Monette (1999) « Hass *der* Übertragung » genannt haben. In der speziellen Position, welche der Analytiker besetzt, ist er konfrontiert mit oder unterliegt er dem Unbekannten, der Fremdheit jeglicher Übertragung und der Bedrohung, welche letztere auf seine eigene Identitätsphantasie drücken lässt. Manifestationen eines Hasses *der* Übertragung fehlen dann selten, anhand verschiedener Ichreaktionen, welche anstreben, alle Unterschiede zu nivelieren. Der Wunsch, die Übertragung zu « liquidieren », kann eine Illustration davon sein. Eine Hypothese wird vorgeschlagen ; im Mittelpunkt dieses Hasses befindet sich ein anderer Hass : der Hass des fremden Objekts, welches als eine ständige Bedrohung des Anspruchs auf eine Autonomie und Homeostasie des Ich erlebt wird : Ein Hass *des* Es.

Schlüsselworte — Hass. Übertragung. Psychoanalytiker. Widerstand. Es.

Jean-Michel QUINODOZ. — *Manische Melancholie : was für ein Ausweg ?*

Zusammenfassung — Nach der Ansicht des Autors, wenn beim Psychoanalytiker eine übertriebene Polarisierung auf die melancholische Versuchung existiert, so geht diese Polarisierung eher aus den affektiven Prozessen hervor und nicht nur aus den Denkprozessen wie J. Mauger und L. Monette es suggerieren. Aus dieser Optik kann die Opposition « rein-unrein » als Resultante einer Ich-Spaltung sowie einer Objektspaltung – ein idealisierter Teil und ein herabgewürdigter Teil – betrachtet werden ; diese Spaltungen schreiben sich in den Rahmen einer psychoanalytischen Konzeption der Affekte ein, welche die manisch-depressive Struktur beleuchtet. Eine solche Perspektive erlaubt es, diese Affekte in der Übertragung wieder aufzunehmen, als Ausdruck des Auf und Ab der Liebe und des Hasses, um sie durcharbeiten zu können, wie es ein klinisches Beispiel aufzeigt.

Schlüsselworte — Affekte. Liebe. Hass. Depression. Manie.

Daniel ROSÉ. — *Psychoanalyse und Grenzen der Philosophie und der Religion bei Francis Pasche*

Zusammenfassung — Was das Überich angeht, ist das zentrale Interesse der Arbeiten von Francis Pasche, dass er sich auf die nicht freudianische Unterscheidung zwischen Idealich und Ichideal stützt, um zu zeigen, wie in der Kur das Überich sich progressiv säubert, um langsam unpersönlich zu werden, das heisst, negativierend : das Register des Ideals und der Transzendenz geht zurück und lässt somit Platz für die Freiheit des Ich, mit der Ausarbeitung der Angst beschäftigt, ohne dass jedoch dieses Register total verschwindet, was dazu beiträgt, den psychischen Raum zu magnetisieren und zum Vektor werden zu lassen.

Schlüsselworte — Primäre Bewunderung. Liebe. Angst. Anti-Narzissmus. Apophatismus. Glaube. Kultur. Kur. Ichideal. Idealisierung. Unbekannt. Freiheit. Idealich. Pasche F. Philosophie. Religion. Überich. Transzendenz.

(Traduction de Nora Kurts.)

Resumen

Jacques MAUGER, Lise MONETTE. — *« Pura cultura... »*

Resumen — ¿ En qué aspecto la representación de la peste está presente en nuestra mitología de transmisión del psicoanálisis ? La introducción del interrogante permite abrir el inventario del tema del ideal de pureza y sus registros individuales y colectivos, de la misma manera como puede plantearse ya sea en la función psicoanalítica por excelencia ya sea en su transmisión.

La función « psico » purificada, ¿ no es acaso una respuesta a la tentación idealizante a fin de evitar determinados pasajes obligados del proceso de duelo inherente a la experiencia psicoanalítica personal del futuro analista ? La vocación cuestionada se vuelve entonces disposición identificatoria que encierra al ideal melancólico para conservarlo para siempre, al abrigo del odio inconsciente de aquéllo que inevitablemente suscita la transferencia.

Palabras claves — Ideal de pureza. Transmisión. Función idealizada. Ilusiones. Prueba de realidad.

Jean-Luc DONNET. — *« Todos no morían... »*

Resumen — El autor intenta dar cuenta de su enfermedad de lector, eco de la de los informadores, emanación del Malestar en Psicoanálisis.

Está de acuerdo en reconocer con ellos que el Psicoanálisis mantiene una afinidad específica con la enfermedad de idealidad. Analiza el impacto del purismo en la situación analítica.

Palabras claves — Situación analítica. Idealización fetichista. Renegación de realidad. Segunda regla fundamental.

Paul LALLO. — *Malestar en la transimisión..... « Inmaculada percepción »*

Resumen — Los psicoanalistas estarían enfermos de pureza y esto ejerce una influencia notable en su práctica y en la formación de candidatos. Y es también en nombre de la pureza que ciertos debates se desarrollan en ámbitos donde acontece que lo impuro toma forma de impotencia.

Palabras claves — Pureza. Percepciones melancólicas. Inmaculada percepción. Formación. Impotencia.

André LUSSIER. — *Reflexiones de un puro impuro*

Resumen — Informe pesimista que provoca una reacción depresiva que hace difícil valorizarse en tanto que psicoanalista. Se hace hincapié en la trampa del analista en cuanto a su función, puesto que es víctima de su contratransferencia. La colusión entre « psicos » salvaguarda el narcisismo arcaico evitando al análisis del deseo el ser analista.

Palabras claves — Trampa. Colusión. Contratransferencia. Deseo. Narcisismo.

Roger DUFRESNE. — *El agua viva del psicoanálisis : el placer de analizar al otro*

Resumen — El autor analiza ciertas generalizaciones sobre la posición meláncolica del psicoanalista en el informe de J. Mauger y L. Monette. Piensa que, para que un análisis sea vivo, es necasario que el analista se abstenga en cuanto a sus aspiraciones idealizantes y experimente deseo y placer de escuchar al analizante en su alteridad.

Palabras claves — Análisis. Abstinencia del analista. Prioridad del analizante. Placer del analista.

Danielle QUINODOZ. — *El psicoanálisis está vivo*

Resumen — Para poder transmitir un psicoanálisis fecundo. ¿ Seremos capaces de aceptar con gratitud la herencia de Freud, empleándola de manera creativa para analizar a los pacientes de hoy en día ?

A menudo éstos utilizan los mecanismos de la neurosis pero también la renegación, la identificación proyectiva y la escisión y necesitan que descubramos un lenguaje que los sensibilice.

Palabras claves — Transmisión del psicoanálisis. Identificación. Estados límites.

André GREEN. — *Transmisión de un malestar*

Resumen — El autor analiza diversos problemas planteados en el informe : la oposición entre lo terapéutico y lo analítico que conllevaría la carencia de valor terapéutico en el último término. La referencia al Yo-placer purificado se presenta a la luz del examen, sobredimensionado, sin que se haya estudiado los fundamentos y destino en la obra freudiana.

La base del informe : la pureza se le ocurre sostenida por un amalgama entre el reflejo de la posición del Yo-placer y lo que atañe a la expresión « pura cultura » (de pulsiones de muerte, no nombradas). Se contesta la concepción de la melancolia expuesta por los informadores. La ausencia de autores ingleses en el informe rebaja el nivel de la teorización sobre el desconocimiento de los demás de la « rama odiosa de la transferencia », igual acontece con el rechazo para reflexionar sobre la enseñanza extraída de la experiencia de los casos límites.

Palabras claves — Analítico. Terapéutico. Yo placer-purificado. Melancolía. Odio. Transferencia

Daniel WIDLÖCHER. — *Entre el espacio y el tiempo para salir de la reserva*

Resumen — Es tiempo de tratar en psicoanálisis la historia de sus prácticas institucionales. El informe de Lise Monette y Jacques Mauger es analizado de acuerdo con sus referencias metasicológicas, particularmente en la relación entre introyección del superyo y yo ideal. La importancia que otorgan a los efectos de transmisión vinculados a los imperativos sociales actuales debe ser reconocida, particularmente en relación con los efectos negativos de la « endogamia » institucional y del lugar de la interpretación.

Palabras claves — Yo ideal y transmisión. Introyección del superyo y transmisión. Interpretación. Endogamia institucional.

Gilbert DIATKINE. — *Superyo cultural*

Resumen — Los ideales se transmiten generacionalmente, y el superyo se construye por identificaciones secundarias sucesivas con los líderes de los grupos en los cuales vive el sujeto. Opuestamente, el superyo puede estar paralizado en ciertas condiciones grupales. El superyo puede entonces ser llamado « colectivo » o cultural. La noción de « superyo cutural », sólo mencionada en « Malestar en la civilización », de hecho recorre toda la obra antropológica de Freud, desde « Moral sexual civilizada... » hasta « Moises y el monoteísmo ». La misma muestra claramente el carácter colectivo del superyo, pero se basa en la hipótesis controvertida del asesinato del padre de la horda primitiva, que hoy en día ya no se puede aceptar. Este informe se propone explicar la índole cultural del superyo apoyándose en las ideas de Michel Fain y Denise Braunschweif : al proyectar sobre el *infas* la angustia personal de castración causada por la recarga erótica de su pareja sexual, la madre señala al hijo los ideales que deberán ser los suyos para que ella pueda considerarlo identificado con el ideal colectivo de la familia, y de su grupo. El conjunto de estos ideales constituye el ideal del yo del sujeto. Dispositivos narcisistas presentes en cada uno en proporciones diferentes le permiten al yo tener la ilusión de que es idéntico a su ideal. Constituyen el yo ideal, que no es por lo tanto una formación más arcaica que el ideal del yo.

Palabras claves — Superyo. Ideal del yo. Asesinato del padre de la horda primitiva. Civilización. Antisemitismo. Violencia. Narcisismo de las pequeñas diferencias. Yo ideal. Superyo cultural.

Dominique SCARFONE. — *Formación de ideal y Superyo cultural*

Resumen — Un siglo después de *Para introducir el narcisismo,* Yo ideal, Ideal del Yo y Superyo siguen estando insuficientemente diferenciados conceptualmente en el pensamiento psicoanalítico. El autor propone considerarlos en movimiento, más bien que de manera estática, dando prioridad a lo que Freud llamó « formación de ideal ». Asimismo el autor critica el estatuto demasiado personal que da Diatkine al Superyo cultural e insiste para ubicarlo como herencia común de los miembros de una misma cultura, ya que el Superyo individual se relaciona con el mismo íntimamente según modalides individuales. Residuo entre otros, de la irrupción del proceso de civilización en la constitución de la psiquis individual a través de la madre en su papel de portavoz (Aulagnier), el Superyo se concibe desde entonces como aquéllo en que la psiquis piensa literalmente, y constituye por ende un enclave irreductible, representante *actual* – o sea a la vez *fuera-de cronología* y *en acta* – de las exigencias del proceso de civización.

Palabras claves — Superyo cultural. Superyo. Formación de ideal. Proceso de civilización.

Paul DENIS. — *Ideal cultural y « simpatía »*

Resumen — La noción de Superyo cultural remite, en efecto, a fenómenos que pertenecen más a la esfera de los ideales y objetos culturales.

De tal hecho, están situados en el espacio transicional y no en el centro del psiquismo.

La construcción de vínculos sociales se apoya más en los mecanismos de la « simpatía » como los describió Adan Smith, que en el funcionamiento de un Superyo colectivo.

Palabras claves — Cultura. Imagos. Instancias. Vínculo social. Moral. Adam Smith. Superyo. Simpatía.

Lucio SARNO. — *Algunas consideraciones acerca del ideal transmitido y el superyo cultural*

Resumen — A partir del informe presentado por G. Diatkine, el autor se propone desarrollar algunas reflexiones que conciernen al Superyo cultural y a sus posibles extensiones (desde Freud hasta el psicoanálisis contemporáneo). Luego de haber reconsiderado el Superyo cultural en relación con las nociones freudianas del yo ideal y del ideal del yo, la noción es utilizada para volver a estudiar los vínculos entre psicología individual y psicología social. Refiriéndose a los escritos de Freud, y particularmente a su conceptualización del narcisismo de las pequeñas diferencias, se añaden las teorizaciones de Bion relativas al narcis-ismo, al social-ismo y al sentido común.

Dichos conceptos son utilizados para pasar revista a la teoría de las pulsiones, a la teoría de las relaciones individuo-grupo y para actualizar el concepto del Superyo cultural útil a la teoría y a la clínica de casos graves.

Palabras claves — Superyo cultural. Ideal del yo. Yo ideal. Narcis-ismo. Social-ismo. Sentido común.

Martine LUSSIER. — *Duelo y superyo cultural*

Resumen — El artículo propone un esbozo de la evolución histórica de las prácticas de duelo, muestra la interiorización progresiva del trabajo de duelo y los efectos psíquicos de la desocialización actual del duelo en las sociedades occidetales.

Palabras claves — Psicogénesis. Trabajo de duelo. Superyo.

Marilia AISENSTEIN. — *Entre el superyo cultural y « la pura cultura de instinto de muerte »*

Resumen — La disulución del superyo en el colectivo es enigmática. ¿ No habrá que razonar considerando la extremada complejidad del pensamiento de Freud frente al conocimiento y a la Etica ?

Palabras claves — Superyo. Pulsión de muerte. Melancolía. Etica.

Denys RIBAS. — *El ideal desintricado*

Resumen — La articulación entre los dos informes puede realizarse asumiendo el riesgo mortífero de la desintricación pulsional en la idealización patológica, con la que se víncula el yo-ideal.

Palabras claves — Yo-ideal. Ideal del yo. Narcisismo. Adhesividad. Desintricación pulsional.

Jean-Claude ARFOUILLOUX. — *El diván melancólico*

Resumen — El empleo algo « romántico » del término melancolía, facilitado por su polisemia y las fuentes filosóficas, tiende a expandirse en cierto número de trabajos y publicaciones de lengua francesa. En este breve comentario del informe presentado en el Congreso de Montreal, el autor recuerda que la melancolía, en la elaboración propuesta por Freud, es considerada ante todo como un sufrir mortal de la psiquis y no como una figura poética. Sus estrechos vínculos con el duelo son bien conocidos y también reenvían al tema de la separación.

Palabras claves — Afecto. Duelo. Melancolía. Separación. Teoría de los humores.

Wilfrid REID. — *« Un espejo algo empañado »*

Resumen — « Pura cultura... » describe la problemática melancólica del analizante que quiere ser psicoanalista. La problemática, de acuerdo con los exponentes, estaría originada por determinado malestar en la transmisión del psicoanálisis. El autor introduce una hipótesis en dos secuencias, la hipótesis intenta dar cuenta del malestar presente en la transmisión misma del informe sobre la transmisión y a la vez intenta subrayar la gran pertinencia de la problemática melancólica en función de la evolución del psicoanálisis.

Palabras claves — Problemática melancólica. Duelo. Objeto idealizado. Idealización de la función analítica. Transmisión del psicoanálisis.

Annette FRÉJAVILLE. — *Tentaciones en el psicoanalista*

Resumen — En nuestra práctica, y ya desde las entrevistas preliminares, estamos tentados de cargar narcisistamete a los pacientes y responder en función de lazos, también narcisistas, que nos unen al grupo de analistas al cual pertenecemos. De la misma manera que los padres piensan hacer lo mejor posible « por el bien de los hijos », ¿ Pues a veces no tenemos nosotros la tentación de defender nuestras posiciones analíticas « por el bien de los pacientes » ? La localización de las influencias culturales en nuestros ideales y convicciones éticas es importante para la contratransferencia.

Palabras claves — Carga narcisista. Parentalidad. Entrevistas preliminares. Contratransferencia.

Pierre DRAPEAU. — *Lo infantil y los ideales*

Resumen — Los ideales tienen su fuente en lo infantil del territorio del incosciente que resulta del encuentro de lo pulsional con la historia singular del sujeto.

El deseo de intepretar estaría en relación con la curiosidad sexual, con la angustia y con el deseo de control que llevaron a Hans a elaborar las teorías sexuales infantiles. La historia de Leonardo da Vinci ilustra el papel de la sublimación en la formación del ideal de intérprete.

Los orígenes del deseo de curar se hallan en el « bebé sabio » y en el niño kleiniano de la posición depresiva. La identificación empática y la reparación simbólica serían las fuentes del ideal terapéutico.

Más allá del narcisismo, el ideal de pureza podría echar raíces en las etapas más evolucionadas del desarrollo, específicamente en el mundo de la analidad.

Pero del encuentro de lo infantil del analista con lo infantil del analizante frente al dolor de la pérdida, pueden nacer muchas alianzas extrañas que van a infiltrar insidiosamente los ideales más nobles.

Palabras claves — Infantil. Sujeto autoteorizante. Reparación. Sublimación. Idealización.

Lewis KIRSHNER. — *El psicoanálisis al margen*

Resumen — Los textos de Mauger/Monette y Diatkine plantean el problema de la identidad del psicoanálisis en la situación posmoderna, que implica la pérdida de límites fijos y la imposibilidad de establecer categorías puras. El yo, en nosotros y en los pacientes, se revela más atomizado de lo que acaso pensábamos. Desde esta perspectiva, la problemática de los casos límites sobrepasa el DSM-IV o la clínica. La hibridación del psiconálisis americano representa otro síntoma de la pérdida de identidad. En vez de un ideal del yo « bien equilibrado », el psicoanálisis debe reconciliarse con la vulnerabilidad de una identidad impura « al margen ».

Palabras claves — Identidad. Posmodernismo. Híbrido. Yo. « Anti-ideal ».

Janine CHASSEGUET-SMIRGEL. — *Vía corta, vía larga*

Resumen — La autora argumenta el trabajo de Gilbert Diatkine. La identificaión primaria con el padre sólo es para Freud un antecedente de las identificaciones secundarias que culminarían en el edipo. Sólo se puede entender el texto de 1923 en el cual Freud introdujo el Superyo (y la segunda tópica) si se tiene en cuenta que a partir de esta fecha el concepto de narcisismo ha sido prácticamente evacuado de la teoría. De esta manera Ideal del Yo y Superyo se vuelven sinónimos y el Ideal, identificado con la instancia moral, pierde, para decirlo de alguna manera, su origen narcisista primario para no ser más que el heredero del complejo de Edipo. Una verdadera objetalización de la teoría ha tomado cuerpo. Seguidamente se analiza el estatuto del Ideal del yo, versión 1914.

La autora recuerda que el estudio de los sueños sobre exámenes la han llevado a distinguir dos vías, la corta y la larga. Las dos vías implican organizaciones psíquicas diferentes.

A través de la vía corta se escapa de los dolorosos sentimientos de insuficiencia, resultante de la Hilflosigkeit primaria y de la inadecuación del niño al adulto.

Palabras claves — Vía corta. Vía larga. Objetalización. Narcisismo. Perversión. Temporalidad.

Claudette LAFOND. — *El matricidio o la prohibición de alteridad*

Resumen — El autor plantea la hipótesis de que el texto « Pura cultura » deja entrever una matricidio reprimido. Matricidio que podría ser la base de un proceso civilizador y de las instituciones cuyo contenido manifiesto sería la obsesión de la pureza acordada con la prohibición de alteridad.

Palabras claves — Matricidio. Alteridad. Impuro. Relación de objeto.

Bernard CHERVET. — *Cultura, ideal, erotismo*

Resumen — En el artículo se trata la noción de cultura, presente en las dos ponencias, desde la perspectiva de un trabajo psíquico que actúa sobre la vida mental y la civilización. Una cultura del erotismo, puede ser también considerada, como así lo han hecho ciertas civilizaciones. Pero a diferencia de una cultura de simbolización, no puede estar referida a un ideal. El ideal del yo, de hecho forma parte de la vida progrediente. Representa la tendencia extensiva de Eros, que a través del trabajo psíquico, se opone a la tendencia de extinsión de la pulsión de muerte. Pues lo impuro está asociado con el trabajo psíquico, la pureza con la supresión pero también con su realización. Una tendencia regresiva también puede tomar los valores del ideal buscando el alcance de la pureza.

Las bases orgánicas del ideal del yo, el papel en relación con las finalidades de las actividades psíquicas, son analizadas, como también la reacción antitraumática que conlleva a la potencialización de la constitución de agrupamientos, de masas.

Palabras claves — Cultura. Simbolización. Erotismo. Ideal del yo. Potencialización. Agrupamientos.

Henri VERMOREL. — *Transicionalidad del superyo y del ideal del yo*

Resumen — El superyo y el ideal del yo, que vinculan sujeto y cultura colectiva, son formaciones transiconales e implican el carácter paradójico del sujeto que incluye parte del no-Yo.

Esto introduce un poco de claridad a la sumisión de muchos individuos a ideales violentos guerreros y totalitarios. Finalmente se esbozan algunas reflexiones sobre el narcisismo de las pequeñas diferencias y sobre la herencia de Spinoza en el psicoanálisis.

Palabras claves — Yo ideal. Espacio transicional. Cultura Superego. Violencia. Narcissismo.

Michel SANCHEZ-CARDENAS. — *Superyo grupal en las situaciones de exclusión*

Resumen — La identidad del grupo es la resultante, al menos parcialmente, de imperativos exteriores que padece de otros grupos. Algunas características psicológicas del grupo fomado alrededor de Freud por los primeros psicoanalistas, pueden considerarse desde esta pespectiva. El ser consciente del logro de determinada misión y la imposición de una ética, pueden verse como la constitución de un superyo grupal protector en relación con el antisemitismo virulento de la época.

Palabras claves — Freud. Antisemitismo. Racismo. Superyo. Ideal. Psicoanálisis grupal.

Jean COURNUT. — *La madre mensajera*

Resumen — Además de transmitir el mensaje de castración, la madre es la responsable de decir al niño la filiación paterna, lo que la obliga a reprimir su filiación. En consecuencia la situación es conflictiva desde el origen, subyace en la alianza.

Palabras claves — Mensaje de castración. Alianza. Filiación. Conflicto.

Roger PERRON. — *« El infierno de la pureza »*

Resumen — El ideal de pureza lleva derecho a las llamas del infierno. El informe de Jacques Mauger y Lise Monette hace pensar en la triste historia de los Cátaros.

Palabras claves — Ideal. Idealización. Instituciones psicanalíticas. Pureza. Cátaros.

Pérel WILGOWICZ. — *Quitar la vida, quitar la muerte*

Resumen — Se impone el reexamen de los términos de civilización y cultura a la luz de los acontecimientos históricos del siglo XX. Investigadores que han trabajado en relación con la Primera Guerra mundial logran definir la noción de « cultura de guerra ». La de « cultura de exterminación » parece fecunda para reflexionar sobre el genocidio desarrollado por los nazis durante la Shoah, sobre las « limpiezas étnicas », las masacres masivas y los « crímenes contra la humanidad » que no han dejado de producirse hasta hoy en día.

¿ Qué acontece con el « Superyo cultural » cuando derechos humanos y democracia ya no tienen lugar, cuando la cultura está pervertida, cuando prevalece una regresión doble, indivudual y colectiva, desencadenada en « vampirismo de masa » ?

Palabras claves — Cultura de guerra. Genocidio. Cultura de exterminación. Vampirismo de masa. Asubjetivación. Desubjetivación.

Ruth MENAHEM. — *La mujer ¿ perturbadora del orden social ?*

Resumen — El superyo de las mujeres, su yo ideal y su ideal del yo ¿ Se diferencian del de los hombres ? ¿ Es por esto que han sido declaradas impuras por los ritos religiosos y apartadas de la vida pública ? Las situaciones evocadas dan cuenta de los hechos pero no los explican.

Palabras claves — Diferencia de sexos. Pureza. Política. Miedo a las mujeres.

Martin GAUTHIER. — *Teorización psicoanalítica y superyo cultural*

Resumen — El individuo está irremediablemente en conflicto con el grupo. La cultura grupal pesa en la práctica y en las teorizaciones del analista. Las teorizaciones participan del trabajo de autorrepresentación y de construcción sobre los orígenes del grupo, se muestran necesariamente sintomáticas, más o menos heroicas o sumisas a la cultura grupal de acuerdo con la capacidad del autor para elaborar su transferencia en el grupo.

Palabras claves — Teorización. Grupo. Superyo cultural. Sociedad psicoanalítica.

Nicole MINAZIO. — Pensar hoy en día el superyo cultural

Resumen — El autor examina el concepto de superyo cultural como concepto límite en la encrucijada intra e interpsíquico. El papel de los procesos identificatorios de índole diferenciada en función de las etapas sucesivas de la constitución del aparato psíquico es primordial. Algunas situaciones clínicas muestran la importancia específica del objeto materno primario en tanto que objeto transformacional y portavoz de otro y más que otro presentes en la base de la vida psíquica y en la transmisión de ideales.

Palabras claves — El espacio intersíquico. El medio ambiente simbolizante. Las transformaciones psíquicas. Identificación primaria.

Marie-Lise ROUX. — *La « compasión » de los SS*

Resumen — A partir de dos ejemplos extremos de « transgresión » de un Super-Yo colectivo, se pondrá de relieve un aspecto doble del Super-Yo colectivo : prescripciones transmisibles, sin modificaciones o transmisión de la capacidad para modificarse a través de las dudas o de las interrogaciones sobre las diferencias o similitudes.

Palabras claves — Super-Yo colectivo. Prescripciones. Modificaciones. Interrogaciones.

Ellen CORIN. — Extraño. Pureza. Trabajo de la Cultura. Figura de la alteridad. Decentración. Superyo Cultural.

Resumen — Las nociones de pureza y de extraño que se desprenden del informe de J. Mauger y L. Monette marcan al mismo tiempo el carácter profundamente perturbador del psicoanálisis como práctica y como forma de pensamiento y la gama de fomas de recuperarse de las perturbaciones. Más que la noción de superyo cultural, las mismas permiten un aproximamiento sin reducción del trabajo del « Otro » de la cultura en la psiquis individual y en la clínica psicoanalítica. Este trabajo está mediatizado por la estructura de la lengua, las configuraciones del enigma de los orígenes y de la diferencia entre los sexos, las maneras de pensar la filiación y la transmisión y la formación de significantes de tipo analógico. El autor sugiere su importancia para el trabajo clínico, aunque el psicoanálisis sólo acceda de manera asintótica.

Palabras claves — Extraño. Pureza. Trabajo de la cultura. Figuras de la alteridad. Descentración. Superyo cultural.

Anne-Marie PONS. — *« Mujer, hijo enfermo y doce veces impura »*

Resumen — El texto parte del artículo de Freud, *El tabú de la virginidad,* para discutir el tema, apenas tratado en el congreso, de la impureza femenina. ¿ De dónde procede el hecho de que la mujer haya sido siempre percibida como sagrada e impura a la vez, y en consecuencia, doble tabú, doble peligro ?

¿ Cómo asociar el poco poder que ha tenido, y que tiene incluso a menudo hoy en día, con la increíble potencia maléfica del cual está dotada por la fantasía ? ¿ Acaso una cosa explique la otra ?

Palabras claves — Impureza femenina. Tabú. Omnipotencia materna.

Marie-Thérèse KHAIR BADAWI. — *Evolución del Superyo cultural : Mujer, Madre y Transmisión*

Resumen — Las cuestiones que plantea el autor giran en torno a la evolución del Superyo cultural y de la transmisión de ideales por la madre en tanto que madre : ¿ Qué diría en la actualidad Freud de la mujer y de su sexualidad en relación con la evolución del Superyo cultural en lo concerniente a la mujer ? ¿ Cómo experimenta la mujer en tanto que madre, la ruptura con el Superyo cultural y cómo se repercute en la transmisión al ser ella el agente principal ? ¿ Cómo se articula la dependencia del Superyo individual y del Superyo cultural ? Muchos interrogantes a los que el autor intenta responder.

Palabras claves — Superyo cultural. Superyo inidvidual. Mujer. Madre. Transmisión. Freud/Mujer.

Augustin JEANNEAU. — *Saint-Denys-Garnau : las soledades de lo absoluto*

Resumen — Se propone la obra del poeta Saint-Denys-Garneau (1912-1943) como contrapunto de los temas del Congreso 2000, y una interrogación sobre lo desconocido de las profundidades que, en los extremos del desamparo, inspira la creación poética y le confiere una viva intensidad.

Palabras claves — Absoluto. Poesía. Creación. — Saint-Denys-Garneau.

Alain GIBEAULT. — *Superyo cultural y grupos*

Resumen — La referencia al superyo cultural permite articular la relación Yo ideal / Superyo en la implicación de grupos en la adolescencia, en la transmisión del psicoanálisis y el desarrollo de nuevos grupos psicoanalíticos.

Palabras claves — Superyo cultural. El grupo en la adolescencia. Transmisión del psicoanálisis.

Jacques GAUTHIER. — *Psicosomática y pureza*

Resumen — El autor muestra de qué manera la psicosomática puede constituir un campo propicio para la « tentación purificadora » evocada por J. Mauger y L. Monette en su informe, sobre el recurso a la idealización para intentar excluir de la psiquis eso que acaso vuelva inevitable de otra manera la confrontación con la pérdida y con el duelo. Frente al cuerpo aquejado, el objeto será a veces cargado como perseguidor, a veces como salvador. También a veces, el sujeto recurre a lo que el autor llama « solución masoquista », mientras que la enfermedad a la que se espera curar reconociendo sus culpas se la asociará con negligencia o falta personal.

Se presentan también algunos movimientos transferenciales suscitados por el encuentro con un analizante aquejado corporalmente.

Palabras claves — Aquejado corporalmente. Duelo. Idealización. Masoquismo. Contratransferencia.

Denise BOUCHET-KERVELLA. — *Identidad femenina e ideal del yo : cuando una niña sólo es una « meona »*

Resumen — La autora se interroga sobre las consecuencias psíquicas de la transmisión, tanto en los ideales familiares como en la herencia freudiana, de la concepción de la diferencia de los sexos basada en la sobre estimación excesiva del pene confundido con el falo, más bien que sobre la reciprocidad de los deseos. Vemos en una paciente, cómo el fuerte rechazo de su sexo por parte de la madre traba la elaboración de la castración simbólica, y favorece el anclaje defensivo a un ideal narcisista asexuado de autosuficiencia fundado en la renegación de la falta, la renuncia pulsional y la represión de los afectos.

Poco a poco y gracias al apoyo identificatorio en un antepasado femenino bien intecionado, el sistema yo ideal / ideal del yo tiránico ha podido liberarse del dominio materno y autorizar, al mismo tiempo la vuelta del deseo genital y la integración de la identidad sexual femenina.

Palabras claves — Falo. Identificaciones. Femenidad. Castración simbólica. Renegación. Autosuficiencia.

Maurice NETTER. — *Ideal transmitido y pareja violenta*

Resumen — La repetición de relatos de escenas de violencia conyugal, hacia el final de un análisis, constituye una resistencia a la separación, desplazada a su pareja. No se trata de conflictos, sino de explosiones periódicas de tensión provocada por la brusca activación, relacionada con menudencias, del conjunto de paradojas que fijan, en estas personas, el ideal transmitido. El paso por lo colectivo parece a veces necesario para analizar el « encantamiento ».

Palabras claves — Ideal. Orden paradójica. Violencia. Pareja.

Michel GIGUÈRE. — *El odio* de la *transferencia*

Resumen — De la práctica analítica de Freud a la hoy en día, numerosas situaciones clínicas pueden ser reexaminadas a la luz de lo que Mauger y Monette (1999) han denominado « odio *de la* transferencia ». Por la posición singular que ocupa, el analista está directamente confrontado, incluso, con lo desconocido, con lo extraño de toda transferencia y con la amenaza que esta última logra introducir en su fantasía de identidad. El odio *de la* transferencia no olvida casi nunca de manifestarse a través de diversas reacciones del yo que tienden a nivelar las diferencias. El deseo de querer « liquidar » la transferencia puede ser una ilustración. Se propone una hipótesis que localiza otro odio en el centro del ya existente, odio del objeto extraño cuya vivencia es sentida como amenaza permanente para las pretensiones autonomista y homeostática del yo : odio *del* ello.

Palabras claves — Odio. Transferencia. Psicoanalista. Resistencia. Ello.

Jean-Michel QUINODOZ. — *¿ Qué salida para la melancolía maniaca ?*

Resumen — Según el autor, si existe en los psicoanalistas una polarización excesiva en la « tentación melancólica », dicha polarización implica mayormente a los procesos afectivos y no sólamente a los procesos de pensamiento tal como lo sugieren J. Mauger y L. Monette. Desde este enfoque la oposición « puro-impuro » puede considerarse como la resultante de la escisión del yo y de una escisión del objeto – parcialmente idealizada, parcialmente denigrada, escisiones que se inscriben en el marco de una concepción psicoanalítica de los afectos que aclara la estructura maniaco-depresiva. Tal perspectiva permite retomar los afectos en la transferencia como expresión de las vicisitudes del amor y del odio, para elaborarlos, como lo muestra un ejemplo clínico.

Palabras claves — Afectos. Amor. Odio. Depresión. Manía.

Daniel ROSÉ. — *Psicoanálisis y límites de la filosofía y de la religión en Francis Pasche*

Resumen — En relación con el superyo, el interés básico de los trabajos de F. Pasche es el de apoyarse en la distinción, no freudiana, entre yo ideal e ideal del yo a fin de mostrar de qué manera en la cura, el superyo se purifica para ir volviéndose impersonal, o sea, negando ; el registro del ideal y de la transcendencia retrocede pues para dar lugar a la libertad del Yo en lucha con la elaboración de la angustia pero sin que el registro desaparezca totalmente, lo que contribuye a imantar y vectorializar el espacio psíquico.

Palabras claves — Admiración primaria. Amor. Angustia. Antinarcisismo. Apofatismo. Creencia. Cultura. Cura. Ideal del yo. Idealización. Desconocido. Libertad. Yo ideal. Pasche F. Religión. Superyo. Transcendencia.

(Traduction de Danielle Goldstein.)

Riassunti

Jacques MAUGER, Lise MONETTE. — *« Pura cultura »*

Riassunto — In cosa la figura della peste fa parte della nostra mitologia di trasmissione della psicoanalisi ? Questa questione introduttiva ci permette d'aprire l'inventario della questione dell'ideale di purezza e dei suoi registri individuali e collettivi, cosi' come puo' porsi sia nella funzione psicoanalitica proriamente detta che nella sua trasmissione.

La funzione « psi » purificata non risponderebbe alla tensione idealizzante d'évitamento di certi passaggi obbligati del processo di lutto inerente all'esperienza psicoanalitica persona del futuro analista ? La vocazione in causa diventa allora la disposizione identificatoria che racchiude l'ideale malinconico per conservarlo per sempre, al riparo dell'odio inconscio di quanto inevitabilmente viene suscitato dal transfert.

Parole chiave — Ideale di purezza. Trasmissione. Funzione idealizzata. Illusioni. Prova di realtà.

Jean-Luc DONNET. — *« Non moriranno tutti... »*

Riassunto — L'autore cerca di render conto del suo malessere di lettore, facendo eco a quello degli autori dei rapporti, emanazione del Malessere nella Psicoanalisi.

E' d'accordo con loro nel riconoscere che la Psicoanalisi ha una particolare affinità con la malattia dell'ideale. Discute l'impatto del purismo nella situazione analitica.

Parole chiave — Situazione analitica. Idealizzazione feticcio. Diniego della realtà. Seconda regola fondamentale.

Paul LALLO. — *Malessere nella trasmissione... « Immacolata percezione »*

Riassunto — Gli psicoanalisti sarebbero malati di purezza e questo influenza sia la loro pratica che la formazione dei candidati. Ed è anche in nome della purezza che si svolgono certi dibatti nei congressi in cui succede che l'impurità prende la forma dell'impotenza.

Parole chiave — Purezza. Percezioni melanconiche. Immacolata Percezione. Formazione. Impotenza.

André LUSSIER. — *Riflessioni d'un puro impuro*

Riassunto — Rapporto pessimista che provoca una reazione deprimente, rendendo difficile di Valorizzarsi come analisti. L'accento è messo sull'abbaglio dell'analista rispetto alla sua Funzione, vittima com'è del suo controtransfert. La collusione tra « psi » salvaguarda il loro Narcisismo arcaico evitando l'analisi del desiderio d'essere analista.

Parole chiave — Abbaglio. Collusione. Controtransfert. Desiderio. Narcisismo.

Roger DUFRESNE. — *L'acqua viva della psicoanalisi : il piacere d'analizzare l'altro*

Riassunto — L'autore si poene delle domande riguardo ad alcune generalizzazioni contenute nel rapporto de J. Mauger e L. Monette sulla posizione malinconica dello psicoanalista. Perchè un'analisi sia viva, ritiene che l'analista sia astinenente rispetto alle sue aspirazioni ideali e che provi desiderio e piacere d'ascolatere l'analizzando con la sua alterità.

Parole chiave — Analisi viva. Astinenza analitica. Priorità all'analizzando. Piacere dell'analista.

Danielle QUINODOZ. — *La psicoanalisi è viva*

Riassunto — Per trasmettere una psicoanalisi che sia vivente, siamo capaci d'accettare l'eredità di Freud, utilizzandola creativamente per analizzare i pazienti d'oggi ? Questi spesso utilizzano meccanismi nevrotici ma anche il diniego, del'identificazione proiettiva o la scissione, avendo bisogno di un linguaggio che li tocca.

Parole chiave — Trasmissione della psicoanalisi. Identificazione proiettiva. Stati limite.

André GREEN. — *Trasmissione d'un malessere*

Riassunto — L'autore discute alcuni problemi sollevati nel rapporto : l'opposizione tra il terapeutico e l'analitico, come se quest'ultimo fosse privo di valore terapeutico. All'esame, il riferimento all'Io-piacere purificato è sopravvalutato, senza che ne siano studiate le basi ed il destino nell'opera freudiana. L'asse del rapporto : la purezza gli appare fondarsi su d'un amalgama fra la posizione riflessa dall'Io-piacere purificato e quella che è attinente all'espressione « pura cultura » (di pulsioni di morte, non nominate). Viene contesta la visione della melanconia esposta nei rapporti. L'occultazione nel rapporto degli autori inglesi indebolisce la teorizzazione della cosidetta ignoranza degli altri della « branca odiante del transfert », cosi' come il loro rifiuto di riflettere sull'insegnamento tratto dall'esperienza dei casi limite.

Parole chiave — Analitico. Terapeutico. Io-piacere purificato. Melanconia. Odio. Transfert.

Daniel WIDLÖCHER. — *Tra lo spazio ed il tempo per uscire dalla propria riserva*

Riassunto — In psicoanalisi è venuto il tempo d'affrontare la storia delle proprie pratiche istituzionali. Il rapporto di Lise Monette e Jacques Mauger viene discusso nei suoi riferimenti metapsicologici, in particolare riguardo ai rapporti tra introietto super-egoico e io-ideale. L'importanza che danno agli effetti della trasmissione legati ai vincoli sociali attuali deve essere riconosciuta, in particolare riguardo agli effetti negativi dell « endogamia » istituzionale e del ruolo dell'interpretazione.

Parole chiave — Io-ideale e trasmissione. Introietto super-egoico e trasmissione. Interpretazione. Endogamia istituzionale.

Gilbert DIATKINE. — *Il Super-io culturale*

Riassunto — Gli ideali si trasmettono da una generazione all'altra ed il super-io si costruisce con le identificazioni secondarie consecutive ai capi gruppo nei quali il soggetto vive. Il super-io, al contrario, puo' essere paralizzato da alcune condizioni gruppali. Dunque il super-io puo' dirsi « collettivo » o « culturale ». La nozione di « super-io culturale » viene menzionata solo in « Disagio della civiltà », ma traversa tutta l'opera antropologica di Freud, dalla « Morale sessuale civilizzata » fino al « Mosé ed il monoteismo ». Cio' rende ben conto del carattere collettivo del super-io, ma riposa su una ipotesi controversa, quella dell'assassinio del padre della orda primitiva che oggi non è più accettabile. In questo rapporto, l'autore si propone di spiegare la natura culturale del super-io basandosi sulle idee de Michel Fain e Denise Braunschweig : la madre proiettando sull'*infans* la propria angoscia di castrazione dovuta al reinvestimento erotico del partener sessuale, indica al figlio gli ideali che deve assumere affinchè possa consideralo come ideantificato all'ideale collettivo della sua famiglia e del suo gruppo. L'insieme di questi ideali costituiscono l'ideale dell'io del soggetto. Dispositivi narcisistici presenti in ciascuno con gradi differenti, permettono all'io di darsi l'illusione che è identico al suo ideale. Essi costituiscono l'io ideale che non è quindi una formazione più arcaica dell'ideale dell'io.

Parole chiave — Super-io. Ideale dell'io. Uccisione del padre dell'orda primitiva. Civilizzazione. Antisemitismo. Violenza. Narcisismo delle piccole differenze. Io ideale. Super-io culturale.

Dominique SCARFONE. — *Formazione d'ideale e Super-io culturale*

Riassunto — Un secolo dopo *Per introdurre il narcisismo,* lo ideale, Ideale dell'io e Super-io sono ancora concettualmente poco differenziati nel pensiero analitico. L'autore propone di consideralі nel loro movimento più che in maniera statica, dando la priorità a quello che Freud ha chiamato « formazione d'ideale ». L'autore critica altresi' lo statuto troppo personalizzato dato al Super-io culturale da Diatkine ed insiste per situarlo come eredità comune dei membri della stessa cultura ; il Super-io individuale viene ad intricarvisi secondo modalità individuali. Il Super-io, un resto tra altri dell'irruzione del processo di civilizzazione nella costituzione della psiche individuale tramite la madre nel ruolo di porta-parola (Aulagnier), è concepito allora come quello che nella psiche pensa *letteralmente*, costitudendo un'anclave irridittibile, rappresentante *attuale* – cioè al contempo *fuori-cronologia* ed *in atto* – delle esigenze del processo civilizzatore.

Parole chiave — Super-io culturale. Super-io. Formazione d'ideale. Processo di civilizzazione.

Paul DENIS. — *Ideale culturale e « simpatia »*

Riassunto — La nozione di Super-io culturale rimanda in effetti a fenomeni che appartengono più al registro degli ideali e degli oggetti culturali. Come tali appartengono alla spazio transizionale e non al cuore stesso della psiche. La costruzione dei legami sociali poggia più sui meccanismi della « simpatia », come li ha descritti Adam Smith, che sul funzionamento d'un Super-io collettivo.

Parole chiave — Cultura. Immago. Istanze. Legame sociale. Moarle. Adam Smith. Super-io. Simpatia.

Lucio SARNO. — *Considerazioni sull'ideale trasmesso e sul super-io culturale*

Riassunto — L'autore partendo dal rapporto presentato da G. Diatkine, si pronone di sviluppare alcune riflessioni sul Super-io culturale e le sue possibili estenzioni (da Freud alla psicoanalisi contemporanea). Dopo aver riesaminato il Super-io culturale rispetto alle nozioni freudiane di io ideale ed ideale dell'io, la nozione è utilizzata per riconsiderare i legami tra psicologia individuale e psicologia sociale. Riferendosi agli scritti di Freud, particolarmente alla sua concezione del narcisismo delle piccole differenze, vengono introdotte le teorizzazioni di Bion sul narcis-ismo, al social-ismo ed al senso cumune. Questi concetti sono utilizzati per una revisione della teoria delle pulsioni, della teoria della relazioni individuo-gruppo e per una attualizzazione del concetto di super-io culturale utile per la teoria e per la clinica dei casi gravi.

Parole chiave — Super-io culturale. Ideale dell'io. Io ideale. Narcis-ismo. Social-ismo. Senso comune.

Martine LUSSIER. — *Lutto e super-io culturale*

Riassunto — Quest'articolo propone un abbozzo dell'evoluzione storica delle pratiche del lutto, mostra la progressiva interiorizzazione del lavoro del lutto e gli effetti psichici dell'attuale desocializzazione del lutto nelle società occidentali.

Parole chiave — Psicogenesi. Lavoro di lutto. Super-io.

Marilia AISENSTEIN. — *Tra il super-io culturale ed « un puro istinto di morte »*

Riassunto — La dissoluzione del super-io nel collettivo resta enigmatica. Non bisognerebbe pensarci in relazione all'estrema complessità del pensiero di Freud sulla Conoscenza e l'Etica ?

Parole chiave — Super-io. Pulsione di morte. Melanconia. Etica.

Denys Ribas. — *L'ideale disintrigato*

Riassunto — L'articolazione dei due concetti puo' essere fatta considerando il rischio mortifero della disintrigrazione pulsionale nell'idealizzazione patologica a cui l'io ideale viene legato.

Parole chiave — Io-ideale. Ideale dell'io. Narcisismo. Adesività. Disintrigazione pulsionale.

Jean-Claude Arfouilloux. — *Il divano melanconico*

Riassunto — L'uso un po' « romantico » del termine melanconia, facilitato dalla sua polisemia e dalle sue fonti filosofiche, tende a spandersi in un certo numero di lavori e di pubblicazioni francofone. L'autore in un breve commento al rapporto del Congresso, ricorda che la melanconia nell'elaborazione proposta da Freud, è in primo luogo considerata come una sofferenza mortale della psiche e non come una figura poetica. I suoi stretti rapporti col lutto sono ben noti, rinviando al tema della separazione.

Parole chiave — Affetto. Lutto. Melanconia. Separazione. Teorie degli umori.

Wilfrid Reid. — *Uno specchio un po' appannato*

Riassunto — « Pura cultura... » descrive una problematica melanconica dell'analizzando che vuole diventare analista. Seconto i rapportanti, questa problematica sarebbe fonte di un certo malessere nella trasmissione della psicoanalisi. L'autore introduce un'ipotesi a due ante : una che tenta di rendere conto del malessere apparso nella trasmissione di questo rapporto sulla trasmissione e che cerca nello stesso tempo di sottolineare la grandre pertinenza di questa problematica melanconica nell'evoluzione della psicoanalisi.

Parole chiave — Problematica melanconica. Lutto. Oggetto idealizzato. Idealizzazione della funzione analitica. Trasmissione della psicoanalisi.

Annette Fréjaville. — *Tentazioni dello psicoanalista*

Riassunto — Sin dai colloqui preliminari, nella nostra pratica siamo tentati d'investire narcisiscamente i nostri pazienti e di rispondere in funzione dei legami, narcisistici, che ci uniscono al gruppo d'analisti a cui apparteniamo. Tali sono le messe in guardia consecutive ai due rapporti. Cosi' come i genitori pensano di fare tutto « per il bene dei loro bambini », a volte non abbiamo la tentazione di difendere le nostre posizioni analitiche « per il bene dei nostri pazienti » ? Il reperimento delle influenze culturali nei nostri ideali e le nostre convizioni etiche, riguarda il contro-transfert.

Parole chiave — Investimento narcisistico. Parentela. Colloqui preliminari. Contro-transfert.

Pierre DRAPEAU. — *L'infantile e gli ideali*

Riassunto — Gli ideali hanno la loro fonte nell'infantile di questo territorio dell'inconscio che deriva dall'incontro del pulsionale e della storia singolare del soggetto. Il desiderio d'interpretare deriverebbe dalla curiosità sessuale, dall'angoscia e dal desiderio di padroneggiare che hanno portato il piccolo Hans ad elaborare le sue teorie sessuali infantili. La storia di Leonardo da Vinci illustra il ruolo della sublimazione nella formazione dell'ideale d'interprete. Le origini del desiderio di curare si ritrovano nel « neonanto sapiente » e nel bambino klieiniano della posizione depressiva. L'identificazione empatica e la riparazione simbolica sarebbero fonti dell'ideale terapeutico. Al di là del narcisismo, l'ideale di purezza protrebbe radicarsi nelle tappe più evolute dello sviluppo, in particolare nel mondo dell'analità. Ma dall'incontro dell'infantile dell'analista e quello dell'analizzando di fronte al dolore della perdita, possono nascere strane alleanze che insidiosamente vengono ad infiltrare gli ideali più nobili.

Parole chiave — Infantile. Soggetto autoteorizzante. Riparazione. Sublimazzione. Idealizzazione.

Lewis KIRSHNER. — *La psicoanalisi al margine*

Riassunto — I testi di de Mauger/Monette e di Diatkine pongono il problema dell'identità dello psicoanalista nella situazione della post-modernità, che implica una perdita dei limiti fissi e l'impossibilità di stabire categorie pure. L'io, il nostro e dei nostri pazienti, si rivela forse più spezzettato di quanto si pensasse. In questo senso, la problematica dei casi limite va al di là del DMS-IV o della clinica. L'ibridazione della psicoanalisi americana presenta un altro sintomo di questa perdita d'identità. Al posto di un ideale dell'io « ben equilibrato », la psicoanalisi deve conciliarsi con la vulnerabilità di una identità impura, « al margine ».

Parole chiave — Identità. Post-modernità. Ibrido. Io. « Anti-ideale ».

Janine CHASSEGUET-SMIRGEL. — *Via corta, via lunga*

Riassunto — L'autore argomenta il lavoro di Gilbert Diatkine. Per Freud l'identificazione col padre è solo un precursore delle identificazioni secondarie che culminano nell'Edipo. Non si puo' comprendere il testo del 1923 in cui Freud introduce il Super-io (e la seconda topica) che considerando che a partire da questa data il concetto di narcisismo è quasi evacuato dalla teoria. Cosi' l'Ideale dell'Io ed il Super-io diventano sinonimi e l'Ideale, identificato con l'istanza morale, per cosi' dire perde la sua origine narcisistica primaria per essere solo l'erede del complesso d'Edipo. Ha preso piede une vera *oggettualizzazione* della teoria. Ricorda che lo studio dei sogni l'hanno piuttosto portata a distinguere *la via corta e la via lunga*. Esse corrispondono ad organizzazioni psichiche differenti. Nella via corta si tratta di sfuggire a sentimenti dolorosi d'insufficenza, risultanti della *Hilflosigkeit* primaria e dell'inadeguazionedel bambino all'adulto.

Parole chiave — Via corta. Via lunga. Oggettalizzazione. Narcisismo. Perversione. Temporalità.

Claudette LAFOND. — *Il matricidio o l'inderdizione dell'alterità*

Riassunto — L'autore avanza l'ipotesi che il testo « Pura cultura » lascia intendere un matricidio rimosso. Matricidio che potrebbe essere alla base di un processo civilizzatore e delle sue istituzioni il cui contenuto manifesto sarebbe l'ossessione della purezza accordata all'interdizione dell'alterità.

Parole chiave — Matricidio. Alterità. Impuro. Relazione d'oggetto.

Bernard CHERVET. — *Cultura, ideale, erotismo*

Riassunto — La nozione di cultura presente nei due rapporti, è affrontata in questo articolo nel senso di un lavoro psichico operante nella vita mentale e nella civilizzazione. Puo' essere vista una cultura dell'erotismo, come è stato fatto da alcune civiltà. Ma a differenza della cultura della simbolizzazione, essa non puo' rifarsi ad un ideale. L'ideale dell'io in effetti è inerente alla via progrediente. Rappresenta la tendenza estesiva dell'Eros che tramite il lavoro psichico, s'oppone alla tendenza estintiva della pulsione di morte. Allora l'impurità è associata al lavoro psichico, la purezza alla sua estinzione ma anche al suo compimento. Uno scopo regressivo puo' allora assumere i valori dell'ideale, cercando di fargli raggiungere la purezza. Le basi organiche dell'ideale dell'io, il suo ruolo riguardo ai fini delle attività psichice, vengono esaminati cosi' come la reazione anti-traomatica che tramite potenzializzazione, parviene alla costituzione di conglomerati, di masse.

Parole chiave — Cultura. Simbolizzazione. Erotismo. Ideale dell'io. Poltenzializzazione. Conglomerato.

Henri VERMOREL. — *Transizionalità del super-io e dell'ideale dell'io*

Riassunto — Il super-io e l'ideale dell'io che formano il legame tra il soggetto e la cultura collettiva, sono delle formazioni transizionali, implicando il carattere paradossale del soggetto che include una parte di non-Io. Cio' gatta qualche lume sulla sottomissione di molti individui agli ideali violenti guerrieri o totalitari. Seguono alcune riflessioni sul narcisismo delle piccole differenze e sull'eredità spinoziana della psicoanalisi.

Parole chiave — Spazio transitionale. Cultura. Super-io. Violenza. Narcissismo delle piccole differenze.

Michel SANCHEZ-CARDENAS. — *Il super-io gruppale nelle situazioni d'esclusione*

Riassunto — Almeno in parte, l'identità d'un gruppo risulta da costrizioni esterne che subisce da parte d'altri gruppi. Alcune caratteristiche psicologiche del gruppo dei primi psicoanalisti riuniti intorno a Freud, possono essere comprese in questo modo. Una certa coscienza di una missione da compiere e di un'etica da far valere, puo' essere intesa come la costituzione di un super-io gruppale protettore rispetto al virulento antisemitismo dell'epoca.

Parole chiave — Freud. Antisemitismo. Razzismo. Super-io. Ideale. Psicoanalisi gruppale.

Jean COURNUT. — *La madre messaggera*

Riassunto — La madre oltreché trasmettere il messaggio di castrazione, è incaricata di dire al bambino la sua filiazione paterna, che la obbliga a rimuovere il discorso sulla propria filiazione. La situazione è dunque conflittuale fin dall'inizio, per il fatto stesso dell'alleanza.

Parole chiave — Messaggio della castrazione. Allenaza. Filiazione. Conflitto.

Roger PERRON. — *L'inferno della purezza*

Riassunto — L'ideale della purezza porta direttamente alle fiamme dell'inferno. Cio' che implica il rapporto di Jacques Mauger e Lise Monette, non è senza evocare la triste storia dei Cattari.

Parole chiave — Ideale. Idealizzazione. Istituzioni psicoanalitiche. Purezza. Cattari.

Pérel WILGOWICZ. — *Togliere la vita, togliere la morte*

Riassunto — I termini di civiltà e di cultura sono da riesaminante alla luce degli avvenimenti storici del XX sec. Dei ricercatori che hanno lavorato sulla Grande Guerra 1914-1918, arrivano a definire la nozione di « cultura di guerra ». Per cercare di riflettere sul genocidio organizzato dai nazisti durante la Shoah, sulle « purificazioni etniche », sui massacri di massa e sui « crimini contro l'umanità » che non hanno finito d'essere perpetrati fino ai giorni nostri, la nozione di « cultura dello steminio » sembra essere feconda. Che cosa diventa il « Super-io culturale » quando i diritti dell'uomo e la democrazia non esistono più, quando la cultura stessa si perverte, quando predomina una doppia regressione – individuale e collettiva – e si scatena un « vampirismo di massa » ?

Parole chiave — Cultura di guerra. Genocidio. Cultura dello sterminio. Vampirismo di massa. A-soggettivazione. Desogettivazione.

Ruth MENAHEM. — *La donna, perturbatore dell'ordine sociale*

Riassunto — Il super-io delle donne, il loro io ideale ed il loro ideale dell'io sono diversi da quelli degli uomini ? E' la ragione per cui vengono dichiarate impure dai rituali religiosi e scanzate dalla vita pubblica ? Le situazioni evocate costatano questi fatti senza dare delle risposte.

Parole chiave — Differenza dei sessi. Purazza. Politica. Paura delle donne.

Martin GAUTHIER. — *Teorizzazione analitica e super-io culturale*

Riassunto — L'individuo è irremediabilmente in conflitto col gruppo. La cultura gruppale pesa sulla pratica e le teorizzazioni dell'analista. Esse partecipano al lavoro di autorappresentazione e di costituzione delle origini del gruppo e si rivelano necessariamente come sintomatiche ; più o meno eroiche o sottomesse alla cultura del gruppo secondo la capacità dell'autore ad elaborare il proprio transfert sul gruppo.

Parole chiave — Teorizzazioni. Gruppo. Super-io culturale. Società psicoanalitica.

Nicole MINAZIO. — *Pensare oggi il super-io culturale*

Riassunto — L'autore interroga il super-io come concetto limite al crocicchio dell'intra et dell'interpsichico. Fondamentale è il ruolo dei diversi processi d'identificazione secondo le tappe successive della costituzione dell'apparato psichico. Alcune situazioni cliniche rivelano la particolare importanza dell'oggetto primario materno in quanto oggetto trasformazionale e porta-parola d'un altro e di più d'un altro, come fondamento della vita psichica e della trasmissione degli ideali.

Parole chiave — Spazio intrapsichico. Ambiente soggettivante. Trasformazioni psichiche. Identificazione primaria.

Marie-Lise ROUX. — *La « compassione » del SS*

Riassunto — Partendo da due esempi estremi di « trasgressione » del Super-io collettivo, ne viene messo in evidenza un doppio aspetto : prescrizioni trasmissibili, senza modificazioni o trasmissioni di una capacità di modificare tramite dubbi ed interrogativi sulle differenze e sulle similitudini.

Parole chiave — Super-io collettivo. Prescrizioni. Modificazioni. Interrogativi.

Ellen CORIN. — *L'altro della cultura o la cultura in abisso*

Riassunto — Le nozioni di purezza e di straniero che fanno giocare il rapporto di J. Mauger e di L. Monette, fanno risortire sia il carattere profondamente perturbante della psicoanalisi in quanto pratica, sia come modo di pensiero e la gamma delle modalità di ricoprimento rispetto a queste perturbazioni. Più che la nozione di super-io culturale, permettono d'approcciare senza ridurlo al « proprio » lavoro dell'Altro culturale nella psiche individuale e nella clinica psicoanalitica. Questo lavoro è mediato dalla struttura della lingua, le messe in forma dell'enigma delle origini e della differenza fra i sessi, i modi di pensare le filiazioni e la trasmissione e la formation di significanti di tipo analogico. L'autore ne suggerisce l'importanza per il lavoro clinico, anche se la psicoanalisi vi accede in maniera asintotica.

Parole chiave — Straniero. Purezza. Lavoro della cultura. Figure dell'alterità. Decentramento. Super-io culturale.

Anne-Marie Pons. — *« Donna, bambina malata e dodici volte impura »*

Riassunto — Per riprendere il tema appena accennato durante il congresso sull'impurità femminile, questo testo riparte dall'articolo di Freud, *Il tabù della verginità.* Da dove viene il fatto che in ogni epoca la donna è stata percepita sia come sacra ed impura e quindi doppiamente tabù, doppiamente pericolosa ? Come associare il poco potere che ella ha avuto e che ha spesso ancora nella realtà, con l'incredibile potenza malefica di cui è dotata nel fantasma ? Questo spiega quello ?

Parole chiave — Impurità della donna. Tabù. Onnipotenza materna.

Marie-Thérèse Khair-Badawi. — *L'evoluzione del super-io culturale : donna, madre e trasmissione*

Riassunto — Le questioni poste dall'autore girano intorno all'evoluzione del Super-io culturale e della trasmissione degli ideali da parte della donna come madre. Che direbbe oggi Freud della donna e della sua sessualità rispetto all'evoluzione del Super-io culturale al loro riguardo ? Come vive la donna in quanto madre, la rottura col Super-io collettivo e cosa diventa la trasmissione di cui ella è il principale agente ? Come si articola la dipendenza tra il Super-io individuale e quello culturale ? Tante questioni a cui l'autore tenta di dare una risposta.

Parole chiave — Super-io culturale. Super-io individuale. Donna. Madre. Trasmissione. Freud/Donna.

Augustin Jeanneau. — *Saint-Denys-Garneau : le solitudini dell'assoluto*

Riassunto — L'opera del poeta Saint-Denys-Garneau (1912-1943), nel testo è proposta come una voce in contrappunto ai temi del Congresso 2000 e un'interrogazione sullo sconosciuto delle profondità che all'estremo della disperazione, inspira la creazione poetica e gli conferisce una viva intensità.

Parole chiave — Assoluto. Poesia. Creazione. Saint-Denys-Garneau.

Alain Gibeault. — *Super-io culturale e gruppi*

Riassunto — Il riferimento al Super-io culturale permette d'articolare il rapporto lo ideale/Super-io nell'investimento dei gruppi all'adolescenza nella trasmissione della psicoanalisi e lo sviluppo di nuovi gruppi psicoanalitici.

Parole chiave — Super-io culturale. Il gruppo all'adolescenza. Trasmissione della psicoanalisi.

Jacques Gauthier. — *Psicosomatica e purezza*

Riassunto — L'autore mostra come la psicosomatica puo' costituire un terreno propizio alla « tentazione purificatrice » evocata nel rapporto da J. Mauger e L. Monette, ed al ricorso all'idealizzazione per cercare d'escludere dalla psiche quello che altrimenti renderebbe inevitabile il confronto con la perdita ed il lutto. Di fronte ad un attacco somatico, l'oggetto a volte sarebbe investito come persecutore, atre volte come salvatore. A volte il soggetto ricorrerà anche a quello che l'autore chiama una « soluzione masochista », mentre che la malattia somatica da cui si spera guarire sarebbe attribuita ad una negligenza o ad una colpa personale. Anche certi movimenti controtransferenziali suscitati da un analizzando colpito nel corpo, vengono analizzati.

Paole chiave — Attacco somatico. Lutto. Idealizzazione. Masochismo. Controtransfert.

Denise BOUCHET-KERVELLA. — *Identità femminile ed ideale dell'io : quanto la bambinetta è solo una « pisciasotto »*

Riassunto — L'autore s'interroga sulle conseguenze psichiche nella trasmissione sia negli ideali famigliari che nell'eredità freudiana, d'una concezione della differenza dei sessi basata sull'eccessiva sopraestimazione del pene confuso col fallo, piuttosto che sulla reciprocità dei desideri. Viene osservato come in una paziente, il massiccio rigetto del proprio sesso da parte della madre abbia ostacolato l'elaborazione della catrazione simbolica favorendo un ancoraggio difesivo ad un ideale narcisistico asessuato di autosufficenza basato sul diniego della mancanza, sulla rinuncia pulsionale e sulla repressione degli affetti. Poco a poco, grazie all'appoggio identificativo ad un'antenata benevola, questo sistema tirannico io ideale / ideale dell'io ha potuto liberarsi dalla possesione materna ed autorizzare oltre all'avvento del desiderio genitale, l'integrazione dell'identità femminile sessuata.

Parole chiave — Fallo. Identificazioni. Femminilità. Castrazione simbolica. Diniego. Autosufficenza.

Maurice NETTER. — *Ideale trasmesso e coppia violenta*

Riassunto — Verso la fine d'una analisi, la ripetizione del racconto di scene di violenza coniugale costituisce una resistenza alla separazione trasposta sul partener. Non si tratta di conflitti, ma di periodiche esplosioni della violenza provocata dalla brusca attivazione, rispetto a piccole cose, d'un insieme di paradossi che in queste persone, fissano l'ideale trasmesso. Un passaggio per il « collettivo » a volte sembra necessario per analizzare questo « incanto ».

Parole chiave — Ideale. Ingiunzione paradossale. Violenza. Coppia.

Michel GIGUÈRE. — *L'odio* del *transfert*

Riassunto — Dalla pratica analitica di Freud a quella odierna, molte situazioni cliniche possono essere riesaminate alla luce di quello che Mauger e Monette (1999) hanno chiamato « odio *del* transfert ». Nella singolare posizione occupata dall'analista, questi è direttamente confrontato, vedi sottomesso, all'ignoto, all'estraneità del *tutto* transfert ed alla minaccia che esso fa pesare sul proprio fantasma d'identità. Un odio del transfert manca cosi' raramente di manifestarsi tramite diverse reazioni egoiche miranti al livellamento di ogni differenza. Il desiderio di « liquidare » il transfert ne puo' essere un'illustrazione. Viene avanzata un'ipotesi che nel cuore di tale odio ce ne sia un altro : quello dell'oggetto estraneo per eccellenza vissuto come minaccia permamente con pretese autonomiste ed omeostatiche dell'io : l'odio *dell'*es.

Parole chiave — Odio. Transfert. Psicoanalisi. Reisistenza. Es.

Jean-Michel QUINODOZ. — *Melanconia maniacale : quale sbocco ?*

Riassunto — Secondo l'autore se esiste una polarizzazione eccessiva nella « tentazione melanconica » degli analisti, questa risulta di più di processi *affettivi*, e non solo di quelli di *pensiero* come è suggerito da J. Mauger e L. Monette. In quest'ottica, l'opposizione « puro-impuro » puo' essere considerata come risultante d'una scissione dell'io e dell'oggetto – in parte idealizzato, i parte denigrato ; scissioni che s'iscrivono nel quadro della concezione psicoanalitica degli affetti che chiariscono la struttura maniaco-depressiva. Una tale prospettiva permette di riprendere gli affetti nel transfert in quanto espressione delle vicissitudini dell'amore e dell'odio, per elaborarle, come viene dimostrato con un esempio clinico.

Parole chiave — Affetti. Amore. Odio. Depressione. Mania.

Daniel ROSÉ. — *Psicoanalisi e limiti della filosofia e della religione in Francis Pasche*

Riassunto — L'interesse centrale dei lavori di F. Pasche sul super-io è quello di basarsi sulla distinzione, non freudiana, tra io ideale ed ideale dell'io per mostrare come nella cura, il super-io progressivamente si purifichi per diventare poco a poco impersonale, cioè negativizzando : il registro dell'ideale e della trascendenza indietreggia per far posto alla libertà dell'Io alle prese con l'elaborazione dell'angoscia, ma senza che questo registro sparisca totalmente, contribuendo cosi' a calamitare e vottorizzare lo spazio psichico.

Parole chiave — Ammirazione primaria. Amore. Angoscia. Antinarcisismo. Apofatismo. Credenza. Cultura. Cura. Ideale dell'io. Idealizzazione. Sconosciuto. Libertà. Io ideale. F. Pasche. Folosofia. Religione. Super-io. Trascendenza.

(Traduction de S. M. Passone.)

Le Directeur de la Publication : Paul Denis.

Table des matières du tome LXIV

Imprimé en France, à Vendôme
Imprimerie des Presses Universitaires de France
ISBN 2 13 050780 8 — ISSN n° 0035-2942 — Impr. n° 47 816
CPPAP n° 54 219
Dépôt légal : Décembre 2000

Imprimé en France, à Vendôme
Imprimerie des Presses Universitaires de France
ISBN 2 13 050780 8 [illegible]
[illegible]
Dépôt légal — Décembre [illegible]